Het boek Dina

Herbjørg Wassmo

Het boek Dina

ROMAN

Uit het Noors vertaald door Paula Stevens

UITGEVERIJ DE GEUS

Voor deze uitgave heeft NORLA een vertaalsubsidie verstrekt.

Oorspronkelijke titel *Dinas bok*, verschenen bij Gyldendal Norsk
Forlag, Oslo 1989
© oorspronkclijke tekst Gyldendal Norsk Forlag A/S, 1989
© Nederlandse vertaling Paula Stevens en Uitgeverij De Geus,
Breda 1995
Paula Stevens is verbonden aan de Stichting Scandinavisch
Vertaal- en Informatiebureau Nederland
Omslagontwerp Robert Nix
Omslagillustratie Edvard Munch, *As*, olie op linnen, 1894
© Foto auteur Basso Cannarsa

ISBN 90 5226 265 9
NUGI 301

Verspreiding in België uitgeverij EPO, Lange Pastoorstraat 25-27,
2600 Berchem.

Voor Bjørn

Proloog

Proloog

Vele mensen roemen hun eigen welwillendheid, maar een betrouwbaar man – wie kan hem vinden? Een rechtvaardige, wandelend in zijn oprechtheid – welzalig zijn zijn kinderen na hem. Wie kan zeggen: 'Ik heb mijn hart rein bewaard, ik ben rein van zonde?'

(Spreuken 20:6-7 en 9)

Ik ben Dina die ziet hoe de slede met de gedaante over de steile helling naar beneden rolt.

Eerst denk ik dat ik daar vastgebonden lig. Want ik voel een pijn die erger is dan alle pijn die ik ooit eerder gevoeld heb.

Door een glasheldere werkelijkheid, maar buiten tijd en ruimte, heb ik contact met het gezicht op de slede, dat een paar seconden later wordt verbrijzeld tegen een beijsde steen.

Het dier is echt uit de dissel ontsnapt en niet naar beneden meegesleurd. Dat het zo gemakkelijk was!

Het moet laat in de herfst zijn. Laat voor wat?

Ik mis een paard.

Er stond een vrouw bovenaan een steile helling, in koud ochtendlicht. Er was geen zon. De bergen stonden waakzaam en somber om haar heen. De helling was zo steil dat het landschap daar beneden aan haar blik onttrokken werd.

Aan de overkant van een brede zeearm verrees een nog steilere bergwand, als een stomme getuige.

Ze volgde iedere beweging van de slede. Tot die op het uiterste randje bleef liggen, tegen een grote berkeboom.

De slee wiebelde zachtjes boven de diepe afgrond. Daar beneden was een vrijwel loodrechte, gladde rotswand. In de diepte bulderde een waterval.

De vrouw keek naar het verwoestende spoor dat de slee getrokken had. Stenen, sneeuwhopen, heidestruiken, geknakte boompjes. Alsof er een reusachtige schaaf naar beneden was geraasd en alles wat omhoog stak had meegenomen.

Ze was gekleed in een leren broek en een lange, getailleerde jas. Afgezien van haar haar, leek ze op afstand op een man. Ze was erg lang voor een vrouw.

Haar rechtermouw was aan flarden gescheurd. Flarden vol bloed. Van een wond.

In haar linkerhand hield ze een mes met een kort lemmet, het soort mes dat Lapse vrouwen in hun riem dragen.

De vrouw wendde haar gezicht naar het geluid. Paardegehinnik. Het was alsof ze daardoor wakker werd. Ze stak het mes in haar jaszak.

Na een korte aarzeling stapte ze doelbewust over de grijze stenen die de kant van de weg markeerden. Liep naar de slede. Die wiebelde nu minder heftig. Alsof hij besloten had om het menselijk wezen met het verbrijzelde gezicht te sparen.

Ze klauterde snel de helling af. In haar haast trok ze losse stenen mee. Die vormden een kleine lawine, die langs de slede de afgrond in raasde. Ze staarde voor zich uit. Alsof ze contact met de stenen had en hen volgde, zelfs toen ze aan haar blik onttrokken waren. Alsof ze ze helemaal kon volgen totdat ze een duik namen in de brullende waterval.

Ze bleef even staan toen nog meer stenen langs de slede met het levenloze lichaam schoten. Heel even maar. Toen klauterde ze naar beneden totdat ze haar hand kon leggen op het schapevel waarin de man gewikkeld was, en het opzij kon slaan.

Iets wat ooit een knap mannengezicht moest zijn geweest, werd zichtbaar. Het ene oog was naar binnen gedrukt. Een gestage stroom vers bloed vloeide uit de wonden in zijn gezicht. De paar seconden dat ze daar stond, werd het hoofd van de man rood. Het witte schapevel zoog alles op.

Ze hief een lange, smalle hand met fraai gevormde roze nagels op. Duwde de oogleden van de man omhoog. Eerst het ene, toen het andere. Legde haar hand op zijn borst. Klopte zijn hart nog? Ze zocht, maar kon het niet vinden.

Het gezicht van de vrouw was als een besneeuwde akker. Onbewogen. Alleen haar ogen schoten heen en weer onder de halfgeloken oogleden. Ze veegde het bloed dat ze aan haar handen had gekregen, af aan de borst van de man. Bedekte zijn gezicht met een punt van het schapevel.

Ze kroop naar de bovenkant van de slede, tot ze bij de

lamoenstok kwam. Ze haalde gejaagd de restjes touw uit de gaten. Bond alle stukjes zorgvuldig bijelkaar en stak ze in haar jaszak, bij het mes. Haalde twee versleten leren riemen tevoorschijn en frommelde die op de plaats waar de touwen hadden gezeten.

Eén keer richtte ze zich op. Luisterde. Het paard hinnikte, daar boven op de weg. Ze aarzelde, alsof ze twijfelde of ze nu klaar was. Toen kroop ze langs dezelfde weg terug, langs de slede. Nog steeds met de verminkte man tussen haar en de afgrond in.

De stevige berkeboom kraakte van de vorst en het gewicht, toen hij haar lichaam ook moest dragen. Ze vond een houvast voor haar voeten tussen de beijsde stenen, en legde haar volle gewicht achter de slede. Berekende de druk, alsof ze dit al veel vaker had gedaan.

Op het moment dat de slede los schoot, gleed het schapevel van het gezicht van de man. Hij opende het oog dat niet kapot was en keek de vrouw recht aan. Stom. Een hulpeloze, ongelovige blik.

Dat gaf haar een schok. Er gleed een soort onbeholpen tederheid over haar gezicht.

Toen was er alleen nog lucht en beweging. Het ging snel. De geluiden schreeuwden tegen de bergen, nog lang nadat het allemaal voorbij was.

Het gezicht van de vrouw was leeg. Het landschap was weer zichzelf. Alles was goed.

Ik ben Dina die de zuigkracht voelt als de man het schuimbekkende kolkgat bereikt. Dan overschrijdt hij alle grenzen. Ik maak het laatste ogenblik, het moment dat mij een flard had kunnen laten zien van datgene waar iedereen bang voor is, niet mee. Het moment waarop de tijd ophoudt te bestaan.

Wie ben ik? Waar zijn tijd, plaats en ruimte? Ben ik hier voor altijd toe veroordeeld?

Ze strekte haar rug en klom resoluut de helling omhoog. Het leek moeilijker om naar boven te komen dan naar beneden. Tweehonderd meter beijsd landschap.

Toen ze op het punt kwam waar ze de woeste herfstrivier kon overzien, draaide ze zich om en keek. De rivier maakte een bocht voordat hij zich naar beneden stortte. Eén schuimbekkende watermassa. Verder niets.

Ze klom verder. Gehaast. Hapte naar adem. Het was duidelijk dat ze last had van haar gewonde arm. Een paar keer dreigde ze haar evenwicht te verliezen en de slee achterna te gaan.

Haar handen grepen naar heide, takken, stenen. Ze zorgde ervoor altijd met één hand houvast te hebben, voordat ze de andere naar boven verplaatste. Sterke, snelle bewegingen.

Ze keek op toen ze over de stenen klauterde die de kant van de weg markeerden. Ontmoette de grote, glanzende ogen van het paard. Hij hinnikte niet meer. Keek haar alleen aan.

Ze bleven naar elkaar staan kijken, hijgend. Het paard liet plotseling zijn tanden zien en hapte geïrriteerd in een paar graspollen langs de kant van de weg. Zij vertrok haar gezicht toen ze haar beide armen moest gebruiken om de laatste stap naar de weg te maken.

Het dier boog zijn enorme hoofd naar haar toe. De disselbomen staken opzij. Een leeg ornament.

Ze greep de manen van het paard. Hard, bijna ruw, trok ze zich op aan het tegenstribbelende paardehoofd.

De vrouw was achttien jaar. Had ogen zo oud als de rotsen.

Het schrapen van de disselbomen over de grond leek uit een andere werkelijkheid te komen.

Het paard vertrapte bevroren grashalmen weer tot aarde.

Ze deed haar jas uit en rolde de mouwen van haar vestje en blouse op. De wond leek op een messteek. Had ze die opgelopen in een gevecht met de man op de slede?

Plotseling boog ze zich voorover en groef met haar blote handen in het gruis op de weg. Groef zand en ijs, stro en rommel op. Wreef dat alles met enorme felheid in de wond. Haar gezicht vertrok tot een grimas van pijn. Haar mond ging open en liet diepe keelgeluiden ontsnappen.

Ze herhaalde de bewegingen. Herhaalde ook de keelgeluiden met geregelde tussenpozen. Als een ritueel. Haar hand groef. Vond gruis en zand. Raapte dat op. Wreef het in de wond. Keer op keer. Toen rukte ze haar vest en blouse uit en veegde ermee over de weg. Trok en rukte aan de mouwen. Wreef, en wreef.

Haar handen zaten vol bloed. Ze veegde ze niet af. Stond in een dun kanten lijfje onder de herfsthemel. Maar ze leek de vorst niet te voelen. Ze kleedde zich rustig aan. Bestudeerde de wond door het gat in haar kleren. Legde de gescheurde repen van de mouw recht. Haar gezicht vertrok van pijn toen ze haar arm strekte en probeerde of ze hem kon gebruiken.

Haar hoed lag langs de kant van de weg. Bruin, met een smalle rand en groene veren. Ze wierp er even een snelle blik op en liep toen in noordelijke richting over de besneeuwde weg. In een laag, zilverachtig licht.

Het paard sjokte achter haar aan, de disselbomen achter zich aan slepend. Hij haalde haar al snel in. Boog zijn muil naar haar schouder en hapte in haar haar.

Toen bleef ze staan, vlak naast hem. Dwong hem, met één handgreep, op zijn voorbenen te knielen alsof hij een kameel was. Ze ging op de brede, zwarte paarderug zitten.

Het geluid van paardehoeven. Het schreien van de dissel op het gruis. De vertrouwde ademhaling van het paard. De wind. Die niets wist. Niets zag.

Het was rond het middaguur. Het paard en de vrouw waren de steile bergweg afgedaald en aangekomen bij een grote hoeve met een brede oprijlaan van grote, wuivende lijsterbesbomen, die van het witte hoofdgebouw naar de rode pakhuizen aan het water liep. Twee aan weerszijden van een stenen aanlegsteiger.

De bomen waren al kaal, met bloedrode bessen. De velden waren geel, met hier en daar ijs en opgewaaide sneeuwhopen. Opeens scheurde de hemel. Maar er was nog steeds geen zon.

De jongen die Tomas heette, kwam uit de stal op het moment dat het paard en de vrouw het erf op kwamen. Hij bleef als aan de grond genageld staan toen hij de lege dissel en de vrouw met de wilde haardos en de bebloede kleren zag.

Ze liet zich langzaam van het paard glijden, zonder naar hem te kijken. Ze strompelde tree voor tree de brede trap van het hoofdgebouw op. Opende een van de dubbele ingangsdeuren. Bleef met haar rug naar hem toe staan, terwijl het licht om haar heen viel. Toen draaide ze zich bruusk om. Alsof ze bang werd van haar eigen schaduw.

Tomas rende achter haar aan. Ze stond in het warme, gele licht dat uit het huis kwam. En in het koude licht van buiten, met blauwachtige schaduwen van de bergen.

Ze had geen gezicht meer.

Er ontstond grote consternatie. Mannen en vrouwen kwamen aangerend. De knechten en meiden.

Moeder Karen kwam hinkend op haar stok uit een van de kamers. Haar monocle bungelde aan een geborduurd lint om haar hals. Een bliksemend brilleglas, dat vertwijfeld probeerde een vrolijke noot te zijn.

De oude vrouw strompelde moeizaam door de statige gang. Een vriendelijke, alwetende blik. Wist ze iets?

Iedereen stond rondom de vrouw in de deuropening. Een dienstmeisje raakte haar gewonde arm aan, wilde helpen de gescheurde jas uit te doen. Maar ze werd opzij geduwd.

Toen barstten de geluiden los. Iedereen praatte door elkaar heen. De vragen hagelden neer op de vrouw zonder gezicht.

Maar ze gaf geen antwoord. Zag niemand. Had geen ogen. Greep alleen de staljongen Tomas zo hard bij zijn arm dat hij ineenkromp. Toen liep ze met grote passen naar de man die Anders heette. Een blonde man met een ferme kin. Eén van de twee pleegzonen op de hoeve. Ze pakte hem ook bij zijn arm en dwong hen allebei mee te komen. Zonder dat ze een woord gezegd had.

De twee paarden die op stal stonden, werden opgezadeld. De derde had geen zadel. Was bezweet en uitgeput na de rit uit de bergen. Hij werd bevrijd van de dissel en afgedroogd, en kreeg water.

Het grote paardehoofd nam de tijd in de emmer water. De mensen moesten wachten. Het paard dronk met enorme teugen, tot hij genoeg had. Af en toe wierp hij zijn manen in de lucht en liet zijn ogen van gezicht naar gezicht gaan.

De vrouw wilde zich niet verkleden, wilde de wond niet laten verbinden. Ging gewoon op het paard zitten. Tomas reikte haar een grove wollen jas aan. Die trok ze aan. Ze had nog steeds geen woord gezegd.

Ze bracht hen naar de plek waar de slede naar beneden was gegleden. De sporen spraken duidelijke taal. De gladgeschoren helling, de geknakte jonge berken, de omgewoelde heide. Ze wisten allemaal wat er onderaan de helling was. De rotswand. De waterval. De afgrond. Het kolkgat. De slede.

Ze haalden hulp en zochten in het woeste water. Maar ze vonden alleen maar resten van een verbrijzelde slede met afgescheurde disselriemen.

De vrouw was stom.

De ogen des Heren bewaken de kennis, maar Hij
verijdelt de woorden van de trouweloze.

(Spreuken 22:12)

Dina zou haar man Jacob, die koudvuur in zijn been had
gekregen, over de berg naar de dokter rijden. November. Zij
was de enige die overweg kon met het wilde jonge paard, dat
het snelst was. En er moest snel gereden worden. Over een
beijsde, slechte weg.

Jacobs been stonk al. De stank had al een tijd bezit genomen
van de kamers. De kokkin rook hem zelfs in de voorraadkamer.
In alle kamers was het verderf voelbaar. De angst.

Op Reinsnes zei niemand iets over de stank van Jacobs been
toen Jacob er nog was. En ze noemden het ook niet nadat
Zwarterik met een lege dissel naar de boerderij was teruggekeerd.

Maar op andere plaatsen praatten de mensen wel. Vol ongeloof en ontzetting. Op alle boerderijen. In de woonkamers in
Strandstedet en langs de Sont. Bij de predikant. Op gedempte
toon, vertrouwelijk.

Over Dina, de jonge vrouw des huizes op Reinsnes, de enige
dochter van drost Holm. Ze was net een jongen, een paarden-
gek. Zelfs nadat ze getrouwd was. En nu was dit trieste lot haar
deel geworden.

Ze vertelden het verhaal telkens weer. Hoe ze had gereden
zodat de vonken eraf sloegen en de grond wegspatte onder de
paardehoeven. Als een heks. Maar toch had Jacob Grønelv de
dokter niet gehaald. Nu was hij er niet meer. De vriendelijke,
goedhartige Jacob, die nooit nee zei als je hem om hulp vroeg.
Moeder Karens zoon, die als jongeman naar Reinsnes gekomen
was.

Dood! Niemand kon begrijpen dat zoiets afschuwelijks kon
gebeuren. Dat mensen schipbreuk leden of op zee verdwenen,
daar kon je niets aan doen. Maar dit was het werk van de duivel.
Eerst koudvuur krijgen na een beenbreuk, en dan omkomen op

een slede die in de waterval stort!

Dina was haar spraak kwijt, en moeder Karen huilde. Jacobs zoon uit zijn eerste huwelijk zwierf vaderloos door Kopenhagen en Zwarterik kon de aanblik van sleden niet verdragen.

De autoriteiten kwamen naar de hoeve om te horen wat er precies gebeurd was, tot en met Jacobs dood. Alles moest verteld worden, en niets mocht verborgen blijven, zei men.

Dina's vader, de drost, had twee getuigen bij zich en iemand die het protocol bijhield. Hij liet nadrukkelijk weten hier als vertegenwoordiger van het gezag te zijn, niet als vader.

Moeder Karen had moeite het verschil te zien. Maar dat zei ze niet.

Niemand kon Dina overreden van de bovenverdieping naar beneden te komen. Omdat ze zo groot en sterk was, namen ze niet het risico dat ze zich zou verzetten en een gênante vertoning zou veroorzaken. Dus probeerden ze haar niet met geweld de trap af te krijgen. Er werd besloten dat de autoriteiten naar de bovenverdieping zouden gaan.

Er werden extra stoelen bijgezet. En het gordijn rond het hemelbed werd grondig afgestoft. Goudkleurige, zware stof met weelderige, rode bloemenranken. Gekocht in Hamburg. Genaaid voor het huwelijk van Dina en Jacob.

Oline en moeder Karen hadden geprobeerd de jonge vrouw des huizes wat op te knappen, zodat ze er niet helemaal verkommerd uit zou zien. Oline met haar kruidenthee met dikke room en veel suiker. Haar huismiddeltje tegen alles, van scheurbuik tot kinderloosheid. Moeder Karen steunde haar met vriendelijke woorden en behoedzame bezorgdheid, en borstelde Dina's haar.

De dienstmeisjes deden wat hen gevraagd werd, met angst in hun ogen.

De woorden zaten muurvast. Dina opende haar mond en vormde ze. Maar het geluid was in een andere werkelijkheid. De autoriteiten probeerden het op alle mogelijke manieren.

De drost begon met een zware, neutrale stem, terwijl hij

Dina in haar lichtgrijze ogen keek. Hij had net zo goed door een glas water kunnen kijken.

De getuigen probeerden het ook. Zittend en staand. Meelevend en autoritair.

Ten slotte legde Dina haar hoofd met de zwarte, weerspannige haardos op haar armen. Ze hoorden geluiden als van een stikkende hond.

De autoriteiten trokken zich beschaamd terug in de woonkamer. Om te overleggen en het eens te worden. Wat er op de plek van het ongeluk was gebeurd. Hoe de jonge vrouw zich had gedragen.

Ze werden het erover eens dat dit een tragedie was voor het dorp en de hele gemeente. Dat Dina Grønelv buiten zichzelf was van verdriet. Dat ze niet toerekeningsvatbaar was en haar spraakvermogen had verloren door de schok.

Ze besloten dat Dina zo hard mogelijk had gereden om haar man naar de dokter te brengen. Dat ze in de bocht bij de brug te hard gereden had of dat het wilde paard op hol was geslagen, de helling af, en dat de riemen van de dissel waren gescheurd. Allebei.

Dit werd keurig netjes opgetekend in het protocol.

In het begin konden ze het lijk niet vinden. De mensen zeiden dat het naar zee was gedreven. Maar begrepen dat niet. Want dat was bijna tien kilometer verder, door een rotsachtige, ondiepe rivierbedding, waar alle stenen een dood lichaam, dat zelf niet meewerkte om naar zee te komen, konden tegenhouden.

Tot wanhoop van moeder Karen gaven ze na verloop van tijd het zoeken op.

Na een maand kwam er een man uit het armenhuis naar de hoeve die beweerde dat het lijk in Veslekulpen lag. Een vennetje, een dode bocht in de rivier eigenlijk, een stukje stroomafwaarts van de waterval. Jacob lag rond een steen gevouwen. Stijf als een plank. Opgezwollen en deerlijk gehavend, zei hij.

De man bleek gelijk te hebben.

De waterspiegel daalde toen de herfstbuien afnamen. En op

een heldere dag in december dook het ongelukkige lichaam van Jacob Grønelv op. Voor de voeten van de oude sloeber uit het armenhuis die door de bergen op weg was naar een andere boerderij.

Sinds die tijd werd gezegd dat de man helderziend was. Ja, dat hij dat altijd al geweest was. Dat maakte zijn oude dag een stuk gemakkelijker. Want niemand wilde ruzie krijgen met een helderziende man. Ook al was het een arme sloeber.

Dina zat in de zaal, het grootste vertrek op de eerste verdieping. Met dichte gordijnen. In het begin ging ze niet eens naar de stal, naar haar paard.

Ze lieten haar met rust.

Moeder Karen hield op met huilen, gewoon omdat ze er geen tijd meer voor had. Zij moest alle plichten vervullen die de heer en de vrouw des huizes verzuimden. Ze waren allebei gestorven, ieder op zijn eigen manier.

Dina zat aan de notehouten tafel voor zich uit te staren. Niemand wist wat ze verder deed, want ze nam niemand in vertrouwen. De vellen bladmuziek, die vroeger in stapeltjes rond het bed lagen, had ze in de klerenkast gepropt. Als ze de kastdeur opendeed, veegden haar lange jurken door de tocht over de papieren.

De schaduwen in het vertrek waren diep. In de hoek stond een cello stoffig te worden. Niemand had hem aangeraakt sinds de dag dat Jacob uit het huis werd gedragen en op de slede was gebonden.

Het vertrek werd voor een groot deel in beslag genomen door een enorm hemelbed met overdadige draperieën. Het bed was zo hoog dat je achterovergeleund in de kussens door de ramen over de Sont kon uitkijken. Of je kon jezelf zien in de grote spiegel met de zwartgelakte lijst, die in elke gewenste stand gekanteld kon worden.

De grote, ronde kachel snorde dag en nacht. Achter een driedelig, geborduurd kamerscherm met een afbeelding van de schone Leda en de zwaan, verstrengeld in een erotische worsteling. Vleugels en armen. En Leda's lange, blonde haar, zedig uitgespreid over haar schoot.

Het meisje, Tea, bracht vier keer per dag brandhout naar boven. Toch was dat nauwelijks genoeg voor de nacht.

Niemand wist wanneer Dina sliep, en of ze wel sliep. Ze liep dag en nacht heen en weer in reisschoenen met ijzerbeslag op de hakken. Van wand tot wand. En hield het hele huis uit de slaap.

Tea kon vertellen dat de grote, zwarte familiebijbel die Dina van haar moeder had geërfd, altijd opengeslagen lag.

Nu en dan lachte de jonge vrouw zachtjes. Het was geen prettig geluid. Tea wist niet of ze om de heilige teksten lachte, of dat ze aan iets anders dacht...

Af en toe sloeg ze de flinterdunne bladzijden woedend dicht en slingerde het boek weg, alsof het een stuk slachtafval was.

Jacob werd pas zeven dagen nadat hij gevonden was, begraven. Midden in december. Er moest zo veel geregeld worden. Er waren zo veel mensen die bericht moesten hebben. Familie, vrienden en notabelen moesten voor de begrafenis worden uitgenodigd. Bovendien hield de koude aan, zodat ze het verminkte en door water opgezwollen lijk zolang wel goed konden houden op de hooizolder. Maar het graf moest met moker en pikhouweel worden uitgebikt.

De maan zond haar signalen door de luchtgaten en overzag Jacobs lot met haar kille oog. Maakte geen onderscheid tussen leven of dood. Tooide de vloer van de hooizolder met zilver en wit. Daaronder, aan weerszijden van de oprijbrug, lag het hooi: voedsel en warmte, geurende zomer en zaligheid.

Op een ochtend kleedden ze zich in alle vroegte voor de begrafenis. De boten waren opgetuigd en lagen klaar. De stilte lag over het huis als een vreemde vroomheid. Niemand wachtte in deze tijd van het jaar op het daglicht. Maar de maan stond hen bij.

Dina leunde tegen het raamkozijn, alsof ze zich schrap zette, toen ze kwamen om haar te helpen met de zwarte kleren die voor de begrafenis waren genaaid. Ze had ze niet willen passen.

Het leek alsof ze zich afvroeg waar haar spieren, haar gedachten waren. Ze toonde de ernstige, beschreide vrouwen een onbeweeglijk lichaam.

Toch gaven ze het in eerste instantie niet op. Ze moest zich omkleden. Ze moest meelopen in de begrafenisstoet. Iets anders was ondenkbaar. Maar ze zouden toch aan die gedachte moeten wennen. Want Dina gaf met haar dierlijke, hese keelgeluiden iedereen te verstaan dat ze niet in staat was om weduwe in een begrafenisstoet te zijn. In ieder geval niet die dag.

De vrouwen verlieten geschokt de kamer. Een voor een. De oude vrouw het laatst. Zij kwam met verontschuldigingen en probeerde het goed te praten. Tegenover de tantes, de echtgenotes, de dames en niet in de laatste plaats tegenover Dina's vader, de drost.

Hij liet zich het moeilijkst overtuigen. Briesend stormde hij Dina's kamer binnen, zonder te kloppen. Schudde haar door elkaar en gaf haar bevelen, sloeg haar met vaderlijke vastberadenheid met vlakke hand op haar wangen en liet zijn woorden als boze bijen op haar neerdalen.

De oude vrouw moest tussenbeide komen. En de weinige mensen die er bij waren, sloegen hun ogen neer.

Toen stootte Dina weer haar dierlijke geluiden uit. Ze zwaaide met haar armen en trok aan haar haar. De kamer was geladen met iets dat ze niet begrepen. Een aura van gekte en kracht omhulde de jonge, halfaangeklede vrouw met de woeste haardos en de wilde ogen.

Haar geschreeuw herinnerde de drost aan een gebeurtenis die hij altijd met zich meedroeg. Die hem dag en nacht achtervolgde. Van zijn dromen tot in zijn dagelijkse bezigheden. Een gebeurtenis die hem nog steeds, na dertien jaar, rusteloos over zijn hoeve deed zwerven. Op zoek naar iets, of iemand, aan wie hij zijn gedachten en gevoelens kwijt kon.

De mensen die erbij waren, vonden dat Dina Grønelv een hardvochtige vader had. Maar aan de andere kant was het ongehoord dat zo'n jonge vrouw zich niet schikte in wat er van haar werd verwacht.

Uiteindelijk gaven ze toe. Er werd besloten dat ze te ziek was om bij de begrafenis van haar eigen man te zijn. Moeder Karen legde het uit, luid en duidelijk, aan iedereen die ze tegenkwam. 'Dina Grønelv is zo ziek en bedroefd dat ze niet op haar benen kan staan. Ze huilt alleen maar. En het ergste is, dat ze haar spraakvermogen heeft verloren.'

Eerst klonk het gedempte roepen van mensen die in de boten stapten. Daarna het geschraap van hout tegen ijzer toen de kist in de sloep werd geschoven, tussen jeneverbestakken en huilende, in het zwart geklede vrouwen in. Daarna verstijfden de geluiden en de stemmen over het water, als een dunne ijslaag op de stranden. Verdwenen tussen zee en bergen. Nu besloop de stilte de hoeve, alsof die de eigenlijke begrafenisstoet was. Het huis hield zijn adem in. Liet alleen af en toe een zucht tussen de balken ontsnappen. Een deerniswekkend, droevig gekraak om Jacob de laatste eer te bewijzen.

De roze anjers van waspapier trilden en beefden tussen denne- en jeneverbestakken in de flauwe bries die over de Sont stond. Het had geen zin om snel te varen met een dergelijke last. De dood en zijn levensvreemde entourage hadden tijd nodig. Vandaag was het niet Zwarterik die trok. Was het niet Dina, die de snelheid bepaalde. De kist was zwaar. De dragers hadden het gewicht gevoeld. Dit was de enige weg naar de kerk, met een dergelijke last.

Zes paar riemen knarsten in de dollen. Het zeil fladderde slap rond de mast en wilde zich niet ontvouwen. De zon was afwezig. De hemel dreef voorbij met grijswitte wolken. De klamme lucht stond na verloop van tijd stil.

De boten voeren achter elkaar aan. Een triomftocht voor Jacob Grønelv. Mast en riemen wezen naar hemel en zee. De linten van de kransen wapperden onrustig. Ze hadden maar weinig tijd om zich te laten zien.

Moeder Karen leek op een vergeeld laken. Met een kanten randje, dat wel.

De dienstmeisjes waren natte plukken wol in de wind.

De mannen roeiden en kregen het warm, zodat het achter hun baarden en snorren broeide. Telden de maat en roeiden.

Op Reinsnes was alles klaargezet. De broodjes lagen gesmeerd op grote schalen. De taarten waren in houten dozen op de keldervloer en op planken in de grote bijkeuken gezet, met doeken er overheen.

Op de tafels en in de aanrechtkeuken stonden glazen en kopjes keurig in het gelid onder witte linnen doeken met de monogrammen van Ingeborg Grønelv en Dina Grønelv erop. Ze hadden op deze dag het linnengoed van beide echtgenotes van Jacob moeten gebruiken. De glazen waren glanzend gepoetst onder het streng toeziend oog van Oline.

Er werden veel mensen verwacht na de begrafenis.

Dina stookte als een bezetene, hoewel er niet eens bloemen op de ramen stonden. Haar gezicht, dat 's ochtends grauw was geweest, begon langzaam weer kleur te krijgen.

Ze ijsbeerde rusteloos door de kamer, een glimlach om haar mond. Toen de klok sloeg, tilde ze haar hoofd op als een dier dat op vijanden bedacht is.

Tomas liet het brandhout zo geruisloos mogelijk in de smeedijzeren bak vallen. Toen nam hij zijn pet af en verfrommelde die verlegen tussen zijn stevige knuisten. Onvoorstelbaar slecht op zijn gemak omdat hij in de zaal stond, de kamer met de cello en het hemelbed, waar Dina sliep.

'Moeder Karen heeft me gestuurd, ik moest op de boerderij blijven als de knechten en de anderen Jacob wegbrachten', stamelde hij. 'Ik moest Dina een handje helpen. Als ze dat wil?' voegde hij er aan toe.

Dat de drost en moeder Karen na onderling overleg hadden besloten dat het beter was als er een sterk iemand bij Dina op de hoeve bleef, die haar kon tegenhouden als ze zichzelf iets wilde aandoen terwijl iedereen weg was, zei hij er niet bij, als hij het al gehoord had.

Ze draaide zich niet eens om, bleef met haar rug naar hem toe voor het raam staan.

De maan was een bleke, vage geestesverschijning. Een ongeboren dag probeerde tevergeefs door te breken in het noorden en westen. Maar de ramen bleven donker.

De jongen nam zijn pet mee en vertrok. Begreep dat hij niet gewenst was.

Maar toen de begrafenisgasten ver weg op de Sont waren, ging Tomas weer naar de zaal. Met een karaf vers water. Of ze daar zin in had? Toen ze niet bedankte en met geen enkele beweging te kennen gaf dat ze hem zag, zette hij de karaf op de tafel naast de deur en draaide zich om.

'Je hebt mijn hulp niet nodig, op de dag van de begrafenis?' zei hij zachtjes.

Toen was het alsof ze ontwaakte. Ze liep snel op hem af. Bleef vlak voor hem staan. Een halve kop groter.

Ze hief haar hand op en liet haar lange vingers over zijn gezicht dwalen. Als een blinde die probeert met zijn vingertoppen te kijken.

Hij had het gevoel dat hij stikte. Omdat hij vergat adem te halen. Zo dichtbij! Hij begreep eerst niet wat ze wilde. Ze stond dicht bij hem en zond haar geuren uit. Terwijl ze de lijnen van zijn gezicht met haar wijsvinger volgde.

Hij werd langzaam rood. Het werd onmogelijk om haar aan te kijken. Hij wist dat haar blik op hem wachtte. Toen raapte hij al zijn moed bijeen en keek haar recht in de ogen.

Ze knikte en keek hem vragend aan.

Hij knikte terug. Alleen om het snel achter de rug te hebben. En wilde weglopen.

Toen glimlachte ze, en kwam nog dichterbij. Wurmde met de wijs- en middelvinger van haar linkerhand zijn versleten vest open.

Hij deinsde twee passen achteruit, naar de kachel. En wist niet hoe hij daar doorheen moest komen, voordat hij verbrandde of gewurgd werd, of van de aardbodem verdween.

Ze snoof even zijn stalgeuren op. Haar neusgaten waren overal. Ze vibreerden!

Hij knikte nogmaals. In uiterste vertwijfeling.

Het was niet uit te houden. De tijd stond stil! Plotseling kon hij zich niet bedwingen en boog zich voorover, deed de deur van de kachel open en gooide een houtblok op de vlammen. Daarna stookte hij het vuur verder op met drie sissende, halfnatte berketakken. Zich weer oprichten en haar blik ontmoeten was een krachttoer.

Onmiddellijk was haar mond overal. Haar armen waren als taaie wilgetwijgen vol lentesap. Ze geurden zo sterk dat hij zijn ogen moest sluiten.

Dit had hij nooit durven dromen. Zelfs niet in zijn wildste fantasieën onder de versleten gewatteerde deken in zijn kot. En nu stond hij hier en kon niets anders doen dan het te laten gebeuren!

De kleuren van het borduursel op haar peignoir, de goudgele wanden met het rankenmotief, het plafond met de brede balken, de bloedrode gordijnen, alles vloeide in elkaar over. Stof ging over in stof. Ledematen in ledematen. Bewegingen, meubelstukken, lucht, huid.

Hij stond buiten zijn eigen lichaam. En tegelijkertijd erin. De geur en het geluid van lichamen die zich traag bewogen. Een tweestemmige, diepe zucht.

Ze legde haar handen op zijn borst en maakte zijn knopen los. Daarna trok ze zijn kleren uit. Een voor een. Alsof ze nooit anders gedaan had.

Hij kromde zijn rug, en zijn armen hingen machteloos langs zijn lichaam. Alsof hij zich ervoor schaamde dat zijn ondergoed niet helemaal schoon was en dat er drie knopen aan zijn hemd ontbraken. In werkelijkheid wist hij niet waar hij was, waar hij stond en wat hij deed.

Ze kuste de naakte jongen, sloeg haar peignoir open en ving hem tegen haar grote, stevige lichaam aan.

Dat maakte hem warm en moedig. Hij voelde de vonken van haar huid als een lichamelijke pijn. Zijn huid voegde zich naar de hare, nam haar vormen over. Hij stond daar met gesloten ogen en zag iedere curve, iedere porie van haar blanke lichaam, tot hij zijn laatste restje verstand verloor.

Toen ze allebei naakt waren en op de schapevacht voor de ronde zwarte kachel zaten, dacht hij dat ze zou gaan praten. Hij was duizelig van schaamte en begeerte. De zeven brandende kaarsen op de kaptafel plaagden hem als een waarschuwing uit de hel. Het geflakker in de spiegel onthulde alles.

Ze begon zijn lichaam te onderzoeken. Eerst heel behoedzaam. Daarna steeds wilder. Alsof ze gedreven werd door een enorme honger.

In het begin was hij alleen maar geschrokken. Hij had nog nooit zo'n heftige begeerte gezien. Daarna liet hij zich naar adem snakkend achterover op de vacht vallen. Liet haar olie op een vuur gooien dat groter was dan hij had kunnen dromen. Af en toe hervond hij zichzelf, en voelde tot zijn ontzetting dat hij haar tegen zich aan drukte en dingen deed die niemand hem had geleerd.

De lucht was verzadigd van vrouwenlichaam.

Zijn angst was groot als een oceaan. Maar zijn begeerte was zo groot als het hele firmament.

Op het kerkhof liet men de kist met de wasbloemen in het graf zakken. Met de stoffelijke resten van herbergier en reder Jacob Grønelv.

De deken probeerde zich zo uit te drukken dat de man zonder problemen de zaligheid binnen zou glippen, en niet in het hellevuur zou belanden. Al wist hij dat hoewel Jacob een goed mens was geweest, hij niet bepaald als een koorknaap had geleefd. Hoe triest zijn einde ook was.

Sommige begrafenisgasten stonden er bij met grauwe, afhangende kaken, in oprechte rouw verzonken. Anderen dachten eraan wat voor weer ze op de terugreis zouden krijgen. Weer anderen stonden er gewoon maar. Lieten alles halfhartig over zich heen komen. De meesten voelden dat ze het bitter koud hadden.

De deken werkte zijn ritueel af en wierp zijn afgemeten schepjes zand op de kist, in naam van God. Toen was het voorbij.

De mannen dachten aan de punch, achter gegroefde, ernstige gezichten. De vrouwen met betraande ogen aan de broodjes. De dienstmeisjes huilden openlijk. Want de man in de kist was voor hen allemaal een zorgzame broodheer geweest.

De oude vrouw was nog bleker, nog doorzichtiger dan in de boot. Haar ogen waren droog achter haar zwarte kanten sluier, en ze werd ondersteund door Anders en de drost. Beiden met de hoed onder de arm.

De psalm telde een eindeloze rij verzen en was verre van mooi. Ze konden hem nauwelijks gaande houden, totdat de koster inviel met zijn ongeschoolde bas. Hij voelde zich altijd geroepen om iedere situatie te redden, deze koster.

In de zaal, achter dichtgetrokken gordijnen, gloeide en vlamde de boerenknecht Tomas. In hemelse zaligheid. Maar wel springlevend.

Damp van mensen bedekte ruiten en spiegels. Hun geur werd moeiteloos opgenomen door de vacht op de vloer, de zittingen van de stoelen en de gordijnen.

De kamer heette de staljongen Tomas welkom. Zoals hij Jacob Grønelv had verwelkomd, toen die voor de eerste keer gastvrij werd ontvangen door de weduwe op Reinsnes.

De weduwe heette Ingeborg. Zij stierf op een dag toen ze zich vooroverboog om haar kat te aaien. Nu kreeg ze gezelschap.

De zaal was vervuld van hijgende ademhaling, huid en warmte. Bloed dat door aderen joeg. Achter slapen bonsde. Hun lichamen waren als paarden op weidse vlakten. Ze reden, en reden. De vrouw was al een ervaren ruiter. Maar hij deed zijn best om haar in te halen. De vloerplanken zongen, de balken huilden.

De familieportretten en schilderijen deinden zachtjes mee in hun zwarte, ovale lijsten. Het linnengoed op het bed voelde zich kurkdroog en verlaten. De kachel hield op te snorren. Stond in zijn hoek openlijk en schaamteloos te luisteren.

Beneden stonden broodjes en glazen geduldig te wachten. Waarop? Op het moment dat Dina, vrouw des huizes op Reinsnes, van de trapleuning zou glijden? Naakt, haar zwarte haardos als een halfopen paraplu boven haar grote, geurende lichaam? Ja!

En achter haar aan, half verschrikt, half dromend, maar met een enorme kracht, een jongen in een laken met ruches van Frans kant? Ja!

Hij rende de trap af met harige, blote kuiten en sterke tenen met duidelijke rouwranden aan de nagels. Hij rook zo naar een omgeploegde akker in de lente, dat de zedige lucht in de kamer terugdeinsde.

Ze namen brood en wijn mee naar boven. Een groot glas en een grote karaf. Broodjes, hier en daar van schalen gepikt zodat de anderen het niet zouden merken. Ze speelden dat ze niet mochten eten.

Dina herschikte met voorzichtige hand de schalen, om de open plekken die ontstonden als ze iets wegnamen, te camoufleren. Met lange, rappe vingers die roken naar zoute aarde en schoongemaakte vis. Daarna bedekte ze alles met de doeken met de monogrammen.

Ze slopen als dieven terug naar de zaal. Nestelden zich op de vacht voor de kachel. Tomas liet de dubbele kacheldeurtjes op een kier staan.

Leda en de zwaan op het kamerscherm waren een zwakke afspiegeling van die twee. De wijn parelde.

Dina at gulzig van de gerookte zalm en het gezouten vlees. Er vielen broodkruimels op haar ferme borsten en op haar ronde buik.

Tomas herinnerde zich dat hij in de kamer van zijn meesteres was. Hij at keurig van het eten. Maar hij dronk Dina's lichaam met zijn ogen, onder diep gezucht en met rijkelijk water in zijn mond.

Hun ogen schitterden boven hetzelfde glas. Het had een lange, groene voet en was ooit een huwelijkscadeau voor Ingeborg en haar eerste man geweest. Het was niet van de beste kwaliteit, gekocht voordat de rijkdom hier met de grote vrachtschepen, de gedroogde vis en de machtige connecties met Trondhjem en Bergen zijn intrede deed.

Ruim voordat de begrafenisgasten thuis werden verwacht, ruimden ze het glas en de etensresten op in de klerenkast.

Twee kinderen, de een bang, de ander lichtzinnig, waren de

volwassenen te slim af geweest. Jacobs Chinese dobbelspel werd teruggelegd in het met zijde overtrokken kistje. Alle sporen werden uitgewist.

Ten slotte stond Tomas aangekleed met zijn pet in zijn hand bij de deur. Zij krabbelde een paar woorden op de zwarte lei die ze altijd bij de hand had, en liet hem dat lezen voordat ze het resoluut en grondig uitveegde.

Hij knikte en keek nerveus naar het raam. Luisterde naar het geluid van roeispanen. Dacht die te horen. Plotseling besefte hij wat hij had gedaan. Nam alle schuld op zich. Voelde de zweep van de Heer al op zijn schouder. Diepe striemen. Tomas' mond trilde. Maar hij kon er geen spijt van hebben.

Toen hij buiten op de donkere gang stond, wist hij dat niemand hem nu zou beschermen. Zoals een gladiator die vol vreugde een grote overmacht tegemoet treedt. Wat een ongelooflijke ervaring! Zo groot, dat er geen woorden voor waren.

Hij was gedoemd om maandenlang elke nacht op zijn stromatras te liggen en vrouwenadem op zijn gezicht te voelen. Alles met open ogen weer te beleven. De zaal. De geuren.

En zijn dunne deken zou met jeugdig, dromerig enthousiasme oprijzen.

Hij was ook gedoemd tot het beeld van Jacobs lijkkist. Die zou meedeinen. Tot de vloedgolf in hem alle indrukken deed samensmelten en hem rechtstreeks naar het noorderlicht zond. Die golf zou zich uitstorten over zijn armoedige bed, zonder dat hij er iets aan kon doen.

Dina was wit gepoederd en rustig toen de boten de stenen van het strand opgleden. Ze lag op bed, en werd daarom niet lastig gevallen met de vraag of ze naar beneden wilde komen om zich aan de begrafenisgasten te vertonen.

Moeder Karen informeerde hen uitvoerig over Dina's toestand toen ze van de zaal naar beneden kwam. Haar stem was honing voor het gemoed van de drost, en vloeide zacht en licht samen met de warme punch.

De ernst en het verdriet waren gemakkelijker te dragen nu ze hun plicht hadden gedaan en Jacob daar was waar hij zijn moest. De rust, de gedachten aan aardse zaken en de dag van morgen sloop in de loop van de avond ongemerkt binnen in de gesprekken, die op gedempte toon werden gevoerd.

Iedereen ging vroeg naar bed, zoals dat op een dag als deze betamelijk was.

Dina stond op en speelde patience aan de notehouten tafel. Bij de derde poging was ze uit. Toen zuchtte ze en gaapte.

Eerste boek

I

Voor de ongelukkige, smaad – is de mening van de voorspoedige; dat is het deel van degenen wier voet wankelt.

(Job 12:5)

Ik ben Dina. Die wakker wordt van de kreten. Ze zitten in mijn hoofd. Soms vreten ze aan mijn lichaam.
Het beeld van Hjertrud is uiteengespat. Als een opengereten schapemaag. Haar gezicht bestaat alleen uit kreten, waardoor alles naar buiten komt.

De drost had hem meegenomen toen hij terugkwam van de najaarszitting. Een smid met gouden handen! Uit Trondhjem. Een duivelskunstenaar in zijn vak.

Bendik kon de wonderlijkste dingen smeden, die voor allerlei klusjes te gebruiken waren.

Hij smeedde een apparaat boven de slijpsteen dat zeven eetlepels water over het blad van de zeis goot bij elke tiende omwenteling van de slinger. Hij smeedde sloten die vanzelf blokkeerden als iemand die het mechanisme niet kende ze probeerde open te maken. Hij maakte ook de mooiste ploegen en het mooiste ijzerbeslag.

Deze smid heette in de volksmond Kinnebak.

Zodra hij op de hoeve van de drost kwam, begreep iedereen waarom. Hij had een lang en smal gezicht, met twee onvoorstelbaar donkere ogen.

Dina was net vijf jaar geworden, en sloeg haar lichtgrijze blik op als hij de kamer binnenkwam, alsof ze hem voor wilde zijn. Ze was niet bang, ze vond het alleen niet nodig bevriend te raken.

Deze donkerogige man, die naar men zei een zigeuner was, keek naar de vrouw van de drost met een blik alsof ze een kostbaar voorwerp was dat hij had gekocht. En zij had daar blijkbaar niets op tegen.

De drost probeerde na een poosje de smid werkloos te maken, want hij vond dat hij wel wat erg lang bleef hangen.

Maar Bendik bleef, onder de bescherming van Hjertruds vriendelijke glimlach.

Hij smeedde vernuftige sloten voor buitendeuren en kasten, en een bewateringssysteem voor de slijpsteen. Ten slotte smeedde hij nieuwe handvaten aan de enorme pot die de vrouwen gebruikten om zeepsop en kleren in te koken.

Aan die handvaten bevestigde hij een mechanisme dat het mogelijk maakte de grote kookpot geleidelijk voorover te kantelen en het zeepsop eruit te laten lopen. Geleidelijk en simpel, door een hendel aan de ophanging.

Nu hoefden ze niet meer met de angst in hun lijf te manoeuvreren met de zwarte, afschrikwekkende pot. Hij liet zich nu verbluffend gemakkelijk draaien en kantelen, dankzij het unieke vernuft van de smid.

Je kon nu alles vanaf de vloer regelen, zonder dat je bang hoefde te zijn dat je te dicht bij de stoom of de kokende inhoud van de pot kwam.

Dina ging op een dag vlak voor Kerstmis met haar moeder mee naar het washuis. Het was grote wasdag. Er waren vier vrouwen aan het werk, plus een jongen om het water aan te dragen.

De emmers werden met brokken ijs erin binnengedragen en met een vrolijk geplons in de grote tonnen vlak naast de deur gekieperd. Daarna werd alles in de pot gesmolten. De stoom lag als avondmist in het vertrek.

De vrouwen hadden alleen hun hemdjes aan, en losgeknoopte lijfjes. Blote voeten in klompen, en opgerolde mouwen. Hun handen waren rood als pas gevilde biggetjes. Ze zwaaiden en spetterden en gebaarden.

Hun gezichten zwollen op onder de strakke hoofddoeken. Het zweet liep in stralen over hun wangen en hals. Verzamelde zich in een beekbedding tussen hun borsten en verdween in de vochtige kleren, op weg naar het onderaardse.

Terwijl Hjertrud een van de meisje bevelen gaf, wilde Dina dat mechanisme waar iedereen zo hoog van opgaf eens van dichtbij bekijken.

De pot stond al te pruttelen. De geur van zeepsop was verstikkend en vertrouwd, zoals de lucht van de po's op de gang van de bovenverdieping op warme zomerochtenden.

Dina klemde haar kleine handen om de hendel. Om te weten hoe dat voelde.

In een flits zag Hjertrud het gevaar, en snelde toe. Dina wist niet dat je een lap om je handen moest wikkelen, zoals de meisjes deden. Ze brandde zich vreselijk, en trok bliksemsnel haar hand terug.

Maar de hendel was al verschoven. Twee tandjes naar beneden.

De hoek en het laagste punt in de rand van de pot werden Hjertrud noodlottig.

De pot leegde de hoeveelheid waarop hij was ingesteld. Niet meer en niet minder. Stopte toen, en borrelde verder, in zijn stellage.

De straal trof met doelgerichte precisie eerst haar gezicht en borst. Vormde toen snel verzengende rivieren die over de rest van haar arme lichaam stroomden.

Van alle kanten kwamen ze aanrennen. Rukten Hjertrud de kleren van het lijf.

Dina bevond zich midden in de flakkerende, dampende beelden. Die haar vertelden dat huid en grote stukken verschroeid vlees de met zeepsop doordrenkte kleren volgden.

De helft van Hjertruds gezicht was gespaard. Alsof het belangrijk was dat ze, als ze bij God aankwam, nog zoveel gezicht over had, dat hij haar kon herkennen.

Dina riep mama! Maar niemand antwoordde.

Hjertrud had genoeg aan haar eigen kreten.

De roze wond werd groter en bedekte haar bijna helemaal. Ze was gloeiend rood. Steeds roder, naar gelang ze haar kleren uittrokken en de huid meekwam.

Ze gooiden emmer na emmer ijskoud water over haar heen.

Ten slotte zakte ze ineen op de ruwe vloerplanken. Niemand durfde haar overeind te helpen. Je kon haar niet meer vastpakken. Niemand kon bij haar komen. Want ze had geen buitenkant meer.

Hjertruds hoofd scheurde steeds verder open. Haar geschreeuw was als geslepen messen. Die iedereen troffen.

Iemand trok Dina mee naar buiten. Maar de kreten klonken ook door de buitenmuur heen. Rinkelden in alle ruiten. Beefden in de ijskristallen op de sneeuw. Maakten zich los uit de vette rook van de schoorstenen. De hele fjord luisterde, doodstil. In het oosten was een vage roze streep zichtbaar. De winterhemel had ook sop over zich heen gekregen.

Dina werd naar de naburige boerderij gebracht, waar de mensen naar haar loerden. Onderzoekend. Alsof er een opening in haar was die ze groter konden maken en waar iets te vinden was.

Een van de dienstmeisjes praatte kindertaal tegen haar en gaf haar honing, zo uit de pot. Ze at zoveel dat ze overgaf op de keukenvloer. Het dienstmeisje ruimde alles op, de afschuw op haar hele gezicht geschreven. Ze mopperde als een angstige jonge ekster die piept onder de dakgoot.

Drie dagen bracht de dochter van de drost door met mensen die ze nooit eerder gezien had. Mensen die haar voortdurend aanstaarden, alsof ze een wezen van een andere planeet was.

Af en toe sliep ze, omdat ze al die blikken niet meer kon verdragen.

Eindelijk kwam de knecht van de drost haar halen in de arreslee. Hij wikkelde haar stevig in de schapevacht en bracht haar naar huis.

Op de hoeve van de drost was alles stil.

Later, toen ze zich een keer onder de tafel in de kamer van de dienstbodes verstopt had, kwam ze te weten dat Hjertrud een etmaal lang had gegild voordat ze haar verstand had verloren en was gestorven. De helft van haar gezicht had geen huid meer. Net als haar rechterarm, haar hals en buik.

Dina wist niet precies wat je verstand verliezen betekende. Maar ze wist wel wat verstand was.

En ze wist ook, dat Hjertrud dat verstand had vertegenwoordigd. Vooral als haar vader raasde en tierde.

'Alle wijsheid komt van God', 'alles is een gave van God', 'het heilige boek is Gods woord', 'de Bijbel is Gods gift van genade'. Zulke dingen zei Hjertrud iedere dag.

Dat ze doodging was niet erg. Het gegil, en dat ze geen huid had, was veel erger.

Want dieren gingen ook dood. Op de hoeve van de drost kregen ze voortdurend nieuwe dieren. Dieren die sprekend op elkaar leken, en die in zekere zin elk jaar dezelfde waren.

Maar Hjertrud kwam niet terug.

Dina droeg het beeld van Hjertrud als een opengereten schapemaag met zich mee. Heel lang.

Dina was erg lang voor haar leeftijd. En sterk. Sterk genoeg om de dood van haar moeder te veroorzaken. Maar misschien niet sterk genoeg om erbij te zijn.

De anderen beheersten de woorden. Soepel. Als olie op water. In de woorden lag de werkelijkheid. De woorden waren niet voor Dina. Zij was niemand.

Het was verboden om over 'het afschuwelijke' te praten. Toch gebeurde het. Het was juist een van de rechten van het personeel, zachtjes over verboden dingen te praten. Net zacht genoeg. Wanneer kinderen als rozen hoorden te slapen, en je niet meer voor ze verantwoordelijk was.

Men zei dat Kinnebak nooit meer ingenieuze mechanismen voor kookpotten maakte. Hij nam de eerste de beste boot naar het zuiden, naar Trondhjem. Met al zijn onzalige gereedschap in een kist. Het gerucht snelde hem vooruit. Over de smid die apparaten maakte waardoor mensen levend verbrandden. Ze zeiden dat hij er raar van werd. Ja, ronduit gevaarlijk.

De drost liet de smederij en het washuis met schoorsteen en

vuurplaats en al met de grond gelijk maken.

Er waren vier mannen met voorhamers voor nodig. Nog eens vier man kieperden de stenen met een kruiwagen in zee aan het uiteinde van de oude stenen strekdam, die de aanlegsteiger afschermde. De dam werd vele meters langer.

Zodra de vorst uit de grond was, liet de drost de vrijgekomen plek inzaaien. Sindsdien groeiden de frambozenstruiken er wild en ongestoord.

Die zomer voer hij met het vrachtschip van Jacob Grønelv naar Bergen, en bleef weg tot hij op de najaarszitting moest verschijnen.

Zodoende kreeg Dina geen kans een woord met haar vader te wisselen vanaf de dag dat zij haar moeder levend liet verbranden, tot de dag dat hij thuiskwam van de najaarszitting, negen maanden later.

Toen vertelde het dienstmeisje dat Dina niet meer praatte.

Toen de drost terugkwam van de rechtszitting, trof hij een wilde vogel aan. Met ogen die niemand kon vangen, haar dat nog nooit was gevlochten, en met blote benen, hoewel het 's nachts allang vroor.

Ze pakte zelf eten wanneer ze honger kreeg en zat nooit aan tafel. Ze leek haar dagen door te brengen met het gooien van stenen naar mensen die de hoeve bezochten.

Dat had natuurlijk heel wat oorvijgen tot gevolg.

Maar in zekere zin beheerste zij de mensen. Ze hoefde alleen maar een steen te gooien. Dan kwamen ze aanrennen.

Dina sliep midden op de dag urenlang. In de ruif in de stal. De paarden, die aan haar gewend waren, aten voorzichtig om het slapende lichaam heen. Of raakten haar met hun grote muilen even aan om hooi onder haar weg te trekken.

Ze vertrok geen spier toen de drost voet aan wal zette. Zat op een steen en liet haar lange, magere benen bungelen.

Haar teennagels waren ongelooflijk lang en hadden ingegroeide rouwranden.

De dienstmeisjes konden haar niet aan, zeiden ze. Het kind wilde absoluut niet gewassen worden. Ze gilde en rende weg, zelfs als ze haar met zijn tweeën vasthielden. Ze kwam nooit in de keuken als er iets op het grote, zwarte fornuis stond te koken.

Ze hielden elkaar de hand boven het hoofd, de twee vaste meisjes. Ze waren overwerkt. Er waren bijna geen andere dienstmeisjes te krijgen. Het was moeilijk om zo'n wild en moederloos kind de baas te worden.

Ze was zo vies dat de drost niet wist wat hij doen moest. Na een paar dagen overwon hij zijn weerzin. Hij probeerde het stinkende, woedende lichaam aan te raken, om contact te krijgen en weer een christelijk mens van haar te maken. Maar hij moest het opgeven.

Bovendien zag hij zijn ongelukkige Hjertrud voor zich. Zag haar arme, verbrande lichaam. Hoorde haar waanzinnige kreten.

De mooie Duitse pop met het porseleinen hoofd bleef liggen waar hij was uitgepakt. Midden op de eettafel. Totdat het meisje de tafel wilde dekken en vroeg wat ze met die pop moest doen.

'God mag het weten!' zei de ander, die toezicht moest houden. 'Leg hem maar in Dina's kamertje!'

Lange tijd daarna vond de knecht de pop in de mestkelder. Verfomfaaid, bijna onherkenbaar. Toch was iedereen opgelucht dat de pop was gevonden. Er was wekenlang onrust geweest vanwege die pop. De drost had Dina er naar gevraagd. Aangezien ze geen aanstalten maakte om hem te halen, werd hij als vermist opgegeven. Iedereen kon daarvan verdacht worden.

Toen de pop gevonden was, riep de drost Dina bij zich. Vroeg streng hoe de pop in vredesnaam in de mestkelder kon zijn beland.

Dina haalde haar schouders op en wilde de kamer uit lopen.

Toen kreeg ze een pak slaag. Voor het eerst van haar leven. Hij legde haar over zijn knie en sloeg haar op haar blote billen. Dat koppige, ellendige kind beet hem in zijn hand, als een hond!

Maar er kwam ook iets goeds uit voort. Sinds deze gebeurtenis keek ze de mensen altijd recht in de ogen. Alsof ze meteen wilde weten of ze sloegen.

Het zou lang duren voordat Dina weer een cadeau van de drost kreeg. Om precies te zijn was de cello het volgende, dankzij mijnheer Lorch.

Maar Dina bezat een kleine schelp, zo groot als haar pinknagel, die glansde als parelmoer. Ze bewaarde hem in een tabaksdoosje in een oude scheerkist.

Elke avond haalde ze hem te voorschijn en liet hem aan Hjertrud zien. Die haar gezicht had afgewend om te verbergen hoe verminkt ze was.

Dina had de schelp op een dag zien glinsteren toen ze langs de vloedlijn liep. Hij had kleine roze ribbeltjes die in een puntje eindigden, en was onderaan een beetje gespikkeld. Hij veranderde van kleur met de jaargetijden.

Bij lamplicht glansde hij mat. Maar in het daglicht, bij het raam, lag hij in haar handen als een kleine ster. Doorschijnend, wit.

Het was de knoop van Hjertruds hemelse gewaad! Die ze haar had toegeworpen!

Het was niet mogelijk om Hjertrud te missen. Iemand die je zelf weg had gestuurd, kon je niet missen.

Niemand sprak erover dat zij het kantelmechanisme van de pot in werking had gesteld. Maar iedereen wist het. Haar vader ook. Hij zat in de rookkamer. Was als de mannen op de oude schilderijen in de salon. Groot, overheersend, ernstig. Met een volkomen vlak gezicht. Hij sprak niet tegen haar. Zag haar niet.

Dina werd uitbesteed naar Helle, een van de daglonersboerderijtjes. Daar waren veel kinderen, maar verder was er van alles te weinig. Dus konden ze het goed gebruiken dat er nu een kind in huis kwam dat wat opleverde.

De drost betaalde gul. Zowel in klinkende munt, als met meel en door vrijstelling van werk.

Officieel heette het dat het meisje weer moest leren praten. Dat het haar goed zou doen met andere kinderen samen te zijn. En de drost hoefde niet elke dag aan de dood van zijn arme Hjertrud herinnerd te worden.

Op Helle probeerden ze allemaal om de beurt tot Dina door

te dringen. Maar haar wereld was niet de hunne.

Het leek alsof ze met hen dezelfde relatie had als met de berken die voor het huis stonden, of de schapen die in de herfst het nagras aten. Ze waren een onderdeel van het vertrouwde landschap waarin ze zich bewoog. Meer niet.

Ten slotte gaven ze het op en bemoeiden zich met hun eigen zaken. Ze werd een onderdeel van hun dagelijkse leven, net als de dieren, die een minimum aan verzorging nodig hadden, maar zichzelf verder konden redden.

Ze accepteerde geen enkele toenadering van hun kant, en wees elke poging tot contact af. En ze zei geen woord, als ze tegen haar praatten.

In het jaar dat ze tien werd, riep de predikant de drost bij zich. Maande hem zijn dochter naar huis te halen en haar een jeugd te geven die bij haar stand paste. Ze had zowel opvoeding als onderwijs nodig, vond de predikant.

De drost boog zijn hoofd en mompelde iets van dat hij inderdaad ook al in die richting gedacht had.

Weer werd Dina in een slee naar huis gehaald. Even stom als toen ze vertrok, maar met aanzienlijk meer vlees op haar botten. Gewassen en gekamd.

Dina kreeg een huisleraar die de deftige naam mijnheer Lorch droeg, en die niets afwist van de geschiedenis met Hjertrud.

Hij had zijn muziekstudie in Christiania onderbroken om zijn stervende vader te bezoeken. Maar toen zijn vader stierf, was er geen geld meer om terug te reizen.

Lorch leerde Dina de letters en de getallen.

Hjertruds bijbel, met al zijn miljoenen sierlijke tekens, werd ijverig gebruikt. Dina's wijsvinger volgde de regels als een rattenvanger die de kleine letterdiertjes achter zich aan trok.

Lorch bracht een oude cello mee. Ingepakt in een viltkleed. Als een grote zuigeling aan land gebracht, in veilige armen.

Een van de eerste dingen die hij deed was het instrument stemmen en een eenvoudige psalm spelen, uit zijn hoofd.

Er was alleen maar personeel in huis. Maar die vertelden naderhand alle details tegen wie het maar horen wilde.

Toen Lorch begon te spelen, rolden Dina's lichtgrijze ogen rond in hun kassen, alsof ze in zwijm zou vallen. De tranen stroomden over haar wangen en ze trok aan haar vingers zodat de gewrichten kraakten op de maat van de celloklanken.

Toen mijnheer Lorch zag wat voor uitwerking de muziek op het meisje had, hield hij verschrikt op.

Toen gebeurde het. Het wonder!

'Meer! Speel meer! Speel meer!' Ze schreeuwde het uit. De woorden waren werkelijkheid. Ze kon ze zeggen. Ze waren voor haar. Ze was.

Hij leerde haar de grepen. In het begin waren haar vingers hopeloos te klein. Maar ze groeide snel. Na een poosje beheerste ze de cello zo goed dat Lorch de moed had tegen de drost te zeggen dat Dina een eigen cello zou moeten hebben.

'Wat moet zo'n kind nou met een cello? Ze kan beter leren borduren!'

De huisleraar, uiterlijk iel en angstig, maar van binnen koppig als een ongeopende noot, wees er fijntjes op dat hij haar niet kon leren borduren. Cellospelen daarentegen wel.

Zo kwam er een cello in huis, voor een aanzienlijk aantal rijksdaalders.

De drost wilde dat de cello in de salon kwam te staan, zodat iedereen die op bezoek kwam het instrument kon zien en de handen ineen zou slaan van bewondering.

Maar Dina was het daar niet mee eens. De cello moest op haar kamer op de eerste verdieping staan. De eerste dagen droeg ze iedere keer als haar vader opdracht gegeven had de cello naar de salon te brengen, het instrument weer naar boven.

Na een paar dagen was de drost murw geworden. Er werd een soort onuitgesproken compromis tussen vader en dochter gesloten. Iedere keer dat er notabelen of andere belangrijke gasten kwamen, werd de cello naar de salon gebracht. Dina werd uit de stal gehaald, gewassen, en aangekleed in een laagjesrok en een lijfje, om psalmen te spelen.

Mijnheer Lorch zat op eieren en draaide aan zijn snor. Het

kwam niet bij hem op dat hij waarschijnlijk de enige in de kamer was, ongeacht hoeveel mensen er aanwezig waren, die in staat was Dina's foutjes te horen.

Dina begreep al snel dat mijnheer Lorch en zij iets gemeen hadden. Namelijk het feit dat ze verantwoordelijk waren voor elkaars ontoereikendheid. Na verloop van tijd werd dat een soort troost.

Als de drost een donderpreek hield tegen het gebogen Lorch-hoofd omdat Dina, na drie jaar onvermoeibaar onderricht, nog steeds niets anders fatsoenlijks kon lezen dan Hjertruds bijbel, dan zette ze de deur van haar kamer open, nam de cello tussen haar dijen en liet haar vaders lievelingsliederen neerdalen op het kantoortje. Dat miste zijn uitwerking niet.

Dina leerde de getallen zo snel dat ze de kruideniersknecht verlegen maakte omdat zij meervoudige getallen sneller in haar hoofd uitrekende dan hij ze kon opschrijven. Maar daar sprak nooit iemand over. Behalve mijnheer Lorch.

Iedere keer dat Dina de catechismus hardop voor de drost had voorgelezen, verdedigde hij zich ogenschijnlijk deemoedig tegenover beschuldigingen dat hij zijn werk niet goed deed.

Want Dina verzon de woorden die ze niet kon lezen, zodat de tekst vaak onherkenbaar was, maar aanzienlijk kleurrijker dan het origineel.

De bedienden stonden er met verkrampte kaken bij en durfden elkaar niet aan te kijken, bang dat ze in onbedaarlijk lachen zouden uitbarsten.

Nee, dan de getallen! Dat was toch niet natuurlijk voor een meisje! Haar jongere broer had getallen moeten leren, mompel-de de drost met gebarsten stem. En stormde de kamer uit. Iedereen wist dat de vrouw van de drost een paar maanden zwanger was geweest toen ze verbrandde.

Maar dat was, eerlijk is eerlijk, het enige en indirecte verwijt dat de drost Dina maakte.

Er stond een oud huisorgel op Fagernes. Een beetje achteraf in de salon. Bedekt met een kleed, waarop vazen en schalen stonden.

Maar dat klonk zo vals dat mijnheer Lorch weigerde Dina erop te leren spelen. Hij wees de drost erop dat het voor een huis, dat zoveel prominente gasten uit binnen- en buitenland ontving, goed zou zijn om een echte piano te hebben. Bovendien was dat een fraai meubelstuk!

En een piano moest wel in de salon staan. Op die manier kon de drost genoegdoening krijgen, na Dina's halsstarrigheid over de plaats van de cello.

Er kwam een zwarte, Engelse pianoforte in huis. Het was een plechtig moment toen hij na veel zweten eindelijk kon worden bevrijd van houtwol en doeken en uit de solide kist tevoorschijn kwam.

Mijnheer Lorch stemde de piano, trok zijn broekspijpen op, waarvan de knieën glommen van ouderdom, en ging voorzichtig op de stevige draaikruk zitten. Er was één ding dat mijnheer Lorch kon als de beste. En dat was pianospelen!

Met ogen als vrijgelaten duiven begon hij Beethoven te spelen. De Sonata Appassionata.

Dina zat stijf tegen de fluwelen rug van de chaise longue gedrukt. Haar voeten raakten de grond niet. Toen de eerste tonen de kamer vulden, opende haar mond zich met een diepe zucht.

Dina's gezicht veranderde in beken en rivieren. Er ontsnapte haar een intens geluid en ze rolde op de grond.

De drost liet Lorch onmiddellijk ophouden. Het kind werd naar haar kamer gestuurd. Ze was twaalf jaar en zou moeten weten hoe het hoorde.

In het begin durfde mijnheer Lorch niet in de buurt van de piano te komen. Hoe Dina ook smeekte, schold of vleide.

Maar op een dag vertrok de drost naar de rechtszitting. Hij zou een week wegblijven. Toen sloot mijnheer Lorch alle deuren en ramen van de kamer, hoewel de meizon flink brandde.

Hij trok zijn versleten broekspijpen op en kroop voorzichtig achter het instrument.

Hij liet zijn handen even op de toetsen rusten voordat hij zijn vingers in beweging zette, met alles wat hij aan liefde in zich had.

Hij bleef hopen dat Dina's reactie op de Sonata Appassionata eenmalig was geweest. Toch koos hij vandaag de Tarantella en de Wals van Chopin.

Maar hij had net zo goed zijn hele repertoire kunnen afdraaien. Want Dina huilde en jammerde.

Ze waren de hele week bezig. Tegen de tijd dat de drost terug werd verwacht, had het kind zulke rode ogen dat ze haar niet aan hem durfden laten zien. Ze zei dat ze zich niet goed voelde en naar bed ging. Ze wist dat haar vader niet naar haar kamertje zou komen. Hij was ziekelijk bang voor besmetting. Dat had hij van zijn moeder zaliger, zei hij. Hij maakte er geen geheim van.

Mijnheer Lorch bedacht een plan. En op een middag, toen de twee mannen in de salon zaten en de drost vertelde over de rechtszittingen, legde hij dat voor aan de drost.

Het was zonde van dat mooie instrument. Dat het niet werd gebruikt. Of de drost niet dacht dat het huilen van Dina wel over zou gaan als ze maar naar muziek leerde luisteren. Ja, hij kende iemand die een hond had die ook langzaam maar zeker aan muziek had leren wennen. De eerste maand jankte hij alleen maar. Het was verschrikkelijk. Maar na verloop van tijd wende hij eraan. En ten slotte ging hij rustig liggen slapen. Ja, het ging hier om een viool, dat was waar. Maar toch...

De drost vertrouwde Lorch ten slotte toe dat hij huilen niet kon verdragen. Er was genoeg gehuild toen zijn vrouw op zo tragische wijze was gestorven. Ze had een heel etmaal geschreeuwd voordat ze rust kreeg. Sindsdien grepen zulke geluiden hem vreselijk aan.

Eindelijk kreeg mijnheer Lorch het verhaal van Hjertrud te horen. Over Dina die de hendel had losgemaakt waardoor de pan vol kokendheet zeepsop over haar arme moeder werd leeggegoten.

Mijnheer Lorch, die niet gewend was aan ontboezemingen, had geen troostende woorden. Hij had drie jaar in dit huis gewoond zonder te weten waarom hij een wolfskind onderwees.

Na een poosje werd hij ziek van de details van de drost. Maar hij bleef luisteren met het oor van de musicus, die er keihard op getraind is kunst van sentiment te onderscheiden.

Er ging van alles om in het gevoelige Lorch-hoofd. Een van

die dingen was dat de drost toch in zekere zin over de tragedie heen was. Ondanks de uiterlijk rouw.

Mijnheer Lorch raapte zijn moed bijeen en zei, in voorzichtige bewoordingen, dat het toch zonde zou zijn als niemand het dure instrument bespeelde. Hij zou Dina les kunnen geven als de drost er niet was.

Toen de drost zijn verhaal had verteld, zijn keel had geschraapt en nog een sigaar had gerookt, spraken ze dat af.

Hierna maakte mijnheer Lorch een lange wandeling. Langs lentebleke stranden. Dorre grassprieten staken omhoog uit de sneeuwranden en zeevogels zweefden ontheemd rond.

Hij zag voortdurend Dina's harde gezicht voor zich. Hoorde haar koppige, trefzekere hoofdrekenen en haar mateloze gehuil als hij piano speelde.

Hij was eigenlijk van plan geweest die zomer naar Kopenhagen af te reizen om zijn muziekstudie weer op te nemen. Hij had op de hoeve van de drost een aardige som geld gespaard. Maar hij bleef. Een verdorde jongeman. Met een kalend hoofd en afgetobd gezicht, hoewel hij nog geen dertig was.

Hij had in zekere zin een roeping gekregen.

Dina bleef praten. Eerst alleen tegen Lorch. Maar later ook tegen anderen.

Ze leerde pianospelen. Op bladmuziek van Lorch. Eerst liedjes en vingeroefeningen. Toen psalmen en lichte klassieke stukken.

Lorch was erg precies met de bladmuziek. Hij schreef naar Trondhjem, Christiania en Kopenhagen om bladmuziek die geschikt was voor beginners. Zo kreeg hij ook weer contact met zijn oude muziekvrienden.

Dina leerde zowel te spelen als te luisteren zonder dat ze huilde als een wolf. En de hoeve van de drost kreeg de reputatie van muzikale pleisterplaats. Reizigers zaten in de salon en luisterden naar cello en piano. En dronken punch. Alles was zoals het hoorde en van een hoog niveau. De drost was zeer tevreden.

Mijnheer Lorch, met zijn afgetobde en onaantrekkelijke uiterlijk, zijn bruuske en onhandige manier van doen en zijn introverte en saaie wezen, kreeg de status van kunstenaar.

Lorch vertelde Dina veel merkwaardige dingen over de grote wereld. Maar ook verhalen over magie en muziek.

Op een dag, toen ze een roeitochtje maakten over de bladstille zee, vertelde hij over de watergeest, die een violist zou leren vioolspelen. Het moest zo mooi klinken dat de prinses zou gaan huilen en met hem zou willen trouwen!

Ja, dat wilde de watergeest hem wel leren! Als betaling wilde hij lekker, vers vlees hebben.

De watergeest kweet zich van zijn taak. De violist leerde de kunst zo goed dat hij zelfs met handschoenen aan kon spelen. Toen besefte hij dat hij geen vlees had. In zijn wanhoop gooide hij een afgekloven bot in de zee.

'Wat gebeurde er toen?' vroeg Dina ademloos.

'Hij had nooit moeten proberen de watergeest te bedriegen. De watergeest zong dag en nacht voor hem: "Je gaf me een bot met niks op de kaken, nu leer je wel stemmen, maar niet om te raken."'

'Wat betekende dat?'

'Hij leerde ontzettend goed spelen, maar de prinses raakte niet ontroerd, dus kreeg hij haar niet.'

'Waarom niet? Als hij zo goed was?'

'Dat je goed noten kunt spelen, wil nog niet zeggen dat je de kunst verstaat de mensen te ontroeren. Muziek heeft een ziel, net als mensen. Die ziel moet je ook kunnen laten horen...'

'Jij kunt dat', zei Dina resoluut.

'Dankjewel!' zei de man terwijl hij een buiging maakte. Alsof hij in een concertzaal zat, met een prinses op de eerste rij.

Voor Dina was Lorch een grote steun. Hij was degene waar ze naar toe ging als er iets was. Niemand durfde hem belachelijk te maken waar zij bij was.

Hij leerde met haar heftige liefkozingen en omhelzingen om te gaan. Door gewoon rechtop te blijven staan en zijn armen te laten hangen. Zijn ogen waren als spinnewebben in het kreupelhout – met regendruppels erin.

Dat was voor haar genoeg.

Lorch nam Dina mee naar Hjertruds graf. Er stonden daar zulke mooie bloemen. Een bloemperk omzoomd door bemoste keitjes.

Lorch sprak op gedempte toon met Dina en legde haar dingen uit zonder dat ze hem erom had gevraagd.

Dat Hjertrud geen wrok koesterde. Dat ze in haar hemel zat en blij was omdat ze ontkomen was aan het eeuwige zwoegen en het verdriet van deze wereld.

Dat alles in zekere zin was voorbestemd. Dat de mensen instrumenten waren in elkaars levens. Dat sommige mensen dingen deden die in hun eigen ogen en de ogen van anderen afschuwelijk waren, maar die toch een zegen konden zijn.

Dina keek hem aan met twee glazige ogen, alsof ze plotseling geloofde dat zij Hjertrud had gelouterd. Ja, haar had bevrijd! Dat zij eigenlijk datgene had gedaan dat niemand anders durfde of wilde doen. Hjertrud rechtstreeks naar Gods koninkrijk in de hemel zenden. Waar geen verdriet was, geen personeel en geen kinderen. En Hjertrud had haar de geur van wilde rozen en vergeet-me-nietjes gezonden – uit dankbaarheid.

De uitdrukking in Dina's ogen deed Lorch van gespreksonderwerp veranderen. Hij vertelde enigszins gejaagd over de verschillende delen van de bloemen.

In de zomer dat Dina dertien werd, kwam de drost terug uit Bergen met een ongewoon goed verzorgde baard en een nieuwe echtgenote.

Hij liet haar zien met een trots, alsof hij haar zelf had gemaakt.

'De nieuwe' betrok na een week Hjertruds kamer. Alle mensen op de hoeve, en ook de buren, vonden dat het wat plotseling kwam.

Twee meisjes kregen de opdracht om alle spullen van Hjertrud zaliger uit de kamer te halen en het vertrek schoon te maken. Dat was al die jaren afgesloten geweest. Als een kist waar niemand de sleutel van had en die daarom vergeten was.

Die arme Hjertrud had de kamer toch niet meer nodig, dus

eigenlijk was er niets aan de hand. Dat begreep iedereen. Maar toch. De manier waarop.

Af en toe praatten ze er over, op gedempte toon. Dat de drost na verloop van tijd zo'n behoefte aan een vrouw had gehad dat dienstmeisjes nooit lang op de hoeve bleven, als ze hun vege lijf wilden redden. Het was dus toch ergens goed voor dat deze Dagny in huis kwam.

Ze was een echte stadse dame uit Bergen. Met een wespetaille, kunstig opgestoken haar en drie onderjurken tegelijk. Ze zou eigenlijk een zegen voor hen allemaal moeten zijn, maar zo gemakkelijk ging dat niet.

Een van de eerste gezichten die de nieuwe vrouw van de drost zag, was een zelfgemaakt masker van gips.

Dina had haar best gedaan. Had zich uitgedost met een gipsgezicht en witte gewaden, om haar vader te verrassen.

Ze had het gezicht zelf gemaakt. Volgens aanwijzingen van Lorch. Een niet helemaal gelukt afgietsel van Lorchs gezicht. Het leek meer op een lijk dan alles wat mevrouw Dagny ooit had gezien. Eerder grotesk dan grappig.

De drost schaterde het uit toen die verschijning opdook in de deuropening, terwijl Dagny naar haar voorhoofd greep.

Vanaf die eerste dag waren Dina en Dagny in een koude, onverzoenlijke oorlog gewikkeld. In die oorlog moest de drost erin berusten als intermediair tussen de vrouwen te fungeren, wilde er überhaupt contact tussen hen zijn.

Ik ben Dina. Hjertrud heeft een knoopje van haar mantel naar beneden gegooid, naar mij. Vroeger vond ze het niet leuk als ik rouwranden onder mijn nagels had. Nu zegt ze er nooit meer iets van.

Lorch zegt dat het een gave is dat ik zo snel kan hoofdrekenen. Hij dicteert en ik tel op. Soms trek ik er ook getallen van af. Of maak delingen. Lorch rekent het uit op papier. Dan zuigt hij lucht tussen zijn tanden door en zegt: 'Prima! Prima!' Dan maken we samen muziek. En lezen niet meer uit de huispostille of de catechismus.

Hjertruds kreten scheuren de winternachten in piepkleine snippers die langs mijn raam fladderen. Vooral vlak voor Kerst. Verder loopt ze rond in viltpantoffels, zodat ik niet weet waar ze is. Ze is uit haar kamer gegooid.

Alle schilderijen zijn opgeborgen. De ladenkast is leeggehaald. De boeken zijn bij mij neergezet. Ze lopen in het maanlicht de boekenplanken in en uit. Hjertruds zwarte boek heeft zachte randen. Er staan veel sprookjes in. Ik leen haar vergrootglas en trek de woorden naar me toe. Ze vloeien door mijn hoofd als water. Ik krijg dorst. Maar ik weet niet wat ze van mij willen.

Hjertrud heeft het huis verlaten. Er cirkelt een adelaar boven de hoeve. Zij zijn er bang voor. Maar het is gewoon Hjertrud. Zij begrijpen dat niet.

2

Hij redt zelfs hem die niet onschuldig is.

(Job 22:30)

'Tomas! Weet jij waarom paarden staande moeten slapen?' vroeg Dina op een dag.

Ze keek de stevige, gedrongen jongen van opzij aan. Ze waren alleen in de stal.

Hij kwam van de pachtboerderij waar Dina een paar jaar had gewoond. Hij was nu zo groot dat hij naast de opgelegde pachtarbeid wat extra's kon verdienen op de hoeve van de drost.

Hij gooide het voer in de ruif en liet zijn armen zakken.

'Paarden staan altijd als ze slapen', stelde hij vast.

'Ja, maar ze staan toch ook als ze wakker zijn?' vond Dina met haar merkwaardige logica. Ze sprong in de warme paardedrek in de paardenbox zodat die tussen haar tenen door geperst werd en als dikke wormen omhoog kwam.

'Ja, ja.'

Tomas gaf het op.

'Weet jij dan niks?' vroeg Dina.

'Puh.'

Hij spuugde op de grond en fronste zijn wenkbrauwen.

'Weet je dat ik mijn moeder heb verbrand, zodat ze doodging?' vroeg ze op vertrouwelijke toon, terwijl ze hem strak aankeek.

Tomas bleef staan. Hij was niet eens in staat zijn handen in zijn zakken steken. Ten slotte knikte hij. Als in gebed verzonken.

'Nu moet jij ook staand slapen!' stelde ze vast met dat wonderlijke glimlachje van haar, dat nergens mee te vergelijken viel.

'Waarom?' vroeg hij verbluft.

'Ik heb het tegen de paarden verteld. Die staan te slapen! Nu weet jij het ook. Dus nu moet jij ook staande slapen. Jullie zijn de enigen tegen wie ik het verteld heb.'

Ze draaide zich om op haar vieze hakken en rende de stal uit. Het was zomer.

Die nacht werd Tomas wakker omdat iemand aan de deur van zijn kamertje morrelde. Hij dacht dat het de staljongen was die zich had bedacht en toch niet was gaan vissen.

Toen stond ze plotseling over hem heen gebogen. Hij keek recht in twee wijdopen, beschuldigende ogen. Grijs als gepolijst lood in het nachtlicht. Ze beheersten haar gezicht. Dreigden het bed in te vallen.

'Je belazert de boel!' brieste Dina en trok de deken van hem af. 'Je zou staand slapen!'

Toen zag ze het naakte jongenslichaam, dat hij instinctief met zijn handen probeerde te bedekken.

'Wat zie jij er gek uit', zei ze. Trok de deken helemaal van hem af en begon de binnenkant van zijn dijen te onderzoeken.

Hij verdedigde zich met een gegeneerd gegrom en greep met één arm naar zijn broek die over het voeteneinde van het bed hing. Voor hij het wist, stond hij midden in de kamer. Zij was weg. Was het alleen maar in zijn hoofd gebeurd? Nee. Haar geur was er nog. Als natte lammetjes.

Hij kon niet vergeten wat er gebeurd was. Soms werd hij midden in de nacht wakker en dacht dat Dina in de kamer stond. Maar hij kreeg nooit een bewijs.

Hij had de schuif voor de deur kunnen doen, maar hield zichzelf voor dat de andere mannen dat raar gevonden zouden hebben. Alsof hij iemand probeerde buiten te sluiten.

Hij begon te geloven dat de paarden hem gek aankeken als hij ze voerde. Soms, als hij hen een broodkorst gaf en ze hun grote muilen openden en hun gele tanden lieten zien, dacht hij dat ze hem uitlachten.

Zij was de eerste die naar hem had gekeken. Op die manier. Sindsdien stond alles op zijn kop.

Hij ging steeds vaker naar het vennetje achter het bos. Hij vermoedde dat zij daar baadde. Omdat hij zich plotseling herinnerde dat hij haar op een warme middag met drijfnat haar had gezien.

Hij dacht dat hij geritsel in het hooi hoorde, als hij op lichte zomeravonden in de stal aan het werk was.

Hij had kunnen zweren dat hij iets in de struiken zag bewegen als hij 's avonds na het werk zelf in het ven ging baden.

Op een avond deed hij het! Kwam trillend van spanning en kou uit het koude water en liep naar de steen waar zijn kleren lagen. Rustig, en niet rennend met zijn handen voor zijn lichaam, zoals anders. Hij had zijn kleren een flink stuk van de oever gelegd. Alsof hij wilde dat iemand hem zou zien.

Die wil explodeerde in hem toen hij merkte dat er echt iemand tussen de struiken zat. Er lichtte iets op. Een schaduw! Lichte stof? Even durfde hij nauwelijks om zich heen te kijken. Toen begon hij zich bevend aan te kleden.

De hele zomer lang had hij haar in zijn bloed. Zij stroomde door alles wat hij dacht. Als een onstuimige beek.

Ik ben Dina. Ik houd niet van frambozen. Je kunt ze plukken in de bosjes achter het voorraadhuis, waar vroeger het washuis stond. Zulke bosjes doen meer pijn dan brandnetels.

Hjertrud staat midden in het ven, waar de waterlelies drijven. Ik ga het water in, naar haar toe. Dan verdwijnt ze. In het begin krijg ik veel water binnen, dan voel ik dat ze mij vasthoudt, zodat ik blijf drijven. Nu kan ik zomaar het water en de zee inlopen en drijven, omdat zij mij vasthoudt. Tomas kan dat niet. Niemand houdt hem vast.

Nog voordat Dagny een maand de vrouw van de drost was, was haar middel al aardig uitgedijd.

De kokkin zei dat de drost niet zuinig met kruit was geweest, toen hij eenmaal schoot. Tegen haar vertrouwelingen sprak ze de hoop uit dat hij zo goed geschoten had dat hij de dienstmeisjes hierna met rust zou laten. Zodat zij niet voortdurend nieuwe hoefde te zoeken.

De drost was zelfs vrolijk geworden. Hij maakte wandelingetjes in het bos achter de hoeve en hield Dagny's parasol hoog boven haar hoofd. Zo hoog dat ze klaagde dat ze toch in de zon kwam en dat de opdringerige berketakken gaten in de zijde maakten.

Dina zette vallen. Na gedegen denkwerk.

Het kon gebeuren dat Dagny's kamer op slot was en de sleutel spoorloos verdwenen. Om daarna binnen in de kamer gevonden te worden!

Ze kon ongezien de kamer binnensluipen als Dagny beneden was, de deur op slot doen en de sleutel aan de binnenkant in het slot laten steken. En dan door het open raam naar buiten klauteren.

Ze maakte een pendel van haar lichaam. Als van de stokoude klok in de kamer. Na zes, zeven stevige slingers van de pendel kregen haar voeten houvast in de grote treurberk voor het raam.

Tomas was altijd degene die een ladder moest halen om tussen de dunne broekgordijnen door te klimmen en de deur open te maken.

De verdenking viel op Dina.

Dagny's hoge, beledigde stem joeg als een winterstorm over de hoeve.

Maar Dina zweeg. Ze keek recht in haar vaders woedende ogen en zweeg.

Hij trok aan haar haar en schudde haar door elkaar.

Ze ontkende het, tot het schuim op haar lippen stond. En de drost gaf op. Voor deze keer.

Soms was Dagny's boek of naaigerei spoorloos verdwenen. Het hele huis moest helpen zoeken. Zonder resultaat.

Na een dag of twee lag het boek of het naaigerei weer op zijn plaats.

Wanneer Dina zei dat ze bij Tomas of het keukenmeisje was geweest, dan was dat zo. Zij logen om redenen die ze zelf nauwelijks begrepen. De jongen omdat Dina ooit de deken van hem had afgetrokken en hem naakt had gezien. En omdat er sindsdien een brand in hem woedde die hij niet kon blussen. Hij begreep instinctief dat de brand niet geblust zou worden als hij ontkende dat hij met haar in de stal was geweest op het tijdstip dat de spullen verdwenen.

De lange, struise Dina had stevige vuisten en een heftig temperament. Ze had deze werktuigen nog nooit tegen haar gebruikt. Toch was het keukenmeisje bang.

Dagny baarde een zoon. Had de bruiloft in alle stilte in Bergen plaatsgevonden, de doop van het kind werd een gebeurtenis van koninklijke omvang.

De zilveren bekers, de zilveren kandelaars, de gehaakte kleedjes en de hele santenkraam stonden dagenlang op het dressoir en het buffet uitgestald.

De dienstmeisjes vroegen zich af of het de bedoeling was dat het eten en de schalen dan maar op de grond werden gezet.

Het kind, dat de naam Oscar met een c kreeg, huilde veel. Dat was iets wat de drost niet had voorzien. Hij had zwakke zenuwen waar het huilen betrof.

Dagny was op een mooie manier wat dikker geworden, met een volle boezem. Zodra ze een kindermeisje in huis hadden gekregen, werd ze vrolijk. Ze bestelde creaties en kinderkleertjes uit Trondhjem en Bergen.

De drost wilde eerst niet krenterig lijken en haar iets weigeren. Maar toen er geen einde aan de pakketjes en bestellingen leek te komen, was zijn geduld op. Hij herinnerde haar eraan dat ze er op het ogenblik financieel niet zo rooskleurig voor stonden. Hij had nog steeds niet al het geld binnen voor de vis die hij naar Bergen had gestuurd.

Dagny begon te huilen. Oscar huilde ook. En toen de volgende zending uit Trondhjem aankwam, zuchtte de drost en liet zich een paar uur lang niet zien.

Maar voordat de avond viel, kwam hij als het ware gelouterd uit zijn kantoor en was niet boos meer. Dat kon iedereen die in het hoofdgebouw woonde bevestigen. Want de oude houten vloer tussen de kamer van mevrouw Hjertrud zaliger en de begane grond kraakte ritmisch.

'Ze hadden toch tenminste kunnen wachten tot wij naar bed waren', mopperde het oudste dienstmeisje minachtend.

Maar de drost hield zich bij deze ene. En liet alle andere rokken met rust. Dus namen ze dit voor lief. Sommigen vonden het zelfs een aardig tijdverdrijf om naar de niet mis te verstane geluiden daarboven te luisteren.

Zulke geluiden hadden ze ten tijde van Hjertrud zaliger nooit gehoord. Zij was een engel geweest. Een heilige. Niemand kon geloven dat zij het ooit gedaan had met die liederlijke drost. Maar ze hadden samen dat meisje gekregen... De ongelukzalige Dina, die zo'n zware zonde meetorste. Wat een triest lot voor het arme kind!

De vrouwen lieten geen gelegenheid voorbij gaan om over Hjertrud zaliger te praten. Fluisterend. Maar luid genoeg voor Dagny's oren. Niet voor die van de drost.

Ze schilderden haar ten voeten uit. Haar trotse, rijzige gestalte. Haar opgewekte glimlach en wonderbaarlijk smalle taille. Haar verstandige woorden werden geciteerd.

Als Dagny in de deuropening verscheen, werd het stil. Alsof iemand de kaars had uitgeblazen. Maar dan was het meeste al gezegd en gehoord.

Dagny berustte in de portretten van Hjertrud zaliger. De eerste maanden. Een ervan keek haar met een vage glimlach aan vanaf het fluwelen behang boven de lambrizering in de salon. Een ander keek ernstig op haar neer in het trappenhuis. En er stond er een op de schrijftafel van de drost.

Maar op een dag had ze er genoeg van. Ze haalde de portretten eigenhandig van de muur, stopte ze in een oud kussensloop en legde ze in een kist waarin spullen lagen, die uit Hjertruds kamer afkomstig waren.

Dina betrapte haar toen ze het laatste portret van de muur haalde. Dat ogenblik was als een geopende kruik zuur.

Het meisje volgde haar op de hielen. Naar boven, waar ze het kussensloop uit de linnenkast op de gang haalde. Naar de donkere hoek waar Hjertruds kist stond. Dagny deed of het meisje lucht was.

Er werd geen woord gezegd.

Ze hadden heerlijk gegeten.

De drost leunde achterover in de oorfauteuil van groene pluche. Hij had nog niet gemerkt dat de portretten verdwenen waren.

Toen sloeg Dina toe.

Als een legeraanvoerder die een heuvel bestormde. Ze droeg het oude kussensloop met zijn rinkelende inhoud als een vaandel voor zich uit.

'Ja, wat is er?' vroeg de drost, met nauwelijks verholen ergernis.

'Ik ga alleen even deze portretten ophangen', zei Dina luid, met een veelbetekenende blik op Dagny.

Ze ging voor de drost staan en haalde de portretten een voor een uit hun verstopplaats tevoorschijn.

'Waarom heb je ze weggehaald?' vroeg de drost bars.

'Ik heb ze niet weggehaald. Ik ga ze ophangen!'

Het werd stil, heel stil. Alle voetstappen in huis waren als muizengetrippel in de voorraadkast.

Ten slotte nam Dagny het woord. Omdat de drost had gemerkt dat Dina's ogen als gloeiende kolen op haar waren gericht.

'Ik heb ze weggehaald', zei ze kordaat.

'Waarom?'

Hij was niet van plan geweest om zo bars te klinken. Maar er was iets aan vrouwen dat hem tot op het bot irriteerde.

De drost geloofde in een ongeschreven regel, dat je tegen personeel en vrouwen moest praten alsof ze slimme honden waren. Maar als dat niet hielp, moest je ervoor zorgen de hond te 'binden'. Dan moest je het wezen 'toespreken', zoals je met een verstandig paard deed. Dat betekende dat je je stem niet moest verheffen, maar hem juist een octaaf lager moest laten klinken. Zodat hij vibreerde in je borstkas en zich door de hele kamer verspreidde.

Maar hij slaagde er zelden in zijn eigen stelregel na te leven.

Het lukte hem ook nu niet.

'Ik ben niemand een uitleg verschuldigd!' bitste Dagny.

De drost begreep het keffen van een getergde hond en stuurde Dina de kamer uit.

Ze haastte zich niet, schikte de vier portretten rond de voeten van haar vader, nam het kussensloop mee en glipte naar buiten.

De volgende ochtend hingen de portretten weer op hun plaats.

Dagny lag met hoofdpijn op bed, zodat die arme Oscar de hele dag beneden moest blijven.

De drost had schoon genoeg van al dat gekibbel tussen zijn dochter en zijn vrouw. Hij begon te wensen dat hij ergens anders was. Verlangde naar eenzame tochten langs de kust met de boot, in gezelschap van een paar bemanningsleden, zijn pijp en zijn drank. Hij betrapte zichzelf erop dat hij zou willen dat het meisje ergens ver weg was. Getrouwd. Maar ze was nog geen vijftien jaar.

Hij zag de toekomst ook tamelijk somber in. Niet omdat Dina lelijk was. Want dat was ze niet. Ze was groot en rijzig voor haar leeftijd. Goed ontwikkeld.

Maar ze had iets fels in zich, dat mannen die op jacht waren naar een vrouw nu niet bepaald aantrok.

Toch gaf hij het niet op. Het werd een soort heilige missie. Als hij een ongetrouwde man van acceptabele komaf tegenkwam, dacht hij meteen: zou dat iets voor Dina zijn?

Dagny kreeg er na een tijdje genoeg van om echtgenote, moeder en stiefmoeder te spelen. Ze wilde naar Bergen om, zoals ze het noemde, 'haar eigen mensen' te bezoeken. Toen begreep de drost dat er iets moest gebeuren, en snel.

Hij wilde Dina naar een school in Tromsø sturen. Maar niemand die het gezin kende, was bereid om haar in huis te nemen. Er werd een heel legioen goede excuses aangesleept. Alles van tering tot emigratie. En Dina was te jong om ergens in haar eentje in de kost te zijn.

Woedend dacht hij aan al die mensen die hij wel eens een dienst bewezen had. Maar dat waren ze blijkbaar vergeten. Hij mopperde hierover tegen iedereen die het maar wilde horen.

Dagny antwoordde geërgerd dat niemand 'dat kind daar' in huis kon hebben.

Wat! De dochter van de drost was 'dat kind daar'? Hij schuimbekte van woede en gekrenkte trots. Was zij niet de enige vrouw die cello kon spelen? Droeg ze geen schoenen? Reed ze niet beter dan wie dan ook het district? Kon ze niet beter rekenen dan de beste kruideniersjongen? Was er soms iets mis met haar?

Nee, er was niets mis met haar, behalve dan dat Dina door en door wild, boosaardig en moeilijk was!

Dagny spuugde haar oordeel recht tussen de ogen van de drost, terwijl ze stevig haar zoontje vasthield, dat angstig jammerde bij al die opwinding.

'En wie zou de plaats van haar moeder moeten innemen?' vroeg de drost. Hij was nu rood aangelopen.

'Ik in ieder geval niet', antwoorde Dagny resoluut. Ze duwde het kind voor zijn voeten op de grond en zette haar handen in haar zij.

Toen ging de drost weg. De kamer uit, de brede, statige trap af, het erf over, naar zijn geliefde pakhuizen.

Hij verlangde naar Hjertruds milde karakter en haar koele hand op zijn voorhoofd. Haar beheerste, engelachtige rust was in de jaren dat ze dood was zo mogelijk nog groter geworden.

De drost stond daar in de avondschemering en bad tot Hjertrud zaliger of ze haar kind bij zich wilde nemen, want hij kon het niet meer aan. Dat zag ze toch wel. Hij haastte zich te verontschuldigen door te zeggen dat hij het kind niet dood wilde, alleen maar wat meer aangepast.

'Praat jij eens met haar!' smeekte hij indringend.

Hij snoot zijn neus in een zakdoek met monogram, stak een sigaar op en ging moeizaam op een ton zitten.

Toen de etensbel klonk, voelde hij dat hij honger had. Toch wachtte hij zo lang mogelijk.

Niemand mocht beginnen te eten voordat de drost aan het hoofdeinde zat... Dat was de wet als hij thuis was.

Dina kwam helemaal niet aan tafel. Ze zat in de oude berk achter de voorraadschuur. Hier had ze een uitzicht als een valk. En ze kon alle geluiden van de hoeve horen.

Zelf was ze onzichtbaar.

Bovenin de boom hing Dagny's lichtblauwe breiwerk. In alle richtingen uitgetrokken, vol gaten daar waar de steken waren losgeraakt.

De breinaalden waren in het eksternest onder de dakgoot van de voorraadschuur gestoken. Ze schitterden en bliksemden wanneer de zon hen in het oog kreeg.

3

Zij zeide: 'Ik ga met u mee, maar gij zult geen eer
behalen op de tocht die gij onderneemt, want in de
macht van een vrouw zal de Here Sisera overgeven.'

(Richteren 4:9)

Jacob Grønelv van Reinsnes was de beste vriend van de drost.
's Winters gingen ze samen op jacht en 's zomers voeren ze
samen naar Bergen.

Bijna twintig jaar geleden was Jacob uit Trondhjem gekomen om Ingeborg, de weduwe op Reinsnes, te helpen met de
vrachtvaart.

Reinsnes was toen al een van de grootste handelsplaatsen in
het district, met twee prachtige vrachtschepen.

Het duurde niet lang voordat Jacob zijn intrek nam in het
slaapvertrek op de eerste verdieping. Ingeborg trouwde toen
maar met haar jonge stuurman.

Het bleek een goede keuze. Jacob Grønelv was een veelzijdi-
ge jongeman. Niet lang daarna vroeg hij een vergunning aan
om een herberg te drijven. Die kreeg hij, tot afgunst van velen.

Er werd veel goeds verteld over Ingeborg Grønelv. En over
Jacobs moeder, Karen. De vrouwen op Reinsnes waren altijd
een apart slag geweest. Ook al hadden er na verloop van tijd
verschillende families gewoond, voor de vrouwen gold dat men
zich hen het best kon herinneren.

Men zei dat iedereen die daar binnenkwam hartelijk werd
onthaald, of hij nu arm of rijk was. Het enige dat je ten nadele
van de vrouwen op Reinsnes zou kunnen zeggen, was dat ze niet
elk jaar zwanger werden. Maar daar stond tegenover dat ze jong
bleven en een zachte huid hielden.

Het was alsof de zuidwester en de grote oceaan hun rimpels
en ouderdom wegspoelden. Het moest aan de plek zelf liggen.
Want het was niet erfelijk. Er woonden steeds andere families
op Reinsnes.

Jacob Grønelv was een werkpaard en een levensgenieter. Met zeeschuim in zijn haar was hij uit de grote wereld gekomen. Trouwde met de vijftien jaar oudere Ingeborg en al haar bezittingen. Maar hij verspeelde niets.

Omdat Ingeborg veertig jaar was toen Jacob in huis kwam, geloofde niemand dat er erfgenamen zouden komen.

Maar ze vergisten zich deerlijk.

Ingeborg, die bij haar vorige man onvruchtbaar was geweest, bloeide op.

Net als Sara in het Oude Testament werd ze op oudere leeftijd nog zwanger. Drieënveertig jaar oud baarde Ingeborg van Reinsnes een zoon! Hij kreeg de naam Johan, naar Jacobs vader.

Jacobs moeder, Karen, kwam uit Trondhjem om haar kleinkind te zien. Maar het duurde niet lang voordat ze haar boekenkasten en schommelstoel liet halen, om voorgoed te blijven.

Ze was de beste schoonmoeder die je je maar kon wensen. Zo kwam de vrouwenheerschappij op Reinsnes in een nieuwe, prettige fase. Een milde, allesomvattende heerschappij, die het hele huishouden inspireerde tot verdraagzaamheid en werklust. Onder de tucht van Reinsnes te staan, was een zegen.

De twee pleegzonen die Ingeborg had van voor haar huwelijk met Jacob, hadden voor problemen kunnen zorgen. Maar ze groeiden op en pasten zich aan. Niels, de oudste, was donker en bestuurde de winkel. Anders was blond en rusteloos. Hij voer op een van de vrachtschepen.

Ingeborg bemiddelde en verdeelde het werk in alle gemoedelijkheid.

Jacob had als echtgenoot en huisheer juridisch gezien alle rechten, maar in de praktijk was het Ingeborg die bestuurde en besliste. Ze vroeg Jacob om raad. En soms volgde ze die raad op.

Dat Jacob eigenlijk een vreemde was, kon niemand iets schelen. Dat hij het liefst ieder jaar met het vrachtschip naar Bergen voer, en het sowieso prettig vond van vroeg tot laat op pad te zijn, werd als normaal beschouwd.

Niemand hoorde ooit dat er woorden waren tussen Jacob en Ingeborg. Ze hadden elk hun eigen leven.

De vrachtschepen, de Nordlandsjachten, waren Jacobs leven. Anders werd in alles zijn leerling.

Zo hadden Jacob en Ingeborg elk hun eigen pleegzoon. Taken en verantwoordelijkheden waren ongeschreven wetten. Nauwkeurig bepaald door wat het beste was voor de grote hoeve. Iets anders was ondenkbaar.

De kristallen in de kroonluchter bleven verschoond van dissonanten en spektakel in het huis. Men sprak er gedempt en beschaafd.

Dat straalde Ingeborg uit tot in de stallen en de pakhuizen. Er werd nooit gevloekt.

Jacob leefde zich uit als hij op zee was. Als hij weer vaste Reinsnes-grond onder de voeten had, was hij uitgeraasd.

Hij reinigde zich altijd voordat hij bij Ingeborg in bed kwam. Zowel inwendig als uitwendig. En hij werd nooit afgewezen.

Als hij af en toe zijn honger stilde in andere herbergen langs de lange vaarroute, dan verlangde hij toch naar de rijpe vrouw. Was altijd weer blij thuis te zijn in het hoge bed met de gordijnen en de witte hemel.

De mensen zagen duidelijk dat er een blosje op de sproetige wangen van Ingeborg verscheen wanneer het vrachtschip de Sont binnenvoer. Die blos kon wekenlang blijven. Tot Jacob weer vertrok.

Ze gingen vroeg naar bed en stonden laat op. Maar dat nieuwe ritme stoorde niemand. Zo werden de nachten voor iedereen wat langer.

Deze Jacob Grønelv was niet vies van een glas punch. De drost ook niet.

Jacob was degene die de drost troostte toen hij weduwnaar was geworden. Die hem meenam naar het vrolijke leven in Trondhjem en Bergen. En die een ontmoeting met Dagny regelde.

Ze stonden voor elkaar in. Zowel wat zaken als wat vrouwen betrof. Er was een tijd dat ze om de beurt dezelfde slaapkamer in Helgeland bezochten, zonder daar ook maar de kleinste onenigheid over te hebben.

Op een dag stierf Ingeborg toen ze zich onder de lariks in de tuin bukte om haar zwarte kat te aaien. Viel op de grond als een appel. En was niet meer.

Niemand had er ooit bij stilgestaan dat Ingeborg zou sterven, ondanks het feit dat alle families geregeld door de dood werden bezocht. In ieder geval had niemand verwacht dat Onze Lieve Heer het haar zou weigeren haar zoon als predikant ingezegend te zien! Zij, die elke broze gedachte aan God, hoe klein ook, hier langs de kust had verdedigd en die zich altijd had opgeworpen als de beschermer van anderen.

Na Ingeborgs dood werden de lariks en de zwarte kat als relikwieën beschouwd.

Jacob was ontroostbaar. Het verging hem zoals zovele anderen wie de dood plotseling iemand heeft ontnomen. Hij zag in dat je liefde niet kunt afwegen, noch op een weegschaal, noch met een unster. Liefde kwam wanneer je het het minst verwachtte.

Voor Jacob kwam de liefde pas bewust toen hij bij het lijk waakte. Hij had gedacht dat het een zaak van handel en bed was. En nu bleek het zo onbegrijpelijk veel meer te zijn.

Een jaar lang kwelde hij zichzelf slapeloos en mager omdat hij Ingeborg nooit zijn ware liefde had kunnen tonen.

Hij maakte misbruik van zijn schenkvergunning en dronk meer dan hij verkocht. Dat leverde niet alleen weinig winst op, maar maakte hem ook onverschillig en sloom.

De slimme pleegzonen kregen niet alleen veel te doen, ze kregen ook alle macht en eer.

Als Jacob niet zo'n knappe man was geweest, zou hij de afschuw van zowel zijn huisgenoten als van vreemden hebben gewekt.

Jacob had een ring van sensualiteit om zich heen. Die zijn uitwerking had op alle levende wezens, zoals het ook zijn uitwerking op Ingeborg had gehad.

Maar Jacob was een vagebond en een zeeman. Hoe groot Ingeborgs zakentalent was geweest kwam al snel aan het licht toen ze er niet meer was.

De pleegzonen probeerden de zaak draaiende te houden. Maar ze zagen al snel in dat ze of de zaak helemaal moesten overnemen, of Jacob naar zee moesten sturen, om hem daar zaken te laten doen, waar hij de regels kende. Anders zouden ze failliet gaan.

Men verdroeg Jacob en vergaf hem. Beschermde hem. Zelfs toen hij op een nacht het hemelbed naar de tuin droeg.

Hij had aanzienlijk wat glazen achterovergeslagen en had Ingeborg op alle mogelijke manieren en in alle stadia gemist. Dacht zeker dat hij op die manier dichter bij haar was. In ieder geval zag hij haar hemel.

Maar de hemel waardeerde hem blijkbaar minder. De regen kwam als kanonskogels naar beneden. Bliksem en donder straften de arme man in het hemelbed.

Het had hem veel werk gekost om het bed uit elkaar te halen, naar buiten te sjouwen en toen weer goed in elkaar te zetten.

De zijden hemel had hij niet opgehangen. Gelukkig. De regen was al erg genoeg voor het houtwerk. Het zou een ramp zijn geweest voor de zijde.

Maar Jacob werd nuchter. Als door een wonder.

4

Twee engelen kwamen tegen de avond te Sodom
aan, terwijl Lot bij de stadspoort zat. Lot ontving hen
vriendelijk en nam hen op in zijn huis. Maar de
mannen in Sodom wilden hen kwaad doen en om-
singelden het huis. Ze riepen tegen Lot dat hij de
vreemden naar buiten moest brengen, opdat zij gemeenschap met hen konden hebben.
Lot kwam naar buiten, maar deed de deur achter zich
dicht, en zei: 'Mijn broeders, doet toch geen kwaad!
Zie toch, ik heb twee dochters die met geen man
gemeenschap hebben gehad; laat mij die tot u naar
buiten brengen en doet met haar, zoals goed is in uw
ogen; alleen doet deze mannen niets, want daartoe
zijn zij onder de schaduw van mijn dak gekomen.'

(Genesis 19)

Toen de geschiedenis met het hemelbed de drost ter ore kwam,
besloot hij zijn vriend op Fagernes uit te nodigen voor de jacht,
een spelletje kaart en een glas punch.

De weduwnaar kwam naar de hoeve in een witgeverfde boot
met blauwe relingen.

De herfstlucht was scherp, maar midden op de dag was het
aangenaam warm. De sneeuwhoenders waren al gesignaleerd.
Bont gekleurd, zoals zo vroeg in de herfst te verwachten was.
Aangezien er geen sneeuw was, bereidden de heren zich voor op
een slechte jacht.

Maar daar ging het niet om... zei men.

De gebromde begroetingen waren hartelijk.

Jacob prees Dagny's jurk, haar, figuur en borduurwerk. Hij
prees het eten, de likeur, de warmte van de kachel en de
gastvrijheid. Hij rookte een sigaar en viel niemand lastig met

verhalen over zichzelf en zijn trieste situatie.

Dagny voegde zich na het eten bij de heren en vertelde ijverig over een Zweed die een week bij hen had gelogeerd. Hij bestudeerde vogels in de omgeving, waar dat ook goed voor mocht wezen.

'Hadden jullie vorig jaar niet een wilde vogel in huis?' vroeg Jacob onbezorgd en vrolijk.

De gastheer en gastvrouw werden onrustig.

'Ze zal wel in de stal zijn', antwoordde de drost uiteindelijk.

'Ja, daar zat ze de vorige keer ook', grinnikte Jacob.

'Het is niet zo gemakkelijk om haar te laten opgroeien', zei Dagny.

'De laatste keer dat ik haar zag, had ze anders behoorlijk lange benen', vond Jacob.

'O ja, dat is het probleem niet', zuchtte de drost. 'Maar ze is wilder en onhandelbaarder dan ooit. Ze is vijftien, ze zou op school moeten zitten, of als pleegkind in een goed gezin moeten wonen. Maar dat is niet zo eenvoudig...'

Jacob wilde zeggen dat het niet gemakkelijk kon zijn om zonder moeder op te groeien, maar hield zich in. Dat was niet gepast, dat snapte hij wel.

'Maar eet ze dan niet?' vroeg hij zich af, en keek naar de eetkamer waar de meisjes de tafel afruimden.

'Ze eet in de keuken', zei de drost gekweld.

'In de keuken!'

'Ze zorgt altijd voor zo'n onrust aan tafel', zei Dagny en schraapte haar keel.

'Ja, en in de keuken voelt ze zich op haar gemak', zei de drost haastig.

Jacob keek van de een naar de ander. De drost voelde zich niet prettig. Ze veranderden van onderwerp. Maar de stemming was niet meer dezelfde.

Lorch zei niets. Had de gave onzichtbaar te zijn, niet aanwezig. Zo wekte hij zowel irritatie op als waardering.

Die avond werkte hij de drost danig op zijn zenuwen.

Jacob en de drost gingen bij het aanbreken van de ochtendschemering op jacht.

Dagny dreigde Dina met van alles en nog wat als ze zich niet netjes aankleedde en na het avondeten cello speelde. Om de een of andere reden, die alleen maar aan Lorchs meesterlijke strategie te danken kon zijn, stemde ze toe. Ondanks het feit dat Dagny het haar opdroeg.

Dina stemde er ook in toe met de volwassenen aan tafel te zitten.

De mannen waren in een uitstekend humeur en deden zich te goed aan de lamsbout. Er werd wijn geschonken. Er werd gelachen en geconverseerd.

Lorch mengde zich niet in het mannengesprek. De jacht was niet zijn sterkste punt. Hij was een ontwikkeld man, en een goed luisteraar.

De heren weidden breed uit over de ondraaglijke spanning van de jacht.

Daarna praatten ze erover dat er misschien een einde was gekomen aan de slechte tijden in het Noorden. Dat de klipvis in prijs was gestegen. Ja, dat de prijs van verse vis gestegen was tot twee daalder per honderdtwintig stuks.

Het drogen van vis was op het ogenblik erg lucratief, wist de drost. Hij was van plan om de rotsen tot aan zijn akkers kaal te laten maken. De heidelaag was zo dun dat hij eventueel zelfs kinderen kon inhuren om het weg te halen.

Jacob had geen verstand van klipvis.

'Maar de rotsen op Reinsnes zouden er uitstekend geschikt voor zijn! En je hebt er daar zoveel!'

'Dat kan wel zijn, maar je moet er wel de mensen voor hebben', zei Jacob luchtig.

Het was duidelijk dat hij niet van zins was met zulke zaken te beginnen.

'Handel en vrachtvaart is veel beter', stelde hij vast.

'Maar je hebt meer winst als je de waren zelf levert, in plaats van ze op te kopen.'

Dina volgde het gesprek door naar de gelaatsuitdrukkingen te kijken en op de stemmen te letten. Wat ze zeiden was minder belangrijk.

Ze zat recht tegenover Jacob en staarde openlijk naar de 'oude weduwnaar'. Verder at ze merkwaardig stil en netjes, voor haar doen.

Haar struise, jonge lichaam was keurig ingepakt in een lijfje en een lange rok.

'Je bent grijs geworden, mijnheer Grønelv', zei ze plotseling met luide stem.

Jacob was duidelijk verstoord, maar lachte.

'Dina!' zei Dagny zachtjes, maar streng.

'Is er iets mis met grijs haar?' vroeg Dina koppig.

De drost, die wist dat dit het wachtwoord kon zijn voor een kibbelpartij, zei gejaagd en bruusk, hoewel ze het dessert nog niet hadden gehad:

'Ga je cello halen!'

Onverwacht gehoorzaamde Dina zonder te protesteren.

Lorch sprong op en ging achter de piano zitten. Hij hield zijn handen en lichaam boven de toetsen gebogen terwijl Dina naar de juiste houding zocht.

De groene fluwelen rok met de sierrand week uiteen toen ze de cello tussen haar knieën zette. Het was geen vrouwelijk gebaar. Niet netjes, en niet elegant. Een beklemmende lijfelijkheid vulde de kamer.

Jacobs blik werd wazig.

Twee fiere, jonge borsten werden in zijn blikveld gelegd toen ze zich over het instrument boog en de strijkstok aanlegde.

Haar gezicht kwam tot rust onder de zwarte, wilde haardos, die voor de gelegenheid enigszins geborsteld was en ontdaan van hooistof. De grote, wat gulzige meisjesmond stond half open. Haar ogen keken overal doorheen. Donker.

Jacob voelde een heftige stoot in zijn onderlijf toen ze zich voorover boog en de eerste noten speelde. Hij wist wat dat was. Had het eerder gevoeld. Maar dit was heviger dan hij zich kon herinneren. Misschien omdat het zo onverwacht kwam?

Jacobs hoofd werd als een zwaluwnest, waar de muziek alle eieren stuksloeg. Eiwit en eigeel dropen over zijn wangen en hals. Hij boog zich instinctief voorover en liet zijn sigaar uitgaan.

Dina's kleren waren plotseling een dicht bladerdek op een jong vrouwenlichaam. Dat diezelfde vrouw nogal problemen had om Schubert tot Lorchs tevredenheid te vertolken, lag ver buiten zijn werkelijkheid. Hij zag de stof van haar rok op haar dijen trillen als de toon vibreerde.

Jacob was de snaren onder haar vingers. De strijkstok in haar zachte, sterke hand. Hij was haar adem onder het lijfje van haar jurk. Ging met haar op en neer.

Die nacht kon Jacob Grønelv absoluut niet slapen. Het scheelde niet veel of hij was naakt de eerste nachtvorst ingerend om de fakkel te doven.

Eén deur verderop lag Dina. Hij kleedde haar uit met al het verlangen dat hij in zich had. Knapte bijna bij het beeld van haar grote, jonge borsten. Bij het beeld van haar knieën, gastvrij gespreid, met het gelakte instrument ertussen.

Jacob Grønelv wist niet hoe hij in hemelsnaam de nacht door moest komen.

De volgende dag zou hij vertrekken.

Zijn boot lag al klaar om uit te varen, toen hij de drost apart nam en met starre blik zei: 'Ik moet haar hebben! Ik... ik moet Dina... tot vrouw hebben!'

Het laatste klonk alsof hij op datzelfde ogenblik ontdekte dat dit de enige oplossing was.

Hij wilde zo krampachtig dat de boodschap overkwam, dat hij vergat behoorlijk te praten. De woorden struikelden uit zijn mond alsof hij ze nog nooit eerder had gehoord. Alles wat hij had willen zeggen, was vergeten.

Maar de drost begreep het.

Toen Jacob wegvoer, begon het te sneeuwen. Eerst heel zachtjes. Daarna in grote vlokken.

Dina werd de volgende dag al naar het kantoor geroepen en ervan op de hoogte gesteld dat Jacob met haar wilde trouwen zodra ze zestien was.

Dina stond wijdbeens midden in het kantoor, in haar oude wollen broek. Er lag al een plasje gesmolten sneeuw rond haar voeten, vermengd met mest en hooi.

Toen ze naar het kantoor werd geroepen, dacht ze dat ze zich zou moeten verantwoorden voor haar laatste streek jegens Dagny, of het feit dat ze haar halfbroertje eerder die dag in het varkenskot had gelaten.

Ze hoefde niet meer op te kijken naar haar vader als ze met hem sprak. Ze was even lang als hij.

Ze keek hem aan alsof ze bedacht dat hij aardig kaal begon te worden, of een nieuw vest nodig had. De taille van de drost was het afgelopen jaar aardig uitgedijd. Het ging hem goed.

'Je bent aangekomen! Je wordt dik, vader!' zei ze alleen maar, en wilde weer weggaan.

'Heb je niet gehoord wat ik zeg?'

'Nee!'

'Jacobs handelspost is de belangrijkste hier in de streek, en hij heeft twee vrachtschepen!'

'Hij kan zijn kont afvegen met zijn schepen!'

'Dina!'

De drost brulde. Dat riep een echo op die van balk tot balk, van kamer tot kamer door het hele huis galmde.

Eerst probeerde de drost het met zachte woorden, een soort bemiddelen. Maar Dina's taalgebruik was zo onverbloemd, dat hij dat niet over zijn kant kon laten gaan.

De oorvijgen klonken luid en duidelijk.

Maar niemand zag, dat de klappen van twee kanten kwamen. Dina viel haar vader al bij de eerste klap aan. Met de razernij van iemand die niets te verliezen heeft. Die niet om grenzen geeft. Noch wat angst, noch wat respect betreft.

De drost verliet zijn kantoor met een gescheurd vest en schrammen op zijn gezicht. Hij wankelde naar het huisje met het hart in de deur, en vreesde dat hij zijn dagen zou eindigen met een gebarsten hart.

Zijn adem kwam met horten en stoten.

Luid paardegehinnik en hoeven die als de donder over de aarde roffelden maakten het er niet beter op.

Het was zwaar de vader van een duivel te zijn.

Hij zou het aan geen levende ziel toegeven. Maar hij had een behoorlijk pak slaag gekregen van zijn grote dochter.

Het bleek dat ze min of meer aan elkaar gewaagd waren. Wat Dina aan pure kracht miste, compenseerde ze door een ongelooflijke vindingrijkheid en lenigheid, nagels en tanden.

De drost begreep niet waaraan hij een dergelijk lot had verdiend. Alsof het zo al niet erg genoeg was. Een kind dat haar vader tuchtigde! Mijn God!

Het was in feite de eerste keer dat iemand de drost had geslagen. Hij had een strenge, maar liefhebbende en afwezige vader gehad en was zijn moeders enige zoon geweest.

Hij was geen hardvochtig man. Nu zat hij op het huisje te huilen.

Ondertussen stoof Dina langs de rotsen op het strand, de begroeide hellingen op, de berg over.

Ze had de richting min of meer in haar hoofd, met een richtinggevoel dat ze zelf niet vermoed had.

Aan het eind van de middag reed ze de steile helling boven Reinsnes af.

De weg zigzagde tussen grote rotsblokken, kreupelhout en jeneverstruiken door. Er lag een brug over de gezwollen herfstrivier. Hier en daar was de weg met muurtjes verstevigd, zodat hij in de lente, als de rivier buiten zijn oevers trad, niet weggeslagen zou worden.

Het was duidelijk dat je Reinsnes het best per boot kon bereiken. Vanaf de heuveltop leek het alsof er in de diepte alleen maar zee was. Zo steil was het.

Aan de andere kant van de brede Sont rees een grijze bergwand op naar de hemel.

Maar naar het westen gaven de zee en de hemel het oog alle vrijheid die het kon wensen.

Toen ze verder afdaalde, strekten de velden zich zowel links als rechts van haar uit. Tussen het weelderige berkenbos en de grijze, bulderende zee in.

Daar in de verte gingen hemel en zee in elkaar over op een manier die ze nog nooit gezien had.

Ze hield het paard in toen ze de laatste kloof uitreed.

De witte huizen. Het waren er minstens vijftien! Twee aanlegsteigers en twee boothuizen. Deze hoeve was veel groter dan de hoeve van de drost!

Dina bond het paard vast aan het witte tuinhek en bleef staan kijken naar een gebouwtje met acht hoeken en gekleurde ruitjes. De toegangsdeur werd omzoomd door een wilde wingerd, en alle hoeken waren getooid met fraaie ornamenten.

De toegang tot het hoofdgebouw had een groot portaal, met daarboven ornamenten in de vorm van sierlijk gebladerte. Een brede trap van leisteen met gietijzeren leuningen en een tuinbank aan weerszijden van de deur, heette haar welkom.

Het maakte zo'n overdadige indruk dat Dina door de keuken naar binnen ging.

Ze vroeg een muizig en verbijsterd dienstmeisje of mijnheer Jacob thuis was.

Jacob Grønelv zat in de grote rococo-stoel naast de tegelkachel in de rookkamer te doezelen. Zijn vest stond open en hij droeg geen frontje. Zijn grijzende, krullende haar zat in de war en viel half over zijn gezicht. Zijn snor hing.

Maar daar dacht hij niet aan op het moment dat hij Dina in de deuropening zag staan.

Ze kwam rechtstreeks uit zijn verwarde dromen. Zij het zonder cello en lijfje. Ze stroomde al door zijn aderen. Het duurde even voordat hij begreep dat ze daar echt stond.

Jacob Grønelvs hals en oren werden langzaam rood. Het werd hem bijna te veel, haar daar te zien.

Nog half in slaap, was zijn eerste opwelling haar op de grond te gooien. Nu meteen.

Maar Jacob wist hoe het hoorde. Bovendien kon moeder Karen elk moment de kamer binnenkomen.

'Mijn vader zegt dat wij moeten trouwen!' spuugde ze uit, zonder hem te begroeten. Met een beweging die bij een stalknecht paste, veegde ze de groezelige muts van schapevacht van haar hoofd.

'Daar komt niks van in!' voegde ze eraan toe.

'Wil je niet eerst gaan zitten?' zei hij terwijl hij opstond.

Hij vloekte inwendig over de aanpak van de drost. Hij had het meisje ongetwijfeld de stuipen op het lijf gejaagd met bevelen en harde woorden.

Jacob maakte zichzelf verwijten. Hij had moeten zeggen dat hij haar eerst zelf zou vragen.

Maar het was zo plotseling opgekomen. En sindsdien had hij

nergens anders aan kunnen denken.

'Je vader heeft vast niet gezegd dat we moeten trouwen, hij heeft zeker gezegd dat ik je tot vrouw wil hebben?'

Er vloog een plotselinge onzekerheid over haar gezicht. Een soort vroegwijze nieuwsgierigheid.

Jacob had nog nooit zoiets gezien. Het maakte hem onbeholpen en jong. Hij wees weer naar de stoel waarin hij net had gezeten. Hielp haar uit haar jas. Ze rook naar vers zweet en heide. Er blonken kleine druppeltjes bij de aanzet van haar haar en op haar bovenlip.

Jacob smoorde een zucht.

Hij beval dat er koffie en koekjes geserveerd moesten worden, en dat ze verder niet mochten worden gestoord.

Met verbeten rust, alsof het een handelspartner betrof, pakte hij een stoel en ging recht tegenover haar zitten. Afwachtend. Hij zorgde ervoor dat hij haar voortdurend in de ogen keek.

Jacob had dit vaker gedaan. Maar sinds de keer dat hij Ingeborg om haar hand vroeg, had er niet zoveel op het spel gestaan.

Tijdens het drinken van de koffie, die Dina van het schoteltje slurpte, had ze nog steeds boze rimpels tussen haar wenkbrauwen.

Ze had de bovenste knoopjes van haar vestje losgemaakt, en het te krappe bloesje konden noch haar borsten, noch zijn blikken in toom houden.

Jacob liet plichtsgetrouw moeder Karen komen en stelde Dina aan haar voor. De dochter van de drost. Die onverschrokken over de bergen was gereden met een bericht van haar vader.

Moeder Karen bekeek Dina door een monocle en een waas van welwillendheid. Ze klapte in haar handen en liet de zuidelijke zolderkamer in orde maken. Warm water en schone lakens.

Jacob wilde haar absoluut de hele hoeve laten zien! Moest haar voor zich alleen hebben!

Hij keek haar aan. Sprak zacht en indringend. Over alles wat hij haar wilde geven.

'Een zwart paard?'

'Ja, een zwart paard!'

Jacob liet haar de stal zien. De pakhuizen. De winkel. Dina telde de bomen van de oprijlaan.

Plotseling lachte ze.

De volgende ochtend vroeg werd er een knecht met het paard over de bergen gestuurd.

Voordat Jacob de trossen los gooide om haar met zijn boot naar huis te brengen, waren ze het eens. Ze zouden trouwen.

Op de hoeve van de drost was alles in rep en roer geweest. Niemand had enig idee waar Dina naartoe was gegaan.

Ze zonden een zoekploeg uit. Toen de knecht van Reinsnes met het bericht en het paard kwam, schuimbekte de drost van opluchting en razernij.

Maar toen de boot van Jacob Grønelv aanlegde en Dina, terwijl het vloed was, met de tros aan land sprong, kalmeerde hij.

Ik ben Dina. Reinsnes is een plek waar hemel en zee samenkomen. Er staan twaalf grote lijsterbessen op een rij, van de winkel naar de hoeve. In de tuin staat een grote vogelkers, om in te klimmen. Er is een zwarte kat. En vier paarden. Hjertrud is op Reinsnes. Onder het oneindig hoge dak van het pakhuis.

Wind. Er waait vast altijd wind.

De bruiloft zou in mei zijn, voordat de vrachtschepen naar het zuiden voeren.

Op de hoeve van de drost werd de uitzet in koffers en kisten gepakt.

Dagny rende rond met nerveuze rode rozen op haar wangen. Pakte in en dirigeerde. Er werd genaaid en gebreid en geklost.

Dina was meestal in de stal, alsof het haar allemaal niet aanging.

Haar haar nam de zware geur van dieren aan. Je kon haar al van verre ruiken. Ze droeg de stallucht als een schild.

Dagny's vermaningen dat ze niet kon blijven stinken, nu ze vrouw van de gastheer op Reinsnes zou worden, verdampten als regen op zonnewarme stenen.

Dagny nam haar moederlijk apart, om haar in te wijden in het leven als getrouwde vrouw. Begon voorzichtig met de maandelijkse bloedingen. Zei dat het een plicht en een zegen was om echtgenote te zijn en moeder te worden.

Maar Dina was nauwelijks geïnteresseerd, hooghartig bijna. Dagny had het nare gevoel dat het meisje haar stiekem stond op te nemen terwijl ze haar verhaal hield, en dat zij meer van de dingen des levens wist dan Dagny zelf.

Iedere keer dat ze Dina haar rokken los zag maken om in de grote berkeboom bij de voorraadschuur te klimmen, kon ze niet bevatten hoe een vijftienjarig meisje zo onvoorstelbaar kinderlijk kon zijn en toch een zo giftige geest kon hebben.

Dit meisje was gespeend van alle koketterie en besefte niet welke uitwerking ze op mensen had. Ze gebruikte haar lichaam alsof ze nog zes was. Ze kende geen schaamte wat kleren of antwoorden betrof.

Dagny begreep wel, dat je een dergelijk schepsel eigenlijk niet hoorde uit te huwelijken. Maar ze wist eerlijk gezegd niet wie er de dupe van zou worden: het meisje of Jacob.

Ze gunde zichzelf een soort leedvermaak over deze hele geschiedenis. En ze keek uit naar het moment dat de hoeve eindelijk van haar zou zijn. En ze bevrijd was van de onrust en de overlast die de aanwezigheid van dat krankzinnige kind voortdurend veroorzaakte.

Maar ze verborg de opluchting over het feit dat ze Dina kwijt zou raken, achter nerveuze zorgzaamheid en bedrijvigheid. Het bezorgde haar, zoals altijd bij vrouwen, een slecht geweten en veel zelfmedelijden.

De drost was sinds de dag dat Jacob met Dina in zijn boot arriveerde, in een stralend humeur. Zijn bezoekingen waren in zegeningen veranderd, zoals hij zei.

Steeds weer noemde de drost die zegeningen. Dat zijn eigenbelang groter was dan zijn zorg voor zijn enige dochter, kwam niet bij hem op. Ze zou in de allerbeste handen zijn. Maar dat hij misschien zijn beste vriend een slechte dienst bewees door hem Dina te geven, zat hem af en toe toch dwars. Het was vreemd. Jacob was in feite door en door goed... Maar als hij dit zelf wilde, zou het ook wel goed komen.

De drost was, zonder dat hij het zelf besefte, blij dat er zoveel bergen, luchten en lange stranden tussen Reinsnes en Fagernes lagen.

Lorch werd naar het zuiden gestuurd. Naar Kopenhagen. Op kosten van de drost. Hij had duidelijke signalen van de drost gekregen dat hij niet meer nodig was. Signalen die hetzelfde betekenden als een ontslagbrief.

Dat Dina een woedeaanval kreeg en met een mes in haar vaders voorname Louis XVI kaarttafel hakte, kon daar niets aan veranderen. De drost vloekte hartgrondig. Maar hij sloeg niet.

In de jaren dat Lorch voor Dina's onderwijs had gezorgd, had ze een grondige kennis van muziek, cello en piano gekregen. 'Het pianospel blijft wat achter, haar talent in aanmerking genomen. Maar haar verrichtingen op de cello zijn voor een amateur zeer bevredigend', stond er in het eindrapport dat hij voor de drost schreef.

Dat kon als attest worden gebruikt, mocht dat nodig zijn. Bovendien had ze voldoende onderwijs gehad in geschiedenis, zowel van de oude als de nieuwere tijd. Ze had wat Duits, Engels en Latijn geleerd. Maar ze had niet echt interesse voor deze vakken kunnen opbrengen. Daar stond tegenover, dat ze een indrukwekkend talent voor getallen had. Ze kon probleemloos vijf, zescijferige getallen achtereenvolgens optellen en aftrekken, en meervoudige getallen vermenigvuldigen en delen. Over Dina's leeskunst werd niet veel gezegd. Alleen dat ze dit tijdverdrijf met weinig doorzettingsvermogen beoefende. Door de bank genomen vond ze alles wat je rechtstreeks uit het hoofd kon doen, het leukste.

'Ze kent het Oude Testament bijna helemaal uit haar hoofd', voegde Lorch eraan toe, als een verzachtende omstandigheid.

Hij zei meer dan eens tegen de drost dat Dina misschien een bril nodig had. Het was niet normaal zoals ze zat te turen als ze een boek opensloeg of iets van dichtbij wilde bekijken.

Maar om de een of andere reden vergat de drost het. Voor

een jong meisje was een monocle ongepast.

Toen Lorch vertrokken was, zijn cello goed ingepakt in een wattendeken en zijn bescheiden eigendommen in een kartonnen koffertje, leek het alsof het vuur uit de hoeve van de drost verdwenen was.

Deze dorre, stille man had een aantal eigenaardigheden, die niet belangrijk leken zo lang hij er was. Maar nu hij weg was, werden ze zichtbaar.

Dina kwam drie dagen lang niet in huis. Ze sliep en leefde lange tijd in de paardestal. Ze groeide nog steeds in de lengte. Binnen een maand werd haar gezicht mager en scherp. Alsof ze met Lorch de laatste mens van haar hadden afgenomen.

Ze wilde niet eens met Tomas praten. Beschouwde hem als drek en lucht in een oude dierehuid.

Aangezien het voor Dagny rustiger was dat Dina niet in huis kwam, was er niemand die er iets van zei.

De kokkin lokte Dina af en toe vanuit de deur van de bijkeuken. Alsof ze een loslopende hond lokte. Met dit verschil, dat deze zich niet zo gemakkelijk liet paaien.

Ze zwierf rond als een wolf. Om Lorch te voorschijn te roepen. Hij was er. In de lucht die ze inademde. In de broze tonen. Overal.

Ik ben Dina. Als ik cello speel, zit Lorch in Kopenhagen te luisteren. Hij heeft twee oren die alle muziek horen. Hij kent alle muziektekens van de hele wereld. Beter dan God. Lorchs duim is helemaal plat en krom, door het pakken van de snaren. Zijn muziek zit in de muren. Je hoeft hem alleen maar te laten ontsnappen.

'Wat moet je beginnen met iemand die niet bang is voor straf?' had de drost gevraagd aan de deken bij wie Dina haar belijdenis deed.

'De Heer heeft zo zijn methodes', zei de deken veelzeggend. 'Maar die methodes liggen buiten het bereik van een aardse vader.'

'Maar u begrijpt dat het moeilijk is?'

'Dina is een dwars kind en een dwars jong meisje. Het kan zijn dat ze uiteindelijk haar hoofd diep moet buigen.'

'Maar ze is niet slecht?' bedelde de drost.

'Het is aan de Heer om dat te beoordelen', zei de deken kort. Hij had haar voorbereid op haar belijdenis en wilde liever niet dieper op de zaak ingaan.

Ze deed in het jaar 1841 belijdenis, ondanks het feit dat ze niet naar wiskundige formules werd gevraagd en niet het handelsoverschot van de drost hoefde uit te rekenen.

En dat kwam goed uit. Want de lente daarop was ze de bruid.

5

De schrandere ziet het onheil en bergt zich, maar de onverstandigen gaan hun gang en moeten boeten.

(Spreuken 22:3)

Dina en Jacob trouwden eind mei, in het jaar dat ze in juli zestien werd.

Ze werd in een met loof versierde kajuitboot van Fagernes naar de kerk gebracht. Met stralend weer, over een rustige zee. Toch had ze het koud, hoewel ze zat op een wolfsvel dat de drost door ruilhandel met de Russen had verkregen.

In de sacristie trokken ze haar Hjertruds bruidsjurk van witte mousseline aan, afgezet met smalle kanten stroken. De rok had draperieën en ingenaaide snoeren, die onderaan vier brede randen vormden. Het lijfje had een draperie en kant op de borsten, in de vorm van een hart. De dunne pofmouwtjes waren doorschijnend als spinrag.

De jurk rook naar motteballen en een muffe kist, hoewel hij zorgvuldig was gewassen en gelucht. Maar hij paste precies.

Ze mochten haar dan hebben opgedoft en al haar spullen in kisten en koffers naar Reinsnes hebben gezonden, Dina gedroeg zich alsof ze dit alles als een spelletje beschouwde.

Ze schudde haar schouders en rekte zich uit, en lachte hen uit toen ze haar mooi maakten. Alsof dit een van de rollenspellen was die Lorch en zij altijd speelden, met gipsmaskers en ingestudeerde replieken.

Haar lichaam was een goed ontwikkeld dier. Maar de dag voor de bruiloft klom ze in de grote berkeboom, en bleef daar lange tijd zitten. En ze had schaafwonden op beide knieën omdat ze was gevallen toen ze tussen de stenen langs de vloedlijn rende om meeuweëicren te zoeken.

De bruidegom arriveerde in een sloep, met een groot gevolg en veel lawaai.

Hij zag er met zijn achtenveertig jaar en zijn grijzende baard jonger uit dan Dina's vader, ondanks het feit dat hij ouder was. De drost was vroeg dik geworden, dankzij het goede leven en de punch, terwijl Jacob slank gebleven was.

Er was besloten dat de bruiloft op Reinsnes gehouden zou worden. Omdat het dichterbij de kerk lag en er meer plaats was voor gasten. Bovendien hadden ze de beste kokkin van het district. Oline.

Het werd een levendige bruiloft.

Na het bruiloftsmaal wilde de bruidegom de bruid rondleiden. Boven. Haar de slaapkamer met het prachtige hemelbed laten zien. Hij had een nieuwe bedhemel laten maken. Boven de lambrizering zat nieuw fluweelbehang met een rand van ranken. Ze moest de kamers zien en de boekenkasten met glazen deuren. Met de sleutel die je kon verbergen in een Chinese kruik op het ladenkastje. De linnenkast op de grote, donkere gang. Het opgezette sneeuwhoen. Door Jacob zelf geschoten, geprepareerd in Kopenhagen en vervoerd in een hoededoos van moeder Karen. Maar voor alles: de zaal en het hemelbed. Hij draaide met trillende handen de sleutel om. Toen liep hij glimlachend op haar toe en duwde haar in de richting van het bed.

Het was al tijden een obsessie geweest. Haar opening te vinden. Haar binnen te dringen.

Hij worstelde met de haakjes van haar bruidsjurk.

Met hijgende adem, lispelend en onsamenhangend, vertelde hij dat zij het heerlijkste schepsel was dat hij ooit was tegengekomen.

Eerst leek het alsof ze overvallen werd door een soort nieuwsgierigheid. Of misschien wilde ze Hjertruds jurk beschermen tegen de gretige handen van de man. In ieder geval ging de jurk uit.

Maar plotseling was het alsof de bruid de woorden en daden van Jacob niet met elkaar kon rijmen.

Ze sloeg haar nagels en klauwen in hem. En ze had koperen punten op haar zijden schoentjes. Het was een wonder dat ze hem niet voor zijn leven ongelukkig schopte.

'Jij bent nog erger dan een hengst', siste ze. Terwijl snot en tranen vloeiden.

Het was duidelijk dat ze op de hoogte was van wat een hengst kon doen.

Ze vluchtte al naar de deur, toen Jacob besefte wat ze van plan was. Zijn bronstigheid was als bij toverslag verdwenen toen hij begreep wat er leek te gaan gebeuren.

Even stonden ze hijgend tegenover elkaar en schatten elkaars kracht.

Ze weigerde de kleren aan te trekken die Jacob van haar lichaam had gescheurd.

Hij moest haar de kanten onderbroek met evenveel geweld aantrekken als hij hem eerst had geprobeerd uit te trekken. De veters van de ene split werden losgetrokken. Hij was vreselijk aan het klungelen.

Toch moest hij het vreselijke verdragen. Dat ze zich ten slotte losrukte en naar beneden vluchtte. Naar de drost en alle andere gasten. Slechts gekleed in haar ondergoed, zijden schoenen en dito kousen.

Dat was de eerste keer dat hij voelde dat Dina geen grenzen kende. Dat ze niet bang was voor het oordeel van de mensen. Dat ze bliksemsnel de balans opmaakte – en handelde! Dat ze een aangeboren talent had om alles wat haar werd aangedaan, ook anderen aan te doen.

Die eerste keer was hij op slag nuchter. Ze maakte hem in zekere zin tot een misdadiger op zijn eigen trouwdag.

Dina kwam met buitengewoon veel lawaai de trap afgestormd. Slechts gekleed in haar ondergoed rende ze door de kamers, voor dertig paar verbijsterde ogen.

Ze stootte het punchglas uit de hand van de drost zodat de inhoud flink wat vervelende vlekken maakte in de omgeving. Toen kroop ze op zijn schoot en verklaarde luid, zodat iedereen het kon horen: 'Nu gaan we naar huis, naar Fagernes!'

Het hart van de drost sloeg een paar slagen over. Hij vroeg het kamermeisje ervoor te zorgen dat de bruid weer in 'gepaste staat' werd gebracht.

Hij was woedend omdat hij begreep dat Jacob zich niet had

kunnen inhouden en niet met de huwelijksnacht kon wachten tot de gasten zich op gepaste wijze te ruste hadden begeven. Hij was woedend op Dagny omdat ze het meisje niet had verteld wat er van haar werd verwacht. Dat had ze beloofd. Hij was woedend op zichzelf omdat hij niet had voorzien dat Dina zo zou reageren. Nu was het te laat.

De drost schoof Dina nogal bruusk van zijn schoot en trok zijn frontje en strik recht. Alles was betreurenswaardig gevlekt door de punch.

Dina stond erbij als een gevangen dier, met wilde ogen. Toen rende ze de tuin in. Snel als een lynx klom ze in de hoge vogelkers bij het tuinhuis.

En daar bleef ze zitten.

Dagny huilde nu openlijk. De gasten zaten en stonden als versteend in dezelfde houding als toen Dina de kamer binnenstormde. Ze waren vergeten dat ze hadden leren praten. Gelukkig was de deken al op de Sont en kon hij niets zien of horen.

De drost was de enige die een praktische inborst toonde. Hij liep naar buiten en schreeuwde scheldwoorden naar de boom waar de witte, luchtig geklede verschijning zat.

Dat de drost zijn dochter weggaf aan zijn beste vriend, had een feestelijk ogenblik en een triomf moeten zijn. Het bleek een nachtmerrie.

Toen dit een poosje geduurd had en bedienden en gasten zich in de tuin onder de vogelkers hadden verzameld, kwam de bruidegom en de heer van Reinsnes naar beneden.

Hij had ruim de tijd genomen om kleren, baard en haar te fatsoeneren. Vreesde het ergste. Van de woede van een kwade vader tot de ijskoude verachting van alle prominente gasten.

Hij had al iets van het dreigende schouwspel vanuit de slaapkamer gezien. Van achter de gordijnen.

Hij was bang dat hij zou blozen van schaamte. Zijn lid hing ontredderd in zijn kleren toen hij de bezorgde blik van moeder Karen ontmoette, buiten op de trap.

Zij had zich waardig verre gehouden van het circus rond de boom en was op weg naar haar zoon.

Jacob kon het oploopje rond de vogelkers nu zien. Dina was een grote, witte vogel met zwarte, hangende kopveren.

Hij stond op de brede trap met de smeedijzeren leuning en zag een onvergelijkelijk schouwspel. Het was ongelooflijk! De wirwar van mensen rond de boom. De kreten en gebaren van de drost. De avondzon door het dichte, groene gebladerte. De margrieten in het hartvormige bloemperk. Het meisje in de boom. Alsof ze daar al duizend jaar zat en van plan was er nog wat jaartjes te blijven. Ze keek neer op de mensen alsof ze een vervelende mierenkaravaan bestudeerde. Jacob begon te lachen.

Hij lachte nog steeds toen hij een ladder bij de stal vandaan haalde en iedereen het huis in dirigeerde, zodat hij ongestoord aan de slag kon. Was vergeten dat hij zich hoorde te schamen terwijl hij stond te grinniken en wachtte tot de laatste gast in het huis verdwenen was.

Toen zette hij de ladder tegen de boom en klom naar boven.

'Dina', riep hij. Zachtjes en met lachende stem.

'Kun je niet naar beneden komen naar die vreselijke bok van een man van je? Ik zal je het huis in dragen, zo voorzichtig alsof je de bijbel was.'

'Vies varken!' siste de bruid van boven.

'Ja, ja en nog eens ja!'

'Waarom gedraag je je als een hengst?'

'Ik kon het niet helpen... Maar ik zal mijn leven beteren...'

'En dat moet ik geloven?'

'Ik zweer het!'

'Wat zweer je?'

'Dat ik me nooit meer als een hengst aan je zal opdringen.'

Ze snoof. Het was even stil.

'Heb je daar getuigen voor?'

'Ja, God in de hemel!' zei hij snel, doodsbenauwd dat de dochter van de drost meer tastbare getuigen zou eisen.

'Zweer je dat?'

'Ja! En als ik me er niet aan houdt, zal ik eraan sterven!'

'Dat zeg je alleen maar zodat ik naar beneden kom.'

'Ja! Maar het is ook wel waar...'

Ze boog zich voorover zodat haar borsten uit haar lijfje dreigden te puilen. Haar zwarte haar was een bos zeewier dat in al zijn heerlijkheid de hemel voor hem verduisterde.

Jacob bedacht dat hij eigenlijk te oud was voor deze bruid,

die in bomen vluchtte. Dit zou wel eens meer fysieke kracht kunnen kosten dan hij bezat. Maar hij durfde die gedachte als het ware niet tot zich door te laten dringen. Niet nu.

'Ga opzij, dan kom ik naar beneden', beval ze.

Hij klom naar beneden en hield de ladder voor haar vast. Sloot zijn ogen en snoof haar geur op toen ze langs hem streek. Dicht, dichtbij.

Jacob speelde de vrolijke clown. Voor God en de bruiloftsgasten. Hij nam voor de rest van de avond genoegen met de geur van Dina. Toch had hij het gevoel alsof hij een van de laatste uitverkorenen van de Heer was. Hij zou haar nog wel kunnen benaderen zonder dat ze de boom in vluchtte!

De drost begreep er allemaal niet zoveel van. Het verbaasde hem dat zijn vriend wat vrouwen betrof minder verstandig was dan in zaken. Hij beschouwde de episode als een pijnlijke en persoonlijke belediging voor de drost van Fagernes.

Moeder Karen had ernstige bedenkingen. En dacht met zorg aan het moment dat dit meisje de sleutels van Reinsnes zou krijgen en Jacobs huishouden moest bestieren.

Toch was er ook iets dat haar ontroerde. Deze Dina, waar ze voortdurend zulke vreemde verhalen over had gehoord, interesseerde haar. Er was iets niet in orde, als een meisje van goeden huize zo ongeremd was en er geen flauw benul van had hoe het hoorde!

Moeder Karen vond dat Jacob te veel hooi op zijn vork had genomen met dit onbesuisde huwelijk. Maar ze zei er niets van.

Johan Grønelv was twintig jaar. Net thuisgekomen van school om de bruiloft van zijn vader te vieren. Hij zat urenlang in een hoekje naar een spleet in de vloer te staren.

Jacob hield woord. Hij benaderde haar met de grootste voorzichtigheid. Ze zouden slapen in het grote hemelbed in de 'zaal'. Alles was in gereedheid gebracht. Versierd en opgemaakt. Tussenzetsel en laken waren in april in de sneeuw gebleekt. En in mei in zeepsop uitgekookt, uitgespoeld en te drogen gehangen. Gemangeld en keurig opgevouwen, en samen met zakjes rozebladeren in de grote linnenkast op de gang gelegd, in afwachting van een bruid.

Nachtzon en lichte, kanten gordijnen. Glanzende, groene glazen met een lange steel. Kristallen karaffen met wijn en water. Bloemen in vazen en kruiken. Vers geplukt op de velden en uit de tuin. De geur van uitgelopen groen door het openstaande raam. Ver geraas van een waterval en geruis vanuit de bergen.

Jacob gebruikte al zijn vindingrijkheid. Hij benaderde haar met fluwelen handen. Het eerste wat hij deed was haar schoen uittrekken, waar hij eerder die avond zo pijnlijk mee kennisgemaakt had.

Hij had nog steeds pijn in niet nader te noemen lichaamsdelen. Nog steeds voelde hij de misselijkmakende duizeligheid op het moment dat Dina's schoen doel trof.

Ze zat op het hoge, brede bed en keek hem aan. Leunde op haar armen, achter zich. Bekeek hem tot hij voelde dat hij verlegen begon te worden. Hij kon zich niet herinneren wanneer een vrouw hem voor het laatst verlegen had gemaakt.

Zoals hij daar op zijn knieën aan haar voeten zat en aan haar schoen trok, was hij weer een clown en dienaar. Nederig voelde hij dat zijn hart opsprong toen zij haar enkel strekte zodat hij de schoen gemakkelijker uit kon trekken.

Vervelender was het dat hij haar moest laten opstaan om haar kleren uit te trekken.

Het rolgordijn was niet helemaal naar beneden getrokken. Het was veel te licht.

En hij zag die lichte, bestuderende ogen! Een beetje schuin. Wijdopen, afwachtend. En veel te nieuwsgierig naar zijn volgende zet.

Hij schraapte zijn keel. Omdat hij dacht dat ze verwachtte dat hij zou praten. Hij was niet gewoon om in dergelijke situaties met vrouwen te praten.

Was er maar winterse duisternis in alle hoeken geweest, en niet dit verdomde licht! Hij voelde zich naakt en blootgesteld aan haar kristalheldere blik.

Met zijn achtenveertigjarige lichaam, de bescheiden, maar toch hoogst zichtbare buik, was hij verlegen als een zestienjarige.

De diepe rimpels. De afgelopen jaren als weduwnaar met alle zorgen en verdriet. Het grijze haar. Het gaf hem geen steun in dergelijke ogenblikken.

Plotseling herinnerde hij zich dat zij er iets over gezegd had. Die keer op de hoeve van de drost, toen hij haar voor het eerst had gezien met de cello tussen haar dijen.

Jacob wist zich geen raad meer. Hij verborg zijn hoofd in Dina's schoot. Uit geilheid en uit een soort schaamte.

'Waarom doe je dat?' vroeg ze en probeerde te gaan verzitten.

Jacob lag volkomen stil.

'Omdat ik niet weet wat ik moet doen', antwoordde hij ten slotte.

'Je was bezig mij uit te kleden. Je bent al klaar met mijn schoenen...'

Ze gaapte en liet haar lichaam zwaar op het bed zakken. Hij bleef liggen, als een vergeten hond.

'Ja', zei hij alleen maar en dook op uit haar schoot. Eerst met zijn ene oog, toen met heel zijn grijze, verwarde hoofd.

Hij keek uit over alle heerlijkheden. De heuveltoppen. Zoals ze nu lag, verzonk haar rok in de kloof. Het maakte hem wild. Maar hij hield zich in.

'Je doet er lang over', zei ze droogjes en begon haar knoopjes los te maken.

Hij betastte haar alsof hij koorts had. Hielp haar het ene kledingstuk na het andere uit te trekken.

Hoe dichter hij bij haar kwam, des te meer rook het naar stal, hooi en kruiden.

Hij kroop naar haar toe en vulde voorzichtig zijn handen met haar borsten. Genoot van het effect dat stof en warme huid op hem hadden. Een ademloos ogenblik. Voordat hij haar jurk, onderrokken, korset en ondergoed uittrok.

Haar ogen volgden al zijn bewegingen nieuwsgierig. Een paar keer sloot ze met een zucht haar ogen. Dat was toen hij met alle tederheid die hij in zich had behoedzaam haar schouders en heupen streelde.

Toen ze helemaal naakt was, maakte ze zich los en liep naar het raam. Stond daar. Alsof ze uit een andere wereld kwam.

Hij had dat niet voor mogelijk gehouden. Een vrouw, een maagd! Die naakt van bed opstond, in de lichte zomernacht, en rustig door de kamer naar het raam liep!

Ze bleef daar staan met goud op haar schouders en heupen. Een heks en een engel. Niemand had haar bezeten! Ze was alleen van hem! Wandelde rond in zijn kamer, zijn huis.

De nachtzon bedekte haar halve lichaam met honing, toen ze zich naar hem omdraaide.

'Moet jij je niet uitkleden?' zei ze.

'Ja', klonk het hees.

En in razende vaart viel kledingstuk na kledingstuk. Alsof hij bang was dat er iets zou gebeuren voordat hij de eindstreep bereikte.

Eerlijk gezegd duurde het een tijdje voordat hij die eindstreep bereikte. Hij had niet gedacht dat het zo zou zijn.

Zodra ze in bed lagen en hij het witte bovenlaken over hen heen wilde spreiden en haar tegen zich aan wilde trekken, ging ze rechtop zitten en rukte het laken van hem af.

Toen begon ze met een soort onderzoek. Gulzig, en met een gezicht alsof ze een dier had ontdekt dat ze nog niet kende.

Hij werd zo verlegen dat hij zich met zijn handen bedekte. 'Hij is anders dan bij stieren en paarden', zei ze belangstellend, en keek hem in de ogen. 'Maar die van stieren is ook heel anders dan die van paarden. Lang en dun en lichtrood. Die van het paard is een kanjer!' voegde ze eraan toe, met ernstige vakkennis.

Hij voelde hoe de geilheid zijn greep verloor, en zijn mannelijkheid verslapte.

Hij had nog nooit iemand ontmoet die zo volkomen gespeend was van schaamtegevoel. Er doemden beelden voor hem op. Beelden van de weinige keren dat hij vrouwen had bezocht die zich er voor lieten betalen. Maar hun spel was aangeleerd en van korte duur. Afgemeten in geld. Hij herinnerde zich hoe neerslachtig hij was geweest toen hij de aangeleerde liederlijkheid en de lege, mechanische bewegingen had doorzien.

Hun ogen waren het ergst geweest...

Plotseling zag hij dat Dina – de vrouwe op Reinsnes – een

kind was. Dat ontroerde hem en maakte hem beschaamd. En wond hem waanzinnig op!

Het werd een lang, lang spel. Waarin zij haar deel opeiste. Alle rollen wilde spelen. Woedend werd en hem strafte door zich af te wenden, als hij zich niet voegde in al haar opwellingen.

Af en toe zei zijn verstand dat dit dierlijk en onnatuurlijk was. Hij troostte zich hijgend met de gedachte dat niemand hen zag.

En toen ze liet merken hoezeer ze genoot, nam hij nog meer de tijd. Speelde haar spelletjes mee. Had het gevoel alsof zij het eerste paar op aarde waren. Dat alles goed zou komen.

De grijzende man moest een paar keer tegen de tranen vechten. Het werd Jacob te veel. Weer een kind te zijn dat liefhad tussen de bomen.

Toen hij op het punt was aangeland dat hij bij haar moest binnendringen, hield hij zijn adem in. De bronstigheid was opeens een zwarte kat die in de schaduw lag te slapen.

Midden in een bloedrood waas wist hij dat zij in staat was hem volkomen te vernietigen, als ze zijn manier van doen zou haten. Dat hielp hem erdoor.

Ze jammerde nauwelijks, hoewel het laken volledig bedorven was.

Alle vreselijke verhalen die hij had gehoord over huwelijksnachten en huilende bruiden, bleken niet waar.

Alles wat Jacob Grønelv had meegemaakt en geleerd, moest hij opnieuw leren. Niets van wat hij had gehoord en gezien, klopte.

Zijn bruid was een jong veulen. Op een gifgroene zomerweide. Ze duwde hem tegen het hek. Hield plotseling midden in het spel op en dronk uit een plas als ze vreselijke dorst kreeg. Beet hem in zijn flanken als hij onbeholpen de sprong waagde. Tot ze zich onverwacht liet vangen. En met dezelfde diepe rust waarmee een merrie zich onderwerpt, bleef zij op knieën en armen staan. Haar trillende, jonge lichaam liet zich openen en nam zijn voorzichtige stoten in ontvangst.

Jacob werd gegrepen door een soort religieus gevoel dat hij

zelf niet begreep. Hij had de ontlading niet meer in bedwang. Jacob kon zich niet meer verbergen. Hij huilde.

Ze kwamen de volgende dag pas in de loop van de middag beneden. De bruiloftsgasten waren al vertrokken. Evenals de drost en de zijnen. Moeder Karen had zelf een blad eten naar de zaal gebracht. En goedendag gewenst. Met vriendelijk gezicht en neergeslagen ogen.

De bedienden glimlachten wat. Ze hadden nog nooit gehoord van huwelijksnachten die duurden van twee uur 's nachts tot de volgende middag vijf uur.

De rendierbiefstuk was droog geworden en de aardappels waren stukgekookt toen het pasgetrouwde stel zich eindelijk liet zien.

Dina onberispelijk gekleed in een nieuwe jurk uit haar uitzet. Maar met loshangend haar, zoals gewoonlijk. Een glimlachende, geschoren Jacob die duidelijk problemen had met lopen en met zijn rug.

Tijdens de maaltijd negeerden ze moeder Karen, Anders, Niels en Johan volledig.

Eros vulde de hele kamer. Loom en voldaan kronkelde hij over het behang, speelde met de lambrizering en maakte het zilver mat.

Het bruidspaar was bij het hoofdgerecht al zichtbaar aangeschoten. Dina had haar eerste glaasje port geproefd voordat ze naar beneden gingen. Het was een nieuw spelletje. Dat zoet smaakte op de tong.

Moeder Karens blik was schichtig en Johans ogen waren vol afschuw.

Niels loerde nieuwsgierig naar Dina en at er goed van.

Anders zag eruit alsof hij tegen zijn wil in een kamer was beland waar hij aan tafel moest zitten met vreemden. Hij kon de situatie nog het best aan.

Dina had een nieuw spelletje geleerd. Ze kende het uit de paardewei. Uit het kippenhok en van het paren van de meeuwen in de lente. Jacob was haar speelgoed. Ze bestudeerde hem met ogen van geslepen glas.

6

Met dronkenschap en kommer zult gij vervuld worden; een beker van huivering en ontzetting is de
beker van uw zuster Samaria.

(Ezechiël 23:33)

Al op 5 maart 1838 was de raderstoomboot Prinds Gustav uit
Trondhjem vertrokken voor zijn eerste reis naar het noorden.
Veel mensen verklaarden toentertijd dat zo'n tocht gekkenwerk
was. Maar het was op wonderbaarlijke wijze een vaste lijndienst
geworden.

Onze Lieve Heer had een vinger in de pap wat het wateropper-
pervlak betrof. Maar er waren onderweg ook allerlei scheren,
onherbergzame fjord-armen, maalstromen en draaikolken. De
wind blies uit alle richtingen, en passagiers kwamen niet op de
afgesproken tijd aan boord. Dat op de Foldzee en in de Vestfjord
niets, behalve het draaien van de aarde en de centrifugale
krachten, zich gedroeg zoals je verwachtte, was ook een vervelende bijkomstigheid.

Zelfs nu, vele jaren later, was nog lang niet iedereen langs de
vaarroute er van overtuigd dat de vuur- en rookspuwende
Prinds Gustav een zegen was.

Het kon niet de bedoeling zijn dat schepen zich recht tegen
wind en stroming in voortbewogen. Het stoomschip verjoeg
bovendien de vissen uit de fjorden, beweerden degenen die zich
daarin verdiept hadden. Iets wat moeilijk te weerleggen bleek.

Maar de mensen kwamen in ieder geval aan. Mensen die veel
reisden, waren dankbaar voor het stoomschip. Het ware paradijs, vergeleken met een open Nordlandse boot, of de nauwe
kajuit van een Nordlandsjacht.

De hogere standen reisden eerste klasse in de hut voor heren
met tien kooien, of de hut voor dames met vijf kooien. De
tweede klasse had een gemeenschappelijke hut met twaalf kooi-

en. De derde klasse bestond uit een open voordek, waar de passagiers zo goed en zo kwaad als het ging beschutting moesten zoeken tussen kisten en tonnen en andere goederen.

Maar bij rustig weer reisde het gemene volk in de derde klasse ook als vorsten. Het kaartje was wel duur: 20, 10 en 5 skilling per mijl. Maar dan reisde je ook in een week van Trondhjem naar Tromsø, in de zomer.

De handelsplaatsen die het geluk hadden dat de raderboot er aanliep, waren de laatste jaren opgebloeid. En dat ondanks het feit dat men volgens de Noordnoorse gastvrijheid geen geld vroeg voor overnachting of maaltijden, als er notabelen aan land kwamen.

Je kon je afvragen hoe het dan kwam dat zulke herbergen zoveel winst maakten. Maar in het noorden was zakendoen een schaakspel.

De stukken stonden te allen tijde openlijk opgesteld. En je kreeg alle rust om te denken terwijl je at en dronk. Maar je leerde gaandeweg dat de tegenpartij ook stukken had. Die konden slaan. De Noordnoorse gastvrijheid kon je schaakmat zetten, als je niet oppaste.

Een van de eerste dingen die Jacob had geleerd toen hij naar Reinsnes kwam, was de handel op lange termijn. Wanneer de Prinds Gustav zakenrelaties bracht, verwelkomde Jacob hen met engelengeduld en lamsbout die van binnen roze was. Met grote glazen wijn en goede pijptabak. En rijkelijke hoeveelheden bergframbozen die uit de kelder werden gehaald en geserveerd in kristallen schaaltjes op voetjes.

Jacob wist wat hij aan de raderstoomboot te danken had.

Toen ze naar Reinsnes kwam, had Dina nog nooit zo'n schip gezien.

Ze sprong uit bed toen ze de scheepsfluit voor het eerst hoorde. De meizon stroomde de kamer in, door het rolgordijn heen.

Het wonderlijke, hese geluid kwam van de zee en de bergen tegelijk.

Ze rende naar het raam.

Het zwarte wezen gleed de Sont binnen. Het rode wiel spatte

en dreunde. Het schip leek op een waanzinnig groot fornuis. Waarvan nikkel, messing, pijpen en kookplaten enorm waren opgeblazen en op de fjord waren losgelaten.

Het leek alsof er op leven en dood werd gestookt in het drijvende, zwarte fornuis. Het kookte en ziedde, en kon vast ieder moment in de lucht vliegen.

Ze deed het raam wijd open, zonder het haakje er op te zetten. Hing met haar halfnaakte bovenlijf naar buiten. Alsof ze alleen op de wereld was.

Het was niet te vermijden dat sommigen de luchtig geklede vrouw des huizes daarboven in het oog kregen. Op hen had naakte huid een verbluffend effect, zelfs op vele meters afstand.

Hun fantasie werkte als een vergrootglas. Vergrootte iedere porie en iedere kleine kleurnuance van de verre gestalte. Ze kwam steeds dichterbij. Ten slotte stormde ze recht het verstand binnen van iedereen die keek. Die mensen waren niet meer in de raderboot geïnteresseerd.

Jacob stond in de tuin. Hij zag haar ook. Rook haar geur. Door zon en wind en het zwakke ritselen van het nieuwe loof heen. Een opwindende tinteling, gepaard aan hulpeloze verwondering, benam de man plotseling de adem.

Niels en de loopjongen uit de winkel waren de fjord op geroeid om de raderboot te bevoorraden en goederen op te pikken. Niels had de boten van de andere boerderijen in de buurt verboden om 'het vaarwater te verstoren' zoals hij dat noemde. Hij wilde niet meer drukte hebben dan hij zelf maakte.

Daarom was er minder spektakel en opwinding als de raderboot voor Reinsnes floot dan op andere plaatsen.

Jacob bemoeide zich niet met Niels' wetten voor de jongelui op de hoeven en pachtboerderijen in de buurt. Want hij wist dat het feit dat Niels geen mensen in boten op de Sont wilde hebben, ervoor zorgde dat ze naar de kades van Reinsnes en de winkel kwamen om te zien en te horen wie er arriveerde en wat er werd geladen. En dat leverde zowel hulpkrachten als geld op.

Vandaag viel er weinig te lossen. Alleen een paar zakken suiker voor de winkel en een paar kisten met boeken voor moeder Karen. Ten slotte daalde een beduusde man het laddertje af. Hij ging in de boot staan alsof hij in een kamer stond. Even schommelde het vaartuigje vervaarlijk.

Toen maakte Niels de man duidelijk dat hij moest gaan zitten als ze behouden aan land wilden komen met de suiker.

De man bleek een vogelkenner uit Londen te zijn, aan wie Reinsnes als logement was aanbevolen.

'De raderboot spuugt zogezegd mensen aan land in Reinsnes?' vroeg Dina verbaasd.

Moeder Karen was de zaal binnengekomen om vaart te zetten achter het aankleden, zodat Dina beneden kon komen om de gast te begroeten.

'Dit is een pleisterplaats, dat heeft Jacob toch wel verteld?' antwoordde moeder Karen geduldig.

'Jacob en ik praten niet over zulke dingen.'

Moeder Karen zuchtte en begreep dat er nog veel te doen was.

'Je kunt na het eten voor de Engelse vogelprofessor musiceren', zei ze.

'Als dat zo uitkomt', zei Dina luchtig en treuzelde met de haakjes van haar jurk.

Moeder Karen wilde haar helpen, maar Dina deinsde terug, alsof iemand een brandende stok naar haar gooide.

'We moeten het eens hebben over de verdeling van de taken in huis', zei moeder Karen, zonder zich door de afwijzing van de wijs te laten brengen.

'Wat voor taken?'

'Tja, dat hangt ervan af wat je gewend was thuis te doen?'

'Ik was in de stal, met Tomas.'

'Maar in huis?'

'Daar was Dagny.'

Er viel een korte pauze.

'Bedoel je dat je niet geleerd hebt een huishouden te leiden?' vroeg moeder Karen, terwijl ze haar ontzetting probeerde te verbergen.

'Nee, er waren toch andere mensen.'

Moeder Karen liep naar de deur terwijl ze snel een hand over haar voorhoofd haalde.

'Dan moeten we maar met kleine dingen beginnen, lieve Dina', zei ze.

'Zoals?'

'Zoals het musiceren voor de gasten. Het is een grote gave een instrument te kunnen bespelen...'

Dina liep snel weer naar het raam.

'Komt de raderboot vaak?' vroeg ze en keek naar de verre, zwarte rook.

'Nee, om de drie weken, of daaromtrent. In de zomer komt hij regelmatig.'

'Ik wil op reis!' zei Dina.

'Je moet eerst iets over het huishouden en je plichten leren, dan kun je met reizen beginnen!' zei moeder Karen, met niet meer zo vriendelijke stem.

'Ik doe wat ik wil!' zei Dina, en sloot het raam.

Moeder Karen stond in de deuropening.

Haar pupillen verschrompelden als luizen in het vuur.

Niemand sprak zo tegen moeder Karen. Maar ze had een feilloos instinct. Dus zweeg ze.

En alsof er een soort compromis tussen de oude en de jongere vrouw gesloten was, speelde Dina na het eten cello voor gast en huisgenoten.

Moeder Karen vond dat er een Engelse tafelpiano moest worden gekocht. Dina zou haar vaardigheden op Reinsnes even goed moeten kunnen ontwikkelen als op de hoeve van de drost.

Niels hief zijn hoofd op en zei dat zulke instrumenten een vermogen kostten.

'Vrachtschepen en sloepen ook', zei moeder Karen bedaard en wendde zich tot de Engelsman om die laatste repliek te vertalen.

Het was duidelijk dat de man zich met plezier liet imponeren, zowel door de prijs van vrachtschepen als door de muziek.

Johan slenterde door de tuin met zijn boeken in een riem, of zat op warme dagen te lezen en te dromen in het tuinhuisje. Hij meed Dina als de pest.

Hij had het smalle gezicht van Ingeborg. Haar vierkante kin en de kleur van haar ogen, die veranderde met de hemel en de zee, had hij ook geërfd. Zijn gladde, donkere haar had Jacobs kleur en Ingeborgs structuur. Hij was slungelig en dun, maar zag er toch goed uit.

Zijn hoofd was het belangrijkste aan hem, placht Jacob te zeggen met nauwelijks verholen trots.

Behalve predikant worden, had de jongen geen aantoonbare ambities. Hij deelde zijn vaders belangstelling voor vrouwen en boten niet. En vond het vreselijk dat het in huis altijd een komen en gaan was van reizigers, die niets anders deden dan eten, roken en drinken.

Ze hadden volgens hem niet meer opleiding genoten, dan ze in een koffertje of een leren tasje konden meenemen. Zijn minachting voor mensen, de manier waarop ze zich kleedden, zich gedroegen, zich bewogen, was genadeloos en onvoorwaardelijk.

Dina werd voor hem het symbool van een hoer. Hij had er veel over gelezen, maar was ze nog nooit tegengekomen. Dina was een schaamteloos vrouwelijk wezen dat de naam van zijn vader te grabbel gooide en de herinnering aan zijn moeder bezoedelde.

Hij had haar voor het eerst gezien op de schandaleuze bruiloft. En hij kon niemand in de ogen kijken zonder dat hij zich afvroeg of ze het wisten, of ze het zich herinnerden...

Zijn uitgesproken mening over de vrouw van zijn vader kon echter niet verhinderen dat hij soms 's nachts wakker werd in een wonderlijke, zware roes. Stukje bij beetje kon hij zijn dromen reconstrueren. Hij reed buiten op een zwart paard. De dromen waren steeds verschillend, maar ze eindigden er altijd mee dat het paard zijn grote hoofd achterover gooide, dat veranderde in Dina's donkere, koppige gezicht. De manen vloeiden over in haar zwarte haar.

Hij schaamde zich dan altijd en was op slag wakker. Stond op en waste zich met koud water, dat hij langzaam uit de porseleinen lampetkan in een kuise witte schaal met blauwe rand goot.

Daarna droogde hij zich omzichtig af met de gemangelde, koele linnen handdoek, en was verlost. Tot de volgende keer dat de droom hem wekte.

Jacob had er zijn handen vol aan om getrouwd te zijn. Hij liet zich nergens zien, niet op de kade, in de winkel of de gelagkamer. Hij dronk wijn met zijn echtgenote en speelde domino en schaak!

Eerst glimlachte iedereen. Groette en knikte. Maar daarna maakte zich een zekere onrust en verbijstering meester van de handelsplaats en de hoeve.

Het begon bij moeder Karen en verspreidde zich snel, als een bosbrand.

Was de man soms behekst? Wilde hij zijn handen niet meer vuil maken aan eerlijk werk? Bleef hij al zijn energie en tijd verspillen aan zijn echtelijke plichten in het hemelbed?

Moeder Karen riep Jacob tot de orde. Met neergeslagen ogen, maar met des te vastberadener stem. Het kon toch niet zijn bedoeling zijn dat de handelsplaats in het slop raakte? Hij gedroeg zich nu verdorie erger dan na het plotselinge overlijden van Ingeborg zaliger. Toen had hij weliswaar vooral in de kroeg gezeten of langs de kust gezworven, maar toch was dit erger. Zo maakte hij zich in het hele district belachelijk. Ze lachten hem uit!

'Daar hebben ze alle reden toe', pareerde Jacob, en lachte ook.

Maar Karen lachte niet. Haar gezicht verstrakte.

'Je bent achtenveertig jaar', berispte ze hem.

'God is duizenden jaren oud, en hij leeft ook nog!' grinnikte Jacob en liep fluitend naar boven.

'Ik ben tegenwoordig in zo'n fantastisch humeur, lieve moeder!' riep hij nog over zijn schouder door het trappenhuis.

Even later konden ze boven de cello horen. Maar wat ze niet zagen, was dat Dina daar alleen in haar keurslijfje zat, met naakt onderlichaam en de cello tussen haar gespannen, sterke dijen. Ze speelde met een ernst, alsof ze voor de deken speelde.

Jacob zat met gevouwen handen bij het raam naar haar te kijken. Hij zag een heiligenbeeld.

De zon, die alomtegenwoordige, had lichtjaren geleden al besloten om de lucht tussen hen te versplinteren. De stofdeeltjes stonden als een sluimerende wand midden in de lichtkegel. Durfden zich niet te ruste te leggen.

Jacob kondigde aan dat hij Dina die zomer mee wilde nemen naar Bergen. Het eerste vrachtschip was al onderweg. Maar Jacobs trots, zijn nieuwste Nordlandsjacht, dat vernoemd was naar moeder Karen, zou eind juni uitvaren. De voorbereidingen waren sinds de bruiloft in volle gang.

Moeder Karen nam Jacob weer apart, en legde uit dat dat geen reis was voor een jonge vrouw.

Bovendien moest Dina hoognodig iets leren over de huishouding en over omgangsvormen. Voor de vrouwe van Reinsnes volstond het niet dat ze cello kon spelen!

Jacob vond dat dat wel kon wachten, maar moeder Karen gaf niet toe.

Jacob bracht deze droeve boodschap over aan Dina en hief zijn handen ten hemel. Alsof moeder Karens wil wet was.

'Dan ga ik net zo lief weer terug naar Fagernes!' kondigde Dina aan.

Jacob had in zeer korte tijd geleerd dat Dina altijd woord hield.

Hij ging nog eens naar moeder Karen. Hij legde uit en smeekte. Uiteindelijk gaf ze toe.

Het werd al snel duidelijk, zowel voor Jacob, moeder Karen als alle anderen op de hoeve, dat Dina niet van plan was te leren hoe ze een groot huishouden moest besturen. Ze reed paard, speelde cello, at en sliep. Zo nu en dan kwam ze met een koolvis aan een berketak aan, zonder dat iemand gezien had dat ze de zee op geroeid was.

Moeder Karen zuchtte. De enige taak die Dina met plezier vervulde, was het hijsen van de vlag als er schepen naderden.

Ze moesten zich er maar bij neerleggen dat zolang moeder Karen gezond was, alles bij het oude bleef.

Er kwamen al snel geruchten dat de jonge vrouwe van Reinsnes boven in de hoogste boom van de tuin klom om de raderboot beter te kunnen zien of om de bergen door een verrekijker te bestuderen. Zoiets hadden ze nog nooit gehoord.

Ze begonnen na te pluizen uit wat voor familie ze kwam. Haar moeder was heilig verklaard op de dag dat ze de pijn en haar verbrande lichaam vaarwel zei en stierf. Zij was dus bij voorbaat uitgesloten als erflater van ongewenste eigenschappen.

Maar de familie van de drost werd aan een haarfijn onderzoek onderworpen dat de meest wilde verhalen aan het licht bracht. Er werd verteld dat de drost zowel Lappen als zigeuners tot zijn voorgeslacht rekende. En dat er zelfs een paar aangespoelde Italianen waren die een eeuwigheid geleden met een van zijn stammoeders hadden gerommeld. Iedereen kon wel nagaan wat dat voor het nageslacht betekende! Ja, dat wreekte zich nu, vele generaties later.

Niemand kon de personen die zo'n noodlottige invloed op de dochter van de drost hadden gehad, precies benoemen of plaatsen. Maar dat hoefde ook niet.

Een vrouw die na haar huwelijk in bomen klom, die op haar eigen bruiloft in haar ondergoed liep, die op haar twaalfde niets anders dan bijbelteksten had leren lezen en die schrijlings en zonder zadel reed, moest wel een produkt zijn van de misstappen van voorouders.

Dat ze zelden een woord met iemand wisselde en altijd daar opdook waar je haar niet verwachtte, bewees toch wel dat ze in ieder geval een zigeunerin was!

Johan hoorde al deze verhalen. Hij vond het vreselijk, en keek uit naar de dag dat hij kon ontsnappen en naar de universiteit zou gaan.

Moeder Karen hielp hem met de spullen die hij mee moest nemen. En dat was geen kleinigheid. Ze pakte het zelf in en gaf iedereen orders.

In twee maanden tijd voorzag ze de jongen van alles wat hij nodig had. Ten slotte stonden er drie grote kisten op de kade te wachten tot ze met de takel van het pakhuis neergelaten werden in de sloep die hem naar de raderboot zou brengen.

Toen Johan op een avond laat in het tuinhuis zat, kwam er een gestalte aangelopen tussen de bomen in de tuin. Hij voelde hoe het koude zweet hem overal uitbrak.

Eerst dacht hij dat hij ingedut was, maar toen besefte hij dat ze heel echt was.

Het had net geregend. De takken drupten na. Haar nacht-
hemd was bij de zoom zwaar van het vocht en hing strak rond
haar heupen.

Hij zat in de val! Kon niet meer vluchten. En ze kwam recht
op het tuinhuis af... Alsof ze wist dat hij daar was. Verscholen
achter hopranken en seringen.

Ze ging zonder iets te zeggen naast hem op de bank zitten. Haar
geur verkrachtte zijn hersenen. Tegelijkertijd beefde hij van
afschuw.

Ze legde haar blote benen op de tuintafel en floot een liedje
dat hij niet kende. Ze keek hem ernstig en onderzoekend aan.
Het junilicht was donker in het tuinhuis. Toch voelde hij dat
hij zich niet kon verbergen.

Hij stond op en wilde weglopen. Maar zij versperde hem de
doorgang met haar lange benen op de tafel. Hij slikte.

'Welterusten', wist hij eindelijk uit te brengen, in de hoop
dat zij haar benen weg zou trekken.

'Ik ben er net', zei ze honend. En maakte geen aanstalten om
hem er langs te laten.

Hij was een pakje dat iemand had laten liggen.

Plotseling stak ze haar hand uit en streek hem over zijn pols.

'Schrijf me als je naar het zuiden gaat! Over alles wat je ziet!'

Hij knikte mat en liet zich weer naast haar op de bank vallen.
Alsof ze hem een duw had gegeven.

'Waarom wil je predikant worden?' vroeg ze.

'Mama wilde dat.'

'Maar die is toch dood...'

'Daarom juist...'

'Wil je het zelf?'

'Ja.'

Ze zuchtte diep en leunde tegen hem aan, zodat hij door het
vochtige, dunne linnen heen haar borst voelde. Hij kreeg over
zijn hele lichaam kippevel. Hij kon zich niet bewegen.

'Niemand zegt mij dat ik predikant moet worden', zei ze
vergenoegd.

Hij schraapte zijn keel en vermande zich uit alle macht.

'Vrouwen kunnen geen predikant worden.'

'Nee, gelukkig niet.'

Het begon weer te regenen. Voorzichtige kleine druppels die als een golvend waas tegen het gifgroene gras sloegen. Aarde en vocht lagen zwaar in zijn neusgaten. Vermengd met de geuren van Dina. Die er voor altijd afzettingen achterlieten. Die altijd waar geuren van vrouwen waren, weer boven kwamen.

'Je mag me niet', stelde ze plotseling vast.

'Dat heb ik nooit gezegd!'

'Nee. Maar het is wel zo!'

'Dat is het niet...'

'O?'

'Jij bent niet... Ik bedoel... m'n vader zou niet zo'n jonge vrouw moeten hebben.'

Toen lachte ze koerend, alsof ze aan iets dacht dat ze niet wilde vertellen.

'Ssst,' zei hij, 'je maakt de mensen nog wakker.'

'Zullen we gaan baden in de baai?' fluisterde ze en trok aan zijn arm.

'Baden? Nee! Het is midden in de nacht!'

'Wat maakt dat uit? Het is toch lekker buiten?'

'Het regent toch?'

'Nou en? Ik ben al nat.'

'Ze zouden wakker kunnen worden... en...'

'Is er iemand die jou mist?' fluisterde ze.

Haar fluisteren nam hem in een wurggreep. Drukte hem op de grond. Joeg hem de lucht in. Tussen de bergen door. Deed hem met een vuistslag weer op de bank belanden.

Later kon hij wat er werkelijk gebeurd was nooit onderscheiden van de droom met het paardehoofd.

'Maar vader...'

'Jacob slaapt!'

'Maar het is licht...'

'Kom je nou, of durf je niet?'

Ze stond op en boog zich diep naar hem over toen ze langs hem liep. Draaide zich om en bleef een paar seconden staan.

Er lag een soort droefenis op haar gezicht die niet te rijmen viel met haar stem of haar bewegingen. Ze stapte de muur van vochtigheid in, die haar lichaam opzoog en haar onzichtbaar maakte. Maar de richting waarin ze liep was onmiskenbaar.

Toen hij bij de baai achter de vlaggeheuvel kwam, was hij doorweekt. Zij stond naakt tussen de stenen. Waadde een paar stappen het water in. Boog zich voorover en pakte iets van de bodem. Onderzocht het nauwkeurig.

Toen! Alsof ze zijn blik op haar heupen voelde, draaide ze zich om en ging rechtop staan. Haar gezicht had dezelfde uitdrukking als daarnet in het tuinhuis.

Hij wilde graag geloven dat hij daarom toegaf. Zijn broek en hemd uittrok. Beschaamd en tegelijkertijd opgewonden. Hij waadde naar haar toe. Het water was koud. Maar hij voelde het niet.

'Kun je zwemmen?'

'Nee, hoezo', zei hij en hoorde zelf hoe dom het klonk.

Ze kwam dichterbij. Een overweldigende druk op zijn slapen dreigde hem te verdrinken, hoewel hij maar tot zijn knieën in het water stond.

Plotseling besefte hij hoe idioot hij eruit moest zien in zijn witte onderbroek. Rillend.

Ze kwam vlak bij hem staan, pakte zijn middel beet en wilde hem het water in trekken. Hij liet zich trekken. Liet zich zo ver het water in trekken dat ze vanzelf dreven. Liet zich meevoeren naar het diepe.

Zij bewoog voor hen beiden. Rustig, ritmisch, met onderlichaam en benen. Krachteloos liet hij haar zich drijvend houden. Hen beiden drijvend houden.

Het ijskoude water, de zachte motregen, haar handen die van plaats veranderden en hem vasthielden, nu eens hier, dan weer daar.

Het paard uit zijn droom! Dina, die met zijn vader was getrouwd. Ze sliep op de zaal in zijn vaders bed. En toch was ze ook iemand anders.

Hij kreeg een enorme behoefte om haar te vertellen over het zwarte gat op het kerkhof. Dat Ingeborg had opgeslokt. Te vertellen over zijn vader die na de begrafenis halfdronken rondzwierf.

Maar hij had de woorden die daarvoor nodig waren niet geleerd. Ze waren zo beladen. Als deze nacht.

Hij had haar kunnen vertellen over alles wat tegen Ingeborg gezegd had moeten worden voor ze stierf. Kunnen vertellen over de kerstvieringen op Reinsnes. Als zijn moeder druk in de weer was. Druk, met rode rozen van opwinding op haar wangen. Over alle naalden die hem staken als zijn moeders ogen hem loslieten omdat zijn vader de kamer binnenkwam.

Had haar kunnen vertellen over het verdriet dat hem altijd overmande als hij van huis vertrok. Ondanks het feit dat hij dat juist wilde. Van huis weggaan.

Dina werd een Walkure uit moeder Karens mythologieboek. Een wezen dat hem drijvende hield. Dat stilzwijgend alles begreep wat hij niet kon zeggen.

Johan begaf zich in diep water. Zijn afschuw voor Dina verdronk. Haar naaktheid legde zich als een vlies om hem heen.

Ik ben Dina die een glanzende vis vasthoudt. Mijn eerste vis. Moet hem zelf van de haak halen. De haak wordt verbogen. Hij is niet erg gewond. Ik gooi hem weer terug in het water. Hij moet zichzelf nu redden. Het is een stralende dag.

Ze hadden niets om zich mee af te drogen. Hij probeerde de voor hem ongewone rol van heer uit. Wilde dat ze zijn hemd gebruikte om zich af te drogen.

Ze weigerde.

Ernstig en rillend kleedden ze zich aan in de regen.

Plotseling zei ze, alsof ze al op de kade stonden en hij zou vertrekken: 'Schrijf me!'

'Ja', zei hij, en wierp een angstige blik op het pad naar het huis.

'Ik heb nog nooit samen met iemand gebaad.'

Dat was het laatste wat ze zei voordat ze het pad naar de hoeve op rende.

Hij wilde haar naroepen. Maar durfde niet. Ze was al tussen de bomen verdwenen.

Het drupte van alle takken. Hij hing zijn vertwijfeling aan de takken. Die alles meteen weer in natte druppels op de aarde lieten vallen.

'Hoe kun je zwemmen, als je nog nooit samen met iemand

hebt gebaad?' drupte het. Steeds weer.

Want hij durfde haar niet na te roepen. Iemand zou het kunnen horen...

Hij verborg zich erachter. Verborg de lust die nog steeds langs de vloedlijn en tussen het wier dobberde. Achter de vraag 'Hoe kun je dan zwemmen?'

Ten slotte hield hij het niet meer uit. Hij kroop onder een groot rotsblok, dat gedurende zijn kinderjaren zijn verstopplaats was geweest. Daar nam hij zijn steenharde lid in zijn hand en liet het gebeuren.

Zonder aan God te denken.

Vanaf die dag haatte Johan zijn vader. Diep en intens. Nog steeds zonder overleg te plegen met zijn God.

Jacob werd wakker toen Dina de zaal binnenkwam.

'Waar ben jij in godsnaam geweest!' riep hij uit, toen hij de natte gestalte zag.

'In de baai.'

'Midden in de nacht!' riep hij ongelovig uit.

''s Nachts zijn er niet zoveel mensen in de buurt', zei ze. Ze wrong zich uit haar kleren, liet ze in een hoopje op de vloer vallen, en kwam bij hem in bed.

Hij was warm genoeg voor twee.

'Heb je de watergeest gezien, kleine heks?' grapte hij, half in slaap.

'Nee, maar wel de zoon van de watergeest!'

Hij lachte zachtjes en mopperde een beetje omdat ze zo koud was. Jacob koesterde geen argwaan. Hij wist niet dat ze kon zwemmen.

7

Zal iemand vuur in zijn boezem halen, zonder dat zijn klederen in brand geraken? Of zal iemand op gloeiende kolen lopen, zonder dat zijn voeten verbranden?

(Spreuken 6:27-28)

Dina ging die zomer mee naar Bergen.

Moeder Karen begreep dat Dina toch niet van de ene op de andere dag kon worden opgevoed. En toen het vrachtschip goed en wel was uitgevaren, moest ze toegeven dat ze verlangd had naar rust en vrede. Dat Johan vlak daarna ook vertrok, vond de oude vrouw erger.

Dina was een teugelloos kind, dat geleid moest worden.

Meer dan eens was de bemanning in rep en roer door haar invallen, en niet tot werken in staat.

Anders nam het allemaal rustig en goedgehumeurd op.

Het eerste wat Dina deed, was haar matras uit de kajuit naar het dek verhuizen. Daar vermaakte ze zich met kaartspelen en het zingen van wereldse liedjes met een vreemdeling die op het laatste ogenblik had aangemonsterd en die een vreemd soort snaarinstrument bespeelde. Van het type waar Russische zeelui op speelden.

Deze zwartharige man sprak gebroken Zweeds en beweerde dat hij jarenlang over de wereld had gezworven.

Hij was met een Russische boot uit het noorden gekomen, en was op een dag op Reinsnes aan land gegaan. Daar had hij gewacht tot hij met een vrachtschip mee kon varen naar het zuiden.

Jacob riep een paar keer naar de roerganger dat hij er voor moest zorgen dat het daar buiten rustig werd. Maar dat hielp niet veel. Hij voelde zich een oude kribbebijter. En dat was een rol waar hij niets voor voelde.

Uiteindelijk kwam hij de kajuit uit en deed mee met het spektakel.

De volgende dag zorgde hij ervoor dat ze tegen de avond aanliepen op Grøtøy. Daar werden ze gastvrij ontvangen en verzorgd.

Grøtøy was pas aanlegplaats voor de Prinds Gustav geworden en de waard had grootse bouwplannen voor nieuwe huizen, een winkel en een postkantoor.

Er was kort geleden een kunstschilder in huis gekomen, die het gezin zou portretteren. Dina richtte al snel al haar belangstelling op de schildersezel. Ze rende rond als een dier, snoof aan olieverf en terpentijn. Ze volgde elke beweging van de schilder en kroop zowat bij hem op schoot.

Mensen wisten zich geen houding te geven door haar natuurlijkheid. De bedienden fluisterden over de jonge vrouwe van Reinsnes. Ze schudden hun hoofden als ze het over Jacob Grønelv hadden. Het kon niet gemakkelijk voor hem zijn...

Dina's vertrouwelijkheid met de schilder veranderde Jacob in een loerende kettinghond. En hij schaamde zich voor haar, als ze dingen deed die niet hoorden.

Hij probeerde dit alles te wreken in het echtelijke bed. Wierp zich op haar met de kracht en het recht van een gekwetste, jaloerse echtgenoot.

Maar er werd zo luidruchtig gehoest aan de andere kant van de dunne wand, dat hij zijn pogingen moest staken.

Dina legde haar hand op zijn lippen, deed sst! Toen trok ze haar nachtjapon omhoog en ging schrijlings op de ongelovige Jacob zitten. Zo voerde ze hen min of meer geruisloos de hemel binnen.

Toen ze weer op zee waren, sliep ze in de kajuit. En de wereld zag er voor Jacob weer rooskleuriger uit.

Zo stevenden ze zonder verdere schermutselingen op Bergen af.

De drukke haven, Vågen! De vesting, de huizen en de kerk. De rijtuigen. Met elegante heren en dames onder parasols.

Dina's hoofd leek wel op de naaf van een wiel gemonteerd. Ze klakte met haar nieuwe reisschoenen op de kinderkopjes. Staarde indringend naar iedere koetsier die zat te dutten, de zweep tegen zijn knie rustend.

De koetsen zagen er vaak uit als versierde taarten, uitpuilend van de lichte zomerjurken met pelerines en ruches. En kanten parasols. Die de eigenaressen volledig van hoofd of gezicht beroofden.

Heren waren er ook. Ofwel elegant gekleed in een donker pak met bolhoed, of jong en overmoedig, in een licht pak en met een strooien hoed op het voorhoofd.

Ergens stond een oude officier in een blauwe jas met rode revers tegen een waterpomp geleund. Hij had zijn snor zo stevig met pommade ingewreven, dat het leek alsof die op zijn gezicht getekend was. Dina liep naar hem toe en raakte hem aan. Jacob trok haar mee aan haar arm en schraapte beschaamd zijn keel.

Ergens anders probeerde een uithangbord hen met uitgelezen madeira en havannasigaren naar binnen te lokken. Achter de cafégordijnen troonden rode pluche banken en lampekappen met kwastjes.

Daar wilde Dina naar binnen om een sigaar te roken! Jacob kwam achter haar aan. Als een bezorgde vader wist hij haar aan het verstand te brengen dat ze niet in het openbaar een sigaar kon opsteken!

'Ooit ga ik naar Bergen en rook ik een sigaar!' zei ze beledigd terwijl ze gulzig van de madeira dronk.

Jacob had een elegant wandelkostuum gekocht, met een blauw double-breasted jasje van alpaca, met fluwelen revers en een geruite broek. Hij droeg een hoed, alsof hij nooit anders had gedaan.

Hij zat geruime tijd bij de barbier. En keerde naar het logement terug met gladgeschoren wangen. Hij had daar goede redenen voor.

Ten eerste had de hoteleigenaar gevraagd of hij twee eenpersoonskamers wilde hebben. Eén voor mijnheer Grønelv en één voor zijn dochter. Ten tweede herinnerde hij zich dat Dina nu bijna een jaar geleden had opgemerkt dat hij grijs begon te worden. Hij zag geen enkele reden om zijn haar grijzer te laten zijn dan absoluut noodzakelijk was.

Dina paste hoeden en jurken met dezelfde dodelijke ernst als waarmee ze stiekem Hjertruds jurken had aangepast voordat ze uit huis ging.

De Bergense creaties deden wonderen. Dina werd ouder en Jacob werd jonger.

Ze waren twee ijdeltuiten, die zich spiegelden in elke etalageruit en plas die ze tegenkwamen.

Anders glimlachte goedmoedig over al deze losbandige klerenpracht.

Dina taxeerde en rekende, telde op en deelde. Fungeerde als een soort levende rekenmachine voor Jacob en Anders als er over in- en verkoop beslist moest worden. Ze baarde opzien.

Op een avond was Jacob dronken en jaloers. Dina was in gesprek geraakt met een beschaafd heerschap dat haar met respect behandelde, omdat ze Beethoven speelde op de piano van het hotel.

Toen Jacob en zij alleen waren, wierp hij haar voor de voeten dat ze er altijd als een hoer uit zou zien als ze haar haar zo los droeg.

Eerst gaf ze geen antwoord. Maar hij bleef maar tieren. Toen schopte ze hem tegen zijn scheenbeen, zodat hij het uitkreunde, en zei: 'Jacob Grønelv is gierig. Hij kan niet verdragen dat iemand mijn haar ziet. Onze Lieve Heer is niet zo gierig als Jacob. Want dan zou hij de haargroei wel gestopt hebben!'

'Je zet jezelf te kijk!' zei hij en wreef over zijn scheenbeen.

'En als ik nu een paard was geweest? Of een vrachtschip? Dan had ik me wel mogen laten zien? Moet ik onzichtbaar zijn, als een lijk?'

Jacob gaf het op.

Op hun laatste dag in Bergen kwamen ze langs een schutting waarop allerlei aanplakbiljetten hingen.

Dina was als een vlieg die een suikerpot geroken heeft.

Er werd om de opsporing van een zakkenroller verzocht. De

man kon gevaarlijk zijn, stond er. Kleine, zelfgemaakte plakkaten kondigden aan dat er een religieuze bijeenkomst werd georganiseerd of dat men naaiwerk aannam. Een oudere, welgestelde heer zocht een huishoudster.

In het midden hing een groot zwart-wit affiche, met de aankondiging dat er een man zou worden opgehangen wegens moord op zijn minnares.

De afbeelding van de man was met zoveel modder bespat dat hij onherkenbaar was.

'Fijn voor de familie', zei Jacob somber.

'Laten we daar naartoe gaan!' zei Dina.

'Naar de terechtstelling?' vroeg Jacob geschokt.

'Ja!'

'Maar Dina! Ze gaan iemand ophangen!'

'Ja. Dat staat tenminste op het affiche.'

Jacob staarde haar aan.

'Dat is afschuwelijk om te zien!'

'Er komt geen bloed bij te pas.'

'Maar hij gaat dood.'

'Dat gaat iedereen.'

'Dina, ik geloof dat je het niet goed begrijpt...'

'De slacht is veel erger!'

'Dat zijn dieren.'

'Ik wil er hoe dan ook naartoe!'

'Dat is niets voor dames. Bovendien is het gevaarlijk...'

'Hoezo?'

'Het gepeupel zou wel eens op het idee kunnen komen om welgestelde dames, die alleen uit nieuwsgierigheid komen kijken, te lynchen. Echt waar', voegde hij er aan toe.

'We huren een koets. Dan kunnen we snel wegrijden.'

'Er is geen koetsier die ons daar alleen voor ons plezier naar toe wil rijden.'

'Het is niet voor ons plezier', zei Dina kwaad. 'We gaan zien hoe dat in zijn werk gaat.'

'Je maakt me bang, Dina. Wat wil je dan zien bij zo'n terechtstelling?'

'De ogen! Zijn ogen... Wanneer ze het touw om zijn nek leggen...'

'Lieve, lieve Dina, dat kun je niet menen.'

Dina's blik dreef langs hem heen. Alsof hij er niet was. Hij pakte haar bij de arm en wilde doorlopen.

'Hoe hij het ondergaat, dat wil ik zien!' zei ze resoluut.

'Vind je dat iets om naar te kijken, dat zo'n arme stakker in al zijn ellende...'

'Het is geen ellende!' onderbrak ze hem geïrriteerd. 'Het is het allerbelangrijkste ogenblik!'

Ze gaf het niet op. Jacob begreep dat ze in haar eentje zou gaan, als hij haar haar zin niet gaf.

Ze huurden een koets en reden de volgende ochtend voor dag en dauw naar de plaats van de terechtstelling. De koetsier deed dat helemaal niet met tegenzin, zoals Jacob eerst had gedacht. Maar hij wilde grof geld zien om daar tijdens de terechtstelling te blijven staan, zodat ze bij het minste teken van Jacob weg konden rijden.

Een gestage stroom mensen verzamelde zich rond de galg. Lichamen werden tegen elkaar gedrukt. Dicht opeen. De spanning lag als een misselijkmakende traandamp in de lucht.

Jacob rilde en keek opzij naar Dina.

Ze had haar lichte ogen op de bungelende strop gericht. Ze trok aan haar vingers, zodat de gewrichten knakten. Haar mond stond open. Ze haalde fluitend adem tussen haar tanden.

'Hou daar mee op', zei Jacob, en legde zijn hand over haar vingers.

Ze gaf geen antwoord. Maar liet haar handen in haar schoot rusten. Zweet parelde langzaam op haar voorhoofd en liep door de groeven naast haar neusvleugels. Twee flinke rivieren.

Gewone gesprekken werden niet gevoerd. Er hing een voortdurend gemompel in de lucht. Een verwachting waar Jacob niets van moest hebben.

Hij hield Dina stevig vast toen de man op een wagen tot onder de galg werd gereden.

De man had niets over zijn hoofd. Was voddig, vies en ongeschoren. Zijn vuisten balden en openden zich in hun ketens.

Jacob kon zich niet herinneren ooit een zo verkommerd mens gezien te hebben.

Zijn ogen staarden wild naar de mensenmassa. Er was een predikant bij gekomen, die iets tegen de man zei. Sommigen spuugden naar de wagen en riepen dreigend scheldwoorden. 'Moordenaar' was er een van.

De man dook eerst weg voor de klodders spuug. Daarna was het alsof hij al aan het sterven was. Hij liet zich van zijn hand- en voetboeien ontdoen, en de strop werd om zijn nek gelegd.

Een aantal mensen was tussen de koets van Dina en Jacob en de afscheiding rond de galg gedrongen.

Dina stond op in de koets. Hield zich vast aan de rijtuigkap en leunde over de hoofden van degenen die onder haar stonden.

Jacob kon haar ogen niet zien. Had geen contact meer met haar. Hij stond op om haar vast te pakken als ze mocht vallen.

Maar Dina viel niet.

Het paard voor de beulswagen kreeg een klap op zijn flank. De man hing in de lucht. Jacob greep Dina vast. De stuiptrek-kingen van de moordenaar verplantten zich zwaar door haar lichaam.

Toen was het voorbij.

Ze zei niets toen ze naar de haven reden. Zat daar rustig in de koets. Met rechte rug, als een generaal.

Jacobs halsdoek was nat van het zweet. Hij duwde zijn ontheemde handen in zijn schoot en wist niet wat het ergst was: de terechtstelling of het feit dat Dina die per se had willen zien.

'Weinig geschreeuw deze keer', was het commentaar van de koetsier.

'Ja', zei Jacob mat.

Dina staarde voor zich uit, alsof ze haar adem inhield. Toen zuchtte ze diep en luid. Alsof ze een enorm karwei had afge-maakt dat lange tijd op haar had liggen wachten.

Jacob voelde zich niet goed. Hij hield Dina de rest van de dag in de gaten. Hij probeerde met haar te praten. Maar zij glim-lachte alleen maar, merkwaardig vriendelijk, en wendde zich af.

De tweede ochtend dat ze op zee waren, wekte Dina Jacob en zei: 'Hij had groene ogen, die me recht aankeken!'

Toen drukte hij haar tegen zich aan. Wiegde haar, alsof ze een kind was dat niet geleerd had te huilen.

Op weg naar het noorden overnachtten ze bij vrienden van Jacob op het oude landgoed Tjøtta. Het was alsof ze aan het koninklijk hof waren. Zo was de stijl en de ontvangst.

Jacob was beducht voor Dina's vele invallen. Maar hij was ook een man die zijn zeldzame jachtvalk wilde laten zien. Dus moest hij zich er maar bij neerleggen dat ze beet, als hij geen handschoen droeg. Dina leek niet erg onder de indruk van het feit dat ze te gast waren op een hoeve die zowel rechters als notarissen had geherbergd, en die in zijn hoogtijdagen zo groot was geweest als twee of drie parochies bij elkaar. Ze slaakte geen hoffelijke kreten over de prachtige kamers. Nam geen notitie van het hoofdgebouw, dat twee verdiepingen telde en vierendertig el lang was.

Maar elke keer dat ze de merkwaardige bautastenen bij de oprit naar het hoofdgebouw passeerden, bleef ze staan. Leek bijna bezeten van de oude stenen en wilde er alles van weten. Ze rende 's avonds op blote voeten naar buiten om het licht te zien dat zo wonderlijk rond de stenen speelde.

De eerste avond werd er geanimeerd gepraat bij een glas punch. De salon was volledig overbevolkt met oude en jonge mensen. De verhalen gingen als estafettestokjes de tafel rond.

De gastheer vertelde hoe het hele noorden in bezit gekomen was van de machtige Deen Jochum Jürgens, of Irgens, zoals hij ook wel werd genoemd.

Deze rentmeester van de koninklijke domeinen in Jutland was kamerheer geworden bij koning Christian IV. Hij was in alles een sluwe vos. Het bleek dat hij schier eindeloze hoeveelheden rijnwijn en parels aan het koningshuis had verkocht. En toen dat alles betaald moest worden, had de staat daar de middelen niet voor. Daarom schonken ze hem, zonder meer – door een beschikking van 12 januari 1666 – alle koninklijke domeinen in Helgeland, Salten, Lofoten, Vesterålen, Andenes, Senja en Troms! Voor een schuld van 1440 *våg*.

Dat was meer dan de helft van al het land in Noord-Noorwegen. En daarbij kwam nog Bodøgård, de residentie van de leenheer, de hoeve van de districtsrechter in Steigen en 's konings aandeel in de tienden van de hele provincie.

Dina was zo onder de indruk van dit verhaal, dat ze onmiddellijk wilde dat Jacob een boot in gereedheid bracht en haar rondvoer door heel het district waar de rijnwijn en de parels mee betaald waren.

En ze droeg ingewikkelde rekensommen op aan de jonge meisjes op de hoeve. Van hoeveel flessen of kwart-tonnen er sprake was geweest. Of hoeveel grote tonnen.

Maar aangezien niemand haar een nauwkeurige prijs kon noemen, noch van parels, noch van rijnwijn rond 1660, kon ze haar berekening niet afmaken.

Jacob wilde het liefst de volgende dag naar huis.

Zijn gastheren haalden hem over nog twee nachten te blijven, zoals gebruikelijk was.

Dina en Anders waren bondgenoten, dus gaf hij toe. Ook al stond de schipper, Anton, aan zijn kant.

Jacob had de hele tocht op Dina's uitspraken en gedrag moeten letten als ze samen met anderen waren. Dat begon hij te voelen. Ook de nachtelijke exercities eisten hun tol.

Het kwam hem erg goed uit dat Dina en de jonge dochters op Tjøtta twee nachten opbleven om te wachten op een geestverschijning.

Die placht 's nachts in de woonvertrekken rond te waren. Dina kreeg te horen wat de voortekenen waren. Meerdere mensen op het landgoed hadden het spook gezien. Ze praatten erover alsof het een normaal burenbezoek was.

Maar er trok een waas voor Dina's ogen en ze fronste haar voorhoofd, alsof ze een moeilijke muziekpartij moest spelen.

De tweede nacht liep er een kindergestalte door de salon, die achter een oude klok verdween. De meisjes waren het erover eens. Ze hadden haar allemaal gezien. Alweer.

Dina zweeg. Ze zweeg zo hardnekkig dat het bijna onbeleefd was.

Jacob was blij dat hij het bezoek met goed fatsoen kon beëindigen, maar liet dat niet merken. Ze hadden drie nachten op Tjøtta gelogeerd.

Op de terugtocht merkte Jacob op dat het toch wat merkwaardig was dat de mensen op Tjøtta zo in spoken geloofden.

Dina wendde zich van hem af, staarde uit over de zee en gaf geen antwoord.

'Wat deed het spook?' vroeg hij.

'Het deed als de meeste ontheemde kinderen.'

'En hoe doen die dan?' vroeg hij, lichtelijk geïrriteerd.

'Dat zou jij moeten weten.'

'Waarom zou ik dat moeten weten?'

'Je heb er een stel in huis!'

Ze was als een blazende kat in de aanval. Hij was zo geschrokken door de wending die het gesprek nam, dat hij niets meer zei.

Jacob vertelde moeder Karen over Dina's reactie op het vermeende spook op Tjøtta. Maar hij vertelde niet dat hij haar in Bergen had meegenomen naar een ophanging.

Moeder Karen dacht er het hare van, maar zei niets tegen Jacob. Het kwam haar voor dat het meisje slimmer was dan ze zich voordeed.

'Je hebt er een stel in huis' was een opmerking die Jacob serieus nam, zonder dat iemand hem daaraan hoefde te herinneren.

Tegen moeder Karen wilde Jacob wel toegeven dat hij na deze reis vermoeider was dan gewoonlijk.

Ze zei niet dat dat door Dina's gezelschap kwam. Onthield zich sowieso van betweterige opmerkingen achteraf.

Bovendien was moeder Karen tot de slotsom gekomen dat het toch een goed idee was geweest om Dina deze zomer mee naar Bergen te sturen.

Het opgeschoten meisje gedroeg zich nu anders. Het was alsof ze nu pas had ontdekt dat de wereld groter was dan wat het oog kon zien vanaf de hoeve van de drost en Reinsnes.

Haar gezicht was ook veranderd. Moeder Karen kon niet precies zeggen wat het was. Iets met de ogen, waarschijnlijk...

Moeder Karen begreep overigens meer dan ze liet blijken. En ze herhaalde niet nog eens wat ze gezegd had toen haar zoon opgewekt had verteld dat de vijftien jaar oude Dina Holm meesteres op Reinsnes zou worden.

Ze legde alleen maar haar hand op de schouder van haar zoon en zuchtte begrijpend. Ze zag dat nieuwe kleren en een nieuwe coupe niet konden verbergen dat Jacobs haar aanzienlijk grijzer geworden was, en dat het beginnende buikje was geslonken.

Zijn vest zat alsof het geleend was. Hij had diepe groeven in zijn voorhoofd en blauwachtige wallen onder zijn ogen. Desondanks was hij ongelooflijk knap.

Het was alsof de vermoeide gelatenheid hem beter stond dan de overmoed die hem had gekenmerkt toen Dina pas in huis was.

Rustige, trage bewegingen. De manier waarop hij zich oprichtte. Het pezige, lange lichaam, zo volkomen verschoond van het overgewicht dat welgestelde mannen op zijn leeftijd hoorden te hebben.

Moeder Karen zag het allemaal. Op haar manier.

Oline liep de keuken in en uit. Zij zag het ook. Wist niet helemaal zeker of deze nieuwe Jacob, die de sporen droeg van een zware verantwoordelijkheid, haar wel beviel. Ze was ook niet zo blij met Dina. Oline had het liefst gewild dat alles weer net zo was als vroeger. Vooral Jacob.

Dina wilde door het noorden varen om al dat land te zien dat Christian IV had afgestaan voor een paar miezerige parels en een paar kwart-tonnen wijn.

Ze kon niet begrijpen dat zoiets in dit jaargetijde ondoenlijk was.

Jacob zei zachtmoedig maar beslist: 'Nee!'

Hij onderging haar razernij als een wijze vader. En accepteerde haar strafmaatregelen. Die kwamen er op neer dat hij alleen in het zijkamertje naast de zaal moest slapen.

Eerlijk gezegd was hij zo uitgeput van de reis, waar hij voortdurend in allerlei opzichten had moest oppassen, dat hij als een blok in slaap viel op de oncomfortabele chaise longue die daar stond. In de vaste overtuiging dat de storm zou gaan liggen en dat alles weer goed zou komen. Als hij zijn energie en gezondheid maar weer terug had.

8

Want de hoer is een diepe kuil, de ontuchtige een
nauwe put; ja, zij ligt op de loer als een rover en
vermeerdert de trouwelozen onder de mensen.

(Spreuken 23:27-28)

Dit nieuwe huwelijk, dat begon met de aanblik van twee
soepele dijen die een cello omhelsden, gevolgd door het dramatische optreden van de bruid in de boom, vervlakte na een reis
naar Bergen.

Jacob werd geplaagd door een aanhoudende vermoeidheid.
Het was alsof hij er voortdurend voor moest zorgen in Dina's
wereld te zijn. Haar nooit uit het oog mocht verliezen, haar
nooit onderweg te veel van zichzelf aan anderen mocht laten
geven.

Hij had niet het besef om het jaloezie te noemen. Wist alleen
dat er een tragedie op de loer lag, als hij Dina te lang alleen liet.

Er was altijd wel iemand die haar van hem stal! Geestver-
schijningen op Tjøtta. Schilders of muzikanten. Ja, zelfs een
bemanningslid die hij op de terugweg in al zijn goeiigheid had
aangenomen, omdat de man geen geld voor de raderboot had
en zo zijn overtocht zou verdienen, betekende een hopeloze,
vernederende bedreiging.

Dina had kaartgespeeld! En zelfs pijp gerookt met deze
ongeschoren, onverzorgde knecht.

Jacob begon langzamerhand te begrijpen dat zijn laatste
liefde hem meer zou gaan kosten dan waar hij op gerekend had.
Niet in de laatste plaats aan nachtrust.

Hij kon niet eens meer de kust afschuimen om met de
bloedbroeders uit zijn jeugd aan de boemel te gaan. Hij kon
Dina niet achterlaten, maar hij kon haar ook niet meenemen.
Zodra ze zich in aanwezigheid van mannen vertoonde, was het
gedaan met alle rust.

Ze kon even grof zijn als het ergste uitschot op een midzomernachtfeest, en even moeilijk te doorgronden als een rechter.

Over haar vrouwelijkheid hoefde je het niet eens te hebben, want die had niets met normaal fatsoen te maken. Ze bewoog haar ferme, struise lichaam als een jonge generaal. Of ze nu zat of reed.

Haar geur, een mengeling van stal en rozenwater, en de ongeïnteresseerde koelte die ze uitstraalde, trok mannen aan als stroop vliegen.

Jacob had dat vaak genoeg gezien tijdens de reis naar Bergen. Hij kreeg er zweetaanvallen en vreselijke hoofdpijn van.

En dan de muziek...

Dina's cellospel betekende voor Jacob erotische opwinding, en hij werd razend van jaloezie bij de gedachte dat iemand anders haar zou zien met de cello tussen haar dijen.

Hij ging zo ver dat hij haar opdroeg haar beide benen aan een kant van de cello te houden! Dat zou minder aanstootgevend zijn voor de toeschouwers.

Dina's lach klonk zelden, om niet te zeggen nooit. Maar hij schalde door het hele huis toen Jacob, met een hoofd zo rood als Siberische papaver in augustus, liet zien hoe ze moest zitten. Ze konden haar tot in de winkel en de pakhuizen horen.

Daarna verleidde ze hem, op klaarlichte dag, zonder de deur op slot te doen. Soms werd Jacob gekweld door de gedachte dat zij die eerste keer toch niet zo onschuldig was geweest. Dat haar volkomen gebrek aan schaamte, haar sidderende overgave en haar nauwkeurige onderzoek van zijn behaarde lichaam meer leek op datgene wat hij had meegemaakt als hij ervoor had moeten betalen, dan op de handelwijze van een zestienjarige.

Het kwelde hem zelfs in zijn dromen. Hij probeerde haar uit te horen, door terloops dingen te zeggen...

Maar zij antwoordde hem met scherpe glasscherven in haar blik.

Moeder Karen en zijn pleegzonen lieten Jacobs wittebroodsdagen duren totdat hij terugkwam van de herfstmarkt. Maar toen maakten ze in woord en gebaar duidelijk dat het bedrijf en de hoeve hem nodig hadden.

Eerst had hij dat nauwelijks door.

Moeder Karen riep hem bij zich en zei hem recht op de man af dat ze niet wist of ze nu moest huilen of lachen om het leven dat hij, een volwassen man, leidde.

Het was al erg geweest toen hij treurde om Ingeborg, maar nog niet zo erg als nu. Hij had maar voor het ontbijt zijn bed uit te komen, en 's avonds op een christelijke tijd naar bed te gaan, anders vertrok ze. Want alles stond op zijn kop sinds Dina naar de hoeve was gekomen.

Jacob nam het op als een zoon. Met schuldbewust, gebogen hoofd.

Hij had zijn taken op de boerderij en in de handel verwaarloosd. Dina eiste hem helemaal op. De dagen gingen ongemerkt voorbij in een soort carrousel, waarin Dina's nukken, Dina's opwellingen, Dina's behoeften versmolten met de zijne.

Met dat verschil dat zij slechts een kind was, van wie niemand meer verwachtte dan dat ze Jacobs kindvrouwtje was.

Jacob voelde zich al een tijdje nutteloos en moe. Dina's opwellingen waren een bezoeking. Haar dierlijke spelletjes in het hemelbed, of waar dan ook, beroofden hem van de slaap en de nachtrust die hij zo hard nodig had.

Op de avond dat moeder Karen met hem had gepraat, weigerde hij het vaste ritueel van een glas wijn en een bordspel in halfnaakte toestand voor de kachel.

Dina haalde haar schouders op en schonk twee glazen wijn in, kleedde zich uit tot op haar hemd en ging voor het speelbord zitten.

Ze speelde met zichzelf en dronk uit twee glazen. Ze rammelde met de kacheldeuren en neuriede halfluid, tot diep in de nacht.

Jacob deed geen oog dicht. Met regelmatige tussenpozen riep hij haar zachtjes toe dat ze in bed moest komen.

Maar ze kneep haar mond samen en wilde hem niet eens antwoord geven.

Vlak voordat het licht werd, stond hij op. Rekte zijn stijve lichaam uit en liep naar haar toe.

Met het geduld van een engel en de berekening van een slang. Hij deed er lang over om haar te ontdooien. Drie spelletjes, om precies te zijn. De wijn had zij toen al lang opgedronken. Hij haalde wat lauw water uit de kristallen karaf die op het nachtkastje stond en schonk dat in het lege glas dat van hem was. Toen keek hij haar vragend aan.

Ze knikte. Hij schonk haar ook water in. Ze klonken en dronken van het lauwe water. Eigenlijk wist hij wel dat ze niet meer praatte of antwoordde als haar ogen zwaar waren van de wijn, maar hij probeerde het toch.

'Dina, dit kan zo niet. Ik heb mijn slaap nodig, weet je. Ik heb zoveel te doen. Overdag, bedoel ik. Dat moet je toch begrijpen, liefje...'

Zij glimlachte, maar keek hem niet aan. Hij ging dichterbij zitten. Legde zijn armen om haar heen en streelde haar haren en rug. Voorzichtig. Hij was zo moe dat hij niet de moed had iets te doen wat ruzie of onvrede kon uitlokken. Jacob was ook geen ruziezoeker.

'Het feest is over, Dina, je moet begrijpen dat wij, de heer en vrouw des huizes, aan het werk moeten. En dan moeten we 's nachts slapen, net als andere mensen.'

Ze gaf geen antwoord. Leunde alleen maar zwaar tegen hem aan en onderging zijn strelingen.

Zo zat hij lauw water te drinken tot zij eindelijk in slaap viel.

Eerst was ze een gespannen veer geweest, maar naderhand ontspande ze zich en gaf zich over, als een kind dat zichzelf in slaap heeft gehuild.

Hij droeg haar naar bed. Ze was groot en zwaar. Zelfs voor een man als Jacob. Het was alsof de aarde haar vastgreep, en hen allebei op de knieën wilde dwingen voor het hemelbed.

Ze kreunde toen hij zich losmaakte en de deken over haar heen sloeg.

Het was tijd om op te staan. Hij voelde zich beurs en oud en niet zo'n klein beetje eenzaam toen hij naar beneden sloop, op weg naar alle taken die hij had verzuimd.

Jacob liet het kamertje naast de zaal in orde maken. Dat was altijd als kleedkamer gebruikt. Er stond een cognackleurige chaise longue met versleten bekleding en gerafelde franjes. Hij liet er beddegoed brengen en een extra nachtspiegel. Daar sliep hij van nu af aan. Zei dat hij zo hard snurkte dat Dina niet kon slapen.

Oline keek Jacob verbaasd aan toen hij dat zei. Maar ze zei niets en perste haar lippen op elkaar tot een streep, die een veelzeggende stralenkrans van rimpels rond haar mond toverde. Het was nu dus zover gekomen op Reinsnes, dat de heer des huizes op een oncomfortabele chaise longue moest liggen, terwijl dat meisje in het hemelbed lag! Oline snoof, en stuurde een meisje naar boven met lakens, dekbed en donzen kussens.

De nacht dat Jacob de stap naar de garderobekamer had gemaakt, begon Dina tegen middernacht, toen iedereen diep in slaap was, cello te spelen.

Jacob werd met een schok wakker en voelde een gevaarlijke woede opkomen nog voor hij goed en wel wakker was. Hij liep de zaal binnen en boorde zijn ogen in haar terwijl hij brieste: 'En nu is het genoeg! Je maakt het hele huis wakker!'

Ze gaf geen antwoord, speelde gewoon door. Toen beende hij door de kamer en pakte haar bij de arm om haar op te laten houden.

Ze trok haar arm los en stond op, zodat ze even groot was als hij. Zette voorzichtig de cello tegen de zitting van de stoel en legde de strijkstok weg. Toen zette ze haar handen in de zij en keek hem recht in de ogen, glimlachend.

Dat maakte hem woedend.

'Wat wil je, Dina?'

'Cello spelen', zei ze koud.

'Midden in de nacht?!'

'Muziek leeft het best als al het andere dood is.'

Jacob begreep dat dit geen zin had. Intuïtief deed hij hetzelfde als hij de vorige dag bij het ochtendgloren had gedaan. Hij hield haar vast. Streelde haar. Voelde dat ze zwaar werd in zijn armen. Zo zwaar dat hij haar naar bed kon brengen. Hij ging tegen haar aan liggen en streelde haar onafgebroken, tot ze in slaap viel.

Het verbaasde hem hoe gemakkelijk het geweest was, maar hij bedacht ook dat het op den duur erg vermoeiend zou zijn zo'n groot kind in huis te hebben.

De wellust, die hem dag en nacht verteerd en verschroeid had voordat ze naar Bergen vertrokken, was weggeëbd. Het was zo anders en ingewikkelder dan hij had verwacht. Bij de gedachte alleen al voelde hij zich uitgeput.

Maar hij ging niet terug naar de kleedkamer.

De rest van de nacht lag hij daar doodmoe en in de war, met Dina's hoofd in zijn armen. Staarde naar het plafond en dacht aan de zachtmoedige Ingeborg.

Ze hadden in alle rust en verdraagzaamheid geleefd en veel plezier aan elkaar beleefd. Maar ze hadden elk een eigen kamer gehad. Hij vroeg zich af of hij zijn oude kamer weer in ere zou herstellen. Maar wuifde die gedachte weg.

Dina zou op een verschrikkelijke manier wraak nemen. Hij begon haar nu te kennen. Zij wilde bezitten, zonder zelf bezeten te worden.

Hij kon in het donker alleen haar contouren zien. Maar haar geur en de naakte huid waren tastbaar.

Jacob zuchtte diep.

Toen gebeurde er iets.

Het begon toen moeder Karen haar 'lente-aanval' kreeg, zoals iedereen dat noemde. Maar het was oktober!

Die aanval betekende dat ze niet kon slapen. Ze kreeg het altijd als de lente te hoop liep tegen de twee hoge ramen van haar kamer. In maart was het licht verschrikkelijk, vond ze, terwijl ze zuchtend rondliep.

Oline zei niets. Maar ze trok haar mondhoeken in een spottende grijns naar beneden en draaide zich om. Dat was zo typisch voor die zuiderlingen! Al kwamen ze maar uit Trondhjem, dan klaagden ze al. Over de duisternis in de herfst en de winter. En als Onze Lieve Heer de keerzijde liet zien, was het ook niet goed! Oline was in haar jeugd in Trondhjem geweest, en daar had je in de lente ook daglicht.

Maar ze moesten altijd ergens over klagen. Trondhjemse dames die zich gedroegen alsof ze uit Italië kwamen!

Moeder Karens lenteaanval, die in huis werd beschouwd als een even zekere voorbode als de zwaluw, was nu dus in de war. Hij kwam dit jaar in oktober.

De trap begon 's nachts te kraken. En de volgende dag vond het keukenmeisje een pan met een restje melk op het aanrecht.

Want moeder Karen maakte warme melk met honing. Ze zat aan de tafel in de lege keuken en keek naar het licht, dat in de koperen pannen aan de muur klom, langs de blauwgeverfde lambrizering omhoog kroop en onthulde dat de voddenkleden wel eens gewassen mochten worden.

Moeder Karen werd vlak na middernacht wakker. Ze sloop naar de keuken en maakte het zich daar gemakkelijk met haar melk en de stilte in het grote, slapende huis.

Maar dit keer was het in het verkeerde seizoen, en moest ze zelf licht meenemen.

Toen ze langs het raam in de gang liep, zag ze dat er een brandende lantaarn in het tuinhuis stond! Eerst dacht ze dat de maan haar een poets bakte door zijn stralen door de gekleurde ruitjes te laten schijnen. Maar toen zag ze het duidelijk.

Haar eerste impuls was Jacob te wekken. Maar ze vermande zich. Trok haar bontmantel over haar peignoir aan om de zaak te onderzoeken.

Ze kwam niet verder dan de trap, want de deur van het tuinhuis ging open. Een lange gestalte in een schapevacht kwam naar buiten. Het was Dina!

Moeder Karen haastte zich de gang in en rende zo snel haar oude benen haar konden dragen terug naar de bovenverdieping.

Het had geen zin om op dit uur van de nacht Dina's luidruchtige uitleg aan te horen. Maar ze beloofde zichzelf dat ze de volgende dag met Dina zou praten.

Om de een of andere reden werd dat uitgesteld.

Moeder Karen lag vaker wakker dan ooit. Omdat ze ook op Dina moest passen. Het was niet goed dat een jonge vrouw midden in de vriesnacht in het tuinhuis zat. Ook al hulde ze zich in een schapevacht.

Om de een of andere reden wilde ze er niet met Jacob over praten.

Ze ontdekte dat er een patroon zat in Dina's zwerftochten. Op heldere, koude nachten met sterren en het noorderlicht, zat Dina in het tuinhuis.

Eindelijk, toen ze op een dag samen in de woonkamer zaten, zei ze quasi terloops, terwijl ze Dina nauwlettend in de gaten hield: 'Jij kunt tegenwoordig ook niet slapen, hè?'

Dina wierp haar een snelle blik toe.

'Ik slaap als een roos!'

'Ik dacht dat ik je hoorde... donderdagnacht, was je toen niet op?'

'O? Dat weet ik niet meer', zei Dina.

En dat was dat. Verder kwam moeder Karen niet. Het was niet haar aard om te kibbelen en er een grote zaak van te maken dat mensen niet konden slapen. Maar ze vond het vreemd dat Dina het zo geheim wilde houden.

'Jij bent toch gewend aan de poolnacht?'

'Ja', zei Dina en begon te fluiten.

Daarop verliet moeder Karen de kamer. Ze beschouwde dat als een provocatie van de ergste soort. Vrouwen van goeden huize floten niet.

Maar haar ergernis duurde niet lang. Na een poosje ging ze terug naar de woonkamer. Keek over de schouder van Dina, die in haar bladmuziek zat te bladeren en zei: 'Ja, speel maar liever iets voor me. Je weet dat ik een hekel heb aan fluiten. Dat is een nare gewoonte, die heel ongepast is...'

Haar stem klonk heel vriendelijk. Maar de bedoeling was niet mis te verstaan.

Dina haalde haar schouders op en verliet de kamer. Ze liep langzaam naar boven naar de zaal, en begon met open deuren psalmen te spelen.

Moeder Karen placht van tijd tot tijd de voorraden voor de huishouding te controleren.

Ze had grote moeite om de trap naar de vochtige kelder af te dalen. Maar het moest gebeuren. Ze inspecteerde de planken met weckflessen en de tonnen met gezouten voedsel. Ze gaf opdracht tot het schoonmaken of weggooien van bedorven en oude etenswaren. Regelde alles met zachtaardige, sterke hand. Wist altijd hoeveel aalbessen en frambozen er iedere lente over waren. Noteerde dat en berekende hoeveel er volgend jaar nodig zou zijn.

De wijnkelder werd vier keer per jaar aangevuld. Dat was tot nu toe altijd voldoende geweest. Afgezien van Jacobs rouwperiode een paar jaar geleden, werd er met mate drank gebruikt.

Op een dinsdagmiddag vlak voor Kerstmis ging ze naar de kelder om te tellen. En ontdekte dat er geen enkele fles van de kostbare Dry Madeira van 78 skilling per fles meer was! En nog maar een paar flessen rijnwijn, Hochheimer, van 66 skilling de fles! Wat rode tafelwijnen betrof was er nog slechts een uiterst bescheiden partij uitgelezen St. Julien, 44 skilling. Twee flessen!

Moeder Karen kwam resoluut de kelder uit. Knoopte haar omslagdoek een paar keer om zich heen en ging in hoogst eigen persoon naar het winkelkantoor om met Jacob te spreken.

Hij was de enige die de sleutel had van de traliedeur voor de wijnrekken. Ze had er zelf die ochtend om moeten vragen!

Moeder Karen was geschokt. Jacob had geen enkel teken van een slecht geweten getoond toen hij hoorde dat ze naar de kelder zou om te tellen.

Oline had de strikte opdracht om voor iedere fles die naar boven werd gehaald, een streep in het huishoudboek te zetten. En die boekhouding moest dus uiteindelijk kloppen.

Jacob zat zijn dagelijkse pijp te roken toen ze binnenkwam. Hij had rode konen en droeg geen boordje, zoals altijd wanneer hij samen met Niels de boeken doornam. Dat was een karwei dat hem niet erg beviel.

Zodra moeder Karen in de deuropening verscheen, wist hij dat er iets was. De kleine, tengere gestalte onder de omslagdoek met franjes was overstuur.

'Ik moet je spreken, Jacob! Alleen!'

Niels ging gehoorzaam naar buiten en deed de deur achter zich dicht.

Moeder Karen wachtte even en opende toen snel de deur om

zich ervan te vergewissen dat hij door het magazijn naar buiten was gelopen.

'Ben je weer begonnen met je slechte gewoontes?' vroeg ze meteen.

'Lieve moeder, waar heb je het over?'

Hij legde de boeken weg en doofde zijn pijp, om haar niet nog meer te ergeren.

'Ik ben in de kelder geweest! Er is geen Dry Madeira meer, en bijna geen St. Julien!'

Jacob was verbaasd en trok aan zijn snor. Zijn vroegere slechte geweten speelde even op, zodat hij op het punt stond te geloven dat hij inderdaad degene was die alle wijn had opgedronken.

'Maar lieve moeder, dat kan gewoon niet!'

'Toch is het zo!'

De stem van moeder Karen beefde.

'Maar ik ben al tijden niet meer zonder medeweten van Oline naar beneden geweest! Dat moet voor de reis naar Bergen geweest zijn...'

Hij was een ongelukkige kleine jongen, die onterecht werd beschuldigd van kwajongensstreken.

'In ieder geval zijn de flessen weg!' stelde ze vast en zonk neer in de bezoekersstoel die voor het enorme bureau stond. Ze hijgde en keek hem vragend aan. Hij bezwoer dat hij onschuldig was. Ze bespraken de mogelijke oplossingen van het raadsel. Maar geen ervan was goed genoeg.

Toen Dina terugkwam van haar rijtochtje, verkeerde de keuken in grote staat van opwinding. Er werd een streng onderzoek ingesteld.

Oline huilde. Iedereen werd verdacht.

Dina kwam op het geluid van de opgewonden stemmen af en bleef onopgemerkt in de deur naar de aanrechtkeuken staan. Ze droeg de oude leren broek waar ze altijd in reed en haar haar hing in wilde lokken om haar hoofd. Haar gezicht was rood na de rit in de felle, gure tegenwind.

Ze stond daar een poosje van de een naar de ander te kijken. Toen zei ze bedaard: 'Ik heb die flessen gepakt. Het waren er trouwens niet zoveel als moeder Karen doet voorkomen.'

Het werd ijselijk stil in de keuken.

Jacobs snor trilde, zoals altijd wanneer hij niet wist wat hij moest doen om zijn gezicht te redden.

Moeder Karen werd nog bleker.

Oline hield op met huilen en klapte resoluut haar zware onderkaak dicht, zodat haar tanden op elkaar klakten.

'Jij?' begon moeder Karen verbluft. 'Wanneer dan?'

'Verschillende keren, ik weet het niet meer precies. De laatste keer was op een nacht met volle maan en noorderlicht, alles was zo vreemd, dus ik had een slaapmutsje nodig.'

'Maar de sleutel dan?' Jacob vermande zich en deed een paar stappen in Dina's richting.

'De sleutel ligt altijd in jouw scheerkist, dat weet iedereen. Anders zou de meid ook nooit wijn kunnen halen. Is dit soms een verhoor? Misschien moesten we de drost maar halen?'

Ze draaide zich op haar hakken om en beende de keuken uit. De blik die ze Jacob toewierp, beloofde niet veel goeds.

'Godallemachtig!' zuchtte Oline.

'God beware ons!' viel het keukenmeisje haar bij.

Maar het kostte moeder Karen niet meer dan een seconde om de situatie te overzien en de eer van het huis te redden.

'Dat verandert de zaak', zei ze rustig. 'Ik bied mijn excuses aan. Oline! Jullie allemaal! Ik ben een oude, achterdochtige vrouw. Ik heb er niet aan gedacht dat mevrouw Dina beneden kon zijn geweest, waar ze alle recht toe heeft, om te zorgen voor het wel en wee van het huis en haar gasten.'

Ze rechtte haar rug, kruiste haar armen voor haar borst alsof ze zich wilde beschermen en liep toen met waardige tred achter Dina aan.

Jacob bleef met halfopen mond achter. Oline's gezicht leek op de volle maan. De meisjes hadden ogen op steeltjes.

Niemand wist wat er tussen Dina en mevrouw Karen Grønelv werd gezegd.

Toen de volgende zending wijn en brandewijn werd besteld, was er een eigen quotum voor de jonge mevrouw. Waar ze zelf naar believen over kon beschikken.

Maar de oude vrouw hield wel voortdurend in het oog hoe vaak er een nieuwe zending moest komen, en hoeveel flessen er van iedere soort werden besteld.

Iedere keer als het volle maan was geweest, en anders ook vaak, kwam Dina pas laat op de dag uit de zaal naar beneden.

Moeder Karen hield haar bezorgdheid voor zich.

Aangezien alleen Dina het tuinhuis in de winter gebruikte, was moeder Karen de enige die de halfvolle, bevroren wijnflessen zonder kurk telde die in slagorde onder de bank stonden opgesteld.

Maar als Dina ook psalmen zong, die zowel in het hoofdgebouw als in het knechtenverblijf te horen waren, was het moeilijk waardig te blijven en de volgende dag te doen alsof er niets gebeurd was.

Ze voerde ook lange gesprekken met zichzelf, waarin ze vragen stelde en zichzelf antwoord gaf.

Maar eerlijk is eerlijk, dat gebeurde niet vaak.

Het had duidelijk iets te maken met de stand van de maan.

Jacob en moeder Karen zagen deze ontwikkeling met lede ogen aan. Vooral omdat bleek dat ze zich niet liet ompraten of overreden naar bed te gaan, als ze eenmaal in zo'n bui was. Ze kon in blinde woede ontsteken, als iemand haar probeerde te benaderen.

Moeder Karen had erop gewezen dat ze ziek kon worden door midden in de nacht in de kou te zitten.

Dina lachte geluidloos, zodat al haar witte tanden de oude vrouw brutaal toegrijnsden.

Dina was nooit ziek. Ze had in de maanden dat ze op Reinsnes was nog nooit iets gemankeerd.

Ten slotte werden de wijnexcursies naar het tuinhuis een soort goedbewaard familiegeheim. En aangezien elke familie zijn eigenaardigheden had, accepteerde iedereen dat dit de eigenaardigheid van de Grønelvs was.

9

Het paard wordt opgetuigd tegen de dag van de
strijd, maar de zege is van de Here.

(Spreuken 21:31)

Dina ging steeds vaker naar de twee grote pakhuizen, alsof ze
ergens naar zocht. Ze haalde voortdurend de grote ijzeren
sleutels op.

De mensen hoorden haar heen en weer lopen. Nu eens
beneden. Dan weer boven. Soms zagen ze haar in het losgat, op
de zolder. Ogenschijnlijk onbeweeglijk, de blik gericht op het
punt waar hemel en aarde in elkaar overgingen.

*Ik ben Dina. Reinsnes vreet mensen. Mensen zijn als bomen. Ik tel
ze. Hoe meer, hoe beter. Op afstand. Niet te dicht bij de ramen.
Dan wordt alles donker.*

*Ik loop op Reinsnes te tellen. De bergwand aan de overkant van
de Sont heeft zeven toppen. Er staan twaalf bomen aan elke kant
van de oprijlaan!*

*Hjertrud was met mij op Tjøtta. Ze was een klein meisje dat
zich achter een klok verstopte. Ze maakte zich zo klein omdat ik
niet alleen was. Ze heeft een plek nodig. Het is zo koud om de hele
winter langs de oever van de Fagernesfjord te dwalen.*

Die je bent, ben je voor altijd. Ongeacht hoe je verschijnt.

*Hjertrud ademt onder de planken van de pakhuizen. Ze fluit
tussen de balken als ik de losdeuren openmaak. Hjertrud komt
altijd terug. Ik heb de schelp die glanst als parelmoer.*

Dina kon op ieder uur van de dag door de enorme, hoge
gebouwen dwalen. Soms was het donker en moest ze een lamp
meenemen. De mensen raakten gewend aan haar rituelen.

'Het is de jonge mevrouw maar...' zeiden ze tegen elkaar als
ze in het pakhuis geluiden hoorden, of licht zagen flikkeren
door de ramen.

De echo veranderde als ze liep. Al naar gelang wat er opgeslagen lag, op welke verdieping ze liep, of hoe de wind stond. Alles vermengde zich met de eeuwige, maar toch wisselende krachten. Wind, eb en vloed.

Het grootste pakhuis was voor een deel uit balken opgetrokken. Als een versterking van het dunne houtwerk, dat alles als een raamwerk omvatte. Daar werd alles bewaard dat geen vorst, vocht of warmte kon verdragen. Verder had elke verdieping een eigen inhoud. Tonnen gezouten vis, klipvis, zout, teer.

In de houten pakhuizen werden het meel en het ongemalen koren bewaard. Lederwaren, linnenkisten en reiskisten in alle soorten en maten. Op de twee bovenste verdiepingen was de teerlucht niet zo sterk.

Zeilen en masten lagen op de balken van de begane grond. Allemaal met een verschillende kleur, afhankelijk van hoe oud ze waren en in welke staat ze verkeerden.

De zeilen hingen hoog onder het plafond in luchtige bogen op een houten rekwerk, grauwwit als lijkwades. Of ze hingen te drogen over de dikke middenbalken, vanwaar ze ritmische en magische druppels naar de getekende vloer zonden. Die was in vele patronen gevlekt. Door teer, traan en bloed.

In het grootste pakhuis, dat Andreaspakhuis werd genoemd naar een vroegere eigenaar die zich daar ooit had verhangen, hingen de wanden vol met ontelbare kleine netten en visfuiken. Hier bevond zich ook de trots van de hoeve. Een nieuw, donkerbruin haringnet. Hoog en luchtig hing het vlak achter de enorme dubbele deuren aan de zeezijde.

De levendige, sterke geuren werden voortdurend gereinigd door de oceaan en de zoute zeewind. Bleven als een weldaad in je neusgaten hangen.

Het licht kwam tussen de planken door naar binnen, in stralen die elkaar kruisten. Steeds op verschillende plaatsen.

Hier kwam Hjertrud naar Dina toe. Laat in de herfst. In haar eerste jaar op Reinsnes.

Ze stond plotseling in het snijpunt van drie zonnestralen. Uit kieren in drie wanden.

Haar huid was niet verbrand, en ongeschonden. Haar ogen waren aandachtig en vriendelijk. Ze hield een voorwerp in haar handen verborgen.

Dina begon te praten met een luide kinderstem: 'Papa heeft het washuis allang laten afbreken. Het washuis hier op Reinsnes is niet gevaarlijk...'

Toen zweefde Hjertrud weg tussen de plooien van de haringnetten, alsof ze zulke gespreksonderwerpen niet kon verdragen.

Maar ze kwam terug. Het Andreaspakhuis was hun ontmoetingsplaats. Dat was het meest blootgesteld aan alle winden.

Dina praatte met Hjertrud over het meisje achter de klok op Tjøtta, en over haar nieuwe tijdverdrijf in het tuinhuis.

Maar ze plaagde Hjertrud niet met triviale zaken die ze zelf moest opknappen.

Zoals dat Jacob en moeder Karen niet tevreden waren over haar inbreng in het huishouden en dat ze wilden dat ze haar haar opstak en samen met Oline het menu opstelde.

Ze praatte met Hjertrud over alle ongelooflijke dingen die ze in Bergen had gezien. Maar niet over de man aan de galg.

Heel af en toe glimlachte Hjertrud met open mond, zodat je haar tanden kon zien.

'Ze lopen in een huls van kleren en schreeuwen maar wat in het wilde weg, en niemand luistert naar wat de ander zegt, als ze hun spullen maar snel en voor een goede prijs kunnen verkopen. En de vrouwen kunnen zelfs de simpelste sommetjes niet uitrekenen! Ze weten niet hoe ontzettend ver het reizen is naar het noorden. En ze zien niks om zich heen, omdat ze zulke grote hoeden en parasols hebben. Ze zijn bang voor de zon!'

In het begin antwoordde Hjertrud haar in eenlettergrepige woorden. Maar na een poosje werd duidelijk dat ze problemen had. Met tijd en ruimte. Dat ze het niet leuk vond dat ze uit haar kamer op de hoeve van de drost verdreven was.

Ze praatte vooral over alle prachtige kleuren die er in de regenboog zaten, en waar je hier beneden alleen maar een zwakke afspiegeling van kon zien. Over alle sterrenhemels die als een spiraal in alle richtingen rond de kleine aarde stonden. Zo groot, dat gedachten het niet konden bevatten.

Dina luisterde naar de zachte stem die ze zo goed kende. Met gesloten ogen en hangende armen.

Hjertruds geurwater drong dwars door de geuren van de

pakhuizen en de scherpe zout- en teerlucht heen. En net als die geur zo intens werd dat hij de lucht in stukken dreigde te scheuren, verdween Hjertrud in de plooien van het net.

Ik ben Dina. Als Hjertrud weggaat, ben ik eerst een blad dat in een beekje drijft. Mijn lichaam staat daar alleen en rilt. Maar dat duurt maar even. Dan tel ik de balken en de ruitjes in de vensters en de spleten tussen de vloerplanken. En mijn bloed begint weer door mijn aderen te stromen, een voor een. Ik krijg het warm.
  Hjertrud is er!

Jacob was bang dat Dina het niet naar haar zin had. Eén keer kwam hij haar uit het pakhuis halen.

Toen legde ze haar vinger voor haar mond en zei: 'Sst!' alsof hij haar stoorde in een belangrijke gedachte. Ze leek geërgerd dat hij kwam, en helemaal niet blij, zoals hij had verwacht.

Sindsdien volgde hij haar gangen niet meer. Wachtte gewoon af. Na een poosje merkte hij niet eens meer dat ze verdwenen was.

Het eerste jaar met Dina was Jacob nog heer een meester in het hemelbed, hoewel de situatie hem van tijd tot tijd boven het hoofd groeide en hem verlegen en bang maakte.

Maar na verloop van tijd besefte hij tot zijn bezorgdheid dat het echtelijke samenzijn, dat hij als hongerige echtgenoot met geweld had geprobeerd af te dwingen, nu een rit was geworden die hij niet zo vaak kon volbrengen als hij wel zou willen.

Zo kwam het dat Jacob, die zijn hele volwassen leven veel genot in bed had beleefd, moest toegeven dat hij tekort schoot.

En Dina was genadeloos. Spaarde hem niet. Af en toe voelde hij zich een dekhengst wiens eigenaar tegelijkertijd ook de te dekken merrie was.

Hij stortte zich zo vaak hij kon in de afgrond. Maar zij was onverzadigbaar en onvermoeibaar. Schrok niet terug voor de meest waanzinnige standen en bewegingen.

Jacob kon er niet aan wennen. Werd oud en moe en verloor zijn vroegere jachtinstinct.

Hij begon te verlangen naar rustige dagen met een plichtsgetrouwe en waardige echtgenote. Hij dacht steeds vaker aan Ingeborg zaliger. Soms huilde hij wanneer hij aan het roer stond en er zoveel opspattend water was dat niemand kon zien dat het vooral tranen waren die op de wind overboord vlogen.

Zowel moeder Karen als hij bleven heel lang geloven dat alles goed zou komen, als Dina maar zwanger werd.

Maar dat gebeurde niet.

Jacob kocht een zwarte, jonge hengst. Hij was wild en ongetemd. Omdat hij voortdurend vloeken en scheldwoorden uitlokte in de stal, werd hij Zwarterik genoemd.

Dina stuurde na de Kerst een berichtje naar de drost, zonder eerst met Jacob te overleggen. Ze wilde dat Tomas haar zou komen helpen het nieuwe paard te trainen.

Jacob werd kwaad en wilde de jongen weer naar huis sturen.

Dina beweerde dat een woord een woord was. Je kon niet de ene dag een daglonerszoon inhuren en hem de volgende dag weer naar huis sturen. Wilde hij misschien dat ze zich volkomen belachelijk zouden maken? Had hij misschien niet genoeg geld om zowel een stalknecht als een boerenknecht te hebben? Was hij niet zo bemiddeld als hij tegen haar vader had gezegd, toen hij om haar hand vroeg?

Nee, dat was het natuurlijk niet...

Tomas bleef. Hij sliep bij de mannen in het knechtenverblijf. Maar hij werd genegeerd of gepest. En behoorlijk benijd. Want hij was Dina's speeltje. Reed met haar in de bergen. Was altijd in haar buurt, als ze buiten was. Hing met neergeslagen ogen bij haar rond als ze, gekleed in een strak lijfje en een cape met franjes, in de kajuitboot stapte.

Dina van Reinsnes had geen hond. Had geen vertrouwelingen. Ze had een zwart paard – en een roodharige stalknecht.

Heeft niet de mens een zware dienst op aarde, en zijn
zijn dagen niet als die van een dagloner? Als een slaaf,
die hijgt naar schaduw, of als een dagloner, die wacht
op zijn loon.

(Job 7:1-2)

'Het is met huwelijken net als met augurken die te zoet zijn
ingemaakt. Je moet er een stevig, pittig stuk vlees bij hebben om
het te kunnen verdragen!'

Oline was zeker van haar zaak. Zelf was ze nooit getrouwd
geweest. Maar ze had het allemaal van dichtbij meegemaakt.
Vond dat ze het huwelijk door en door kende. Vanaf de eerste
verlovingsfeesten, de kisten met uitzet en de bruidsschat, de
vriendelijke geluiden in huis bij nacht en ontij, het gekraak van
bedden en nachtspiegels.

Het begon met haar eigen ouders, waar ze nooit over praatte.
Haar moeder, een boerendochter uit Dønna, trouwde beneden
haar stand en werd verstoten door haar machtige familie. Woonde jarenlang op een keuterboerderijtje, met een hele rits kinderen en een klein roeibootje, waarmee ze hun eten moesten zien
te verschalken.

Haar man verdween op zee. En dat was dat. De boot spoelde
weliswaar aan en kon worden gered, maar wat moest het gezin
met een boot, als er geen man was om te roeien?

Haar moeder legde zich al vroeg neer om te sterven, en de
kinderen werden naar alle windstreken verspreid. Oline was de
jongste. En wat haar ouders aan schamele bezittingen hadden
gehad, was allang verdwenen toen het haar beurt was om te
erven.

'Met een goede gezondheid en sterke tanden kun je alles
verstouwen!' was haar motto. Dat weerhield haar er niet van om
de malste sneeuwhoen in jachtsaus op tafel te toveren. Een

openbaring voor de fijnproever, met gekneusde jeneverbessen, vogelkersgelei en rijkelijk schnaps.

Maar er was meer tussen Oline en haar pannen dan de meeste mensen bevroedden.

De kookkunst had ze 'door een wonder' geleerd als jong keukenmeisje in Trondhjem. Hoe ze daar beland was, was niet minder wonderlijk.

Maar Oline praatte nooit over zichzelf. Daarom wist ze alles van de anderen.

Op een mooie dag had het heimwee daar in het zuidelijke Trondhjem zo hard toegeslagen, dat ze er iets aan moest doen. Er scheen ook een heer geweest te zijn, die achteraf toch geen heer bleek te zijn...

Ze vond een vrachtschip dat naar het zuiden voer. Ze smeekte net zolang tot ze mee mocht, ook al was ze een vrouw. Ze had een grote trommel *lefser* mee aan boord. Dat zorgde mogelijk voor het passagebiljet.

Dat vrachtschip van Reinsnes werd haar noodlot.

Oline bleef in de blauw geverfde keuken. In voor- en tegenspoed.

Ingeborg had Oline's kookkunst en vaste hand gewaardeerd.

Maar toen moeder Karen kwam, kreeg ze een echte kenner in huis.

Zij had zowel in Hamburg als in Parijs 'gedineerd'. En was het er mee eens dat voedsel in ruime hoeveelheden en met liefde bereid moest worden.

Moeder Karen en Oline bespraken het 'Menu' met evenveel ernst als ze hun gebeden opzeiden.

De oude vrouw had in haar boekenkasten kookboeken met Franse recepten, die ze met grote nauwkeurigheid vertaalde in Oline's taal, maten en gewichten. En als de ingrediënten niet te krijgen waren, noch in Bergen, noch in Trondhjem, zochten ze samen naar goede vervangingen.

Moeder Karen besteedde veel tijd en zorg aan de aanleg van een kleine kruidentuin. En Jacob nam van zijn reizen de meest vreemde zaden mee.

Oline wist met het uiteindelijke resultaat zulke hoogten te

bereiken, dat de mensen graag een noodhaven op Reinsnes zochten, zowel bij storm als bij windstilte.

Oline was haar broodheren door dik en dun trouw. Wee degene die probeerde de bewoners van Reinsnes in het district te schande te maken! Wie dat probeerde, ondervond dat aan den lijve. Oline had connecties. Ze hoorde alles wat het horen waard was.

Het personeel van Reinsnes kreeg geen waarschuwing. Ze konden meteen hun bullen pakken en vertrekken. Zelfs in de slachttijd of tijdens de voorbereidingen voor de reis naar Bergen.

Zo zou het een knecht en een meid vergaan zijn, toen Jacob in zijn verdriet het hemelbed naar de tuin gesjouwd had om dichter bij de gestorven Ingeborg te zijn. Omdat Oline dat verhaal ergens anders ter ore kwam.

'Met mijn hulp en die van God krijgen mensen de plaats die ze verdienen. Als je op Reinsnes wilt blijven, loop je niet rond als een kip zonder kop of met drek op je tong!' was het getuigschrift dat ze meekregen.

Ze had het eerste huwelijk van Ingeborg zaliger meegemaakt. Kinderloos, veilig en grijs. Toen de heer des huizes op zee bleef, treurde ze niet meer dan gepast was.

Maar ze koesterde de weduwe als een juweel. Verzorgde haar in slapeloze nachten, met warm bessensap met een heel pijpje kaneel erin. Legde ongevraagd in wollen doeken gewikkelde hete stenen in het hemelbed in de zaal.

Toen de vijftien jaar jongere Jacob in huis kwam, stond de scepsis op Oline's gezicht te lezen.

Ze hoorde voor het eerst over deze man, toen Ingeborg terugkwam van een rechtszitting en vertelde dat ze een bekwame stuurmansleerling uit Trondhjem had ontmoet. Ze was daar geweest vanwege een twist over een paar broedkolonies waarvan de concessies waren kwijtgeraakt, en waar een van de pachters aanspraak op maakte.

Ze won de zaak. En die man kwam naar de hoeve! In zelfgemaakte zeemanslaarzen en een geiteleren broek van een kornuit uit Møre. Zijn leren hoed, met daarin een grijsgespikkelde muts, droeg hij als een dode kraai onder zijn arm.

Een stuurman die zich net zo kleedde als zijn bemanning, en die niet de moeite nam zich op te doffen.

De eerste nachten sliep hij in de logeerkamer. Maar zijn bruine haar en zijn donkere ogen sloegen vonken om hem heen en trokken ieders aandacht. Het was lang geleden dat Reinsnes een echte mooie man had gehuisvest.

Toen hij zijn leren bovengoed uittrok, kwam zijn goedgebouwde, soepele lichaam pas goed tot zijn recht. Er kwam een lakense broek tevoorschijn, met wijde pijpen en een merkwaardige snit. Een kort, roze vest van brokaat en een wit overhemd van het beste soort linnen. Het had geen boordje maar een open hals, alsof het midden in de zomer was.

Jacob nam vele belangrijke hindernissen. Een van de eerste dingen die hij deed, was naar Oline's grote keuken gaan met twee hazen, perfect bestorven. Die hij zelf vilde.

Hij legde nog meer gaven op het aanrecht. Rechtstreeks uit de grote wereld. Zakjes van linnen en jute met koffie, thee, pruimen, rozijnen, noten en citroenzuur. Dat laatste was voor de punch en de puddingen.

Met nonchalante vanzelfsprekendheid, alsof hij heel goed wist wie de scepter zwaaide op Reinsnes, legde hij de heerlijkheden op Oline's blankgeschuurde tafel.

En terwijl hij daar de hazen stond te villen gebeurde het, dat Oline hem zonder voorbehoud haar liefde schonk. In alle jaren daarna zou ze die liefde koesteren en levend houden, als sneeuwhoenkuikens in juni. Haar liefde was van het soort waarover in de bijbel geschreven staat: die verdroeg alles. Absoluut alles!

Vrouwe Ingeborg was ook verliefd geweest. Dat kon zelfs de deken zien. Hij sprak over liefde tijdens de huwelijksplechtigheid en in zijn tafelrede.

Ingeborg accepteerde zelfs dat Jacobs moeder meekwam naar Reinsnes. Ook al wist ze alleen van haar schoonmoeder, dat die niet op zo'n korte termijn naar de trouwerij kon komen. Ze verbleef in het buitenland en had een aantal boekenkasten met deuren van geslepen glas! Die moesten mee als zij naar het noorden verhuisde, schreef ze in haar eerste brief.

Lang voordat ze op Reinsnes kwam, was Karen Grønelv al een begrip. Dat ze de weduwe van een kapitein en koopman uit Trondhjem was en boekenkasten had, verschafte haar respect en waardigheid. Maar het feit dat ze jarenlang in het buitenland was geweest, zonder een man aan haar zijde om op haar te passen, bewees de mensen dat ze niet zomaar een dame uit Trondhjem was.

Ingeborg werd krap zeven maanden na de bruiloft moeder. En om de predikant voor te zijn, toen ze haar zoon zo vlak na het huwelijk kwam inschrijven voor de doop, zei ze terloops dat ze nog geen week had willen verspillen. Ze was op haar achttiende voor het eerst getrouwd en kinderloos gebleven, en nu was ze over de veertig. God moest haar haast en haar nood maar begrijpen.

De predikant knikte. Hij zei niets over het feit dat het God zou kunnen toeschijnen dat die haast meer met de jonge bruidegom te maken had, dan met haar verlangen om moeder te worden. Dergelijke woorden waren niet gepast.

Je zei niet zo maar iets tegen Ingeborg van Reinsnes. Ze schonk met gulle hand aan de armenkas. En in het koor stonden twee trotse zilveren kandelaars met inscriptie, afkomstig van het geslacht Reinsnes.

Dus zegende hij haar moederschap, en vroeg haar naar huis te gaan in Gods genade en haar zoon alles te leren wat Hij had bevolen.

Er werd besloten dat hij de eerste predikant in het geslacht zou worden.

Niels was veertien jaar geweest en Anders twaalf, toen ze door een schipbreuk hun beide ouders verloren. Aangezien ze verre familie van Ingeborg waren, bleven ze bij haar wonen, uit 'liefdadigheid'.

Na verloop van tijd was het alsof ze er altijd gewoond hadden. Ze profiteerden ervan dat er geen echte erfgenamen voor Reinsnes waren.

Toen bleek dat deze Jacob Ingeborg zwanger had gemaakt en de hoeve zegende met een erfgenaam, zagen Niels en Anders dat al hun jongensdromen over het erven van Reinsnes met bijbehorende privileges, naar de bodem zonken als een omgeslagen boot.

Oline waakte over iedereen, al ten tijde van Ingeborg. Met haar nuchtere, gedienstige blik en haar onvermoeibare discipline.

Het maakte haar niet uit dat er twee vrouwen des huizes waren, zolang ze geen ruzie maakten en haar niet voor de voeten liepen.

Na verloop van tijd werd Jacob voor haar het belangrijkst. Als iemand daar ook maar met een woord een toespeling over had gemaakt, zou hij zijn ontslagen.

Met haar trots en klassebewustzijn, dat even sterk was als haar geloof in het hiernamaals, treurde ze oprecht en met roodbehuilde ogen toen Ingeborg stierf.

Maar een mooiere dood kon niemand zich wensen. Alle voortekenen waren goed. De seringen begonnen te bloeien op de dag van haar begrafenis. En het werd een rijke bergframbozenoogst.

Het huwelijk met Dina was voor Oline een slecht voorteken. En dat kwam niet alleen omdat Dina zich nooit in de keuken liet zien en geen hazen vilde.

Dat ze de tafelmanieren van een knecht had, in bomen klom en 's nachts wijn dronk in het tuinhuis, was niet het ergste.

Maar dat ze Oline helemaal niet 'zag', was onvergeeflijk.

Oline begreep niet wat dit koekoeksjong, ook al was ze honderd keer de dochter van drost Holm, op Reinsnes te zoeken had.

Dat Jacob zich in zo'n volslagen onbesuisd huwelijk stortte, vond Oline een ramp.

Maar ze zweeg erover, zoals over zovele dingen. En aangezien ze in het kamertje achter de keuken sliep, recht onder het hemelbed in de zaal, was ze volledig op de hoogte van de geluiden en de vibratics daarboven.

De grote en schaamteloze activiteit daar was haar een raadsel. Het deed haar meer verdriet dan de dood van Ingeborg.

Onder al deze onwil trilde een snaar. Een soort nieuwsgierigheid. Om er achter te komen wat mensen ertoe dreef zulke gekke dingen te doen als Jacob had gedaan. Om erachter te komen hoe een meisje, een kind nog, een hele hoeve in haar greep kon houden. Terwijl ze zo op het oog geen vinger uitstak.

II

Drink water uit uw eigen regenbak en welwater uit uw eigen bronput. Moeten uw bronnen op straat overstromen, uw waterbeken op de pleinen? Zij moeten voor u alleen zijn, niet voor vreemden nevens u. Uw bron zij gezegend, verheug u over de vrouw uwer jeugd.

(Spreuken 5:15-18)

Jacob begon 'noodzakelijke' tochten met de kajuitboot te ondernemen. Hij zocht oude vrienden op. Moest iets doen in Strandstedet.

In het begin wilde Dina absoluut mee. Maar hij wist dat te voorkomen door te zeggen dat het saai voor haar zou zijn. Het zou koud worden. Hij zou snel weer terug zijn...

Hij had geoefend wat hij zou zeggen. Ze werd vreemd genoeg niet kwaad. Trok zich alleen terug.

Hij kon de grote jas van wolfsvel 's ochtends op de overloop zien liggen. Als de huid van een behekst beest, dat weer mens geworden was.

Ze vroeg hem nooit waar hij was geweest. Zelfs niet als hij 's nachts niet thuis was gekomen. Wachtte hem nooit op in de deuropening.

Ze zat vaak 's nachts in het tuinhuis. Maar ze speelde in ieder geval geen cello.

Toen Jacob op een avond laat terug kwam uit Strandstedet, zag hij dat er licht brandde in het kantoor.

Dina zat in de boeken te bladeren. Ze had alle boeken uit de kasten gehaald en ze op de tafel en de vloer uitgespreid.

'Waar ben jij mee bezig!' viel hij uit.

'Ik probeer hier wijs uit te worden', antwoordde ze zonder hem aan te kijken.

'Daar heb je toch geen verstand van. Laten we alles opruimen, want als Niels erachter komt, wordt hij vreselijk kwaad.'

'Ik geloof niet dat Niels altijd even goed kan rekenen', zei ze terwijl ze op haar wijsvinger beet.

'Hoezo? Hij doet al jaren niet anders.'

'Zijn cijfers verdwijnen. Lorch zou zeggen dat de som fout was.'

'Dina, praat geen onzin. Kom mee naar huis. Het is laat. Ik heb koekjes voor je gekocht.'

'Ik wil dit narekenen. Luister eens, ik wil voor vast op het kantoor komen werken!'

Haar ogen straalden en ze blies door haar neus. Dat deed ze altijd, de weinige keren dat ze het naar haar zin leek te hebben.

Maar Niels was er heel duidelijk over. Of hij, of Dina. Jacob probeerde te bemiddelen. Dacht dat Dina best kon helpen met de boeken. Ja, ze was absoluut geniaal in rekenen en calculeren en dat soort dingen.

Maar Niels, die anders nooit ongevraagd zijn mond opendeed, zei nee!

Dina deed een stap naar voren, glimlachend, tot vlak bij zijn gezicht. Ze was een halve kop groter, en zwaaide met haar woorden alsof het geslepen wapens waren: 'Nee, je wilt natuurlijk niet dat iemand zal zien dat je niet goed kunt tellen! Getallen verdwijnen uit jouw boeken – als dauw op het gras! Hè? Maar getallen verdwijnen nooit voorgoed. Dat lijkt alleen maar zo voor wie er geen verstand van heeft...'

Het werd stil in het kantoor.

Niels draaide zich op zijn hakken om en marcheerde naar buiten, terwijl hij over zijn schouder riep: 'Dit zou bij Ingeborg nooit gebeurd zijn! Op kantoor is het of ik, of zij daar!'

Dina mocht niet meer in het kantoor komen. Maar tijdens het eten keek ze Niels voortdurend indringend aan.

Hij at voortaan in de keuken.

Jacob probeerde goed te maken dat hij de kant van Niels gekozen had. Hij nam cadeautjes voor Dina mee als hij op reis was geweest. Stukjes zeep, een broche.

Hij probeerde haar te betrekken bij het gezelschap en de gesprekken.

Op een avond toen ze na het eten allemaal in de salon zaten, richtte hij zich rechtstreeks tot Dina, en vroeg haar wat zij vond van de nieuwe koning, Oscar I.

'Misschien kan ik de nieuwe koning vragen om in het kantoor van Reinsnes te gaan kijken waar alle getallen blijven!' sneerde ze grijnzend.

Niels stond op en ging naar buiten. Moeder Karen zuchtte. Jacob stak met bruuske bewegingen zijn pijp aan.

Jacob kende een weduwe in Strandstedet. Ze had een grof, maar niet onprettig gezicht en een grijs, waardig knotje in haar nek. En een aardig lichaam onder een strak lijfje. Ze woonde alleen in een klein huis waar ze in alle eerbaarheid gasten herbergde en naaiwerk deed.

Bij haar vond Jacob een soort troost. Bij haar kon hij zijn hart luchten en praten.

Was hij in de tijd van Ingeborg met de kajuitboot op zoek gegaan naar feesten, dans, plezier en hier en daar een omhelzing, nu trok hij uit Reinsnes weg om rust en harmonie te vinden.

De behoeften van een man! Ondoorgrondelijk en onvoorspelbaar.

De zomer van 1844 kwam. Vol mieren en licht, maar verder niet belangrijk.

Moeder Karen bezorgde Dina een bundel volksliedjes van iemand die Jørgen Moe heette, en een boek vol heidense sprookjes van Asbjørnsen en Moe. Maar ze raakte ze niet aan.

Hjertruds boek was spannender. En anders dan bij de sprookjes, wist je nooit hoe het afliep.

'Sprookjes hebben een andere moraal, lieve Dina', zei moeder Karen.

'Hoezo?'

'Het zijn niet Gods eigen woorden. Ze zijn gebaseerd op volkse waarden en de volksmoraal.'

'Wat is het verschil?' vroeg Dina.

'Gods woorden zijn heilig. Ze gaan over de zonde en de noodzaak van de verlossing. Sprookjes zijn maar verhalen, die door mensen worden verteld. Waar de slechten worden gestraft en de goeden winnen.'

'Maar Hjertruds boek is ook door mensen geschreven', zei Dina.

'God heeft zijn zendelingen. Profeten, die zijn woord verkondigen', legde moeder Karen uit.

'Ja, ja. Zijn verhalen zijn in ieder geval beter dan die van Asbjørnsen en Moe!' stelde Dina vast.

Moeder Karen glimlachte.

'Het is al goed, lieve Dina. Maar je moet Bijbel zeggen, niet Hjertruds boek! En je moet Gods woorden niet vergelijken met heidense sprookjes!' zei ze verzoenend.

'Hjertruds boek, de Bijbel, komt er anders goed vanaf bij die vergelijking', zei ze droog.

Moeder Karen begreep dat Dina niet toe was aan filosofische discussies of theologische onderwerpen. Het was niet anders.

Dina speelde cello en reed paard met Tomas. En ontmoette Hjertrud in het Andreaspakhuis.

Iedere ochtend stonden rode cirkels van glazen op de tafel in het tuinhuis getekend.

Vanuit de vogelkers bewaakte ze het water. De raderboot bracht niet veel reizigers. En wie er aan land stapte kwam van een andere planeet.

Dina trok haar conclusies uit alle bezoekjes die Jacob aan Strandstedet bracht. De geruchten bereikten haar door de wanden van het knechtenverblijf en met toevallige windvlagen. Ze ving hier en daar een fragment op. Soms verstomde het gefluister als ze een kamer binnenkwam, of ergens naderde. Zelfs bij de kerk.

Ze paste de stukjes in elkaar.

Het werd herfst.

De zee was donker, met witte koppen, en de gure wind schoot ijsnaalden vanaf de bergen. De maan was wit en vol en het noorderlicht joeg boze machten over de met sterren bezaaide hemel.

142

Sneeuw en regen wisselden elkaar af, zodat de weg over de berg niet begaanbaar was, noch voor mensen, noch voor paarden. Wie een boot had, prees zichzelf gelukkig. Ook al werd de zee gegeseld door merkwaardige winden, die niemand goed kon verklaren.

Nu eens joegen ze vanuit het noorden over de Sont. Dan weer brachten ze uit het westen zware zee mee en ontheemde aalscholvers met blauwzwarte veren.

Dina bleef de hele nacht wakker. Maar ze deed niet wat ze normaal deed. Stond niet op om in haar mantel van wolfsvel in het tuinhuis te gaan zitten.

De nacht was zwanger van noodweer. De heldere hemel en het noorderlicht stonden elkaar bij in hun protest tegen de storm die over trok.

Ze lag in het hemelbed, de gordijnen weggetrokken, en staarde door de hoge ramen naar buiten tot het schriele daglicht de hemel bleek en oneindig ver weg maakte.

Jacob kwam plotseling binnen door de gesloten deur. Dwars door de deurpanelen, op het bed af. Hinkend.

Zijn gezicht was gewond en beschadigd, en hij hield zijn handen voor zich uit alsof hij om genade smeekte.

Hij had een laars uitgetrokken en maakte zoveel lawaai dat hij het hele huis zou kunnen wekken.

De ontrouw stond in zijn bleek gezicht gekerfd.

Ze had hem geroepen. Maar hij luisterde niet. Nu was het te laat. Nu kwam zijn beklagenswaardige schim. Zij staarde naar de Sont, wachtend op de ochtend en bericht uit Strandstedet.

Ik ben Dina. Jacob zegt het een en doet het andere. Hij is een paard dat niet bereden wil worden. Hij weet dat hij van mij is. Maar hij is bang dat ik zal zien dat hij het liefst wil ontsnappen. Zeven keer heeft hij leugens verteld om te ontkomen.

Het is laat. Mensen zijn als seizoenen. Jacob is nu binnenkort winter. Eerst voel ik de snee. Ik denk dat het pijn doet. Maar het verdwijnt in het grote dat ik altijd meedraag.

Ik zweef van kamer naar kamer, tussen mensen en meubels door. Daar kan ik mensen over elkaar heen laten vallen. Ze spelen zo

slecht. Weten niet wie ze zijn. Met één woord kan ik hun ogen laten
knipperen. De mensen bestaan niet. Ik wil ze niet meer tellen.

Een beschadigde boot bereikte de hoeve, met aan boord een
verkleumde, natte jongen. Jacob was gewond en moest worden
opgehaald bij de weduwe op Larsnes.

Niets aan Dina verried verrassing. Ze trok haar overkleren
aan en beval dat de slede achter Zwarterik moest worden
gebonden.

Anders wilde beslist dat ze de boot zouden nemen. Een
vrouw hoorde nu niet over de berg te rijden.

Dina was als een blazende lynx, in de sprong.

Anders haalde zijn schouders op. Het water in de Sont was
zo woest, dat dit misschien geen slechte oplossing was.

Het leek alsof ze zich 's ochtends al had aangekleed, zodat ze
zich alleen maar in omslagdoek en pels hoefde te wikkelen om
op de slede te gaan zitten en Jacob te halen.

Moeder Karen en Oline maakten zich meer zorgen over
Jacob dan over Dina's riskante tocht.

Zo kwam het dat Dina Jacob zelf ophaalde uit het kamertje van
de weduwe.

Ze hadden het samen erg gezellig gehad en zouden het
bezoek in rust en zaligheid afsluiten waar ze dat altijd deden.

Helaas gleed hij uit op de spiegelgladde drempel en rolde de
trap af. Zijn onderbeen brak als een dorre tak bij de eerste
windvlaag. De breuk was zo erg, dat zijn botten naar buiten
staken.

Geluk bij een ongeluk, de dokter was toevallig in Strandstedet. Er was een hele fles rum voor nodig om de ergste pijn te
verdoven, toen hij de breuk schoonmaakte en spalkte.

Dina droeg zoals gewoonlijk een leren broek en overlaarzen, als
een kerel. Ze leek enorm in het kleine huis. Tussen haar ogen
lag een diepe kloof. Haar woorden waren vastgevroren.

Ze behandelde de weduwe als een voetveeg. En ze negeerde

de goede raad Jacob te laten liggen tot de fjord weer bevaarbaar was.

Ze gaf opdracht Jacob vast te sjorren op de slede. Ten slotte lag hij als een stevig ingesnoerde rollade in de huiden.

'Mevrouw moet nog geld hebben voor de dokter, en voor het logies', zei Jacob onderdanig, met een van pijn vertrokken gezicht.

Maar Dina zei noch bedankt, noch tot ziens tegen Jacobs waardin. Spoorde het paard aan, en sprong achter op de slede.

Het paard was een duivel. Vluchtte met vonkende hoeven over de berg. De snelheid trok hen mee.

Dina waakte over de man als een valk.

Hij stond doodsangsten uit toen ze over het steilste gedeelte van het ijzige pad reden.

De weg was gedeeltelijk weggeslagen door de herfstvloed. Zijn been deed pijn als ze door de diepe, beijsde kuilen bonkten.

Hij besefte voor het eerst in volle omvang wat het betekende om in Dina's macht te zijn.

Jacobs ervaring met paarden en wegen was minimaal. Hij gedijde het best op zee.

Hij probeerde zich erover te beklagen dat ze geen mannen had meegenomen, die zijn boot naar huis konden varen.

Maar ze keurde hem geen blik waardig.

Jacob had niet alleen een lelijk gewond been, hij was ook in ongenade gevallen. Hij wist dat de tijd in beide gevallen uitkomst zou brengen. Maar zijn geduld schoot lelijk te kort.

De breuk was ernstig, de spalk niet goed genoeg, en bovendien wilde de wond niet helen.

Het was alsof alle kwade machten zich op zijn onschuldige scheenbeen hadden gestort. Hij moest het bed houden. Brulde en stelde zich aan, fluisterde en vroeg om medelijden.

Hij werd met bed en al naar de woonkamer verhuisd, om hem het gevoel te geven dat hij nog steeds tot de levenden hoorde.

De kloof tussen Dina's wenkbrauwen werd alleen maar dieper. En haar sympathie voor de zieke was goed verborgen.

Toen Jacob in alle onschuld vroeg of ze iets voor hem kon spelen in plaats van zoveel wijn te drinken, stond ze op uit de leren fauteuil. Zo abrupt dat het glas omviel op het kanten kleedje.

De wijn maakte een rode bloem die alsmaar groter werd. De voet van het glas brak.

'Vraag die weduwe op Larsnes maar om die poot van je weer recht onder je lijf te spelen', brieste ze terwijl ze naar buiten stormde.

Anders bracht de kajuitboot terug naar Reinsnes. Moeder Karen en Oline waren verpleegsters en spaarden zichzelf niet.

Dina's uitbarsting maakte Jacob veel duidelijk. Maar hij wist niet dat het onherstelbaar was.

Voor hem was niets onherstelbaar waar het vrouwen betrof. Zelfs de twee jaar met Dina hadden hem niet van dit onverwoestbare optimisme kunnen beroven.

Jacob werd niet beter. Er kwam koudvuur in de wond. De kleur verraadde het. De stank verspreidde zich als een boosaardig gerucht. Een onverbiddelijke voorbode van de dag des oordeels, die zich klam meester maakte van iedere seconde.

De uren werden kostbaar.

Moeder Karen besefte dat Jacob een deskundige behandeling moest krijgen. Snel!

Dina was de enige die er over nagedacht had wat een deskundige behandeling eigenlijk inhield.

Ze had al eens eerder koudvuur meegemaakt. Een van de vissers van de drost had een keer koudvuur in zijn voet gekregen. Hij overleefde het, maar moest daarna van de liefdadigheid leven, met zijn stompje. Na een paar jaar was hij zo ingedroogd van bitterheid en haat jegens alles en iedereen, dat de dienstmeisjes er tegenop zagen om hem zijn eten te brengen.

Dina was naar hem toe gegaan zonder dat ze er iets te zoeken had.

Je kon Jacobs been al in de gangen ruiken. Moeder Karen zat naast zijn bed. Oline verdunde de soep met haar tranen.

De zee was het werk van de duivel, met golven zo hoog als de deuren van de boothuizen.

Anders gaf zich ook deze keer gewonnen, toen Dina zei dat Tomas en zij Jacob over de berg naar de dokter zouden rijden.

Als zij en de weerbarstige Zwarterik het alleen in de ene richting gehaald hadden, dan zou ze het samen met een paardenknecht ook wel in de andere richting redden.

Zo was het absoluut het beste. En zo gebeurde het.

Alleen met dat verschil, dat Tomas niet meeging.

Hij keek haar ongelovig aan toen ze op de slede stapte en zei dat ze alleen wilde gaan.

Jacob knikte bleek tegen hem. Alsof hij hem een smeekbede zond.

Tomas zette zijn lichaam schrap. Om zich op de slede te werpen.

'Nee!' snerpte ze en sloeg met een stuk touw op zijn handen. Toen siste ze 'Vort!' tegen het paard en stormde met vonkende hoeven weg van de hoeve.

Tomas bleef op handen en voeten op het beijsde erf liggen. Met een bloedende streep op zijn rechterhand en een hortende ademhaling.

Later verdedigde hij Dina's gedrag door te zeggen dat drie op de slede te veel geweest zou zijn. En dat ze geen seconde te verliezen had als ze op tijd bij de dokter wilde zijn.

Zoals het meeste wat Tomas zei, werd dat door iedereen voor waar aangenomen. Hij had de angst in Jacobs ogen gezien. Maar het was zo oneindig moeilijk zich dat te herinneren.

Tomas was een geslagen hond. Hij jankte niet – toen het nog kon.

Hij verdronk zijn gedachten in de waterton die op het erf stond. Daar waste hij zijn handen en hoofd in water met een ijslaagje. Voelde de pijn van de zweepslag door zijn armen tot zijn oksel trekken. Hij veegde zijn gezicht af met zijn natte hand en ging naar Oline.

Met een gezicht dat bloosde van de behandeling met ijswater, merkte hij terloops op dat Jacob er toch wel erg slecht aan toe was.

Oline droogde haar ogen en snoof onmerkbaar. De stank van Jacobs been was het enige dat ze nu nog hadden.

Drie uur later stond Tomas klaar om Dina en het paard met de lege dissel op te vangen.

Tweede boek

I

Het hart kent zijn eigen droefheid, en in zijn vreugde
kan een vreemde zich niet mengen.

(Spreuken 14:10)

In het jaar dat Jacob ten grave werd gedragen, kwam er met
kerst geen bezoek op Reinsnes.

Niemand had zin de weduwen op Reinsnes een bezoek te
brengen. De ijzel kwam als geroepen voor de mensen die een
excuus nodig hadden om weg te blijven.

Oline beweerde dat er een klam gejammer van de wanden
opsteeg, dat zich vastbeet in haar beide heupen en haar niet met
rust liet.

De ijzel duurde tot midden januari. De hoeve was getroffen
door verbijstering en ledigheid.

Tomas liep zo vaak mogelijk langs de ramen van de zaal. Keek
met een blauw en een bruin oog naar boven. En besefte zelf niet
dat hij bad.

Als hij af en toe met brandhout naar boven werd gestuurd,
trilden zijn handen zo dat hij onderweg blokken hout verloor.

Dina zat altijd met haar rug naar hem toe als hij het hout in
de mand achter het kamerscherm met Leda en de zwaan legde.

Hij zond smeekbeden naar haar rug, zei 'God zij met u' en
ging weg.

Niemand wist wanneer Dina sliep. Dag en nacht stampte ze
over de vloer in reisschoenen met ijzerbeslag op de hakken.

Hjertruds bijbel had broze bladzijden die beefden in de tocht
van de ramen.

Moeder Karen was als een mooie, kleine trekvogel, die om de
een of andere reden was blijven overwinteren.

Het verdriet maakte haar doorschijnend en breekbaar als glas. De poolnacht legde zijn schaduwen op haar zachte gezicht. Ze miste Jacob. Zijn krullende haar en lachende ogen. Ze miste hem zoals hij was voordat alles op Reinsnes in het ongerede kwam.

Door haar ouderdom kon ze eenvoudig de grenzen naar de doden overschrijden. Het personeel dacht dat ze een beetje seniel begon te worden. Ze strompelde rond en praatte in zichzelf.

In werkelijkheid waren het tekenen van grote eenzaamheid. Een hopeloos verlangen. Naar alles wat geweest was.

Deze eenzaamheid drukte een stempel op mensen en dieren, stallen, pakhuizen en winkel.

De hele hoeve hield de adem in en wachtte erop dat iemand het gat dat Jacob had achtergelaten zou opvullen.

Reinsnes was een groot schip dat stuurloos ronddreef, zonder bemanning.

Dat Dina niet uit haar kamer kwam en 's nachts liep te ijsberen, maakte het er niet veel beter op.

Dat ze niet meer sprak, was griezelig.

Anders ontvluchtte het huis van verdriet en bereidde zich voor op de visserij bij de Lofoten.

Moeder Karen schreef aan Johan dat hij nu geen vader meer had, maar nog wel een thuis. Ze had een week nodig om de juiste woorden te vinden. En bespaarde hem de details.

Al het mogelijke was gedaan om zijn vader te redden, schreef ze. Toch had God hem tot zich genomen. Misschien had hij in zijn grote genade gezien dat het voor Jacob een te zwaar lot zou zijn als kreupele met één voet verder te moeten... Misschien dat God in al zijn wijsheid begreep dat hij voor zo'n leven niet geschikt was.

Nadat de brief met de droeve boodschap verstuurd was, liep de oude vrouw moeizaam de trap op en klopte op Dina's deur.

Dina stond midden in de kamer toen moeder Karen binnenkwam.

Op het moment dat ze naar de ramen wilde lopen en haar de rug toe wilde keren, klonk moeder Karens zachte stem.

'Je loopt hierboven maar rond! Maar daar bereik je niets mee.'

Misschien waren het moeder Karens witte, trillende neusvleugels. Of de rusteloze handen die zich vastklampten aan steeds weer een andere franje van haar omslagdoek.

Dina kroop uit haar schulp en toonde een sprakeloze belangstelling.

'Het leven moet doorgaan, lieve Dina. Jij zou naar beneden moeten komen om de mensen aan het werk zetten. En...'

Dina stak haar arm uit en bood moeder Karen een stoel aan bij de ronde tafel die midden in de kamer stond. Bedekt met een goudgeel pluchen kleed met kwastjes, die zachtjes bewogen in de tocht van de deur.

De oude vrouw liet haar tengere lichaam langzaam zakken op de stoel met de ovale rugleuning.

De tafel met vier stoelen was in het eerste jaar dat zij op Reinsnes woonde uit Bergen gekomen. Ze had er zelf op toegezien dat de kostbare meubelstukken voorzichtig aan land werden gedragen.

Plotseling werd de oude vrouw afwezig. Alsof ze niet naar de zaal was gekomen omdat de eenzaamheid en de bezorgdheid zo groot waren geworden, dat ze het niet meer alleen aankon.

Ze staarde naar de gebogen tafelpoten. Alsof ze iets ongewoons zag. Toen begon ze langzaam en zonder inleiding het verhaal van de meubels te vertellen.

Dina liep de kamer door en deed de deur naar de gang dicht. Toen pakte ze een leitje en griffel en ging bij de oude vrouw zitten. Eerst nog met haar glimlach als schild. Toen alleen als zichzelf. Luisterde. Alsof ze haar hele leven op dit ene verhaal had gewacht.

Moeder Karen vertelde over de lichte meubels met hun chique bekleding. Jacob zei altijd dat ze op vrouwenlichamen leken, met een uitgesneden lijfje en een fraaie heuppartij.

Ze liet haar vingers over de uitsnijding boven in de rugleuning glijden. In de vorm van een hart. Ze liet haar oude, doorschijnende hand over het pluche kleed op tafel dwalen, en talmde bedroefd bij de schroeivlek van een sigaar.

'Die stamt uit Jacobs ongelukkige dagen als weduwnaar', zei ze met een zucht.

Ze begon in het wilde weg te vertellen over haar avontuurlijke leven met Jacobs vader. Over de jaren in Parijs en Bremen. Over de talloze scheepsreizen met haar geliefde man.

Tot ze die keer in Trondhjem had zitten wachten op zijn terugkomst uit Kopenhagen. Tevergeefs.

Zijn schip was ergens bij een godvergeten oord aan de zuidwestkust vergaan. Jacob was twaalf jaar oud en had geen vader meer. Hij beweerde dat hij, zodra hij oud genoeg was, naar zee wilde.

Maar moeder Karen vertelde vooral over glimmende tafels in grote feestzalen. Over rococo-spiegels en fantastische boekenkasten. Over kisten met laden en geheime vakjes. Onsamenhangend en monotoon.

Ze kwam steeds weer terug op de meubels die ze naar Reinsnes had laten komen.

De ovale tafel en de stoelen die opnieuw met pluche waren bekleed voor de bruiloft van Dina en Jacob.

Jacob had besloten dat de meubels van de salon naar de zaal moesten verhuizen. Zodat Dina als het mooi weer was midden in de kamer kon zitten uitkijken over de Sont. Ze moest op elk gewenst moment een blik kunnen werpen op de prachtige stranden van Reinsnes!

Dina luisterde uitdrukkingsloos. De klok beneden in de woonkamer sloeg plotseling drie keer. Daardoor ontwaakte de oude vrouw. Ze keek Dina recht aan, met een vriendelijke blik, en was blijkbaar vergeten dat ze midden in een verhaal was blijven steken. Ze was abrupt weer terug in de eenzaamheid en haar bezorgdheid over de toekomst.

'Je moet iets nuttigs gaan doen! Niet hier dag en nacht met je verdriet bezig zijn. De hoeve verkommert. De mensen weten niet wat ze moeten doen. De dagen gaan gewoon voorbij.'

Dina keek naar het plafond. Het was alsof iemand een glimlach op haar gezicht geschilderd had, maar daar halverwege uit vermoeidheid mee gestopt was omdat het niet lukte.

'En daar moet ik iets aan doen?' schreef ze op de zwarte lei.

Moeder Karen keek haar radeloos en vertwijfeld aan.

'Het is toch allemaal van jou!'

'Waar staat dat geschreven?' schreef Dina.

De vingers rond de griffel werden wit.

Op een middag trok Dina haar rijbroek aan. Toen gleed ze als een kind over de trapleuning naar beneden. Ongezien bereikte ze de stallen.

Zwarterik stond met gebogen hoofd naar haar voetstappen te luisteren. Toen ze zijn boks binnen kwam, gooide hij zijn manen in de nek, stampte met zijn voorbenen, hapte in haar schouder en ontblootte goedmoedig zijn tanden.

Het paard en de vrouw. Al snel waren ze één.

Pas toen ze over de weg naar het strand vlogen en verdwenen tussen de pakhuizen en de heuvels, werden ze gezien.

De mensen die hen zagen, sloegen hun handen in elkaar. Vroegen elkaar of ze het ook gezien hadden? Dat Dina weer buiten was? Dat Dina op Zwarterik was weggereden?

Eerst lag er hoop in die vraag. Toen werden ze onrustig. Het was langzamerhand onnatuurlijk geworden dat Dina zich buiten de zaal vertoonde.

Tomas werd weggestuurd om op haar te letten. Hij zadelde zijn paard sneller dan ooit. Ze nam gelukkig niet de weg door de bergen. Reed alleen langs de zwarte stranden. Hij haalde haar in, maar maakte zich onzichtbaar. Maakte niet de fout haar te waarschuwen toen ze het paard aanzette tot galop. Hield gewoon ruim afstand.

Zo reden ze een poosje een soort schaduwrace.

Maar plotseling had ze er genoeg van. Het paard schuimbekte. Bij de stal bleef ze zo abrupt staan dat de ijsklompen van de hoeven spatten en Tomas' kuiten raakten, zodat hij het uitschreeuwde van pijn.

Hij zette zonder iets te zeggen beide paarden op stal. Droogde ze af en gaf ze water en hooi.

Dina bleef een poosje staan kijken terwijl Tomas werkte. Dat maakte zijn bewegingen hoekig en onzeker.

Haar ogen volgden zijn smalle heupen. Zijn sterke handen. Het slordige rode haar. De grote mond.

Toen ontmoette ze zijn blik. Een bruin en een blauw oog. Ze ging zelfverzekerd voor hem staan. Pakte met beide handen al haar haar boven haar hoofd samen. Liet het toen los zodat het over haar schouders stroomde. Draaide zich om en liep snel de stal uit.

Herbergier en reder Jacob Grønelv had een soort testament geschreven. Maar hij had er niet op gerekend dat het al zo snel nodig zou zijn, dus er stonden geen geldige stempels of handtekeningen van getuigen onder. En er lag geen kopie bij de autoriteiten.

Maar hij had de drost over het document verteld. Want Jacob was niet alleen de schoonzoon van de drost, maar ook zijn jachtkameraad en beste vriend.

De gedachte dat er ergens een testament lag, al was het nog zo ongeldig, maakte de drost onrustig. Omdat Jacob een volwassen zoon en twee pleegzonen had.

Ook al was hij Dina's vader, hij was ook de drost. Het was zijn plicht ervoor te zorgen dat alles er rechtmatig uitzag.

Toen het slechte weer voorbij was, vertrok de drost naar Reinsnes. Om onder vier ogen met Dina te praten. Over Jacobs laatste wil, die ergens moest zijn. Waarschijnlijk in het grote kantoor in de winkel.

Dina luisterde met uitdrukkingsloos gezicht, maar wist niets van Jacobs laatste wil en had geen papier gezien. Jacob en zij hadden niet over zulke dingen gepraat, schreef ze op de zwarte lei.

De drost knikte en vond dat ze snel moesten handelen. Tot overeenstemming komen. Voordat er iets anders werd besloten. Anders kwam er alleen maar ruzie van. Dat had hij in zijn jaren als drost vaak genoeg meegemaakt.

Toen de drost vertrokken was, ging Dina naar het kantoor.

Niels was volkomen overrompeld door dit bezoek. Hij bleef

achter het massief eikehouten bureau zitten. Zijn mondhoeken drukten verbazing en onwil uit. Zijn gezicht met de donkere baardstoppels en weerbarstige snor was een open boek.

Dina bleef een poosje voor het bureau staan en keek hem aan. Toen hij geen aanstalten maakte haar te helpen, schreef ze iets op haar zwarte lei. Vroeg om de sleutel van de grote brandkast.

Hij stond met tegenzin op en liep naar de sleutelkast die tussen de twee ramen hing.

Toen hij zich omkeerde, zag hij dat ze in de oude draaistoel was gaan zitten. Hij begreep meteen dat hij overbodig was.

En toen hij bleef staan staren nadat hij de sleutel had neergelegd, knikte zij opgewekt in de richting van de deur.

Hij ging tegen zijn zin naar buiten. Schreed langs de laden in de winkel en keek dwars door de loopjongen heen. Alsof hij lucht was.

Toen begon hij iedereen op de hoeve lastig te vallen. Was als een donderbui, een plaag. Maakte opmerkingen dat nu zelfs levende vrouwspersonen al begonnen te spoken! Die dachten dat ze verstand hadden van zaken en boekhouding! Maar ze moest zich vooral belangrijk voelen, die madam! Hij zou haar niet storen! Dan zouden ze wel zien wat er van kwam. Ze had hem ook om de boeken kunnen vragen, hem van te voren kunnen waarschuwen dat ze alle papieren en contracten wilde doornemen. Dan had hij alles opgezocht, en keurig voor haar neergelegd. Jazeker!

Zo donker en gesloten als Niels was, zo blond en open was zijn broer, Anders. Als Anders op dat moment niet op de Lofoten was geweest, had hij er ongetwijfeld iets van gezegd en Niels goede raad gegeven. Anders had zo zijn methodes.

Dina zocht systematisch en verbeten. In de oude kast voor de boekhouding, in de brandkast, in laden en boekenkasten. Urenlang.

Het werd stil en leeg in de winkel. De winkelknecht kwam vragen of hij de lamp in de winkel uit mocht doen. Dina knikte zonder hem aan te kijken. En ging door met zoeken tussen de papieren en mappen. Af en toe richtte ze zich op en duwde een gebalde vuist in haar rug.

Net toen ze van plan was er voor die avond een punt achter te zetten, viel haar oog op een oud kistje van gelakt berkehout, dat op een van de overvolle planken stond. Half bedolven onder bestelbonnen en een stapel snuiftabak.

Ze stond snel op en liep doelbewust de kamer door, alsof Jacob haar zelf leidde. Het kistje was op slot. Maar ze kreeg het open met een pennemes.

Bovenin lagen tekeningen van het Nordlandsjacht Moeder Karen en een bundeltje brieven van Johan. Toen ze het bundeltje optilde, gleed er een gele envelop uit, die eventjes koppig op de ene zijkant bleef staan. Toen ging hij netjes op de tafel liggen.

Ze had de envelop nooit eerder gezien, maar wist het toch zeker. Dit was Jacobs testament!

Ze ruimde alles op. Duwde de kist weer in het slot en zette hem zorgvuldig terug waar ze hem vandaan gehaald had. Toen stopte ze de envelop onder haar omslagdoek, deed de lamp uit en vond op de tast haar weg naar buiten.

De hemel was ingenomen door de maan en de sterren. Het noorderlicht flakkerde en wenkte als oplichtend linnen, alsof het samen met haar deze vondst vierde.

Ze liep over het beijsde erf. De gang door, naar de zaal. Ze kwam niemand tegen.

Maar het hele huis zinderde en fluisterde. Dina was naar beneden gekomen. De jonge mevrouw had de winkel geïnspecteerd! Niels dacht dat ze de hele boekhouding controleerde!

'God is goed', juichte moeder Karen tegen Oline. Oline knikte terwijl ze aan de deur luisterde, waar Dina net langs liep.

Dina kroop in het grote hemelbed. Trok de beddehemel aan alle kanten dicht en spreidde met stijve vingers Jacobs testament uit tussen haar dijen.

Zijn stem kwam zachtjes vanuit de wanden en bemoeide zich ermee. Ze was vergeten dat hij zo'n mooie stem had. Een vriendelijke tenor, die niet erg zuiver kon zingen.

Ze glimlachte terwijl hij haar voorlas.

Geen handtekeningen van getuigen. Geen zegel. Slechts de

laatste wil van een man. Op een late avond in alle eenzaamheid opgetekend. In een ogenblik van helderziendheid. 13 december 1842.

Toch kon je er moeilijk omheen als de juiste personen het onder ogen kregen. Want Jacobs laatste wil was onder andere dit: Zijn echtgenote Dina zou, samen met Johan, zoon uit zijn eerste huwelijk, de erfenis volgens de regels van de wet beheren, zolang ze in gemeenschap van goederen zouden leven.

Het was Jacob Grønelvs wens dat zijn echtgenote al zijn eigendommen en zaken naar beste kunnen zou beheren tot Johan was afgestudeerd, en dat ze alle hulp zou inhuren die nodig was om de status quo te handhaven. Zijn zoon Johan moest zijn theologische opleiding afmaken, en in zijn onderhoud voorzien door middel van een voorschot op de erfenis. Verder zou hij op Reinsnes kunnen blijven wonen zolang hij ongetrouwd was en dat zelf wilde. Het stond hem vrij de hoeve volgens het erfrecht over te nemen, als hij dat wilde.

Zijn echtgenote Dina zou de verantwoording dragen voor alle dagelijkse bezigheden die huis, levende have en personeel betroffen, samen met moeder Karen Grønelv.

Er moest niet alleen in het onderhoud van moeder Karen worden voorzien, maar zij behield ook al haar voorrechten en privileges, tot aan haar dood.

Zijn pleegzoon Niels zou de winkel en de boekhouding beheren zolang dat voor Reinsnes en voor Niels zelf het beste was.

Zijn pleegzoon Anders zou de zeggenschap over de vrachtschepen krijgen en verantwoordelijk zijn voor de uitrusting van de schepen en de handel.

Beide pleegzonen zouden een tiende krijgen van alle winst die ze wisten te maken.

Niemand die koopman Grønelv nog geld schuldig was zou zijn bezittingen hoeven te verkopen om het verschuldigde bedrag terug te betalen. Er was ook een aanzienlijk bedrag voor de armen voorzien. Dina gebruikte de rest van de avond om Jacobs laatste wil eer aan te doen. Ze schreef een nieuw 'testament'.

Maar ze probeerde het oude niet te vervalsen, of het te doen voorkomen dat dit iets anders was dan wat zij 'in haar herinnering' dacht dat haar 'geliefde man zaliger' mondeling als zijn wil had geuit.

Het leek verbluffend veel op Jacobs testament, met uitzondering van een paar punten: de tienden voor de pleegzonen noemde ze niet. Wel dat ze hun baan zouden behouden zolang dat winstgevend voor Reinsnes was, of zolang mevrouw Dina dat zinvol vond.

Ze noemde ook niet dat Johan de hoeve kon overnemen als hij dat zou willen.

Maar verder schreef ze alles keurig netjes punt voor punt op. Vergat ook het bedrag voor de armen niet.

Daarna stookte ze de kachel goed op. En stak de waskaarsen in de zevenarmige zilveren kandelaar op de kaptafel aan.

Zolang Jacobs laatste wil in de ijzeren buik brandde, glimlachte ze.

Toen legde ze het beschreven vel papier op de schrijftafel van gelakt notehout, zodat iedereen die binnenkwam het zou zien.

Ze liep naar het grote hemelbed en ging volledig gekleed op haar rug liggen.

Voelde opeens Jacobs gewicht op haar. Hij drong bij haar binnen. Zijn adem was vreemd. Zijn handen hard. Ze wees hem kwaad af. Jacob sjorde zijn broek op, trok zijn zijden vest om zich heen en liep dwars door de muur weg.

Ik ben Dina, die een staartvin onder mijn ribben voel slaan. Die heeft mij een poets gebakken. Hij hoort nog bij de zee en de sterren. Hij zwemt in mij en is zijn eigen baas, terwijl hij van mij eet. Ik draag hem bij me, zo lang dat nodig is. Hij is toch niet zo zwaar of zo licht als Hjertrud.

Het was niet belangrijk hoe het echt gegaan was, maar hoe de mensen dachten dat het gegaan was.

Ze stond op en keek in de kachel. Legde er meer hout op. Zag erop toe dat het vuur afrekende met de verkoolde resten van Jacobs testament.

Die nacht hoorde niemand Dina met haar reisschoenen met ijzeren hakken over de vloer lopen.

Toen de drost de volgende keer naar Reinsnes kwam, had hij een griffier en twee getuigen bij zich.

De oude en de jonge weduwe zaten samen met de mannen rond de ovale tafel in de zaal.

Dina's geschreven herinnering aan Jacobs laatste wil werd in het bijzijn van getuigen bekendgemaakt aan de betrokkenen.

Johan was in Kopenhagen, maar moeder Karen was zijn voogd.

Dina had zich passend aangekleed. In de zwarte kleren die voor de begrafenis waren genaaid. Iedereen in het huis moest komen.

Ze stonden met gebogen hoofd rond de tafel en hoorden de basstem van de drost Jacobs woorden oplezen. Het was een waardig ogenblik. Plechtig.

Niemand miste een echt testament. Het was immers een ongeluk geweest. En het gebeurde zo snel. God zegene de heer des huizes! De weldoener.

Iedereen kreeg op de een of andere manier een woord van waardering. Iedereen prees Jacobs testament, omdat hij aan hen allemaal gedacht had.

De drost vond dat het niet nodig was vast te leggen dat Johan tijdens zijn studie een gedeelte van zijn erfenis voor zijn onderhoud mocht gebruiken, want het was de plicht van alle ouders ervoor te zorgen dat hun kinderen leefden onder omstandigheden die bij hun stand pasten, zonder dat nu meteen een voorschot op de erfenis te noemen.

Maar Dina glimlachte en schudde haar hoofd.

'We hebben niet het recht voorbij te gaan aan het feit dat zijn vader dood is', schreef ze op de lei.

De drost keek zijn dochter met verward respect aan. Toen dicteerde hij Dina's wensen aan de griffier. Moeder Karen knikte instemmend. Het document werd bezegeld.

De drost hield een rede voor zijn dode schoonzoon en vriend en voor zijn dochter, en maande iedereen zijn goede wil te tonen. De hoeve had een vaste hand nodig.

Moeder Karen zuchtte opgelucht. Het leven ging verder. Dina was van de bovenverdieping afgedaald.

De zon stond elke dag hoger. Al snel kleurde hij ook om middernacht de noordelijke hemel.

De zeevogels wisten van geen ophouden, de sneeuwhoenders legden eieren en de vogelkers bloeide.

Moeder Karen kreeg een brief van Johan.

Hij betuigde zijn rouwbeklag en was beleefd bedroefd. Hij wilde de lange reis naar huis pas maken nadat hij een belangrijk examen had afgelegd. Hij zou toch te laat komen voor zijn vaders begrafenis.

Tussen de regels door las moeder Karen wat ze al wist. Dat hij geen verstand had van handel drijven of het boerenbedrijf. Dat hij niet wilde worden weggestopt in een winkel, en weinig van boekhouden wist. Maar hij wilde graag zolang hij studeerde door middel van een voorschot op zijn erfenis in zijn onderhoud voorzien.

Als hij al verdriet voelde, dan liet hij dat in ieder geval niet blijken door in zijn vaders voetsporen te willen treden.

Moeder Karen las de brief voor aan Dina.

'Mijn innige deelneming en groeten aan Dina in deze zware tijden!' waren Johans slotwoorden.

2

En Jacob zette een opgerichte steen ter plaatse, waar hij met Hem gesproken had, een stenen zuil, en hij stortte een plengoffer erover uit en goot er olie op. En Jacob noemde de plaats, waar God met hem gesproken had, Bethel.

Daarna braken zij op uit Bethel. Toen zij nog maar een eindweegs van Efrath verwijderd waren, baarde Rachel, en zij had een moeilijke bevalling. En terwijl zij die moeilijke bevalling had, zeide de vroedvrouw tot haar: 'Vrees niet, ook ditmaal hebt gij een zoon.' En toen haar het leven ontvlood – want zij stierf – noemde zij hem Ben-oni (zoon van de pijn), maar zijn vader noemde hem Ben-jamin (zoon van het geluk).

(Genesis 35:14-18)

Op een dag kwam moeder Karen onverwacht de zaal binnen, zonder te kloppen. Dina stond zich midden in de kamer aan te kleden.

Het was duidelijk dat ze zwanger was. De zon die door de hoge ramen viel, verraadde alles aan moeder Karens verstandige ogen. Dina was nu vijf maanden weduwe.

De oudere vrouw was klein en tenger. Naast de rijzige Dina leek ze meer op een zeldzame porseleinen pop die haar hele leven in een vitrinekast had doorgebracht en nooit haar haren in de war had gehad, dan op een mens van vlees en bloed.

De rimpels in haar gezicht waren fijn spinrag dat trilde in de zon toen ze naar het raam liep om dichter bij Onze Lieve Heer te zijn met haar dankbetuigingen.

Ze strekte haar beide handen uit naar de andere vrouw. Maar Dina's blik was als twee zuilen ijskoud gletsjerwater.

'God zegene je, Dina, je krijgt een kind!' fluisterde ze ontroerd.

Dina trok snel haar rok aan en bleef staan, haar blouse als een soort schild vasthoudend.

Toen de oude vrouw geen aanstalten maakte om te vertrekken, zette Dina dreigend de ene voet voor de andere. Vastberaden, kleine passen.

En voordat moeder Karen begreep wat er gebeurde, stond ze op de donkere gang, voor een gesloten deur.

Dina's blik achtervolgde de oude vrouw. Niet alleen overdag, maar ook in haar slaap en dromen. Ze wist niet hoe ze dit gesloten schepsel moest benaderen.

Toen ze drie dagen lang tevergeefs had geprobeerd contact met Dina te krijgen, ging ze naar Oline in de keuken. Voor troost en raad.

Oline stond bij het uiteinde van de tafel. Met twee schorten voor. Over elkaar heen.

De ronde gestalte met de ferme boezem had zelfs nog geen kat gezoogd. Toch praatte Oline alsof ze de oermoeder was.

Ze wist, zonder daar verder bij stil te hoeven staan, dat zij het meeste regelde door alleen maar aanwezig te zijn. Met haar naar beneden getrokken mondhoeken en haar roze, gerimpelde voorhoofd waarachter zoveel zorgzaamheid verborgen lag.

Oline vond dat de jonge mevrouw rust moest krijgen! En goed eten! En warme pantoffels in plaats van die vreselijke schoenen waarmee ze over de tochtige vloer liep.

Dat ze het vreselijk vond om een kind te krijgen, terwijl ze geen echtgenoot aan haar zijde had, vond Oline niet meer dan redelijk.

'Vrouwen raken van minder overstuur', zei ze en sloeg haar ogen ten hemel. Alsof ze daar tientallen verhalen over zou kunnen vertellen.

Je kon niet verwachten dat zo'n jonge vrouw het als een zegen of grootse taak zou zien het voortbestaan van het geslacht veilig te stellen, na wat zij allemaal had meegemaakt.

Zo bracht Oline alles terug tot een kwestie van tijd en verzorging.

Wie dacht dat Dina voorgoed uit de zaal was gekomen, die dag dat ze het kantoor inspecteerde, had het mis.

Ze ging naar de stal. En tot moeder Karens ontsteltenis reed ze paard. In haar toestand! Maar verder bleef ze in de zaal. Dina at in de zaal. Dina woonde in de zaal.

Als moeder Karen haar af en toe naar de eetkamer probeerde te lokken, vooral als ze gasten hadden, glimlachte ze alleen maar en schudde haar hoofd. Of ze deed of ze niets hoorde.

Dina had zich weer de gewoonten uit haar jeugd aangewend. Toen at ze ook alleen. Omdat haar vader haar aanblik niet kon verdragen. En al helemaal niet als hij at.

Tomas probeerde Dina's blik te vangen als ze het paard haalde om uit rijden te gaan. Hij hielp haar op het paard door zijn handen te vouwen, zodat zij ze als stijgbeugel kon gebruiken. Dat deed hij sinds het gerucht ging dat ze zwanger was.

'Je zou een zadel moeten gebruiken, tot alles achter de rug is...' zei hij op een keer, terwijl hij een schuchtere blik over haar buik liet dwalen.

Ze hoefde niet te antwoorden. Stom als ze was.

De mensen spraken er openlijk over dat Dina zowel zwanger, stom als mensenschuw was.

Ze hadden medelijden met de oude moeder Karen die probeerde de grote hoeve te besturen. Ze was immers al over de zeventig en slecht ter been.

De dokter was erbij geroepen, zei men. Maar Dina zou een stoel naar zijn hoofd hebben gegooid, omdat hij rechtstreeks de zaal was binnengestapt om haar van haar zwaarmoedigheid te genezen.

Het verhaal ging dat men Dina had gedreigd met het gekkenhuis, als ze zich niet gedroeg, maar dat ze zich daar geen spat van aantrok. Ze had de dokter zo woedend aangekeken dat hij het veiliger achtte te vertrekken, zonder haar te genezen.

De oude mevrouw had de dokter uitgenodigd voor een glas punch en een maaltijd met sneeuwhoen en wijn en sigaren, om het gedrag van de jonge mevrouw weer goed te maken.

Dina sloeg en rammelde in alle eenzaamheid met de laden van haar commode. Omdat haar kleren haar niet meer pasten.

Haar buik en borsten waren gegroeid en hadden haar lichaam een omvang gegeven die veel bekijks en jaloezie zou hebben gewekt bij degenen die minder goed bedeeld waren. Als ze zich had laten zien.

Maar ze ijsbeerde in de zaal en was voor niets of niemand bereikbaar.

Uiteindelijk mocht moeder Karen toch even bij haar komen. En daarna werd er iemand naar Strandstedet gestuurd om een naaister te halen.

De dagen vloeiden in elkaar over. Aaneengesmeed door donkere nachten. Ondoordringbaar. Als zure rook uit een verwaarloosde haardstede.

Ik ben Dina die leest in Hjertruds boek. Door Hjertruds loep. Want Christus is een ongelukkig schepsel dat wil dat ik hem zal helpen. Hij kan zichzelf niet verlossen. Hij heeft twaalf gezworenen die hem stuntelig proberen te helpen. Maar dat lukt nooit. Ze zijn allemaal laf, bang en hulpeloos. Judas kan in ieder geval nog tellen... En hij durft echt boosaardig te zijn. Maar het is alsof hij zich in een rol laat dwingen. Alsof hij niet het benul heeft te zeggen dat hij geen verrader wil zijn, alleen maar om de anderen vrijuit te laten gaan...

Omdat Dina niet kon praten, vergat men vaak dat ze wel kon horen.

Er werd in de gangen en achter haar rug gekletst. En aangezien ze niet te kennen gaf dat ze hoorde wat ze zeiden, werd het een gewoonte. Zo wist Dina altijd wat er gebeurde en wat de mensen dachten.

Ze schreef haar wensen en bevelen op. Met een griffel op de zwarte lei. Ze stuurde bestellijsten naar de boekwinkel in Tromsø.

De kisten kwamen met de raderboot. Ze maakte ze zelf open met een koevoet die ze bij de kachel had liggen.

Het meisje dat de asla leegde en brandhout naar boven droeg, vond het een meer dan onaangenaam stuk gereedschap.

Maar toen het zware stuk gereedschap op een dag niet op zijn plaats lag, werd het nog veel onaangenamer.

De boeken gingen over boekhouden en het boerenbedrijf. Tijdens het lezen werd Dina af en toe zo woedend, dat Oline dacht dat mevrouw de kachel kapotsloeg.

Er werd een boekhouder ontboden. Dina zat een paar uur per dag in het kantoor om zich de hele boekhouding grondig te laten uitleggen.

Dat leidde tot ernstige conflicten tussen haar en Niels. De boekhouder bleef een maand. Liep als een waakhond tussen het woonhuis en het kantoor heen en weer.

'Straks gaat madam zich zeker ook nog bezighouden met de inkoop voor de winkel', mompelde Niels en keek tersluiks naar boekhouder Petter Olesen, die zich absoluut niet liet verleiden dat sarcasme te beantwoorden.

Hij had het nog nooit zo goed gehad als hier op Reinsnes. Eigenlijk zou hij zijn werk hier graag tot in het oneindige hebben gerekt.

Hij zat 's avonds in de rookkamer en rookte Jacobs beste meerschuimen pijp, alsof die van hem was.

Maar Dina's gezelschap moest hij ontberen. Behalve wanneer hij haar in boekhouden onderwees. Zij bleef boven. Tenzij ze paard reed of bevelen en vragen opschreef. Die niet mis te verstaan waren.

Je kon haar niet vriendelijk noemen. Maar aangezien ze niet praatte, zei ze ook nooit een onvriendelijk woord.

Moeder Karen was opgetogen dat Dina zoveel ijver ten toon spreidde. Maar ze maakte ook de fout om haar te verwijten dat ze niet genoeg rekening hield met 'haar toestand'.

Dat lokte Dina's vreselijke keelgeluiden uit, zodat de spiegel en de ramen rinkelden, al was het kalm weer.

Als ze op Reinsnes ergens bang voor waren, dan was het wel dat Dina over de trapleuning gebogen stond en haar geluiden uitstootte, die door merg en been gingen van iedereen die gedwongen was het aan te horen.

Je kon wel horen waar Dina van afstamde, zei Oline.

Maar meestal was het rustig. Moeder Karen deed vaak een dutje in de woonkamer, onder haar plaid. Ze las en herlas de regelmatige en saaie brieven van Johan. Soms hardop, voor Dina. Ze stond zichzelf toe oud te zijn, omdat ze zag dat alles in zekere zin geregeld werd.

Maar de gastenkamers stonden maandenlang leeg. De rouw, het zwijgen en de gekte op Reinsnes trokken nu niet bepaald gasten aan. De grote handels- en pleisterplaats verkeerde in een soort winterslaap.

Maar de Moeder Karen was in ieder geval met een goede vangst teruggekomen van de Lofoten. Dankzij Anders. Het werd gaandeweg duidelijk dat veel van de dingen waar Jacob de eer voor had gekregen, te danken waren aan Anders' kwaliteiten.

Iedereen sprak over het kind, iedereen wachtte vol spanning af.

Dina kon er zelf natuurlijk niet over praten. Maar ze schreef er ook niets over op de lei.

De dienstmeisjes, Tea en Annette, naaiden in hun vrije uren babykleertjes, en Oline maakte zich zorgen over het feit dat de vroedvrouw zo ver weg woonde.

Op een klamme onweerszwangere dag gebeurde datgene waar de oude vrouw bang voor was geweest.

Dina viel van het paard.

Gelukkig zag Tomas het gebeuren, vanaf de akker. Hij rende zo hard, dat zijn longen pijn deden en naar lood smaakten. Vond haar, liggend in een vossebessenstruik. Armen en benen uitgestrekt. Gekruisigd tegen de grond. Haar gezicht naar de hemel gewend – met grenzeloos open ogen.

De enige wonden die Tomas kon vinden, waren een snee in haar voorhoofd en een schram op haar kuit, waar een dorre dennetak zich had vastgebeten.

Hij zette koers naar de zomerstal, omdat die het dichtst bij was. En omdat Onze Lieve Heer in een aanval van boosaardigheid onweer en een kletterende hoosbui naar beneden stuurde.

Zwarterik was zo geschrokken van de eerste donderslagen, dat hij Dina had afgeworpen toen ze probeerde hem in bedwang te houden.

Tomas ondersteunde haar en droeg haar de tochtige schuur binnen. Hielp haar te gaan liggen op het hooi van vorig jaar. Snel. Want de geboorte kwam meteen op gang.

Maar Tomas had op het afgelegen keuterboerderijtje zijn moeder een keer geholpen toen haar hetzelfde overkwam. Hij wist wat hem te doen stond.

Zwarterik duldde niemand op zijn rug. Dus rende hij naar de hoeve om hulp te halen.

Daar werden vliegensvlug waterketels, houtblokken en lakens klaargezet. De meisjes boenden hun handen en luisterden naar Oline's bevelen.

Dina kon niet vervoerd worden, zei Tomas, zijn pet als een wiel tussen zijn handen ronddraaiend.

Oline waggelde met verbazingwekkende snelheid naar de zomerstal. Tomas rende met een kruiwagen vol met de benodigde spullen achter haar aan de heuvel op.

De hemel goot zichzelf over hen leeg, en dreigde de spullen die onder het oliedoek in de kruiwagen lagen te verdrinken.

Oline riep buiten adem tegen de hemel dat het zo wel genoeg was geweest! Het was niet de bedoeling dat ze hier zowel de zondvloed als een geboorte moesten meemaken! Ze wilde de machten ervan overtuigen dat zij het commando had overgenomen.

Het was binnen een uur voorbij.

Dina's zoon was een stevige, maar kleine jongen. Geboren in een zomerstal terwijl de hemel zich ledigde en voeding gaf aan alles wat moest groeien.

Zwarterik stond met zijn grote hoofd in de deuropening en ontblootte zijn tanden met onbeheerste onrust.

Ware het niet dat dit allemaal een wonder was en dat Jacob in november was gestorven, dan zou Oline gezegd hebben dat dit kind te vroeg geboren was!

Maar ze schreef het toe aan het feit dat de jonge moeder zich als een meisje gedroeg terwijl ze 'in positie' was.

Dina schreeuwde niet tijdens de bevalling. Lag met wijdopen, starende ogen te kreunen.

Maar toen het kind eruit was en ze alleen nog wachtten op de nageboorte, kwam de vreselijkste schreeuw die ze ooit hadden gehoord.

Dina maaide met haar armen om zich heen, opende haar mond en schreeuwde uit alle macht.

Ik ben Dina, die hoort dat een schreeuw zijn nest bouwt in mijn hoofd. Het stopt mijn oren dicht. In het washuis op Fagernes komt de damp sissend uit Hjertrud terwijl ze haar hele binnenste over de vloer uitgiet. Dan zakt ze ineen. Haar gezicht scheurt. Steeds weer. We drijven samen weg. Ver weg...

Dina werd stil en zwaar onder hun handen.

Moeder Karen, die erbij gekomen was, jammerde vertwijfeld.

Maar Oline sloeg Dina zo hard op haar wang dat haar vingerafdrukken achterbleven, als littekens.

De schreeuw welde weer uit Dina op. Alsof hij duizend jaar opgesloten had gezeten. De schreeuw vermengde zich met het fragiele geluid van de huilende baby.

Het kind werd aan haar borst gelegd. Hij heette Benjamin. Zijn haar was zwart. Zijn ogen oud en donker, als steenkool in een mijn.

De wereld hield de adem in. De stilte kwam plotseling. Als een bevrijding.

Na een poosje klonk er onverwacht en autoritair vanuit de bebloede lakens: 'Doe die deur dicht! Het is hier koud!'

Dina zei die woorden. Oline veegde haar voorhoofd af. Moeder Karen vouwde haar handen. De regen vond een weg door het plaggendak. Een voorzichtige, natte gast.

Het nieuws bereikte Tomas, die op een kistje onder een boom zat. Nat tot op het bot, zonder het te merken. Op eerbiedige afstand van de zomerstal.

Een verbaasde lach verbreidde zich over de jongen. Bereikte

zijn armen, die hij glimlachend ten hemel hief, zodat de regen zijn handpalmen in een oogwenk vulde.

'Wat zei ze?' jammerde hij gelukkig, toen Oline hem het nieuws overbracht.

'Doe die deur dicht. Het is hier koud!' lachte ze, en sloeg met haar blote, roze armen om zich heen.

Ze schaterden het uit. De oude vrouw glimlachte vermoeid.

'Doe die deur dicht! Het is hier koud!' mompelde ze hoofd-schuddend.

Dina werd op een stevig stuk zeildoek naar huis gedragen. Door Niels, de staljongen, een toevallige klant en Tomas. Anders was in Bergen.

Het pad naar de boerderij af, door de dubbele deur, de trap op, naar het hemelbed in de zaal.

Toen pas kwam de vroedvrouw om te controleren of alles wel goed gedaan was. Ze was erg tevreden, en de vroedvrouwborrels werden op een zilveren blaadje gepresenteerd, zowel in de keuken als in de zaal.

Dina dronk gulzig terwijl de anderen nipten. Toen vroeg ze een van de meisjes de zeepjes uit de la van de commode te halen. Haar stem klonk als het gejammer van ongebruikte katrollen.

Ze legde de zeepjes in een kring rond het jongetje aan haar borst. Dertien zeepjes die roken naar lavendel en viooltjes. Een magische cirkel van geuren.

Al snel sliepen ze allebei.

De melk wilde niet komen.

Eerst gaven ze het kind suikerwater. Maar dat was op den duur niet voldoende.

Alle vrouwen kregen een klamme rug van het onafgebroken gehuil. Na vier dagen en nachten was het nog slechts een aanhoudend gepiep, alleen kort onderbroken als het kind van uitputting in slaap viel.

Dina was bleek, maar mengde zich niet in het gejammer van de vrouwen.

Ten slotte kwam Tomas vertellen dat hij gehoord had over een Laps meisje in het zuiden van het district, die net een kind had gekregen dat gestorven was.

Ze heette Stine. Was mager en had grote ogen, een mooie, bronzen huid en hoge jukbeenderen.

Oline klaagde openlijk over een zo magere voedster. Dat ze van Lapse afkomst was, daar had ze het niets eens over. Maar al snel bleek dat de kleine borsten een onuitputtelijke bron van levenselixer waren. En het magere, pezige lichaam dat zo'n rust uitstraalde, leek geschapen om een kind in slaap te wiegen.

Ze had een paar dagen tevoren haar zoontje verloren. Maar daar sprak ze met geen woord over. In het begin was ze achterdochtig en voelde ze zich ellendig, met borsten die op springen stonden van de melk.

Ze wisten dat ze niet getrouwd was, maar er was niemand die haar daar op aansprak.

Het was Stine die evenwicht en rust bracht in de zwoele, geurende juninachten. Alles werd stil.

De weeïge geur van zuigeling en melk kwam uit Stine's kamertje. Zweefde door de gangen tot in alle hoeken. Zelfs in het knechtenverblijf kon men een vleugje vrouw en kind waarnemen, hoe dat nu ook mogelijk was.

Dina bleef zeven dagen in bed. Toen begon ze weer te ijsberen. Driftig als een geit die tegen een heuvel op loopt.

'Als het het kind niet is, dan is zij het wel', zei Oline.

Het was een hete zomer. In de huizen en op het erf. De mensen op de hoeve begonnen te geloven dat alles weer als vroeger zou kunnen worden. Toen Jacob zaliger nog leefde en er punch werd geschonken aan familie, vrienden en notabelen, die van heinde en verre kwamen.

Stine gaf borstvoeding. Ze sloop als een schaduw rond. Geruisloos, alsof ze verwant was aan de zomerwind en het grondwater.

Oline had tegen al het personeel gezegd dat ze niet mochten

vertellen dat het kind in de zomerstal geboren was.

Moeder Karen zei dat de Here zelf ook in een stal geboren was, en dat dat misschien een goed teken was.

Maar Oline was onvermurwbaar. Dit moest geheim blijven. Maar het lekte toch uit. Dina op Reinsnes was op haar huwelijksdag in haar ondergoed voor de bruiloftsgasten verschenen, en nu had ze in een stal een kind gebaard!

Dina begon die zomer weer in het hele huis te komen.

Toen ze een keer in de keuken was, merkte ze op dat Oline roos op haar schouders had.

Oline was dodelijk beledigd. Had zij soms niet dit verdorven mens verlost in een stal? Toen Dina weer vertrokken was, loerde ze kwaad naar het plafond, met de blik van een valse hond die aan de trap is vastgebonden.

Tussen Stine en Dina bestond een zwijgende verstandhouding.

Ze stonden af en toe samen over de wieg gebogen, zonder veel te zeggen. Ze was niet bepaald spraakzaam, deze Stine.

Op een dag vroeg Dina: 'Wie was de vader van je kind?'

'Hij was niet van hier', klonk het.

'Is het waar dat hij al een vrouw en een kind had?'

'Wie zegt dat?'

'De mannen in de winkel.'

'Ze liegen!'

'Waarom kun je dan niet zeggen wie het is?'

'Het maakt niet uit, het kind is dood...'

Deze harde levensfilosofie stond Dina wel aan. Ze keek Stine in de ogen en zei: 'Nee, je hebt gelijk, het maakt niet uit! Het gaat niemand iets aan wie de vader is.'

Stine slikte en beantwoordde dankbaar Dina's blik.

'Ons kind gaat Benjamin heten, en jij moet hem ten doop houden!' ging Dina verder, en pakte het blote kindervoetje dat in de lucht trappelde vast.

Het kind lag niet meer in windselen. Er heerste een verstikkende hitte op de bovenverdieping. Het rook er dag en nacht naar zonverbrand huis.

'Kan dat wel?' vroeg Stine ontzet.

'Jazeker! Jij hebt mijn kind het leven gered.'

'Jullie hadden hem aangelengde koeiemelk kunnen geven...'

'Onzin! Je krijgt een nieuwe blouse, een nieuwe onderrok en een nieuw lijfje. En de predikant komt na de doop hier.'

De drost raakte buiten zichzelf van woede toen duidelijk werd dat hij zijn eerste kleinkind niet ten doop mocht houden, en dat het kind niet vernoemd werd.

'Jacob! Hij had Jacob moeten heten!' bulderde hij. 'Benjamin is niets dan een wazig, bijbels vrouwenverzinsel!'

'Benjamin is de zoon van Jacob – in diezelfde bijbel', zei Dina koppig.

'Maar er is in beide families niemand die Benjamin heet!' riep de drost.

'Vanaf volgende zondag wel! Wil je alsjeblieft naar de rookkamer gaan, dan hebben wij rust.'

De drost bleef staan. Met een vuurrode kop. Iedereen in de keuken en de woonkamers kon meegenieten van het schouwspel. Hij was naar de hoeve gekomen om orde op zaken te stellen. En dit was zijn dank!

Hij moest in de kerk naast die Stine staan, een Lappenmeid die een bastaard had gebaard.

De drost kon zo beledigd zijn, dat de razernij als het ware in zijn lichaam opgesloten werd. En als de woede dan eindelijk naar buiten kwam, was er niemand die de geluiden kon tolken.

Ten slotte draaide hij zich om en gaf te kennen dat hij uit dit gekkenhuis wilde vertrekken, naar huis. En dat Benjamin net zo min een mannennaam was als Maria.

'In Italië heten mannen ook Maria', merkte Dina droogjes op. 'Als je naar huis gaat, vergeet je pijp dan niet, die ligt binnen. En zijn naam is en blijft Benjamin!'

Boven op de gang stond Stine geluidloos te huilen. Ze had elk woord gehoord.

Oline mompelde iets waar niemand aandacht aan schonk. De mannen die hielpen bij de oogst aten in de keuken hun avondpap, slecht op hun gemak.

Maar op weg naar het knechtenverblijf begonnen ze al te lachen. Verdorie, was die jonge mevrouw even koppig. Eigen-

lijk beviel hun dat wel. Want niemand anders had een mevrouw
die haar kind door een dienstmeid ten doop liet houden, alleen
omdat ze het gevoed had!

Drost Holm liep met woedende, zware passen naar de kajuitboot.

Maar hoe verder hij het pad afliep, des te meer leek hij weer
bij zinnen te komen. Zijn stappen werden langzamer, totdat hij
met een zucht bleef staan bij het botenhuis.

Toen draaide hij zich voor de tweede keer die dag op zijn
hakken om en liep dezelfde weg terug. Maakte onnodig veel
lawaai op de trap en riep door de geopende deur: 'Laat hem dan
in godsnaam maar in zonde leven, en Benjamin heten!'

Maar Dagny was dodelijk beledigd. Zij wilde absoluut niet mee
naar de kerk. Deze grove, openlijke belediging kwelde haar dag
en nacht.

En toen ze naar de kerk zouden vertrekken, was ze verkouden
en ziek, had hoofdpijn en rode ogen.

En zonder haar toezicht konden de jongens ook niet mee.
Het waren er inmiddels twee.

De drost voelde zich eventjes schuldig toen hij haar verwij-
tende ogen op zich voelde. Maar hij vermande zich, zuchtte, en
verklaarde dat het ondanks alles zijn eerste kleinkind was. Het
was zijn plicht om naar de kerk te gaan!

Hij vertrok met het doopgeschenk in zijn zak en voelde zich
een hele piet. Onnoemelijk opgelucht dat hij ontsnapte aan
Dagny's beschuldigende, misprijzende blikken, die altijd zeiden: 'Kijk nou toch eens naar die dochter van je, mijn beste
Lars! Wat een schande.'

Alsof hij dat niet wist!

Het ergst waren Dagny's veelzeggende blikken en de eeuwige
opmerkingen over haar eigen onberispelijke gedrag als jongeda-
me 'daar in het zuiden'. Daar kon hij zo woedend over worden,
dat hij zich meerdere malen had moeten beheersen om niet zijn
grote handen om haar hals te leggen.

Maar de drost wurgde niet en sloeg niet. Hij keek mensen
met twee donkerblauwe ogen aan. En was diep beledigd en

ongelukkig als er iets vervelends gebeurde.

Toch kreeg hij op zijn goedmoedige en luidruchtige manier altijd zijn zin, zowel in de rechtszaal als elders. In ieder geval sinds Dina veilig opgeborgen was op Reinsnes.

Hij zond meer dan eens dankbare gedachten aan zijn dode vriend en aan moeder Karen. Maar hij durfde er nooit bij stil te staan hoe het op Reinsnes moest zijn.

Er waren maar weinigen die hem de geruchten durfden te vertellen. Daarom hoorde hij alleen als Dagny hem ergens voor wilde straffen, hoe erg het op Reinsnes was. Met een vrouw des huizes die zich niet in haar eigen woonkamers liet zien, maar die 's nachts paard reed. Die omging met stalknechten en dienstmeisjes.

Soms dacht hij aan Dina's jeugd. Dat ze zo lang niet onder de mensen was geweest. Tot die wonderlijke Lorch was gekomen. Een man die vlees noch vis was, zoals Dagny altijd zei.

Af en toe speelde er door het hoofd van de drost een gedachte die hem een slecht geweten bezorgde. Maar hij vatte die gedachte op als een belediging, alleen gezonden om hem te kwetsen. Daarom vond hij dat hij volledig het recht had dat denkbeeld af te wijzen.

3

Wanneer uitkomt, wat gij gezegd hebt, hoe moeten
dan de leefwijze en het werk van de jongen zijn?

(Richteren 13:12)

De zuurzoete geur van zuigeling en moedermelk had op iedereen een merkwaardige uitwerking. Vooral omdat het drieëntwintig jaar geleden was sinds de vorige keer.

Soms kwam Oline met vergelijkingen.

'Hij lijkt op Johan!' of: 'Het is net Johan! Die keek ook zo als
hij in zijn luier poepte!'

Ze legde een groot enthousiasme aan de dag voor deze
nieuwe telg van het geslacht. Was geobsedeerd door de manier
waarop de oren van de kleine Benjamin vastzaten aan zijn
hoofd. Ze had zich in haar hoofd gezet dat ze een beetje
uitstaken. En dat dat een onbekende trek was in de geschiedenis
van het geslacht. Ze loerde naar Dina, die haar oren altijd onder
haar haren verborgen hield.

Ze moest zichzelf inhouden om niet te onderzoeken of de
jongen die spitse faun-oortjes van zijn moeder had.

Maar aangezien je niet zomaar naar Dina toe kon lopen en
haar aan kon raken, beperkte ze zich tot de opmerking dat ze
vergeten was te kijken of de drost zulke oren had.

'De oren van de drost zijn afgesneden toen hij klein was,
omdat ze zo lelijk waren', zei Dina respectloos.

Oline was gekwetst. Maar ze begreep de hint. En zei niets
over het uiterlijk van de jongen zolang Dina in de buurt was.

Maar Stine kreeg wel het een en ander te horen. In het begin
maakte Oline zich vooral zorgen over het feit dat de jongen
geen sprietje haar op zijn hoofd had. En dat hij een grote
moedervlek op zijn linkerschouder had.

Ze verweet Stine dat de melk misschien zo weinig voedzaam
was, dat zijn haar niet wilde groeien.

Het mocht niet baten dat zowel Stine als moeder Karen wel beter wisten. Dat ze allebei kinderen kenden die helemaal kaal waren geweest tot ze begonnen te lopen. En dat de natuur vaak zo omsprong met een mensenkind.

Benjamins eerste zomer was ondraaglijk warm.

Stine's borstlappen werden snel zuur, en er hingen er voortdurend een heleboel te drogen aan de drooglijn achter het washuis.

De seringen waren zo snel uitgebloeid dat de geur nauwelijks merkbaar was geweest. De droogte bracht de oogst in gevaar. De hitte maakte de mensen futloos en prikkelbaar.

Ondertussen at, huilde en sliep de jonge Benjamin als een pup uit een goed nest. Alles groeide zichtbaar, behalve zijn haar.

Hij at zijn kleine, magere voedster als het ware op. Ze kreeg kiespijn en werd alsmaar dunner, ook al voerde Oline haar room en boter, opdat de melk rijkelijk zou vloeien.

Omdat Dina had doorgezet dat Stine Benjamin ten doop hield, had het Lapse meisje een ongeschreven en onuitgesproken status verworven, tot ver buiten Reinsnes.

Dina zelf leek alles vergeten te zijn zodra de doop achter de rug was.

Stine nam het nachtelijke waken, het voeden, de windselen en de rest op zich. Ze genoot van het aanzien dat ze had verworven. Ze kromde haar magere rug tegen het geroddel van de mensen en liet zich elke dag verwennen met ontbijt op bed, ingemaakte bergframbozen en dikke room. Plus verse boter en melk met honing om haar eetlust op te wekken.

Ze schoof de gedachte aan de dag dat de jongen gespeend moest worden, angstig voor zich uit. Dat zou nog wel een paar maanden duren, en niemand sprak erover.

Iedere keer dat Stine het kind in Dina's armen legde, werd er een magische cirkel getrokken. Ten slotte was het zo dat Dina het kind alleen oppakte als Stine er was om het in haar armen te leggen. Stine was het begin en het einde.

Toen moeder Karen en Oline op een dag over Stine gebogen stonden, die het kind voedde, zei Dina: 'Stine mag zo lang ze wil op de hoeve blijven. We hebben haar niet alleen voor het voeden nodig!'

Moeder Karen vergat snel dat ze zich gekwetst voelde omdat ze niet om raad was gevraagd.

Zo werd besloten dat Stine voorgoed op Reinsnes zou blijven, ook als ze niet meer zoogde.

Vanaf die dag glimlachte ze. Haar kiespijn verdween toen ze de moed had gevonden de smid de kies te laten trekken.

Tomas droeg de herinnering aan de dag van Jacobs begrafenis altijd met zich mee. Als een waanzinnige gebeurtenis.

Hij zag Dina de trapleuning berijden. Naakt en groot, met slechts haar onderbroek tussen haar huid en het gelakte hout, om beter te glijden.

Soms dacht hij dat hij het gedroomd had. Andere keren was hij daar niet zo zeker van.

Dan schoot hem plots weer te binnen dat hij, Tomas, in de zaal op het schapevel had gelegen.

Hij werd er heimelijk zowel door geridderd als door verdoemd. Hij hoorde niet langer bij zijn eigen stand. Het maakte niet uit dat hij de enige was die het wist.

Hij liep met een rechtere rug en kreeg een naar binnen gekeerde, hooghartige blik die niet gepast was voor een daglonerszoon en een stalknecht.

Veel mensen zagen het, maar niemand kende de oorzaak. Hij was een vreemde op Reinsnes. Iemand die door Dina was meegebracht.

Maar tijdens de oogst was er niemand die met Tomas durfde te spotten. Want niemand kon zijn tempo bijhouden. De mannen werkten liever niet naast hem.

Ze vroegen hem het wat rustiger aan te doen, maar hij leek het niet te horen. Hij liet zijn maten altijd een paar meter achter zich.

Ten slotte vonden ze manieren om hem in bedwang te houden. Ze lieten hem de hele dag met de hooivork hooi op de kar gooien. Ze lieten hem de moeilijkste akkers alleen maaien, 's avonds. En hij moest in de schafttijd de wetsteen en de emmer karnemelk halen.

Tomas protesteerde nooit. Want hij trad beelden en gebeurtenissen binnen. Geuren. Terwijl hij urenlang zijn armen boven zijn hoofd strekte met grote happen hooi. Of tussen de hoeve en de akkers heen en weer rende. Nieuwe wetstenen haalde, de slijpsteen ronddraaide of de melkemmer vulde bij Oline.

De zomer dat Dina haar kind kreeg, was zijn lichaam olieachtig en donker van het zweet en de zon.

Ieder namiddag stopte hij zijn hoofd en bovenlichaam in de waterbak in de paardewei en schudde zich droog, net als de paarden.

Toch brandde hij van binnen. Maar hij kwam niet verder met het blussen dan een rijtocht. En als zij dan dichtbij kwam, zat er nog altijd een stijgbeugel tussen hen in.

Tomas had zijn ziel en zaligheid aan de duivel willen verkopen om dat stuk ijzer te kunnen verwijderen.

Dina lag vaak in de kleine, steil aflopende baai achter de heuvel met de vlaggemast. Goed verborgen tussen heuvels en berkebomen. Op veilige afstand van de akkers en de vaarroute.

Ze lag tot aan haar kin in het koele water, terwijl haar borsten boven water dreven, alsof ze dieren waren die zelf probeerden te zwemmen.

Als ze weer naar de kant kwam, stond Hjertrud soms aan de boszoom en wenkte haar met opgeheven hand.

Dan bleef Dina staan, haar hemd of handdoek half om zich heen geslagen. Wachtte tot Hjertrud tegen haar praatte, of verdween.

Sinds de dag dat Dina uit het kraambed was opgestaan en weer rondliep, gebruikte Tomas al zijn vindingrijkheid om uit te zoeken wanneer ze baadde. Dat was op de meest vreemde uren van de dag.

Hij had zijn eigen waarschuwingssysteem. En liet alles liggen om haar te volgen, als hij tenminste op de hoeve was.

Werd 's nachts wakker en was paraat. Had een zesde zintuig voor geritsel in het gras vanaf het knechtenverblijf tot aan de baai, waar een vos jaloers op kon zijn.

Op een dag stond hij plotseling voor Dina. Nadat hij haar in alle eerbaarheid had bespioneerd tot ze zich had aangekleed en weer op weg was naar het huis.

Vogeltjes fladderden in de schaduwen tussen de bomen.

Ze hoorden allebei de etensbel van een van de boerderijen aan de overkant van de Sont.

De bergen hadden zich in hun donkerblauwe avondschaduw gehuld, en de insekten zoemden. De geur van heide en zonverbrand zeewier vermengde zich met de andere geuren.

Dina bleef staan en nam de man die voor haar stond op. Vragend. Alsof ze wilde weten wie hij was. Ze had die diepe rimpel tussen haar wenkbrauwen. Dat maakte hem onzeker. Toch moest hij het erop wagen.

'Je zei dat je me zou laten komen...'

'Komen? Waarvoor?'

'Om me te zien?'

'En waarom zou ik jou willen zien?'

Hij voelde hoe haar stem ieder bot in zijn lichaam kraakte. Toch bleef hij rechtop staan.

'Omdat... voor... die dag dat Jacob... Die dag in de zaal...'

Hij fluisterde. Jammerde. Bood het haar aan als een offerlam.

'Ik had andere dingen te doen!'

Dat stelde ze vast alsof ze met een dubbele onderstreping het eindbedrag in haar boekhouding markeerde. Zo en zoveel winst. Zo en zoveel schuld nog te innen. Zo en zoveel verloren door een slechte visvangst.

'Ja... maar...'

Zij gebruikte haar glimlach. Waarmee ze iedereen om de tuin leidde. Maar Tomas niet.

Want hij had een andere Dina meegemaakt. In de zaal. Sindsdien vond hij het niet prettig als ze glimlachte.

'Er komen wel weer andere tijden. Een mens doet wat hij doen moet', zei ze terwijl ze hem recht in zijn ogen keek.

Haar pupillen werden groter. Hij zag de barnsteenkleurige vlek in haar linker iris. Onderging de kilte in de loodgrijze ogen als een fysieke pijn. Die hem verlamde. Hij bleef staan. Hoewel ze hem duidelijk te kennen gaf dat ze er langs wilde. Hij durfde haar niet aan te raken, hoewel ze zo dichtbij was dat alleen huid en kleren hen nog scheidden.

Toen leek haar iets te binnen te schieten. Ze hief haar hand op en legde hem op zijn donzige wang. Die was klam van de warmte, de spanning en de schaamte.

'Ik heb het een tijdje rustig aan moeten doen, mocht me niet vergalopperen', zei ze afwezig. 'Maar jij kunt nog steeds paardrijden.'

Diezelfde avond reden ze over de pas, nog voordat Dina's haar goed en wel droog was.

Een paar keer leidde ze Zwarterik met strakke teugels tot zo dicht naast hem dat haar laarzen tegen zijn kuiten schuurden.

De herfst begon zich kenbaar te maken. Het loofbos werd al geel, en vanuit de verte leek de helling met de espen in brand te staan.

Hij durfde haar niet lastig te vallen of eisen te stellen. Hij kon niet meer dan één afwijzing per dag verdragen.

Maar het verterende vuur in zijn lichaam werd niet gedoofd. Tomas sliep onrustig, met vele, verwarrende dromen die hij in het knechtenverblijf niet kon vertellen.

Soms hield hij midden onder het werk op omdat hij haar geur rook. Soms dacht hij dat ze vlak achter hem stond en draaide hij zich razendsnel om. Maar ze was er nooit.

Ondertussen spreidde het wilgeroosje zich met haar roodpaarse bloemen uit over bermen en weilanden.

De jonge vogels konden allang vliegen. De meeuw en de stern dempten hun gekrijs tot een sloom koeren als er een schip met vis binnenliep. En de put begon leeg te raken.

4

Wie een mens rooft, hetzij hij hem reeds verkocht
heeft, hetzij deze nog in zijn bezit wordt aangetrof-
fen, zal zeker ter dood gebracht worden.

(Exodus 21:16)

Nu Dina weer onder de mensen kwam, zag moeder Karen met
toenemende ongerustheid dat ze weer verviel in weinig gepaste
gewoonten en grillen.

Dina baarde opzien als ze onder vreemden was. Ze gedroeg
zich bijna als een welgesteld heer van groot aanzien. Als de
gelegenheid zich voordeed, rookte ze zonder een spier te vertrekken een sigaar na het diner. Het was alsof ze wilde choque-
ren en provoceren.

Wanneer de heren zich terugtrokken in de rookkamer, volgde Dina hen met de grootste vanzelfsprekendheid.

Ze lag met gekruiste benen op de chaise longue. De hand die
de sigaar vasthield, rustte lui op het pluche.

Ze schopte zelfs af en toe haar schoenen uit.

Ze zei niet veel. Nam zelden deel aan de discussies, maar wees
hen wel terecht, als ze vond dat iets niet klopte.

De mannen voelden zich bespied en opgelaten. Het sigaren-
en punchuurtje wilde niet echt zoals vroeger worden.

Dina's aanwezigheid en haar gelaatsuitdrukkingen werkten
de heren op de zenuwen. Aangezien zij de vrouw des huizes was,
kon je niet eens door beleefde insinuaties duidelijk maken dat
ze ongewenst was. En ze liet zich niet wegkijken.

Het was alsof de dominee op bezoek was. Ze konden zich
niet laten gaan en met sterke verhalen op de proppen komen.

Want Dina zat daar met die glimlach van haar te luisteren.
Gaf hen het beklemmende gevoel dat ze zich belachelijk maakten.

Het meest smadelijk was het als ze het gesprek onderbrak om

getallen te verbeteren, of jaartallen, wat winst zou kunnen opleveren, wat in de kranten had gestaan.

In het begin dachten ze dat ze wel zou weggaan als Benjamin begon te huilen. Maar ze vertrok geen spier.

Het werd Niels na verloop van tijd te veel. Hij verplaatste zijn punchuurtje naar het kantoor. Richtte in een hoek een bescheiden salon in.

Maar Dina liet zich niet verdrijven. Hield de boekhouding met argusogen in de gaten. En dronk van de kantoorpunch.

Toen Benjamin goed en wel een jaar oud was, zag Dina op een dag dat Stine snikkend over de jongen gebogen zat.

De tranen bleven druppen. Maar er kwam geen geluid. De jongen staarde naar zijn voedster en dronk. Af en toe deed hij een oog dicht omdat hij al geleerd had dat de tranen hem midden in het oog konden treffen.

Eigenlijk dronk hij alleen nog voor de gezelligheid en de intimiteit, want Stine's borsten begonnen op te drogen. En dat werd tijd ook, vond moeder Karen. Na veel mitsen en maren kreeg Dina Stine's verhaal te horen.

Ze had zich laten verleiden. Dacht dat ze niet zwanger kon worden zolang ze borstvoeding gaf. Maar die oude wijsheid gold blijkbaar niet voor meisjes als zij.

Eerst wilde ze niet vertellen wie de vader was. Maar Dina bleef aandringen.

'Als je me niet vertelt wie de vader is, zodat hij een fatsoenlijke vrouw van je kan maken, dan wil ik je hier niet hebben.'

'Maar dat kan niet', huilde Stine.

'Waarom kan dat niet?'

'Omdat het een heer van stand is.'

'Dus hij is niet van Reinsnes?'

Stine huilde.

'Komt hij uit Strandstedet?'

Stine snoot haar neus en schudde haar hoofd.

'Uit Sandtorg dan?'

Zo ging Dina door tot ze te horen kreeg wat ze eigenlijk al

wist. Dat Niels de vader van het kind was.

Niels gebruikte de salon en de nachtelijke stilte in de verlaten winkel niet alleen om een glas punch te drinken.

'Ik heb gehoord dat Niels vader wordt!'

Dina deed de deur van het kantoor achter zich dicht en zette haar handen in haar zij. Niels zat achter het grote eikehouten bureau.

Hij keek op. Toen doofde zijn blik. Eerst had hij moeite om haar in de ogen te kijken.

Toen draaide hij 180 graden om en deed alsof dit de eerste keer was dat hij dat verhaal hoorde.

Haastige uitvluchten stroomden uit zijn mond, als suiker uit een lekke zak.

'Dat is pure onzin!' stelde hij vast.

'Jij bent oud genoeg om te weten wat je doet, dat hoef ik je niet te vertellen. Maar een kind wordt niet gezaaid door de Heilige Geest. Niet waar wij wonen! Dat was in het land van de Joden. En dat was een speciaal geval! Voor zover ik heb begrepen, heb je Stine hier verleid, in deze kamer?'

Niels sprak haar al tegen voordat ze uitgesproken was. Even spraken ze door elkaar heen.

Toen vonkten Dina's ogen. Van razernij en minachting, gepaard met een soort genoegen.

Ze liep langzaam naar het bureau toe, terwijl ze zijn blik vasthield. Toen boog ze zich naar hem toe en legde haar hand op zijn schouder. Haar stem klonk als het gespin van een kat in de zon.

'Onze Niels is oud genoeg om te kiezen. Vandaag kan hij twee dingen doen: hij kan Stine zo snel mogelijk naar het altaar leiden of hij kan voorgoed van Reinsnes vertrekken! Met een half jaar loon!'

Niels bevroor. In feite vermoedde hij wel dat Dina op een aanleiding wachtte om zich van hem te ontdoen. Had dat al begrepen toen ze die eerste keer in het kantoor in de boeken ging snuffelen.

'Je wilt me verdrijven van de hoeve van moeder Ingeborg!' zei hij. Hij was zo opgewonden dat hij deftig sprak.

'Het is al een tijdje geleden dat deze hoeve van Ingeborg was', stelde Dina honend vast.

'Johan krijgt dit vandaag nog te horen!'

'Vergeet dan niet erbij te vertellen dat je over een half jaar vader wordt, en dat je geprobeerd hebt Stine alleen voor de schande te laten opdraaien. Aangezien Johan voor predikant leert, zal hij dat vast wel op prijs weten te stellen!'

Ze keerde zich bedaard om en liep weg.

'Ik geef je tot vanavond de tijd om me te vertellen wat je besloten hebt', zei ze met haar rug naar hem toe. Sloot de deur voorzichtig en knikte opgewekt naar het winkelmeisje, dat met klapperende oren wel erg dicht bij de deuropening stond.

Tegen de avond kwam hij naar de zaal, waar zij zat te spelen. Ze waren goed voorbereid. Allebei.

Hij kon toch niet met een Lapse trouwen! Een meisje dat bovendien een kind van een ander had, ook al was dat kind dan dood. Dat moest Dina begrijpen.

Eerlijk gezegd had hij andere plannen. Hij had een meisje van goede familie op het oog. Noemde haar naam en alles. En glimlachte vragend naar Dina.

'Maar toen je haar op de vloer van het kantoor neerlegde, kon je je fijngevoeligheid en het idee dat ze maar een Lapse is wèl opzij zetten!'

'Zij deed ook mee!'

'Jazeker, en ze doet nog steeds mee. Het groeit en bloeit in haar buik. Alleen Niels doet niet meer mee.'

'Het zou tegen Jacobs wil zijn, als je me wegstuurt.'

'Jij weet niks af van Jacobs wil, maar ik wel!'

'Je wilt me dwingen mijn huis te verlaten!'

Hij zeeg neer in een stoel.

Dina liep naar hem toe en aaide hem over zijn arm. Boog haar struise gestalte over hem heen.

'We hebben je alleen op de huwelijksdag nodig. Daarna mag je vertrekken – of blijven', zei ze zachtjes. 'Als je blijft, kun je rekenen op een verdubbeling van je jaarloon, vanwege Stine.'

Niels knikte en haalde een hand over zijn gezicht. De slag was verloren.

Die avond dwaalde er een tragische gestalte over de paden tussen de gebouwen. Hij wilde geen avondeten. Niels had nu geleerd dat je een troef achter de hand moet houden, zolang je niet zeker bent van je positie. Verschillende heren hebben verschillende regels.

Dina's regels waren anders dan de meeste.

Niels had jarenlang grote vindingrijkheid aan de dag gelegd. Hij had een veelzijdig handelstalent als het aankwam op het zich verschaffen van een eigen inkomen. Deze verdiensten stonden niet in de boeken opgevoerd.

Soms kwamen vissers en boeren bij moeder Karen of Anders klagen over Niels' harde methodes als ze hun schulden niet konden betalen.

Het was zelfs wel voorgekomen dat moeder Karen de schuld van een arme stakker had afbetaald, opdat Niels hem met rust zou laten.

Hij beweerde dat hij niet het gerucht kon laten ontstaan dat schulden werden kwijtgescholden, want dan zou iedereen hier zijn nood komen klagen, zodat ze niet hoefden te betalen.

Maar moeder Karen betaalde.

Dina bemoeide zich niet met zulke zaken, als de schuld maar genoteerd stond.

Maar het kwam ook voor dat Niels bedragen opeiste die niet in de boeken stonden. Dat waren mondelinge afspraken, zoals Niels dat noemde.

Die afspraken kwamen alleen aan het licht als de mensen erover klaagden.

Dina kneep haar lippen opeen en zei: 'Een schuld die niet in de boeken staat, is geen schuld. En kan dus niet worden geïnd!'

Niels gaf zich gewonnen.

Hij zorgde er alleen voor dat de mensen de volgende keer geen reden tot klagen hadden.

En deze sommen geld waren even goed verborgen als de hemelse schatten.

Want zodra het gebeurd was, stond niemand er meer bij stil

dat Niels zelf een vermolmde plank in de vloer van het kantoor had gerepareerd. Onder de zware wastafel met de zware marmeren plaat die in de hoek achter de deur troonde.

De meisjes verschoven de wastafel niet. Hij was te zwaar. Ze poetsten er keurig omheen. Lieten hun dweil rond de blauwgeverfde sokkel likken.

Met de jaren werd er een afgeboende, brede streep blank hout zichtbaar. De biljetten lagen veilig onder de losse plank. In een stevige blikken doos. Zijn vermogen groeide gestaag.

Als er iets te verdienen viel, maakte Niels geen onderscheid tussen werkdagen en zondagen.

Toen Benjamin naar bed moest, was Stine verdwenen. Hij had de hele dag met fraai gekleurde bolletjes wol gespeeld op de zolder van het knechtenverblijf, omdat de meisjes daar aan het weven waren.

Eerst raakten ze geïrriteerd toen het kind moe en vervelend begon te worden en maar niet werd opgehaald.

Daarna waarschuwden ze Oline. Er werd een zoekactie op touw gezet.

Dina zocht zelf ook mee. Maar tevergeefs. Stine was nergens te vinden.

De derde dag vond Dina haar in het vissershutje waar ze vandaan kwam.

Tomas en Dina kwamen in de sloep om haar mee terug te nemen. Stine zat naast het fornuis in de pap te roeren toen ze binnenkwamen. Haar gezicht was gestreept door roet en tranen.

Eerst wilde ze niet praten. Keek alleen schuw naar de familie die om haar heen zat. Het hutje had maar één kamer. Er was geen plaats om iemand onder vier ogen te spreken.

Maar toen haar jichtige en uitgemergelde vader zijn keel schraapte en haar bemoedigend aankeek, gaf ze toch antwoord.

'Ik wil niet met Niels trouwen!'

Ze wilde liever de schande en de straf voor de ontucht dragen. Wilde niet haar hele leven worden gekweld door iemand die met haar had moeten trouwen om op Reinsnes te kunnen blijven.

'Hij woont er al sinds hij op zijn veertiende wees werd!' voegde ze eraan toe. Er lag een aanklacht in besloten.

Ik ben Dina. Ik hoef niet te huilen, want alles moet zijn zoals het is. Stine huilt. Ik draag haar met me mee. Zwaar of licht. Zoals ik Hjertrud draag.

Iedereen in de kamer hoorde dat mevrouw Dina van Reinsnes om excuus vroeg. Steeds weer.

Stine's oude vader zat in een hoek. Stine's jongere zuster nam het koken van haar over. Een halfwassen jongen liep naar buiten om hout te halen.

Niemand probeerde zich ermee te bemoeien. Ten slotte werd iedereen aan tafel geroepen. Voor haringsoep en *flatbrød.* De tafel was ruw en blank geschuurd als door de wind gewassen walvisbotten. De gevoelens lagen zwaar in de damp boven de tafel.

Het nieuws verspreidde zich snel. Als vonken rond een branddende dennetak. Niels mocht blij zijn dat hij nooit in het knechtenverblijf hoefde te komen. Want daar werd hij niet gespaard.

Stine had Niels een blauwtje laten lopen! Dat was een mooi verhaal. Niels sloop rond en probeerde hun respect weer te winnen. Maar de dienstmeisjes meden hem. De mannen ontweken hem. Hij werd melaats. De rechtspraak van de onderdrukten is verpletterend.

Stine kwam terug naar de hoeve. Ze werd dikker. Had rode wangen en was gezond als een vis, nadat de eerste ochtendmisselijkheid voorbij was.

Ze zong voor Benjamin en at er goed van.

Moeder Karen converseerde met gasten van heinde en verre en vertelde over haar eigen reizen door Europa. Dat het steeds dezelfde verhalen waren, deed niet terzake.

De echt beroemde gasten hoorden ze altijd voor het eerst.

En de oude gasten wenden aan de fraaie verhalen zoals je went aan de seizoenen. Moeder Karen had verhalen die pasten bij de opleiding, de achtergrond en de stemming van iedere gast. Ze wist altijd wanneer het genoeg was.

Vaak trok ze zich al tegen punchtijd terug met een bevallige zucht, waarbij ze opmerkte dat ze zou willen dat ze jonger en kwieker was.

Dan nam Dina het over, met genadeloze vingers. Dan was er muziek. Bevrijding. Koorts! Die zich over de hele hoeve en de landerijen verspreidde. Over de stranden. Die Tomas bereikte op zijn harde bed in het knechtenverblijf, en hem verdriet en vreugde bracht. Al naar gelang waar de toon hem trof.

5

Want wij moeten zeker sterven, en worden als water,
op de aarde uitgegoten, dat niet verzameld wordt.
God neemt echter het leven niet weg, maar zoekt
wegen dat een verstotene niet van hem verstoten
blijve.

(2 Samuel 14:14)

Op een dag stond Stine's broer in de keuken van Reinsnes.
Gekleed in de eenvoudige kleren van de Zeelappen, gemaakt
van gelooide rendierhuid, en met een blauwe muts met biezen
op zijn hoofd. Zijn laarzen waren kapot en doorweekt.

Ze hadden thuis geen meel meer. Hij was verdwaald toen hij
over de berg wilde trekken om op Reinsnes om een aalmoes te
vragen. Boven was hij door een beer verrast.

Hij was zo geschrokken dat zijn ene ski was losgeschoten en
de berghelling was afgegleden. De rest van de weg had hij door
de diepe sneeuw moeten waden.

De jongen hield zijn handen voor zich uit alsof hij er geen
gevoel meer in had. Hij was net zo tenger en klein als zijn zuster.
Hij had het jaar daarvoor belijdenis gedaan. Hij had nog geen
baardgroei, alleen hier en daar wat dons. Er hing een grote
zwarte lok voor zijn schrandere ogen.

Oline zag al snel dat hij bevroren handen had. Stine liep
zwijgend heen en weer om voorbereidingen te treffen. Smeerde
wollen lappen in met traan.

Stine was net bezig de vingers van de arme jongen te verbinden toen Dina de keuken binnenkwam. Het stonk er naar
traan, zweet en natte kleren. De jongen zat midden in de
keuken op een krukje. Hulpeloos liet hij zich verzorgen.

'Wat is hier aan de hand?' vroeg Dina. Terwijl ze haar
antwoordden, kwam Jacob uit de bijkeuken met de stank van
rottend vlees. Die lucht was onmiskenbaar.

Dina greep de deurpost beet en leunde er zwaar tegenaan, tot ze zeker wist dat ze weer kon blijven staan. Daarna liep ze naar de jongen en bekeek zijn pijnlijke handen. Toen hield Jacob op te stinken.

Dina bleef staan kijken hoe Stine hem insmeerde en verbond. De jongen huilde een beetje. Het was stil in de blauwe keuken. Afgezien van het kraken van de vloerplanken als Stine heen en weer liep.

De jongen kwam er dankzij Stine's verzorging weer bovenop. Hij bleef op de hoeve tot hij weer helemaal gezond was. Werd ondergebracht in het kamertje van Tomas.

Hij kon zich niet nuttig maken. Maar na een paar dagen begon hij te praten.

Tomas begroette deze onverwachte vriendschap met een zekere afstandelijkheid. Tot hij ontdekte dat het hem dichter bij Dina bracht als hij zich om de jongen bekommerde.

Dina vroeg Tomas hoe het met Stine's broer ging. Via Tomas wenste ze hem beterschap.

Voordat Dina naar Reinsnes was verhuisd, had Tomas haar de kunst van het schieten met een Laps geweer bijgebracht. In het diepste geheim, op de heuvel boven Fagernes, als ze sneeuwhoenders uit de vallen haalden. Op de hoeve moesten ze denken dat Tomas daar in zijn eentje aan het oefenen was.

De drost had een groot vertrouwen in de jongen, en rekende erop dat hij geen kruit verspilde.

Later kreeg Tomas het geweer van de drost cadeau. Hij had zich kranig geweerd tijdens een jachtpartij waarbij ze een beer hadden geschoten, die een aantal schapen van de drost had gedood.

Tomas beschouwde het cadeau als een inauguratie. Hij wilde berenjager worden.

Het geweer was gemaakt in Salangen. Door een Lap die zijn vak verstond. Het was Tomas' kostbaarste bezit.

Iedere keer dat er sprake was van beren, wist Tomas het zo te regelen dat hij mee mocht op jacht. Maar hij had nog nooit alleen een beer geschoten.

Dina was ingewijd in de schietkunst, maar had nog nooit gejaagd.

De drost accepteerde dat hij een dochter had die met een Laps geweer kon omgaan, als ze er maar niet te veel over praatte wanneer ze gasten hadden.

Jacob daarentegen vond dat vrouwen niet met kruit hoorden te schieten. Kruit was even kostbaar als goud!

Maar zoals hij moest accepteren dat Dina sigaren rookte, zo moest hij ook lijdzaam toezien hoe Dina met het geweer bleef oefenen nadat ze op Reinsnes was komen wonen.

Het geweer had een korte, smalle loop. De grendel was simpel en verre van perfect, en eiste veel van de schutter.

Het wapen had geen afsluiter op de pan, zodat het kruit je om de oren vloog.

Maar Dina had alle trucjes geleerd. Haar grip en manier van kijken waren aangepast aan het wapen. Ze leek met kruit dezelfde snelheid en precisie aan de dag te leggen als met getallen.

Het berenverhaal van Stine's broer moest waar zijn. De beer was door meer mensen gezien. En dat duidde erop dat hij naar het dal zou kunnen komen. In ieder geval was hij voorlopig nog niet van plan zijn hol op te zoeken. Een beer die bloed geproefd had. Niet zo groot. Maar met klauwen die sterk genoeg waren om de twee schapen die deze herfst niet uit de bergen waren teruggekomen, te doden.

Op een avond zocht Dina Tomas op in het knechtenverblijf. Wachtte tot hij alleen in zijn kamer was.

'Morgen gaan we op jacht, Tomas. We moeten die rondzwervende beer pakken!' zei ze.

'Ja, daar heb ik ook al aan gedacht. Maar Dina! Jij kan niet mee!' zei hij. 'Ik neem wel wat kerels mee uit...'

'Stil!' onderbrak ze hem. 'Niemand weet wat we gaan doen. Wij gaan die beer samen pakken. Hoor je me, Tomas? We zeggen gewoon dat we vallen gaan zetten.'

Er viel een stilte.

Toen nam hij een besluit. Hij knikte. Hij wilde best in zijn eentje een beer te grazen nemen als hij haar daarmee urenlang voor zich alleen had. Van het ochtendgloren tot aan het vallen van de duisternis.

Ze zorgden voor vallen. Tomas verstopte het geweer in zijn tas.

Ze hoefden de strikken niet ver van de hoeve te zetten, want er waren veel sneeuwhoenders dat jaar. Ze bleven aan de rand van het bos en leken geen haast te hebben om de bergen in te gaan.

Alles was bedekt met sneeuw, die dit jaar vroeg gevallen was. Maar het was niet genoeg om te kunnen skiën. Het terrein was ruig en rotsachtig. Het urenlange ploegen door de sneeuw was zwaar. Maar ze spraken er niet over.

De sneeuwhoenders hadden nog niet hun winterkleed aangetrokken en staken duidelijk af tegen al dat witte.

Daarna gingen ze op jacht naar Bruintje Beer.

Dina liep licht voorovergebogen, haar blik tussen de bomen gericht. Tomas liep voorop met geladen geweer.

Uur na uur verkenden ze het gebied waar de beer het laatst gezien was. Maar ze zagen geen sporen. Ze hoorden hem niet. Ten slotte moesten ze rechtsomkeert maken omdat het begon te schemeren. Ze waren moe. Tomas was hevig teleurgesteld dat ze geen spoor van de beer hadden gevonden.

Ze liepen langs de strikken om die vangst in ieder geval mee te kunnen nemen.

Tomas maakte de sneeuwhoenders los en hing ze aan zijn riem.

Eén hoen had zijn vleugel half afgerukt in zijn pogingen los te komen. Dieprode druppels etsten zich in de berijpte sneeuw. Een ander hoen leefde nog toen Tomas hem losmaakte. Twee ronde, gloeiende kooltjes knipperden hen een paar keer toe, voordat Tomas het kopje omdraaide en het voorbij was. De rijp bedekte de drassige velden. Als ze ademden, was er een aanzet tot vorstnevel.

Ze gaven de beer niet op, hoewel ze de berg al ver waren afgedaald. Ze liepen op één lijn door het landschap. Op flinke afstand van elkaar.

Toen ze bij de vosseklem kwamen, zat daar een haas in. Zijn

achterpoot was zwaar gewond. Toch slaagde hij erin weg te springen toen Dina hem uit de klem haalde. Hij wankelde tussen de berkebomen door en schoot achter een paar graspollen. Ze renden er allebei achteraan. Dina vond hem.

Ze pakte een stok en probeerde hem op zijn kop te slaan. Maar ze raakte zijn achterlijf.

Er trok een rilling door de haas, en hij vluchtte op drie poten weg door de sneeuw. Het volgende moment draaide hij zich naar haar om. Jammerde als een baby, en kroop op zijn voorpoten recht naar haar toe, terwijl hij zijn gehavende achterlijf achter zich aan sleepte. Hij huilde in de witte lucht, terwijl de sneeuw om hem heen langzaam rood werd.

'Sla dan!' zei Tomas, toen de haas voor Dina's voeten bleef liggen.

Ze bleef staan en wees naar de haas. De dood was al in de hazeogen te zien.

Ik ben Dina, die in het washuis van Fagernes staat. De stoom kan Hjertruds kreten niet smoren. Ze verscheuren alles. Zingen in de ramen. Beven in alle gezichten. Tinkelen in de brokken ijs in de waterton. De hele wereld is roze en wit van gekrijs en stoom. Hjertrud wordt langzaam uit haar eigen ik gepeld. In golven, en met grote kracht.

'Sla dan!' zei Tomas weer.

Ze draaide haar hoofd om en keek hem aan alsof hij er niet hoorde te zijn. Tomas staarde haar verbaasd aan. Zijn lippen krulden zich in een glimlach.

Eindelijk had hij de overhand. Voor het eerst. Hij legde aan en schoot. Het schot was zo krachtig dat de haas van de grond werd getild. De kop en het kleine lijfje werden voor hun ogen in de lucht verwrongen. Een zachte, verstilde beweging.

Toen werd het stil. De kruitdamp daalde op hen neer. Dina wendde zich af. Stukken witte pels lagen verspreid tussen al het rode, kapotte. Tomas hing het geweer over zijn schouder. De geur van bloed was sterk en onontkoombaar.

Toen ze zich weer omdraaide, stond de man haar te bestuderen. Met een begrijpende glimlach.

Ze was een lynx die een grote prooi naar de keel vloog.

Het echode in de kloof toen de gedrongen mannengestalte de grond raakte, met de grote vrouw bovenop hem.

Terwijl ze om en om rolden, rukte ze aan zijn kleren en beet hem in zijn nek. Hij begon zich pas te verweren, toen hij enigszins besefte wat er gebeurde. Ze ademden allebei zwaar.

Ten slotte lag hij rustig onder haar en liet haar begaan. Ze ontblootte zijn lid, en wreef erover met haar koude handen terwijl ze onsamenhangende woorden mompelde die hij niet begreep. Eerst vertrok hij zijn gezicht van pijn en kromp ineen. Toen sloot hij zijn ogen en liet het gebeuren.

Zijn lid verrees en kwam haar tegemoet met een gloeiend, willig hoofd. Ze had moeite zichzelf te vinden in al die kleren. Uiteindelijk gebruikte ze zijn mes om haar kleren los te snijden.

Tomas schrok toen het lemmet blikkerde. Maar ze ging alleen maar op hem zitten en opende zich voor zijn speer. Toen bereed ze hem. Wild.

Ze hief zich op haar knieën op en liet zich knorrend met haar volle gewicht op hem zakken.

Hij voelde hoe haar warme schoot hem helemaal omsloot. Af en toe kwam er koude lucht bij, als ze zich verhief. IJsnaalden prikten hem lek.

Hij pakte met bebloede handen haar heupen beet en hield haar vast. Vast.

Haar haar hing voor haar gezicht als een donker bos. De avondhemel brandde in zijn ogen toen hij een keer naar haar probeerde te kijken. De uiteengespatte haas was getuige. Wit en rood.

Toen het voorbij was, zeeg ze ineen – en bleef zwaar op hem liggen.

Zijn gezicht werd langzaam nat. Druppels vielen in zijn hals. Hij bewoog zich niet. Pas toen ze een huilend geluid maakte, zocht hij in haar haren en vond een van haar ogen. Een open wak.

Hij steunde op zijn elleboog en zocht haar voorhoofd met zijn mond. Toen werd het hem ook te veel. De sneeuw was onder hem gesmolten en had hem doorweekt, de kou sloeg plotseling van alle kanten toe.

Het beven van zijn lichaam verplantte zich naar het hare, in lange, koude rillingen. De zon had zich allang in de bergen gestort. De grond was als ijskoude naalden in hun handpalmen.

Ze stonden op en wandelden hand in hand naar huis, tot ze zo dicht bij de huizen waren gekomen dat iemand hen zou kunnen verrassen. Toen lieten de handen elkaar los. Ze zeiden geen woord.

Hij droeg de hoenders. Zij droeg het geweer. De loop wees rustig naar de grond, en bewoog op de cadans van haar voetstappen.

Toen ze op de hoeve kwamen, schraapte Tomas zijn keel en zei dat hij liever een kruisvos had willen vangen. Het jaar ervoor had hij een zwarte vos gevangen. Die had hij voor een goede prijs aan een paar handelaren verkocht, die zaken deden met de Russen. Tien daalders was een goede bijverdienste.

Zij gaf geen antwoord.

De maan stond aan de hemel. Het was laat.

Hjertrud was er niet. Liet zich geen moment uit de hoeken te voorschijn lokken.

Maar Jacob maalde en piepte als een molen. Tegen vijf uur in de ochtend haalde ze de haas die onder het dak van het knechtenverblijf hing, sleep een mes en vilde de restanten van het dier. Ze kon niet anders.

Ze sloeg toe, zodat de vliezen scheurden en de huid eraf gleed. Onwillig, maar toch... Het dode lijf trok de blauwachtige, gevilde ledematen naar zich toe zodra ze het dier losliet. Alsof het zich nog steeds wilde verweren tegen het einde.

Ze sneed de poten eraf en begon het dier in stukken te snijden. Omdat ze niet gewend was aan dit soort werk, ging het niet snel. Bij ieder stuk dat ze van het dier afsneed, dat steeds meer op een gewoon stuk vlees van een willekeurig beest ging lijken, verstomden de oorverdovende kreten een beetje.

De wind huilde rond de hoeken van het huis. Het mes knarste tegen botten en kraakbeen. De kreet werd alsmaar zwakker. Totdat Hjertrud naast haar stond en haar hoofd ongeschonden was en alles zo zalig stil werd.

Ze legde de haas in koud water. Hij was omgeven door een blauwachtig vlies dat regenbogen naar haar ogen zond. Dwars door het water heen.

Ze zette de teil met de haas afgedekt op het aanrecht in de bijkeuken. Maakte het aanrecht schoon. Bedekte ook bloed en huid, zodat aasdieren of vogels er niet bij konden komen.

Haar handen waren kapot van het werk en het ijskoude water. Ze droogde ze warm en liep een poosje door de kamers, tot de ochtend kwam. Toen kleedde ze zich langzaam uit en kwam tot rust, terwijl de hoeve ontwaakte.

6

Daarom zult gij de vreemdeling liefde bewijzen, want
vreemdelingen zijt gij geweest in het land Egypte.

(Deuteronomium 10:19)

Reinsnes was uit zijn winterslaap ontwaakt. Je kon er niet
precies de vinger op leggen. Maar moeder Karen had het vermoeden dat het begonnen was toen Dina zich eindelijk liet
vangen in het net dat verantwoordelijkheid heet. En ze zorgde
ervoor haar te prijzen.

'Je bent een goede koopmansweduwe, lieve Dina!' zei ze
soms. Ze zei er niet bij, dat ze eigenlijk ook een vrouw des
huizes nodig hadden.

Moeder Karen begon de jaren te voelen. Ze was verhuisd naar
de kamer achter de salon. Wilde geen trappen meer lopen.

Ze huurden een timmerman in om de wand tussen de twee
kamertjes beneden weg te slaan. Zo kreeg moeder Karen plaats
voor haar bed en haar boekenkasten.

Die meubels kon ze absoluut niet missen, evenmin als een
oude barokke stoel met hoge rug.

De sleutel van de boekenkast stak altijd in de deur, maar
alleen moeder Karen raakte het slot aan.

De kamer werd in lichte kleuren behangen en geverfd. Daarbij had moeder Karen een grote steun aan Dina. Ja, ze hadden
een poosje werkelijk contact.

Dina's praktische instelling en haar talent om het werk
gedaan te krijgen, deden moeder Karen plezier. En ze dacht,
zoals zo vaak: 'Was Dina maar net zo praktisch en doortastend
in alle dingen die met Reinsnes te maken hebben!'

Of ze mompelde voor zichzelf: 'Vond Dina maar een goeie
echtgenoot!'

Benjamin werd groter en begon Reinsnes te onderzoeken.

Breidde zijn werkterrein uit tot de pakhuizen, de winkel en de heuvels bij de zomerstal. Koppig als een wilgetak stapte hij samen met Stine's Hanna door de omgeving. Om de wereld buiten het witte woonhuis te onderzoeken. Altijd met een diepe rimpel tussen zijn wenkbrauwen.

Hij had nooit mama of moeder leren zeggen. En hij had niemand die hij vader kon noemen. Maar hij vond altijd wel een schoot waar hij op kon klimmen.

Elke schoot had een naam. En zijn eigen geur.

Hij wist met gesloten ogen van wie de geur was die hij opsnoof. Iedereen was er voor hem. Dat ze af en toe ook andere dingen moesten doen, kon hem niet deren. Als hij dat nodig had, was er altijd wel iemand.

Stine was zijn favoriet. Ze rook naar zeegespoeld wier en zongekuste bosbessen. Rook naar kleren die 's nachts buiten hadden gehangen. Haar handen waren zachte, rustige dieren. Bruin, met kortgeknipte nagels.

Haar donkere, weerbarstige haar lag dicht tegen haar slapen. Kroesde niet op haar voorhoofd als ze zweette, zoals bij Dina. Het zweet van Stine was het lekkerst. Rook naar geopende kruidenpotjes. Beter dan de bosaardbeien achter het weiland.

Moeder Karen kende veel verhalen en had lieve ogen. Haar woorden waren als een aangename wind. Ze leek op haar bloemen, die in potten in het raamkozijn groeiden en er in de winter wat melancholiek bijhingen.

Dina was ver weg, als een noodweer ergens op zee. Benjamin zocht haar niet vaak op. Maar haar ogen vertelden hem bij wie hij hoorde.

Zij vertelde geen verhalen. Maar ze pakte af en toe zijn nek vast. Hard. Toch was dat een fijn gevoel.

Ze zette hem op het paard, maar alleen als ze zelf tijd had om naast hem te lopen en de teugels vast te houden. Ze praatte rustig tegen Zwarterik. Maar ze keek naar Benjamin.

Ze zeiden dat Hanna het kind van Stine was, maar eigenlijk was ze alleen van Benjamin. Ze had stompe vingertjes en ogen als gebrande amandelen. Als ze met haar ogen knipperde, beefden haar lange rechte wimpers op haar wang.

Benjamin kreeg af en toe pijn in zijn borst als hij naar Hanna keek. Een gevoel alsof hij van binnen verscheurd werd. Hij kon niet zeggen of het prettig of vervelend was. Maar hij voelde het.

Op een dag kwam er een kunstschilder aan land met een schildersezel, een grote rieten mand en een linnen tas vol tubes en penselen.

Hij wilde alleen de vrouwe van Reinsnes begroeten, die hij een paar jaar geleden op Helgeland had ontmoet. Vroeg de kapitein even te wachten, terwijl hij heen en terug werd geroeid. Zo snel mogelijk...

De kapitein stuurde iemand naar de wal toen het al een uur na vertrektijd was en iedereen vol ongeduld op de afvaart wachtte.

De kapitein moest de bezittingen van de man aan land brengen. De Prinds Oscar voer zonder deze passagier verder naar het noorden. Want hij had zich in de rookkamer geïnstalleerd en luisterde naar Dina's cello.

Het laatste jaar had Dina wel vaker haar cello gehaald als er gasten waren.

In de ijskleurige zomeravond leken de eilanden in de Sont te zweven.

De kunstschilder noemde het een schitterend wonder! Een zinsbegoocheling! Hij moest tot de volgende boot hier blijven, want het licht op Reinsnes was als zijde en albast!

Maar er zouden vele boten vertrekken voordat hij zijn laatste penseelstreek zette.

Deze merkwaardige man werd de nieuwe Lorch. Al was hij in alles Lorchs tegenpool.

Hij kwam als een brullende vulkaan op een dag in juni. Praatte een soort Zweeds met een vreemd accent, en had zijn eigen rum bij zich in een aarden pot met een kraantje.

Zijn haar en baard waren spierwit, en omlijstten een getaand gezicht met talloze rimpels. Zijn neus stak de wereld in als een imposante bergrug.

Zijn ogen stonden dicht bij elkaar, donker en diep in hun

kassen. Het was alsof hij ze terugtrok uit de domheid en slechtheid van deze aardbol, om ze te sparen voor een beter bestaan.

Zijn mond was rozenrood, als van een jong meisje, en hij had sensuele lippen. Zijn mondhoeken krulden altijd naar boven.

Zijn handen leken wel geteerd. Donkerbruin. Sterk en gevoelig tegelijk.

De man liep in de brandende zon met een pikzwarte vilthoed en een leren vest. Het vest had een diepe snee in het rechtervoorpand, bij gebrek aan een zak. Daar kon hij naar behoefte zijn penselen of zijn pijp in stoppen.

Pedro had een lach die door het huis en de bijgebouwen galmde. Hij sprak zes talen. Dat beweerde hij tenminste zelf.

Moeder Karen merkte dat zijn kennis van het Frans en het Duits niet bijster goed was. Maar ze verraadde hem niet.

Hij had zich voorgesteld als Pedro Pagelli. Maar niemand hechtte ook maar enig geloof aan hetgeen hij over zijn herkomst vertelde. Want zijn verhalen en familietragedies veranderden van karakter en inhoud naar gelang de maan langs de hemel kroop of zijn gehoor van samenstelling veranderde. Maar vertellen kon hij!

Nu eens kwam hij uit een Roemeens zigeunergeslacht, dan weer had hij een adellijke Italiaanse achtergrond. Of hij was een Serviër wiens familie was verscheurd door oorlog en verraad.

Dina probeerde hem dronken te voeren om achter de waarheid te komen. Maar het leek alsof de man deze ongelooflijke verhalen zo grondig had ingestudeerd, dat hij er zelf in geloofde.

Ze spendeerde er een aanzienlijk aantal flessen wijn aan, zowel 's nachts in het tuinhuis, als in de rookkamer. Maar het echte verhaal kreeg niemand te horen.

Schilderijen kregen ze wel. Pedro schilderde hen allemaal. En Jacob schilderde hij naar een ander schilderij, zo levensecht dat moeder Karen haar handen in elkaar sloeg en op een glas dure madeira trakteerde.

Toen Dina en hij op een dag in het Andreaspakhuis waren om wat linnen te halen dat hem met de raderboot was toegestuurd, was hij verrukt over de lichtstraal die door de open deuren van de bovenste verdieping viel.

'Hjertrud komt daar naar binnen', zei Dina, plotseling.

'Wie is Hjertrud?'

'Mijn moeder.'

'Dood?' vroeg hij.

Dina keek hem verbaasd aan. Toen lichtte haar gezicht op. Ze haalde diep adem en ging verder: 'Ze heeft lang langs de stranden gezworven. Maar nu is ze hier! Ze komt door de bovenste deuren van het pakhuis binnen en gaat weg door de haringnetten die op de begane grond hangen. We lopen samen alle trappen af, en dan verdwijnt ze...'

Pedro knikte ijverig. Wilde meer horen.

'Hoe zag ze eruit? Was ze groot? Zo groot als jij? Wat voor kleuren had ze?'

Die avond liet Dina hem een schilderij van Hjertrud zien. Ze vertelde over de plooien in haar rok. Over haar haar dat aan de rechterkant een kruin had...

Hij raakte zo bezeten van Hjertrud, dat hij naar het pakhuis verhuisde en haar levensecht tussen de netten schilderde. Wist haar gelaatstrekken goed te treffen.

Praatte met haar terwijl hij haar tevoorschijn schilderde.

De dag dat Pedro bezig was het schilderij van Hjertrud af te maken, kwam Dina onverwachts binnen.

'Jij hebt de ogen van iemand die zijn ziel bewaakt', mompelde hij tevreden tegen het schilderij.

Dina stond eerst als aan de grond genageld achter hem. Hij kon haar niet horen ademhalen en vatte dat op als een goed teken.

Toen het geluid achter hem in donder veranderde en de planken van de vloeren begonnen te golven, draaide hij zich geschrokken om.

Dina zat op de verweerde vloer te janken.

Een verlaten en woedende wolf. Zonder remmingen of schaamte. De wolf zat in het volle zonlicht op de grond en stootte zijn angstaanjagende klaagzang uit.

Ten slotte leek ze te begrijpen dat ze zich erg vreemd gedroeg. Ze droogde haar tranen en lachte.

Pedro wist wat elke ware clown weet, namelijk dat de humor de meest trouwe steunpilaar van de tragedie is. Dus liet hij haar beide fasen uitrazen. Gooide alleen een met verf besmeurde doek naar haar toe zodat ze haar gezicht een beetje kon afdrogen.

Hij schilderde onverstoorbaar door tot de laatste penseelstreek was gezet. Toen was de schemering nevelachtig wit geworden en waren de geluiden op de hoeve niet meer dan een zwak geroezemoes. De schaduwen maakten de hoeken tot krassen op oud perkament. De geuren waren er ook.

Hjertruds geurwater dreef door het vertrek. Ze had weer een gaaf gezicht gekregen.

Hjertrud werd in de salon opgehangen. Het schilderij viel iedereen die kwam op. Zelfs Dagny.

'Een briljant stukje kunst!' zei ze minzaam en bestelde Pedro om de drost en zijn gezin te portretteren.

Pedro boog en bedankte haar. Hij zou de vrouw van de drost met alle plezier schilderen. Zodra hij tijd had...

Hij schilderde Dina met haar cello. Ze had een groenachtig lichaam, en geen kleren aan. De cello was wit...

'Dat is het licht', legde Pedro uit.

Dina keek verbaasd naar het schilderij. Toen knikte ze.

'Ooit zal het in de grote galeries in Parijs hangen', zei hij dromerig. 'Het heet "Kind dat haar verdriet overstemt"', voegde hij eraan toe.

'Wat is verdriet?' vroeg ze.

De man wierp haar een snelle blik toe, en zei toen: 'Voor mij zijn dat alle beelden die ik niet duidelijk zie... Maar die ik toch mee moet dragen.'

'Ja', knikte ze. 'Het zijn de beelden die je mee moet dragen.'

Ik ben Dina. Jacob loopt altijd naast me. Hij is groot en stil en sleept met het been dat ze hem niet af hebben kunnen nemen. De stank is weg. Jacob verdwijnt niet, zoals Hjertrud af en toe doet. Hij is een stoomboot zonder stoom. Drijft rustig naast mij. Zwaar.
Hjertrud is een halve maan. Nu eens wassend, dan weer afnemend. Zij zweeft buiten mijn bereik.

Pedro en Dina hielden 'Kind dat haar verdriet overstemt' voor zichzelf. Ze begrepen dat het niet geschikt was voor andermans ogen.

Het schilderij werd in oude lakens gewikkeld en opgeborgen in het kamertje waar Jacob vroeger sliep. Achter de oude chaise longue...

Pedro kon niet tegen de winter, de sneeuw en de kou. Hij verschrompelde. Werd oud en ellendig, als een ziek paard.

Toen de lente kwam, dachten ze dat hij zou sterven van de hoest, de verkoudheid en de koorts. Stine en Oline dwongen hem aansterkende kost te eten.

In het begin ging de man er bijna onderdoor, alleen al van het eten. Daarna ging het langzaamaan wat beter, en zat hij in zijn bed te schilderen. Toen wisten ze dat het ergste achter de rug was.

Moeder Karen las hem voor uit de kranten, de brieven van Johan en alles wat ze maar kon vinden.

Maar hij wilde niets uit de bijbel horen.

'De bijbel is heilig', bromde hij somber. 'Die moet met rust gelaten worden als er heidenen in de kamer zijn!'

Wie die heiden dan wel was, bleef in het midden. Moeder Karen besloot het niet persoonlijk op te vatten.

Benjamin stond vaak in de deur van de gastenkamer te staren naar de oude man, die al die kleuren voor zich op zijn palet had. Volgde verrukt de pijprook. Die tussen de hoestbuien van de man door omhoog dampte naar de balken van het plafond.

De jongen bleef staren totdat hij naar het bed gewenkt werd

en er een zware hand op zijn hoofd gelegd werd.

Twee vrolijke ogen ontmoetten de zijne. Dan glimlachte Benjamin. En keek vol verwachting omhoog.

De man hoestte, sabbelde op zijn pijp, deed een paar streken met het penseel en begon te vertellen.

Benjamin vond het erg prettig dat Pedro in bed lag. Dan wist hij waar hij aan toe was.

Dan kon Dina hem niet stelen. Want Dina meed ziekenkamers.

Pedro bleef tot en met september van het volgende jaar. Toen nam de raderboot hem mee.

Eén enkel fluitsignaal en hij was verdwenen. Met zijn leren hoed en zijn vest, met zijn kleuren en zijn rieten mand. En de rumkruik met het kraantje. Die in de kelder van Reinsnes tot de rand was bijgevuld. Die proviand gunden ze hem.

Ik ben Dina. Iedereen gaat weg. 'Kind dat haar verdriet overstemt' is weg. Ik heb Hjertrud van de muur gehaald. Haar ogen zijn vertrokken. Ik kan niet naar een schilderij zonder ogen kijken. Verdriet is de beelden die je niet kunt zien, maar die je toch mee moet dragen.

7

Schiet de bieze op, waar geen moeras is? Groeit het
oevergras, waar geen water is? Nog is het in volle
groei, het kan nog niet worden afgesneden, of het
verdort vóór enig ander gras.

(Job 8:11-12)

Een kinderlijk geheim, je in een hooischuur verstoppen als twee
weggelopen kinderen.

Tomas verzamelde kruimels en versmaadde niets. Hij leefde
zijn eenzame leven in het knechtenverblijf, samen met mannen
met wie hij niets gemeen had.

Hij kreeg zijn loon. En werkte tijdens de oogst voor twee.
Alsof hij haar moest bewijzen dat hij een man was. Was nooit
klaar met bewijzen. Jaar na jaar. Rit na rit. Oogst na oogst.

Na verloop van tijd kreeg Tomas de verantwoording voor
veel zaken die met oogsten, de dieren en de stallen te maken
hadden. Hij maakte de oude opzichter overbodig. De verantwoordelijkheid werd met Dina's goedkeuring overgeheveld.

En Tomas droomde. Over Dina en het paard met hangende
dissel zonder slede en meester. Droomde zijn geweten.

Na zo'n droom had Zwarterik dagenlang Jacobs ogen. De ogen
vroegen naar Benjamin. Hij had het gevoel of hij, Tomas, de
hele last moest dragen.

Wanneer Dina gedurende langere tijd niet in zijn richting
keek, had hij het gevoel alsof hij een heksengeur rook als ze
langs hem liep. Hij vergeleek haar met bevalliger meisjes die hij
gezien had. Meisjes met smalle handen en bedeesde blikken.

Maar de dromen verpletterden zijn afweer. Vleiden haar
grote, struise lichaam tegen het zijne. Zodat hij zijn gezicht
tussen haar borsten kon verbergen.

Iedere keer dat hij haar heen en weer hoorde lopen in het

pakhuis, urenlang, voelde hij iets dat op tederheid leek.

Op een keer sloop hij naar het pakhuis en riep haar. Maar ze wees hem woedend af. Zoals je een opdringerige staljongen afwijst.

Tomas kon Benjamin niet zien zonder de trekken van de jongen te bestuderen. Zijn kleuren. Bewegingen. Was dit de zoon van Jacob?

Het werd een obsessie. Een gedachte die voortdurend alle andere gedachten overschaduwde. Hij zag de lichte ogen van de jongen en zijn zwarte haar. Dina's trekken. Maar waar waren ze mee vermengd?

Eén ding was zeker; de jongen zou nooit zo rijzig worden als Jacob of Dina.

Maar dat was Johan ook niet. En Johan was Jacobs zoon...

Tomas paaide de jongen. Won zijn vertrouwen. Maakte zich onmisbaar. Vertelde hem dat hij niet bang hoefde te zijn voor Zwarterik, omdat het paard de wacht had gehouden toen hij geboren werd.

Benjamin kwam vaak naar de paarden kijken. Omdat Tomas in de stal was.

Dina werkte systematisch om alle verdwenen getallen weer terug te vinden. Getallen verdwenen niet vanzelf, zoals woorden. Ze waren altijd ergens, ook al waren ze schijnbaar niet te vinden.

Getallen konden als verdwaalde lammetjes in de bergen zijn. Maar ze waren altijd ergens. In een of andere vorm. En dat zou Niels moeten toegeven! Vroeger of later. Hij had de sleutel tot de ontheemde getallen.

Ze zeurde er niet meer over. Zocht alleen met een adelaarsblik. In oude boeken en papieren.

Ze waakte over alle geldtransacties van Niels. Zowel de transacties waar hij voor betaalde, als degene die ogenschijnlijk gratis waren.

Tot nu toe had ze nog geen enkele ontbrekende post gevonden. Niels gaf belachelijk weinig uit voor kleren. Leefde Spartaans als een monnik. Hij had een snuifdoos van zilver en een wandelstok met dito handvat. Allebei cadeaus van Ingeborg, van ver voor Dina's tijd.

Toch gaf Dina het niet op.

Alsof de jacht en de getallen het belangrijkst waren. Niet het geld.

De boekhouder die Dina uit Tromsø had laten komen nadat Jacob overleden was, had haar de meest noodzakelijke beginselen van een eenvoudige boekhouding bijgebracht.

De rest kwam na verloop van tijd, toen ze ermee vertrouwd raakte. Niels schreef de dagelijkse zaken op en zij controleerde alles.

Dat ging tot op zekere hoogte goed, totdat zij zich voor het magazijn begon te interesseren. Niet alleen wat de uitrusting voor de schepen en de tochten naar Bergen betrof, maar ook voor de dagelijkse handel in de winkel.

Tot slot was het Dina die haar sierlijke getallen in de verschillende boeken noteerde. Haar cijfers waren groot en neigden naar links, met een paar krullen en halen. Ze waren niet na te maken.

De benodigde hoeveelheden zout en meel, stroop en brandewijn moesten worden bepaald. De benodigdheden voor huiselijk gebruik. Kostbare aankopen als henneptouw en visgereedschap moesten worden berekend, zowel voor eigen gebruik als voor de pachters.

Anders ging nu naar Dina met zijn cijfers over de schepen en de handel. En dat werd een splijtzwam tussen de broers.

Niels zorgde ervoor dat hij er niet was op de dagen dat Dina op kantoor was.

Op een dag dat hij alleen in het kantoor dacht te zijn, zat ze onverwacht achter het bureau.

'Dina kan net zo goed de hele boekhouding overnemen', zei hij nors.

'En wat moet onze beste Niels dan doen?' vroeg ze.

'De bestellingen voor de winkel controleren en de winkelbediende een handje helpen', zei hij snel. Alsof hij het antwoord
al een poosje klaar had.

'Je bent er de man niet naar om iemand een handje te
helpen', stelde ze vast en sloeg het kasboek met een klap dicht.
Bedacht zich en deed het weer open, zuchtend.

'Je bent kwaad, Niels. Je bent al heel lang kwaad. Ik denk dat
je iets mist...'

'O? En wat dan wel?'

'Het nieuwe keukenmeisje klaagt dat je haar knijpt... en haar
lastig valt... Als ze in je kamer de bedden opmaakt en zo...'

Niels wendde zich af. Razend.

'Je zou moeten trouwen', zei ze langzaam.

Die woorden maakten de duivel in hem wakker. Zijn gezicht
verduisterde. Hij raapte een moed bij elkaar die hij anders
zelden toonde.

'Is dat een aanzoek, Dina?'

Het lukte hem zelfs haar spottend in de ogen te kijken.

Ze staarde hem even verbluft aan. Toen krulde ze haar mond
tot een soort glimlach.

'De dag dat ik een aanzoek doe, hoeft degene aan wie het
gericht is niets te vragen. Hij hoeft alleen antwoord te geven!'

Dina ondertekende iets, met haar tong in haar rechter mondhoek. Toen pakte ze de zilveren knop van de zware vloeipapier-
rol die altijd klaar stond. Rolde hem over 'Dina Grønelv'.

Haar naam werd opgezogen. In spiegelschrift, maar duidelijk
genoeg.

*Ik ben Dina. Niels en ik tellen alle dingen op Reinsnes. Ik bezit de
getallen, waar ze ook zijn. Niels is er toe veroordeeld. 'De slaaf telt,
de meester ziet.' Niels geeft niemand iets. Zichzelf ook niet. Hij
lijkt op Judas Iskariot. Gedoemd te zijn wie hij is. Judas ging heen
en verhing zich.*

Niels liet de dienstmeisjes met rust. Leefde zijn eenzame bestaan, vlak naast de anderen.

Soms keek hij naar de kleine Hanna die voorbij drentelde. Hij raakte haar niet aan. Hij riep haar niet. Maar gaf haar kandijsuiker uit zijn lade. Snel. Alsof hij bang was dat iemand het zou zien.

Of hij mompelde een gehaast bevel tegen de winkelbediende, die dan een groot brok suiker afhakte en dat in het kleine knuistje legde.

Hanna had Stine's goudkleurige huid en donkere ogen. Maar als ze gekwetst werd, kon een ingewijde zien dat ze zich terugtrok met dezelfde bewegingen als Niels. Als een wolvenjong, dat bang is voor zijn eigen roedel.

De drost hoorde verhalen over Dina.

Meestal was het oud nieuws, dat hij rustig aanhoorde. Maar op een dag werd hem in het oor gefluisterd dat de mensen zeiden dat de vrouwen op Reinsnes, Stine en Dina, leefden als man en vrouw.

Dat maakte de drost zo verbitterd dat hij de tocht naar Reinsnes ondernam.

Dina hoorde zijn geraas, als een felle noordwesterstorm over de bergen in de winter.

Nadat hij de kamer was binnengekomen en gezegd had dat hij haar onder vier ogen wenste te spreken, viel hij een beetje stil. Hij vergat wat hij wilde zeggen.

Het was een uiterst delicaat onderwerp. Hij wist zich geen raad.

Ten slotte gooide hij het eruit, in de onbeschaafde taal uit het knechtenverblijf, en sloeg met zijn vuist op tafel.

Dina's ogen waren twee glimmende messen. De drost kende dat zo goed. En deinsde terug.

Hij kon haar hersenen zien werken, nog voordat hij uitgesproken was.

Ze gaf geen commentaar op wat de drost zei. Deed alleen de

deur naar de keuken open en vroeg een meisje Niels te gaan halen. Ze liet ook Stine, Oline, moeder Karen en Anders roepen.

Niels verscheen uit respect voor de drost. Kwam rustig binnen en legde welopgevoed zijn handen op zijn rug nadat hij de drost een hand gegeven had.

Zijn mouwbeschermers gleden steeds over zijn polsen, en hij bloosde van onzekerheid.

Dina keek hem bijna teder aan, terwijl ze zei: 'Ik hoor dat Niels precies weet wat voor soort leven Stine en ik leiden. Dat wij als man en vrouw leven!'

Niels hapte naar adem. Maar bleef merkwaardig standvastig staan. Toch plaagde de nauwe boord hem dusdanig dat hij moest slikken. Hij had geen keus.

De drost was geschokt. De mensen in de kamer hadden geen ogen en de deuren stonden helemaal open, tot in de keuken. Het gesprek duurde niet lang. Niels ontkende. Dina was zeker van haar zaak. Toch hoorde ze hem rustig aan toen hij het allemaal boosaardige roddel noemde, verspreid om een wig tussen hem en Dina te drijven.

Plotseling boog Dina zich naar hem toe met glasachtige ogen. En spuugde op de punten van zijn schoenen.

'Daar zit die boosaardigheid, volgens mij. Alsjeblieft!'

De man verbleekte. Deinsde achteruit. Wilde iets zeggen. Maar bedacht zich. Keek de hele tijd hulpeloos van Dina naar de drost.

Niels had in verschillende drankgelegenheden terloopse opmerkingen gemaakt. Die de mensen voor zoete koek hadden geslikt.

De drost zette heel zijn machtige apparaat in beweging tegen Niels. Zorgde ervoor dat zijn zonden bekend werden. Zijn onbekwaamheid als beheerder van de winkel en zijn lafheid in vaderschapszaken. Zijn gierigheid. Zijn droom om Reinsnes met alle privileges over te nemen door met Dina te trouwen. En het feit dat hij jammerlijk werd afgewezen.

Na dit alles was Niels een gebroken man. Niemand begreep dat hij nog op Reinsnes bleef.

Maar tussen hem en Dina werd vrede gesloten. Hij was geen waardige tegenstander meer.

Dina vroeg Oline lamsbout te maken. Roze vlees in een aangebraden, knapperig korstje. Liet een goede wijn uit de kelder halen en nodigde iedereen uit voor een verzoeningsmaal voor alle huisgenoten en de drost.

Niels bedankte voor de eer, zonder een woord te zeggen. Bleef gewoon weg.

Met zijn lege, gedekte plaats aan tafel kon Dina aan iedereen laten zien, dat het niet aan haar lag.

Niels zat in het kantoor met zijn pijp en wilde niet in de idylle opgenomen worden.

Stine ging stiekem naar hem toe met een mand vol met dingen die aan tafel waren overgebleven. Ze werd niet binnengelaten, maar zette de mand voor de deur.

Toen ze de mand ging ophalen voordat ze naar bed ging, was al het eten en drinken verdwenen. Behalve wat saus en de restanten van stijfgeworden garnituur. En de droesem in een fles. Ze smokkelde de restjes mee naar de keuken. Oline vroeg niets, keek haar alleen zuchtend aan en ging verder met haar werk.

Vanuit de kamer klonk pianomuziek. De klanken zweefden in een overwinningsroes naar hen toe.

Op een dag hielpen Dina en Benjamin moeder Karen een streng wol uit de knoop te halen, die Hanna in de war had gemaakt. Ze zaten in moeder Karens kamertje. Benjamin wees op de schilderijen aan de muur, en vroeg naar de man die ooit bij hen geweest was en die portretten had geschilderd.

'Hij heeft twee brieven gestuurd', antwoordde Dina. 'Hij stelt zijn schilderijen ten toon en het gaat goed met hem.'

'Waar is hij nu?'

'In Parijs.'

'Wat doet hij daar?'

'Hij probeert beroemd te worden', vertelde Dina.

Moeder Karen haalde het portret van Jacob van de muur en gaf het aan Benjamin.

'Dat is Jacob', zei ze plechtig.

'Die dood ging voordat ik kwam?'

'Je vader', fluisterde moeder Karen ontroerd. 'Ik heb het je al eerder laten zien...'

'Wat was hij voor iemand, Dina?' vroeg Benjamin. Moeder Karen was te bedreigend als ze ontroerd was, daarom wendde hij zich tot Dina.

'Hij was de mooiste man uit de omgeving. Hij was moeder Karens zoon, ook al was hij groot en volwassen. Wij waren getrouwd. Hij stortte in de waterval voor jij geboren werd.'

Benjamin had die woorden al vaker gehoord. Hij had een paar schoenen en vesten van zijn vader gezien. Ze roken naar tabak en zee. Ongeveer zoals Anders.

'Hij was een ongelukkig man. Zo jong te moeten sterven!' zei moeder Karen terwijl ze haar neus snoot in een minuscuul zakdoekje met kant.

Benjamin volgde haar met zijn ogen. Als ze zo was, als een klein vogeltje, kreeg hij ook zin om te huilen.

'Niemand is ongelukkig omdat hij moet sterven. De levenden zijn juist ongelukkig', zei Dina.

Moeder Karen zweeg verder over het ongeluk van de doden.

Maar Benjamin begreep dat er nog meer te zeggen viel en kroop op haar schoot. Om haar te troosten.

Dina voelde aan als een donkere zolder, en hij bleef de rest van de dag uit haar buurt.

Dina praatte nooit tegen hem als hij met zijn speelgoed in de kamer speelde, riep hem niet binnen als hij in de tuin was. Ze schreeuwde niet en maakte zich niet druk, als hij zonder toestemming op het strand was.

Op een zomernacht, vlak nadat moeder Karen over Jacobs ongeluk gesproken had, zag Benjamin Dina zitten in de grote lijsterbes in de tuin.

Hij was wakker geworden en wilde naar buiten om te kijken

of de kippen al eieren gelegd hadden, omdat hij dacht dat het ochtend was.

Ze zat volkomen bewegingloos en zag hem niet.

Hij vergat de eieren en bleef bij het hek naar haar staan staren.

Toen wenkte ze hem. Maar hij zag dat ze niet helemaal zichzelf was.

'Waarom klim jij in de boom?' vroeg hij toen ze naar beneden kwam.

'Ik heb altijd al in bomen geklommen.'

'Waarom?'

'Het is fijn om een stukje dichter bij de hemel te zijn.'

Benjamin hoorde dat Dina's stem anders was. Een nachtstem.

'Is het waar wat moeder Karen zegt, dat Jacob in de hemel woont?'

Eindelijk keek Dina hem recht aan. En hij besefte dat hij daarnaar verlangd had.

Ze pakte zijn hand en leidde hem in de richting van het huis. De dauw maakte de zoom van haar rok zwaar. Trok haar naar de aarde.

'Jacob is hier. Overal. Hij heeft ons nodig.'

'Waarom zien we hem dan niet?'

'Als je op de trap gaat zitten, daar ja, juist! Dan voel je hem een beetje om je heen, toch?'

Benjamin ging zitten, met zijn bruine handjes op zijn knieën, en voelde. Toen knikte hij ijverig.

Dina stond even heel ernstig naast hem.

Een bange wind kroop tussen hen door. Als een adem.

'Is hij alleen hier op de trap, Dina? Alleen maar hier?'

'Nee! Hij is overal. Hij heeft je nodig, Benjamin', zei ze. Alsof die gedachte haar verbaasde.

Toen liet ze zijn hand los en liep langzaam het huis in. Zei niet dat hij mee moest komen, of moest gaan slapen.

Benjamin voelde een groot gemis toen ze weg was.

Hij liep op blote voeten over het erf naar de kippenren. Daar rook het naar zaden en kippemest. Hij zag dat de kippen op hun stok zaten en begreep dat het nog nacht was.

Toen hij 's middags door het keukenraam over de landerijen uitkeek, zei hij plotseling tegen Oline, met een luide, trotse stem: 'Daar rijdt Dina! Verdomme! Die rijdt hard!'

'Op Reinsnes zeggen de jongens niet verdomme', zei Oline.

'Zei Jacob ook nooit verdomme?'

'Jacob was een man.'

'Was hij altijd een man?'

'Nee.'

'Zei hij verdomme wanneer hij geen man was?'

'Nou ja', zei Oline vertwijfeld, en veegde haar vlezige handen af aan haar schort. 'Jij wordt door te veel mensen opgevoed. Jij zult je hele leven een heiden blijven!'

'Wat is een heiden?'

'Iemand die verdomme zegt!'

Benjamin liet zich van de kruk glijden en scharrelde rustig de keuken uit. Toen liep hij door het huis naar moeder Karen. Daar maakte hij plechtig bekend dat hij een heiden was.

Dat veroorzaakte nogal wat opschudding.

Maar Oline hield voet bij stuk. De jongen kreeg te weinig opvoeding. Hij werd een wildebras! Net als zijn moeder.

Ze gluurde naar hem, met toegeknepen ogen. Daardoor veranderde haar gezicht in een verdroogde aardappel met oude, witte spruiten die aan weerszijden afhingen. Onder haar hoofddoek piepten altijd plukjes haar tevoorschijn.

Als 's nachts de maan vol was en de slaap niet wilde komen, zat Dina in het tuinhuis tot alles tot rust kwam en de wereld oploste in de streep tussen hemel en zee.

Ze streelde Jacobs warrige haar. Alsof er nooit iets tussen hen gekomen was. Ze praatte met hem over op reis gaan. Over de zee. Ergens in haar lichaam woedde een razernij. Die hij begreep.

8

Zie, God is groot, en wij begrijpen Hem niet, het
getal Zijner jaren is onnaspeurlijk. Want Hij trekt de
waterdruppels omhoog; welke de nevel verdichten
tot regen, die de wolken doen nederstromen en doen
druppelen op vele mensen. Zie, Hij spreidt zijn licht
erover uit en bedekt de diepten der zee.

(Job 36:26-28 en 30)

Moeder Karen schreef het jaartal 1853 boven haar brieven. Af en
toe kwam de wereld iets dichterbij. Op de dagen dat de kranten
met de raderboot kwamen. Lodewijk Napoleon Bonaparte was
keizer van Frankrijk geworden. Er stond dat de monarchisten,
de liberale en de conservatieve bonapartisten zich achter een
sterke leider hadden geschaard om 'het rode spook' te bestrij-
den. De revolutie golfde van land naar land.

Moeder Karen was bang dat de wereldbrand zou uitbreken
voordat Johan thuis kon komen. Ze had zich de laatste jaren
veel zorgen over Johan gemaakt. Hij was al zo eindeloos lang
weg. Ze wist niet wat hij deed. Of hij zijn examens wel aflegde.
Of hij ooit terug zou komen.

Zijn brieven brachten haar niets van de dingen waar ze naar
verlangde. Ze las ze voor aan Dina, om haar commentaar en
troost te horen.

Maar Dina wond geen doekjes om haar mening.

'Hij schrijft alleen als hij geld nodig heeft! Hij gebruikt
dubbel zoveel als hij geërfd heeft. Je bent veel te aardig voor
hem, door hem je eigen geld te sturen.'

Ze vertelde niet dat Johan beloofd had haar uit Kopenhagen
te schrijven. Dat was nu bijna negen jaar geleden. Met Johan
hoefde ze geen rekening meer te houden. Alleen aan debetzijde.

Nadat de greep van de winter verslapt was en in april de dooi
al was ingezet, werden ze verrast door een meter sneeuw in de

loop van een paar dagen en een storm die alles wat los zat de zee op joeg.

Er bleven heel wat weduwen achter in de nederzettingen langs de kust. Omdat het noodweer vergezeld ging van vorst, en de sneeuwhopen als een muur tussen de boerderijen lagen, kwamen de lijken pas in juni in de grond.

De aarde hield de vorst krampachtig vast. De regen weigerde te komen om af te rekenen met de langste winter sinds mensenheugenis.

Hjertrud liet zich de hele lente niet zien. Dina liep door de pakhuizen. Urenlang. Tot de koude onder de wolfspels kroop en haar voeten in een ijskoude greep kreeg, zodat ze gevoelloos werden en op eigen houtje de warmte in wilden.

De lente was zwaarder voor mens en dier dan de winter was geweest. Er werd zelfs vanaf de kansel gebeden om zacht weer, en boven de huispostilles werd gesmeekt om regen en dooi.

Zelden waren de gebeden zo intens en zo goed geformuleerd geweest, en met zo weinig intentie om de buurman schade te berokkenen.

De zomer kwam midden juni. Met een hitte die alles wat leefde als een schokgolf trof. De berken stonden met hun ranke, witte stammen half verscholen in de sneeuw. Het uitlopend groen als een wulpse sluier over de ranke takken gedrapeerd.

Eerst deinden ze een beetje mee, de nacht dat de zuidwestenwind kwam. Toen gaven ze zich over. De ene na de andere, van onderaan de berg tot bovenop. Wiegden mee en waren een deel van het bruisende leven. Waar alles zo snel, zo snel gebeurde.

Met de dooi kwamen de overstromingen. Het water stond op de velden, bruiste door de kloof. Sleurde de weg over de bergkam mee, en raasde hetzelfde pad af als Jacob ooit met de slede had afgelegd.

Toen kwam alles tot rust. Stukje bij beetje. Het late lentegroen kwam angstig tot ontspruiten.

Mens en dier kwamen uit hun onderkomens. Veilige zomergeluiden durfden het nu over te nemen. Ten slotte waren de dagen verzadigd van zon, teer en seringegeur. Laat, maar zo onwaarschijnlijk aangenaam.

Ik ben Dina. De geluiden dringen tot mij door als verre kreten of hinderlijk gefluister. Of als donderend geraas dat aan mijn trommelvliezen vreet.

Ik sta voor het raam van de eetkamer en zie Benjamin met een bal in de tuin spelen. Ik word meegezogen in Hjertruds stroom. Wervelend, snel. Kan geen tegenstand bieden.

Daar is Lorchs gezicht! Zo groot dat het het hele raamoppervlak vult, zover de fjord reikt, en nog verder. Benjamin is een kleine schaduw in Lorchs pupil, waar hij met grote snelheid ronddraait.

Lorch is bang! Ik laat hem bij me binnen. Het is 7 juli.

Tijdens de late bloei van de seringen kwam er een brief uit Kopenhagen. Gericht aan de hoeve van de drost, voor Dina. Met een schuin, sierlijk handschrift.

De drost liet hem door een van zijn knechten brengen. Het was een korte brief. Alsof iedere zin met veel moeite in de rotsen was uitgehouwen:

Mijn liefste Dina!
Ik ben in de stad van de koning. Ga eindelijk sterven.
Mijn longen zijn weggeteerd. Ik laat niets achter. Behalve goede wensen voor jou. Iedere dag heb ik spijt dat ik vertrokken ben.
Heb noch de gezondheid, noch het geld om terug te komen. Maar mijn cello leeft! Haal jij hem naar huis?
Wees voorzichtig! Het is een edel instrument.
Je Lorch.

Dina ijsbeerde door de pakhuizen. Door alle drie, om de beurt. Over alle vloeren.

Ze voelde Hjertrud de hele dag niet. Jacob was slechts opwaaiend stof.

Ze jankte zachtjes, in zichzelf. Haar schoenen hakten de uren in stukken. Het daglicht was wanhopig eindeloos. Wierp zich door de kleine raampjes, over de vloer.

Ze trad het dodenrijk binnen. De lichtbundels in, uit. Het was een nachtmerrie en een mooie droom.

Toen raakte Lorch eindelijk haar slapen aan.

Sinds die dag ontmoette ze Lorch altijd als ze tot rust moest komen.

Hij was in de dood, net als in het leven, bedeesd en onhandig.

Ieder jaar als de seringen bloeiden, wandelde hij over de tuinpaadjes van nieuw schelpgruis. Tussen de bloemperken door, die waren afgezet met kiezelstenen van gelijke grootte. De zee had ze vermalen en gevormd, gelikt en weggegeven.

Daar was Lorch. Ze had hen allemaal op Reinsnes bijeengebracht. Ook Lorch. Hij was van haar. Die ontdekking was een bulderende klank uit de oceaan. Een melancholieke celloklank. Bastonen uit steengruis en bergen. Een ongeremde beleving van lust en noodzakelijkheid.

9

Nu was de stadhouder bij elk feest gewoon een gevangene, ter keuze van de schare, los te laten.
De stadhouder antwoordde en zeide tot hen: 'Wie van die twee wilt gij, dat ik u loslaat?' Zij zeiden: 'Barabbas!'

(Mattheus 27:15, 21)

In de passagierslijst in de *Tromsø Stiftstidende* stond te lezen, dat de Prinds Gustav in de eerste klasse cand. theol. Johan Grønelv vanuit Trondhjem mee zou brengen.

Moeder Karen was buiten zichzelf van vreugde en droogde haar ogen. Er waren de laatste tijd maar mondjesmaat brieven gekomen. Maar ze wisten dat hij eindelijk zijn afsluitende examen had afgelegd.

Hij was al die jaren niet thuis geweest. In brieven aan moeder Karen had hij geschreven dat hij naar huis wilde om verstandige, simpele gedachten te denken en uit te rusten na al die jaren met zijn neus in de boeken.

Indien Dina zich zorgen maakte over de terugkeer van Johan, dan verborg ze dat goed.

De theoloog noemde in zijn laatste brief nog even dat hij vol twijfel en in de overtuiging onbescheiden te zijn naar een gemeente in Helgeland had gesolliciteerd. Maar hij zei niet waar.

Dina vond dat hij naar een gemeente in het zuiden had moeten solliciteren. Die waren beter betaald, voegde ze eraan toe, terwijl ze moeder Karen recht in de ogen keek.

Maar moeder Karen had andere dingen aan haar hoofd dan goed betaalde banen. Zij probeerde zich te herinneren hoe hij eruit zag, hoe hij zich de laatste keer dat ze hem zag, had gedragen. Maar die gedachte werd verlamd. Jacobs dood werd zoveel groter. Ze zuchtte en bladerde in zijn brieven. Bereidde zich er grondig op voor hem tegemoet te treden als wat hij was: man en theoloog.

Ik ben Dina, die een jongen met bange ogen kent. Het woord PLICHT staat op zijn voorhoofd geschreven. Hij lijkt niet op Jacob. Hij heeft stug, blond haar, nat van het zilte water, en smalle polsen. Ik hou van zijn kin. Er zit een kuiltje in, dat niets weet van de plicht op zijn voorhoofd. Als hij komt, heeft hij een vreemd gezicht opgezet om zich voor mij te verbergen.

Moeder Karen en Oline bereidden een vorstelijke ontvangst voor. De deken zou worden uitgenodigd! En de familie van de drost. Iedereen die iets te betekenen had!

Er zou een kalf worden geslacht, de goede madeira zou op tafel komen. Het tafelzilver werd geïnspecteerd. Evenals de tafelkleden en het servies.

Oline smeedde haar plannen met veel plezier en autoriteit. De zoon van Jacob zou feestelijk onthaald worden!

Ze instrueerde Benjamin en leerde hem te buigen voor zijn oudere broer.

'Zo!' vermaande ze hem en sloeg haar hakken tegen elkaar als een generaal.

En Benjamin deed haar de kunst na, ernstig en nauwkeurig.

Moeder Karen zag erop toe dat haar vroegere kamer, de zuidelijke kamer met de dakkapel, in orde werd gemaakt. Er was niet veel tijd voor de veranderingen die ze in haar hoofd had.

Ze stond erop, Dina's gefronste wenkbrauwen ten spijt, dat de twee goudkleurige leren stoelen uit de zaal naar Johans kamer verhuisden. En de boekenkast van mahoniehout met de ivoren rozetten rond de deurknoppen moest uit haar kamer naar die van de jonge theoloog worden overgebracht.

De mannen, met Tomas voorop, trokken en duwden terwijl moeder Karen op een stoel in de gang zat en met hoge stem bevelen gaf.

Het voelde aan als een milde zweepslag in de nekken van de

kerels, die daar zweetten en zwoegden.

'Voorzichtig, mijn beste Tomas! Nee, nee, pas op voor de lambrizering! Daar voorzichtig omkeren, ja! Pas op dat de glazen deur niet openschuift!'

Maar uiteindelijk had ze het zoals ze het wilde hebben, en Dina ondersteunde haar de trap op zodat ze het resultaat kon inspecteren.

Of de ouderdom bakte haar een poets, of de kamer was zowel in de breedte als in de lengte gekrompen, vond ze.

Dina zei onomwonden dat de vorstelijke meubels die volgens moeder Karen bij een dominee hoorden, niet in de zolderkamer van Reinsnes pasten! Dan moesten ze het huis eerst verbouwen.

Moeder Karen slikte haar woorden in en ging op de stoel naast de deur zitten. Toen zei ze zachtjes: 'Hij zou eigenlijk in de zaal moeten wonen...'

Dina gaf geen antwoord. Ze zette haar handen in haar zij en keek peinzend om zich heen.

'Hij krijgt het bureau dat in de zaal staat, en de stoel die er bij hoort. Dat staat goed bij de boekenkast. Deze grote stoelen brengen we weer terug naar waar ze vandaan gekomen zijn...'

Moeder Karen liet haar blik wanhopig van muur naar muur dwalen.

'De kamer is te klein...'

'Hij hoeft hier niet de hele tijd te zijn. Hij woont toch zeker in het hele huis, moeder Karen? Hij heeft een boekenkast nodig, een stoel, een tafel en een bed. Voor als hij alleen wil zijn, bedoel ik.'

En zo geschiedde. Maar moeder Karen besefte heel goed dat een theoloog in de zaal hoorde te wonen, als hij thuiskwam.

De regen kwam uit het zuidwesten.

De naalden van de vier lariksen die rondom de oude duiventil geplant waren, lagen horizontaal op de wind.

Ingeborgs rozestruiken tegen de muren en bij het tuinhuis werden geslagen als een hond. En moeder Karens trots, het perk met lelies, zag eruit alsof het urenlang in de week had gestaan.

De rook was drie keer in de bakoven geslagen. Oline was als de dag des oordeels met zwavel en bezweringen, gehuil en gejammer.

De meisjes liepen van kamer naar kamer en wisten niet meer wat ze moesten doen. Want de enkele keer per jaar dat Oline haar bezinning verloor, was altijd erger dan de keer daarvoor.

Anders kwam even in de keuken voor een kop koffie, nadat hij het bergen van de boten had geleid.

Toen hij zag wat er aan de hand was, merkte hij goedmoedig op: 'Oline barst nog eens in tweeën van woede. Maar dat geeft niet, want ze heeft genoeg voor twee delen!'

'Ja, maar met maar één voet en één hand aan elke kant om jou mee te bedienen! Scheer je weg, lekkerbek', antwoordde ze ad rem en schopte naar hem met haar klomp.

Maar koffie kreeg hij. Dat was de regel. Tegen betaling van twee ladingen berkehout.

De mannen hadden de boten in veiligheid gebracht en waren bezig alle losse spullen op de kade vast te sjorren.

Op de vlaggeheuvel hing nog een armetierig vodje vlag, het grootste gedeelte van het blauw was weg. Het leek alsof iemand een piratenvlag had gehesen, uit spot.

De regen was het ergst. Er viel zo veel en het maakte zo'n herrie op het dak en in de dakgoten, dat het aan moeder Karens zenuwen vrat.

Ze ontdekten een lek in het knechtenverblijf. De meisjes en knechten renden heen en weer met teilen en emmers om beddegoed en kisten te redden.

Tomas lag languit op het dak. Probeerde nieuwe leistenen over de rotte plek vast te maken, maar moest dat al snel opgeven.

De Prinds Gustav had al urenlang in de Sont gemanoeuvreerd, zonder echt dichterbij te komen.

De mensen moesten er tussen al het werk door voortdurend naar kijken. Was hij nu nog niet binnengelopen? Ja, toch, hij leek wat dichterbij te komen.

Er was enige discussie geweest of ze de armetierige vlag niet moesten strijken. Maar het was de enige die ze hadden. Moeder Karen was er absoluut op tegen. Dat weer en wind de halve vlag hadden meegenomen, daar kon niemand iets aan doen, maar een kale vlaggemast was een belediging.

Niels wilde Tomas naar een pachter verderop sturen om een vlag te lenen.

Maar Dina wimpelde dat af. Voordat Tomas weer terug was, zat Johan al binnen, en hadden ze geen behoefte meer aan een vlag.

Benjamin was al twee keer zonder jas naar buiten gelopen om naar de raderboot te kijken, en moest van top tot teen worden verschoond.

De tweede keer schreeuwde Oline door het huis dat de jongen een wilde was, en dat Stine beter op hem moest passen.

Maar Benjamin riep terug. Met luide, hoge stem: 'Nee, Oline, ik ben een heiden!'

Hanna knikte ernstig, en hielp hem met al zijn knoopjes. Hun liefde en saamhorigheid was onaantastbaar. Hanna dribbelde achter hem aan, waar hij ook liep. Viel hij in de beek, dan viel Hanna in de beek. Viel hij een gat in zijn knie, dan huilde zij. Vond Oline Benjamin een heiden, dan huilde zij kwaad en hard, tot Oline toegaf dat zij ook een heiden was.

De klanken van de cello stroomden door deuren, ramen en spleten naar buiten. Vermengden zich met de wisselende windvlagen.

De regen was een waterorgel, dat zijn eigen melodie speelde.

Dina zat er midden in, terwijl het huis op zijn kop stond en de hele hoeve in beweging was, als room in een karnton. Ze trok zich niets aan van alle consternatie. De chaos leek haar niet te deren.

Het was alsof heftige gevoelens af en toe nodig waren. Wanneer de raderboot vlak voor de kust lag, zouden ze naar boven roepen. Ze zouden stampen op de trap, knarsen op het grind, rammelen in de keuken en de bijkeuken en slaan met de deuren.

Dan zou het in huis stil worden terwijl ze Jacobs zoon op de kade begroetten. Ook al zouden het hoerageroep en de scheeps-

fluit alleen maar verre geluiden zijn die meereden op het noodweer, het zou toch duidelijk te horen zijn.

Het leek alsof Dina daarop wilde wachten. Om dan de
oprijlaan af te lopen en hem met een handbeweging welkom te
heten. Ver van de andere mensen. Misschien wilde ze hem
alleen ontmoetten, om te zien wie hij was.

Maar niets werd zoals ze gedacht hadden, ondanks het feit dat
ze rekening gehouden hadden met het noodweer en de vertraging.

De Prinds Gustav had zijn bekende fluitsignaal gegeven, dat
aangaf dat hij verder zou varen. Anders en Niels hadden de
verloren zoon persoonlijk opgehaald. Een van de jonge knechten ving in de vloedlijn de boeg van de sloep op en trok hem op
de stenen.

De regen was minder hevig geworden. Dina had haar plaats
in de buitendeur ingenomen en keek de oprijlaan af.

Johan stond achter al zijn kisten en lichtte glimlachend zijn
hoed op voor de mensen die zich tussen stenen en pakhuizen
vastklampten. Naast hem stond een donkere, lange man in een
oliepak.

Op het strand stonden hoofddoek, sjaal en rokken moedig
naar het noordoosten gespannen. Langs de woedende hemel
vlogen de wolken in vliegende vaart voorbij.

Toen sloeg de bliksem in. Vlammen. Rood, vet en boosaardig.

'Het dak van de stal staat in brand!' schreeuwde de stalknecht.

In de chaos die nu ontstond, was er niemand die wist wat hij
moest doen.

De theoloog en de Prinds Gustav deden nu niet meer ter
zake!

De mensen renden zo snel ze konden naar de hooizolder.
Met armen en benen in één besluiteloze kluwen.

Tomas stond al snel met geheven bijl in de dakgoot van de
stal. Beroet hakte hij met razende bewegingen de brandende
dakdelen los, die hij naar beneden gooide, zodat de vonken alle
kanten opvlogen. Niemand wist waar hij de tegenwoordigheid

van geest en de kracht vandaan haalde. Niemand had hem iets opgedragen.

Plotseling stond Dina midden in de menigte. Ze gaf korte bevelen.

'Anders: de beesten! De paarden eerst! Niels: natte zeilen over het hooi! Evert: ga nog meer bijlen halen! Gudmund: maak de omheining los. Meisjes: allemaal emmers halen!'

Haar woorden knalden boven de wind en het knetteren van het vuur op het dak uit. Ze stond wijdbeens, haar haar één grote zwarte ragebol.

Haar blauwe mousseline rok van zes meter stof was een zeil dat haar lichaam tegen de wind drukte.

Haar ogen waren koud en vol concentratie. Ze hield haar blik strak op Tomas gericht, alsof ze hem door naar hem te kijken daar staande kon houden.

Haar woorden kwamen met de stem van een raaf. Donker en agressief.

Er klauterden nog meer mannen de ladder op die Tomas tegen de oprit naar de hooizolder had gezet, om hem te helpen.

De regen, die het afgelopen etmaal als een plaag over zee en land had geraasd, was nu plotsklaps verdwenen. De wind zat vol boosaardige grappen.

Ze moesten voortdurend heen en weer rennen met natte zeilen en zakken, om de boel te blussen waar de vonken iets droogs te vreten vonden.

Meer dan eens vielen brandende planken en stukken hout in het kurkdroge hooi, en dreigden alles in lichterlaaie te zetten.

'Anders! Zet wat mensen op de hooizolder. Hou natte zeilen klaar!' schreeuwde Dina.

Iedereen rende in razende vaart naar de plek waar hij het hardst nodig was. De emmers die eerder die dag onder het lekkende dak van het knechtenverblijf hadden gestaan, werden gehaald. Andere emmers kwamen uit de kelder en de keuken.

Het was een geluk bij een ongeluk dat alles buiten zo nat was. Gras en buitenmuren, alles was doorweekt. Wezen de vonken af, zodat ze sisten en kookten.

'Het lijkt wel of Onze Lieve Heer het vandaag niet zo op

daken begrepen heeft', mompelde Anders, terwijl hij met een opgerold nat zeil over zijn schouder langs Dina rende. Maar zij hoorde hem niet.

De Prinds Gustav werd in alle haast voor anker gelegd, en er werden roeiboten neergelaten. Het duurde niet lang voordat de bemanning en de mannelijke passagiers de oprijlaan opstroomden om te helpen blussen.

De stal stond het verst van het strand af. Buiten het eigenlijke erf van de boerderij. De zee, en daarmee het bluswater, was ver weg.

Sommigen renden naar de put die tussen de stal en het groepje gebouwen rond het woonhuis lag. Maar dat ging langzaam, met een emmer per keer, en zette geen zoden aan de dijk.

Mannen en vrouwen vormden samen een rij. Vanaf het strand naar de stal. Er waren niet genoeg mensen om vlak naast elkaar te staan, dus moesten ze steeds een paar meter rennen naar de volgende schakel.

Maar al snel vlogen de emmers van hand tot hand, over de landerijen tot aan de hooizolder.

De zeelui hielpen flink mee. Er werd grove taal gebezigd. Vloeken en juichkreten wisselden elkaar af.

De stuurman en de kapitein hielpen ook blussen. Ze hadden hun jopper uitgetrokken en hun muts weggegooid, en maakten samen met de anderen deel uit van de deinende rij.

De machinist was een Engelsman, die met een bulderende stem een soort koeterwaals praatte waar niemand veel van begreep. Maar hij had de schouders en de nek van een walrus en was gewend zijn handen uit de mouwen te steken.

Uiteindelijk stonden er drie man samen met Tomas op het dak. Ze hadden touwen om hun middel gebonden en liepen in een merkwaardig dansende tred over het dak, overgeleverd aan de windstoten en hun eigen vermogen om op de been te blijven. Twee met een bijl, en twee die emmers aanpakten.

Al snel bleek dat de bijlen het meest van pas kwamen. Binnen de kortste keren was een kwart van het oostelijke dak losgehakt. De stukken hout lagen op het gras te smeulen.

Toen kreeg de wind vat op het hooi onder een stuk dak dat niet brandde, en daarom niet was afgedekt met natte zeilen.

De hooizolder begon als bij toverslag te bewegen. In de vorm van een trechter. Een wetmatige beweging, alsof elk afzonderlijk hooisprietje op hetzelfde ogenblik een bevel gekregen had. Vanuit de dakloze hooizolder, recht de lucht in. Het hooi maakte een bocht boven de mensen op het erf en vloog toen schoksgewijs in zuidelijke richting over de akkers naar de zee.

'Niels! Het hooi! Meer zeilen!'

Dina's bevelen klonken zo luid tegen de wind in, dat de kapitein even verwonderd opkeek.

Niels was ergens anders bezig en hoorde het bevel niet. Maar anderen wel. De zeilen kwamen er, en het hooi werd tot rust gedwongen.

De uren verstreken zonder dat iemand het in de gaten had. De Prinds Gustav lag eenzaam en verlaten voor de kust.

Hanna en Benjamin renden rond en zogen alle indrukken op met wijdopen oren en ogen. Modder en vuil lagen als een dikke koek op hun benen en lieten rampzalige sporen achter op hun zondagse kleren. Maar er was niemand die daar op lette.

Toen alles onder controle leek te zijn, en slechts hier en daar een rookpluim uit de stukken dakbeschot op de grond herinnerde aan wat een grote brand had kunnen worden, liet Dina's blik het dak van de hooizolder los. Ze draaide haar beurse, stijve lichaam om en zette haar emmer neer.

Haar schouders zakten omlaag alsof iemand alle lucht uit haar geslagen had. Haar rug kromde zich.

Ze gooide haar haren uit haar gezicht met een beweging als van een paard dat de zon wil zien. Er kwam daar boven een brede scheur met blauwe lucht tevoorschijn.

Toen ontmoette ze een paar vreemde ogen.

Ik ben Dina. Mijn benen staan als palen in de grond. Mijn hoofd is gewichtloos en neemt alles in zich op: de geluiden, de geuren, de kleuren.

De beelden rondom mij bewegen. De mensen. De wind. Een prikkelende stank van verbrand hout en roet. Eerst zie ik alleen de ogen, zonder hoofd of lichaam. Als een deel van mijn vermoeidheid. Iets waarin ik tot rust kan komen.

Ik heb nog nooit zo iemand gezien. Een zeerover? Nee! Hij komt uit Hjertruds boek! Het is Barabbas!

Waar ben ik zo lang geweest?

10

Och, waart gij als mijn broeder, aan de borst van mijn moeder gezoogd! Vond ik u dan buiten, ik kuste u en niemand zou mij daarom laken. Ik zou u leiden, ik zou u brengen naar het huis van mijn moeder, die mij opvoedt; van geurige wijn zou ik u te drinken geven, van de jonge wijn mijner granaatappelen.

(Hooglied 8:1-2)

Zijn ogen waren erg groen. In een gezicht met grove trekken en baardstoppels van een dag oud. Zijn neus stak zelfverzekerd de wereld in en gebruikte brede neusvleugels als ploeg.

Ze hoefde haar hoofd niet te buigen om zijn ogen te ontmoeten. Zijn gezicht was bruinverbrand en had een groot, wit litteken op de linkerwang. Dat zag er afschrikwekkend en lelijk uit.

Zijn mond was groot en ernstig, met een fraai gewelfde cupidoboog. Alsof de schepper een zachte trek aan het geheel had willen toevoegen.

Het bruine, halflange haar was zweterig en vet. Zijn overhemd was ooit wit geweest, maar nu doorweekt en vol roetvlekken. Een mouw was losgerukt en hing rond zijn arm als was hij een bedelaar.

Rond zijn middel droeg hij een brede riem die zijn wijde leren broek omhoog hield. De man was mager en schonkig als een strafgevangene. In zijn linkerhand hield hij een bijl.

Dit was Barabbas, die was losgelaten. Hij keek naar haar. Alsof hij zou toeslaan...

Tomas en de vreemdeling hadden allebei de bijl gebruikt. De een omdat hij wist wat er op het spel stond. Voor Reinsnes. Voor Dina.

De ander omdat hij toevallig op deze landtong was gestrand en tegen deze brand was aangelopen, en hij het leuk vond die te blussen.

'Gelukt!' zei hij alleen maar. Hij was nog steeds buiten adem na het gevecht. Zijn brede borstkas ging op en neer als een blaasbalg.

Dina staarde hem aan.

'Ben jij Barabbas?' vroeg ze ernstig.

'Hoezo?' antwoordde hij even serieus. Ze kon aan zijn tongval horen dat hij geen Noor was.

'Ik zie dat je losgelaten bent.'

'Dan zal ik Barabbas wel zijn', zei hij en stak zijn hand uit.

Ze nam hem eerst niet aan. Hij bleef staan.

'Ik ben Dina Grønelv', zei ze en pakte toen eindelijk zijn hand. Die was klam en vies na gedane arbeid. Grote handpalmen met lange vingers. Maar van binnen even zacht als haar eigen handen.

Hij knikte, alsof hij al wist wie ze was.

'Je bent niet bepaald een smid', zei ze en knikte naar zijn hand.

'Nee, Barabbas is geen smid.'

Om hen heen werd opgelucht gemompeld en gepraat, over maar één ding: de brand!

Dina rukte zich los uit zijn blik en draaide zich langzaam om naar de andere mensen. Het waren er bijelkaar een stuk of dertig. Ze riep met een stem waarin verbazing doorklonk: 'Bedankt! Allemaal bedankt! Nu hebben we wel eten en drinken verdiend! We zullen tafels dekken in het knechtenverblijf en de eetzaal. Laat iedereen doen alsof hij thuis is, en iedereen is uitgenodigd!'

Op dat ogenblik kwam Johan naar Dina toe en gaf haar een hand. Hij glimlachte breed.

'Dat was me de thuiskomst wel', zei hij en omhelsde haar even.

'Zeg dat wel! Welkom Johan! Maar je ziet, we leven nog.'

'Dit is mijnheer Zjukovsky. We hebben elkaar aan boord ontmoet', voegde hij eraan toe terwijl hij naar de man gebaarde.

De vreemde stak haar weer zijn hand toe, alsof hij was vergeten dat hij dat al gedaan had. Deze keer glimlachte hij.

Nee, Barabbas was geen smid.

De wind ging in de loop van de avond liggen. De mensen gingen naar huis. De Prinds Gustav lag nog steeds voor anker. Al vele uren achter op schema.

Er werd een brandwacht ingesteld. Voor de zekerheid. Ze hoopten dat het niet meer zou regenen, vanwege het hooi.

Anders en Tomas zouden de volgende dag naar Strandstedet gaan om hout te halen en werklui in te huren. Er moest een nieuw dak komen.

De drost en Dagny kwamen pas nadat de brand geblust was. Hij mopperde een beetje omdat er geen verzekering was afgesloten. Dina antwoordde rustig dat ze daar voortaan aan zou denken. Er kwam geen ruzie van, omdat de deken en de theoloog er bij kwamen.

Moeder Karen trippelde rond als een korhoen. Haar heupen en benen waren op wonderbaarlijke wijze opeens veel beter dan ze in lange tijd waren geweest.

Oline had opeens overal alleen voor gestaan, omdat de meisjes buiten emmers water doorgaven. Daar stond tegenover dat ze wel urenlang de tijd kreeg.

En Oline was eraan gewend zichzelf te redden.

Het kalf, dat in zijn geheel was gebraden, was perfect, ondanks het feit dat Oline lange tijd paniekerig tussen de keuken en de oude bakoven in het bakhuis heen en weer had gerend. Die bakoven was eigenlijk een open haardstede, met moderne ijzeren deuren die je dicht kon doen. Daar had ze het kalf gebraden.

Het kalf was tijdens de ergste regenbuien in een ton uit het bakhuis naar de keuken gedragen, vlak voordat de Prinds Gustav zijn scheepsfluit liet klinken.

En vanwege alle opwinding was de hinkende moeder Karen de enige die tijd had om haar te helpen het kalf weer terug te sjouwen.

Ze hadden allebei begrepen dat het nog wel even zou duren voordat er een feestmaal gehouden zou worden.

Oline had het kalf meteen met braadjus en vet overgoten, zodat het niet uit zou drogen. Het vuur werd voorzichtig en met de grootste zorg opgestookt.

Maar de saus kon ze pas op het laatst maken. En eerst moest ze even tot rust komen. Met een galopperend hart kon je geen saus zonder klonten maken.

Ze had de ribben van het kalf gebroken en het vlees voor het bakken goed rond de nieren vastgezet. Die nieren waren haar specialiteit. Die hoorden erbij. Werden met een vlijmscherp mes gesneden en als het neusje van de zalm opgediend.

De jeneverbessen lagen gekneusd en wel op een snijplank en zonden hun geur de kamer in. Eigenlijk hoorden jeneverbessen bij wild. Maar Oline's kalfsvlees was niet zomaar kalfsvlees. Daar hoorden jeneverbessen en wonderbaarlijke kruiden bij.

De aalbessengelei en de bergframbozen wachtten in de eetkamer in kristallen glazen op een voetje, onder een doek. De pruimen stonden achter het fornuis in water. Zacht, en goed geweld. Ze had met trillende handen elke pit eruit gewurmd, terwijl ze tussen het raam en het aanrecht heen en weer rende.

De nieuwe aardappelen waren nog klein. Ze waren de avond ervoor door de meisjes geschrapt en hadden 's nachts in vers water in de kelder gestaan. Ze zouden op het laatste ogenblik in vier grote pannen worden gekookt.

De emmers waarin de aardappelen waren bewaard, waren al lang door de meisjes opgehaald voor het blussen. De aardappelen hadden ze inderhaast in een deegtrog gegooid.

Nu het gevaar voorbij was, jammerde Oline vanwege de deegtrog. Die was heilig. Daar hoorde alleen deeg in. Als je niet voorzichtig was met waar je een deegtrog voor gebruikte, kon er tovenarij, wilde gisting of nog ergere dingen optreden.

'Maar godallemachtig, er is brand geweest!' zuchtte ze wanhopig terwijl ze de aardappelen in de pannen liet rollen waar ze thuishoorden.

Toen de brand eindelijk voorbij was en de begroeting van Johan achter de rug, gingen de mensen naar huis om zich voor de tweede keer die dag op te doffen voor het feest.

Er waren ongetwijfeld een aantal mannen die maar één overhemd hadden. En die hadden er misschien te laat aan gedacht om dat tijdens de reddingswerkzaamheden uit te trekken. Dus boenden ze het ergste vuil er vanaf en hoopten er maar het beste van. Als roet en zweet maar van het lichaam waren gewassen, dan kon je de bevuilde kleren als een ereteken beschouwen.

Oline legde de laatste hand aan haar werk, terwijl ze tegelijkertijd bevel gaf tafels te dekken voor de scheepsbemanning en de passagiers die mee hadden geholpen de brand te blussen.

Moeder Karen bepaalde dat de kapitein, de stuurman, de machinist en Johans reisgezel in de eetzaal zouden eten. De rest zette ze zonder tafelschikking in de *kårstue*. Daar werden een aantal tafelbladen op bokken neergezet en gedekt met sneeuwwitte lakens en veldboeketten.

Oline was drijfnat van het zweet, maar in een opperbest humeur. Ze deed haar werk in een waardig tempo en met grote nauwkeurigheid.

In de kårstue zat de stemming er al goed in toen het eten kwam. Want er stond rum op tafel. De bemanning was in een gulle bui en haalde zaken van de boot die openlijk werden genoemd, maar ook zaken die men in alle stilte soldaat maakte.

Niemand sprak erover dat de raderboot ooit weer verder naar het noorden zou moeten.

De mannen hielpen bedienen alsof ze nooit anders gedaan hadden.

Moeder Karen had geen instructies gegeven om wijn of andere sterke zaken in de kårstue te serveren. Maar de rum bleek te volstaan. Was als de kruik van de weduwe van Sarfat, gastvrij en niet leeg te krijgen.

Er roeiden veel afgezanten naar de gezegende raderboot. En die kwamen allemaal terug met een bult onder hun boezeroen of jasje.

De stemming was na verloop van tijd meer dan levendig. De verhalen vlogen over de tafel als estafettestokjes. Afgesloten met lachsalvo's en gegrom.

De deken, die zich verontschuldigde dat zijn vrouw zich niet goed genoeg voelde om mee te komen, zat aan het hoofd van de tafel.

Dagny droeg ondanks de zomerse temperaturen een fluwelen jurk naar de laatste mode, met een getailleerd lijfje en een hoge kanten kraag. Net uit Bergen aangekomen.

Dina keek meerdere malen naar de broche op de kraag. Die was van Hjertrud geweest.

Moeder Karen zat aan het andere uiteinde van de tafel. Johan zat tussen haar en Dina in.

Een adellijk Zweeds echtpaar maakte een plezierreis door Noord Noorwegen. Ze werden van boord gehaald en welkom geheten, ook al hadden ze niet helpen blussen. De graaf werd naast moeder Karen gezet. Door een rokade die plaatsvond toen de officieren en de mensen van het schip erbij kwamen, kwam de vreemdeling, Zjukovsky, recht tegenover Dina te zitten.

Zilver en kristal blonken onder de grote lamp.

Een avond in augustus. Het witte tafelkleed was bestrooid met madeliefjes, grasklokjes en bladeren van klimop en lijsterbes. Hoge glazen pronkten er met hun edele inhoud. De geuren en het eten maakten de mensen vriendelijk, bijna uitnodigend jegens elkaar. Ze kenden elkaar niet allemaal, maar ze hadden twee dingen gemeen. Het eten en de brand!

Moeder Karens gezicht was één vriendelijk rimpelnetwerk. Ze glimlachte en converseerde. Zo was het in vroegere dagen ook op Reinsnes geweest! Toen waren er altijd mensen! Toen waren er ook feestelijk gedekte tafels en de geuren van kalfsvlees of wild. Moeder Karen genoot van het feit dat het nu weer zo was. Ze was blij dat ze Stine had opgeleid tot gastvrouw op Reinsnes. Dina wilde geen huishoudelijke taken leren. En Reinsnes had een gastvrouw nodig die meer kon dan muziek maken en sigaren roken. Deze avond zag ze dat Stine zich goed van haar taak kweet.

Het Lapse meisje was onmiskenbaar flink en schrander. En

ze had een innemende persoonlijkheid, terwijl Dina mensen afstootte.

Dina keek naar Barabbas. Hij had een schoon overhemd aan. Zijn haar was nog vochtig. In het lamplicht leken zijn ogen nog groener. Dina had Zjukovsky aangeboden zich op een van de gastenkamers op te knappen. Hij had het aanbod met een buiging aanvaard.

Toen ze hem samen met Johan weer naar beneden hoorde lopen, was ze zijn kamer binnengeslopen. Het rook er naar scheerzeep en leer.

Hij had een grote reistas van runderleer laten staan, halfopen. Eerst had ze er alleen maar in gekeken. Toen begon ze kleren en spulletjes op te tillen. Plotseling vonden haar handen een boek. Met een stevige, maar versleten leren rug. Ze deed het open. Het was waarschijnlijk Russisch. Op het titelblad stond in een schuin, hoekig handschrift:

Лев Жуковский

АЛЕКСАНДР ПУШКИН stond er met grote, zwierige lettertekens gedrukt. Dat was blijkbaar degene die het boek geschreven had. De titel van het boek was ook niet te ontcijferen.

Dezelfde rare en onbegrijpelijke tekens als op kisten en dozen met Russische goederen.

'Onbegrijpelijk...' mompelde ze hardop. Alsof ze kwaad werd omdat ze niet begreep wat voor boek het was.

Ze hield het boek onder haar neus en rook eraan. De geur van vochtig papier dat al lang op reis was. De bijzondere geur van een man. Zoet en bitter tegelijk. Tabak, stof. Zee!

Jacob kwam uit de wand. Hij had haar vanavond nodig. Ze mompelde een paar vloeken tegen hem, om te ontsnappen. Maar hij gaf niet op. Draaide om haar heen. Smeekte. Hij vulde de hele kamer met zijn geuren. Ze weerde hem af met haar handen en wilde hem wegduwen.

Ze legde het boek terug waar ze het gevonden had. Richtte zich op. Ademde, alsof ze hard had gewerkt.

Ze luisterde naar voetstappen op de trap. Had een alibi voor het geval hij terug zou komen. Ze zou nieuwe kaarsen in de kandelaars zetten, voor de avond. Hij wist niet, dat dat niet tot haar dagelijkse bezigheden behoorde. Ze had de mand met kaarsen naast zich op de vloer gezet.

Jacob bleef dicht bij haar toen ze de mand optilde en naar buiten liep. In de lichtbundel van de lamp in de gang liet hij haar blote arm los. Hij sleepte zijn kapotte been achter zich aan. Trok zich terug in de donkere hoek waar de linnenkasten stonden.

'We hebben het dak van de stal gered! Zonder jouw hulp!' siste ze boosaardig, en liep naar beneden, naar de eetzaal.

Ik ben Dina, die drijft. Mijn hoofd beweegt zich alleen door de kamer. Muren en plafonds openen zich. De hemel is een reusachtig, donker schilderij van fluweel en gebroken glas. Waar ik in drijf. Ik wil het! En ik wil het niet!

Tijdens het voorgerecht merkte de gravin op dat ze verbaasd was zo vlak bij de noordpool zo'n mooie tuin te zien. En die prachtige paadjes tussen de bloembedden, met schelpgruis bestrooid! Die waren haar ook al opgevallen voordat ze aan tafel gingen. Het moest veel tijd en werk kosten om zoiets op zo'n schamele plek aan te leggen.

Moeder Karens mond verstrakte, maar ze antwoordde hoffelijk dat dat inderdaad moeilijk was en dat er in harde winters af en toe rozestruiken kapotvroren. Ze wilde haar met alle genoegen morgen de kruidentuin laten zien. Dat was de specialiteit van Reinsnes.

Toen werd het glas geheven op de jonge theoloog. Op de stal en het hooi. Dat men door Gods genade uit de vlammen had kunnen redden.

'En de dieren! God zegene de dieren!' voegde moeder Karen er aan toe.

En dus proostten ze op het gewas en de dieren. En ze waren nog maar bij het voorgerecht.

De graaf had Oline's vissoep al geprezen. Had erop gestaan dat

Oline naar de eetkamer zou komen om zijn lof voor het eten in ontvangst te nemen. Dit was de beste vissoep die hij ooit geproefd had. En hij had tijdens zijn reizen overal op de wereld vissoep gegeten.

Franse vissoep! Had iemand ooit Franse vissoep gegeten?

Moeder Karen had Franse vissoep gegeten. En zo kon ze vertellen over haar driejarig verblijf in Parijs. Ze rinkelde met haar filigraan-armband en gesticuleerde met beide handen.

Plotseling begon ze Franse gedichten te declameren, terwijl ze jeugdige blosjes op haar wangen kreeg.

Haar witte, goedverzorgde haar, gespoeld met een aftreksel van jeneverbes en voor de gelegenheid gekapt met een krultang, wedijverde met het zilveren bestek en de kandelaars.

Toen Oline eindelijk binnenkwam, ze moest zich immers een beetje opknappen en haar voorschoot af doen, was het gesprek al bedroevend ver van de vissoep verwijderd.

De graaf herhaalde zijn lofrede op de soep, zij het ietwat ongeïnspireerd. Nu hij toch het woord had, hield hij meteen een lofrede op het hoofdgerecht. Hij werd gaandeweg zo breedsprakig, dat Oline een buiginkje maakte en meedeelde dat ze weg moest.

Daarna viel er een pijnlijke stilte.

Zjukovsky maakte het sjaaltje om zijn hals wat losser. Het was warm in de kamer, al stonden de ramen naar de tuin open.

Motvlinders kwamen langs de dunne kanten gordijnen naar binnen. Gevangen door het licht. Eentje vloog recht in de vlam voor Dina. Een kleine flikkering. Toen was het voorbij. Een verkoolde rest – wat stof op het tafelkleed.

Ze hief haar glas. De stemmen rondom hen verdwenen. Hij hief zijn glas ook en boog. Er werd geen woord gezegd. Toen namen ze tegelijk hun bestek op en begonnen te eten.

Het kalfsvlees was roze en sappig. De roomsaus lag als fluweel op het witte porselein. De aalbessengelei lag op de rand van het bord te beven.

Dina legde de gelei resoluut op haar vlees. De nieuwe aardappelen waren zo goed geschrapt dat er geen schil te zien was.

Alleen het melige, zachte, ronde. Ze zette haar zilveren vork erin en sneed er een stukje af. Liet dat langzaam door de saus glijden. Nam een beetje gelei mee en bracht het naar haar mond. Ze ontmoette zijn blik toen hij hetzelfde deed.

Even had hij een stukje roze vlees tussen zijn lippen. Zijn tanden blikkerden. Toen deed hij zijn mond dicht en begon te kauwen. Zijn ogen waren een stukje oceaan aan de overkant van de tafel.

Ze schoof zijn beide irissen op haar vork en stopte ze in haar mond. Liet ze over haar tong glijden. Behoedzaam. Zijn oogappels smaakten zilt. Ze waren niet om door te slikken of op te kauwen. Ze liet ze rustig tegen haar verhemelte rollen en streek er met het puntje van haar tong overheen. Toen duwde ze hen tot voor in haar mond, deed haar lippen vaneen en liet hen gaan.

Hij kauwde rustig en genietend door, terwijl zijn ogen hun plaats weer innamen. Zijn gezicht had een intense gloed. Alsof hun beider genot zijn weerslag had op zijn huid. De ogen wrikten zich weer op de plaats waar ze thuishoorden. En knipoogden naar haar!

Ze knipoogde terug. Ernstig. Toen aten ze verder. Proefden elkaar. Kauwden. Niet te gulzig. Wie zich niet kon bedwingen, had verloren.

Er ontsnapte haar een zucht. Ze vergat even te kauwen. Toen glimlachte ze, zonder het te beseffen. Het was niet haar normale lach. Het moest een glimlach zijn van jaren terug. Uit de tijd dat ze op Hjertruds schoot zat en over haar haren werd geaaid.

Hij was aan de ene kant mooi, aan de andere lelijk. Het litteken deelde hem in tween. Maakte een bocht die zijn wang spleet, met een diepe kloof.

Dina's neusvleugels vibreerden, alsof iemand haar met een strootje kietelde. Ze legde haar mes en vork weg. Bracht haar hand naar haar gezicht en streek met een vinger over haar bovenlip.

De stem van de drost onderbrak haar. Hij vroeg of Johan gesolliciteerd had.

Johan keek bedremmeld naar zijn bord en zei dat het voor de

reizigers nauwelijks interessant was om over zijn leven te horen. Maar daar was de drost het absoluut niet mee eens.

Gelukkig kwam het dessert. Bergframbozen, bedekt met fraai opgespoten slagroom. Ze waren dit jaar goud waard. Tomas had ze speciaal voor deze gelegenheid geplukt.

Het gezelschap kreunde van genot. De stuurman vertelde dat hij een keer ongewild in Bardu bij een bruiloft was geweest. Daar had hij helemaal geen vers vlees gekregen. Laat staan een dessert. Alle maaltijden hadden uit roompap en karnemelksepap bestaan. En gedroogd schapevlees. Zo zout, dat alleen de gastheer mocht snijden. Ze waren bang dat iemand het mes erop zou breken!

Moeders Karens gezicht verstrakte en ze zei dat mensen uit Bardu gewoonlijk niet zo gierig met eten waren.

Maar dat hielp niets. Zelfs de deken lachte.

Tomas had zich niet te goed gedaan aan de vaatjes van de zeelui.

Hij had als een van de weinigen niet de tijd gehad om schone kleren aan te trekken voordat hij aan tafel ging. Hij moest ervoor zorgen dat de dieren weer onder dak kwamen, en hij moest een brandwacht regelen en erop toezien dat die enigszins nuchter bleef.

Anders en Niels waren al snel in het woonhuis verdwenen. En daarna had hij hen niet meer gezien. Dat betekende dat alle verantwoording op zijn schouders rustte.

Toen hij de kårstue binnenkwam, waren de borden al afgeruimd en zaten de mensen gezellig bijeen met pijp, koffie en rum.

Plotseling werd het hem te veel. Hij voelde zich uitgeput en uitgebuit.

Dina was na het blussen naar hem toegekomen. Onmiddellijk. Had hem vriendschappelijk op zijn rug geklopt, zoals ze altijd deed. 'Tomas!' had ze gezegd. Dat was alles.

Op dat moment was dat voor hem genoeg. Maar toen ze zich daarna niet meer liet zien, niet tegen hem praatte, hem niet bedankte zodat anderen het konden horen, verstrengelden alle dingen zich tot een knoop in zijn buik.

Hij wist dat hij het belangrijkst was geweest bij de reddings-werkzaamheden. De eerste op het dak met een bijl. Het had veel erger kunnen zijn, als hij er niet geweest was.

Plotseling voelde hij een soort haat jegens haar. Ook jegens die grote vreemdeling, die hem had geholpen het brandende dak stuk te hakken.

Tomas vroeg de bemanningsleden wie die man was. Maar die wisten alleen dat hij met een accent sprak en onder een onchristelijke naam op de passagierslijst stond opgevoerd. Alsof hij een Chinees was! Hij kwam helemaal uit Trondhjem. Zat altijd te lezen en te roken of met Johan Grønelv te praten. Hij moest helemaal naar het noorden en daarna naar het oosten. Misschien was hij een Fin, of kwam hij nog verder uit het oosten? Maar hij sprak goed Noors.

Tomas had gezien dat de man achter Dina was gaan staan toen hij van het dak kwam. Het stak hem dat ze hem twee keer de hand had geschud. Het stak hem nog meer, dat de vreemde-ling in het hoofdgebouw mocht eten, samen met de dames en heren. Terwijl hij gekleed was als een zeeman.

Tomas deed zijn plicht met opeengeklemde tanden. Toen ging hij naar Oline en vroeg of zij nog iets nodig had. Bracht extra hout en water naar binnen en bleef bij haar.

Hij ging aan het uiteinde van de tafel zitten en liet zich vertroetelen. Zei dat hij te moe was om in de kårstue feest te vieren.

Hij at langzaam en grondig. Alsof zijn gedachten iedere hap in zijn mond rond lieten draaien en daarna naar zijn maag stuurden.

'Er is geen soep meer!' klaagde Oline. 'Die Zweedse graaf heeft een heel gamel opgegeten!'

Ze had nog nooit gehoord dat hoogstaande personen zulke slechte manieren hadden dat ze bij het voorgerecht om nog een portie vroegen. Dat landgoed van die man kon niet veel soeps zijn.

Tomas knikte sloom. Zat over de tafel gebogen.

Oline keek hem tersluiks aan, terwijl ze de bergframbozen van slagroom voorzag. Toen het laatste toefje was opgespoten, veegde ze omzichtig haar handen af aan een handdoek. Iedere vinger apart. Alsof slagroom gevaarlijk was.

Toen ging ze naar de bijkeuken en kwam terug met een glas van de beste rode wijn.

'Zo!!' zei ze kortaf, zette het glas bruusk voor Tomas neer en ging weer verder met haar bezigheden.

Tomas proefde de wijn. En om te verbergen dat haar zorgzaamheid hem ontroerde, riep hij uit: 'Verdomme!!'

Oline mompelde nors dat ze altijd al had geweten van wie Benjamin die goddeloze uitdrukkingen geleerd had.

Tomas grijnsde flauwtjes tegen haar.

Het was vertrouwd en warm in de keuken. De damp, de etensgeuren en het geroezemoes uit de kamers maakten hem doezelig.

Maar iets in zijn hoofd bleef klaarwakker.

Dina liet zich niet in de keuken zien...

Stine trok zich terug met de kinderen. Obstinate jongensstemmen vermengden zich met Hanna's opgewonden geluiden. Maar na een poosje werd het stil op de bovenverdieping.

Dagny, moeder Karen en de gravin kregen hun koffie in de salon geserveerd.

Dina legde beslag op de chaise longue in de rookkamer, rookte een sigaar en vulde zelf haar wijnglas bij. De graaf keek eerst verbaasd naar haar, maar hervatte toen zijn gesprek met de heren.

Na een poosje keek de deken welwillend Dina aan en zei: 'Dina moet ons komen helpen het huisorgel te stemmen!'

Hij had een groot talent om de dingen die niet helemaal gepast waren wat Dina betrof, te negeren. Alsof hij wist dat ze belangrijkere eigenschappen had.

Hij placht te zeggen dat je de mensen in Noord-Noorwegen moest nemen zoals je de jaargetijden nam. Kon je ze niet verdragen, dan moest je een poosje binnen blijven en je vermannen.

De vrouw van de deken leefde volgens die regel. Daarom had

ze niet de kracht om voor Johans thuiskomst naar Reinsnes te komen.

'De deken weet dat ik niet zo thuis ben op het orgel, maar ik zal het proberen', zei Dina.

'De vorige keer ging het goed', zei de deken.

'Dat hangt van de oren af', zei Dina droog.

'Dat is waar. Dina is muzikaler dan de meesten van ons! Ze heeft veel te danken aan – hoe heette hij ook al weer? Die leraar die ervoor zorgde dat ze van muziek ging houden?'

'Lorch', zei Dina.

'Ja, juist! Waar is die nu?'

'Op weg naar Reinsnes. Met zijn cello...', zei ze. Nauwelijks hoorbaar.

'Dat is interessant! Zeer verheugend nieuws!' zei de deken.

'Wanneer wordt hij verwacht?'

Dina kon niet antwoorden, want de graaf eiste de deken op.

Johan zat als een natuurlijk middelpunt in de kring van oudere mannen. Niet dat hij daar moeite voor deed, maar het gebeurde gewoon. Zijn zachte stem was belangstellend en aanwezig. Hij haalde onophoudelijk zijn rechterhand door zijn blonde, steile haar, zonder dat te beseffen. Even later hing het alweer over zijn voorhoofd.

Hij was veranderd in al die jaren. Niet alleen uiterlijk. Zijn woorden waren vreemd. Zijn taalgebruik was 'verdeenst'. En hij gedroeg zich alsof hij te gast was in een vreemd handelshuis. Bekeek niets met een blik van herkenning. Streelde niets met zijn handen. Liep niet van kamer naar kamer om te kijken hoe alles eruitzag. Hij was alleen in het hoofdgebouw geweest en nergens anders op de hoeve, behalve tijdens het blussen.

Anders vroeg Johan hoe de zaken er in Denemarken voorstonden. Of hij mee had gedaan met de politieke en nationalistische studentenbijeenkomsten in Kopenhagen.

Johan leek zich te schamen dat hij nee moest zeggen.

'De Denen lopen zeker te jubelen sinds de slag bij Isted? Het zal ze goed gedaan hebben de Duitsers te verslaan', zei Zjukovsky.

'Inderdaad', zei Johan. 'Maar het is onnatuurlijk om Sleeswijk bij Denemarken in te lijven. Zowel de taal als de cultuur zijn anders.'

'Maar dat was toch de droom van koning Frederik?' zei de Rus.

'Ja, en van de nationalisten', antwoordde Johan.

'Ik heb gehoord dat tsaar Nicolaas de beslissing in die oorlog heeft afgedwongen', zei Dina.

'Ja, hij dreigde de Pruisen met oorlog, als ze Jutland niet wilden ontruimen', zei Zjukovsky. 'Maar de nieuwe dienstplicht in Denemarken heeft zeker ook een steentje bijgedragen.'

Ze praatten verder over de nieuwe politieke bloei van Denemarken.

'Je bent goed op de hoogte van de politiek', zei de drost tegen Zjukovsky.

'Je pikt hier en daar wel eens iets op', glimlachte de man.

'De meeste mensen in Denemarken zijn niet zo goed op de hoogte', zei Johan waarderend.

'Dank je.'

Dina had de mannen tijdens het gesprek zitten bestuderen.

'Moeder Karen was bang dat Johan bij oorlog en demonstraties betrokken zou raken voor hij thuis kon komen.'

'Ik ben te weinig in dat soort dingen geïnteresseerd', zei Johan luchtig. 'Niemand laat zich provoceren door een theoloog.'

'Dat moet je niet zeggen', zei de deken. 'Maar nu ben je dan hier', voegde hij eraan toe.

'Er is natuurlijk verschil tussen theologen', zei Johan beschaamd. 'Ik kan nauwelijks als een politieke macht worden beschouwd. Maar dat ligt natuurlijk anders bij de deken.'

'Nou, nou', zei de deken goedmoedig. 'Ik zou ook niet graag als wereldlijke macht gelden.'

'Maar dat doet de deken nu juist wel. Als ik dat mag zeggen?' zei Dina.

'In welk opzicht?' vroeg de deken.

'Als de overheid dingen doet die jij onrechtvaardig vindt, dan zeg je dat ook, ook al heb je er niets mee te maken.'

'Ja, dat komt wel eens voor...'

'En de deken krijgt dan toch meestal zijn zin?' ging Dina vriendelijk verder.

'Dat komt ook wel voor', glimlachte de deken vergenoegd.

Het gesprek werd weer ongevaarlijk. En de drost vertelde omstandig over zaken en geschillen op de laatste rechtszitting.

Anders verbaasde zich het meest over Johan. Hij kon niets terugvinden van de jongen die hij had zien opgroeien. Probeerde een verklaring te vinden in het feit dat Johan nog zo jong was toen hij vertrok. En dat er nu zo veel mensen bij waren.

Aan tafel had Anders duidelijk gemerkt dat het voor moeder Karen niet gemakkelijk was hem weer thuis te krijgen als jonge predikant. Ze had moeite een onderwerp te vinden waarover ze met hem kon praten.

Johan was heel beleefd en vriendelijk. Maar hij was een vreemde geworden.

Nadat de deken zijn pijp had gerookt, aanvaardde hij met veel verontschuldigingen en zegeningen de thuisreis. De muziek hield hij tegoed voor de volgende keer, zei hij.

Dina liet de deken uit. Toen ze terugliep door de grote salon, sloeg ze een paar akkoorden aan op de piano. Aarzelend. De vreemdeling was er meteen. Leunde tegen het instrument en luisterde.

Dina hield op en keek hem vragend aan.

En plotseling gebeurde er van alles. Hij begon een klagend, melancholiek Russisch lied te zingen.

Dina pikte de melodie al snel op en speelde mee, op haar gehoor. Als ze een fout maakte, hielp hij haar door de tonen nogmaals te zingen.

Het was een vreemd lied. Vol droefenis. De grote man begon plotseling te dansen. Zoals Russische zeelieden vaak deden als ze een beetje dronken waren. Hun armen gestrekt opzij, met soepele heupen en gebogen knieën.

Het ritme werd wilder en vrolijker. De man danste zo laag bij de vloer dat hij eigenlijk niet kon blijven staan. Strekte zijn lange benen opzij, en trok ze weer onder zich. Steeds sneller.

Een geweldige kracht verplantte zich in ringen om hem heen. Hij was serieus en geconcentreerd. Maar het was duidelijk dat hij speelde.

Een volwassen man, die een spelletje speelde! Het litteken lichtte wit op in het blozende gezicht. Hij was Janus met de twee gezichten. Wervelde rond, en liet een beschadigde en een onbeschadigde wang zien.

Dina lette op de bewegingen van de man, terwijl haar vingers dansten. Hard en moeiteloos.

Moeder Karen, Dagny en de gravin onderbraken hun beschaafde gesprek. De mannen in de rookkamer stonden een voor een op om te kijken en te luisteren. Stine stond in de deuropening met vier kinderen achter haar rokken.

Benjamins ogen en mond stonden wijdopen. Hij kwam de kamer binnen, hoewel dat niet mocht.

Hanna en de zonen van de drost stonden bescheiden in de deuropening.

Ten slotte was de kamer gevuld door één grote glimlach. Die van mens naar mens sprong. In de kamers van Reinsnes was plezier een zeldzaamheid. Daar hadden ze in de afgelopen jaren vaak lang op moeten wachten.

Het gezang en de muziek drongen door tot in de keuken.

De zware mannenstem en de wonderlijke, soepele melodie met woorden die ze niet verstonden, vulden het hele huis.

Tomas schoof onrustig heen en weer. Oline luisterde met halfopen mond. Het meisje dat in de salons serveerde, kwam naar de keuken. Giechelend en verhit.

'Er moet meer punch komen. Die vreemdeling zingt Russische liedjes en springt als een gek op en neer, met gebogen knieën. Hij jodelt en slaat op zijn hakken! Ik heb nog nooit zoiets gezien! En hij moet slapen in de gastenkamer op het zuiden. Dat zei Dina! Er moet water komen in de lampetkan en de karaf. En er moeten schone handdoeken worden neergelegd!'

Tomas voelde hoe een vuist met één enkele slag alle lucht uit hem perste.

Zjukovsky beëindigde zijn dans even abrupt als hij hem was begonnen. Boog galant toen iedereen klapte en liep hijgend naar de rookkamer, naar zijn gedoofde sigaar.

Zijn voorhoofd was bezaaid met zweetpareltjes. Maar hij veegde ze niet weg. Fronste alleen zijn wenkbrauwen een beetje, en maakte zijn halsdoek wat losser.

Jacob raakte Dina's arm aan. Hij was in een slecht humeur.

Dina duwde hem weg. Maar hij hield haar nog vast toen ze naar Zjukovsky liep. Hij was op de lege stoel naast de chaise longue gaan zitten.

Ze stak hem haar hand toe en bedankte hem voor de voorstelling. De lucht tussen hen was elektrisch geladen. Dat maakte Jacob gek.

Later, toen alles weer bij het oude was en de reizigers over het fantastische licht in het Noorden spraken, boog Zjukovsky zich overmoedig naar voren en legde zijn hand lichtjes op die van Dina.

'Dina Grønelv speelt goed', zei hij eenvoudig.

Jacobs onwil jegens de man trof Dina tussen de ogen. Ze trok haar hand terug.

'Dank je!' zei ze.

'Bovendien kan ze erg goed het blussen van een brand organiseren... En ze heeft zulk mooi haar!'

Hij praatte erg zacht. Maar op een toon alsof hij meedeed aan het gesprek van de anderen over het weer in het Noorden.

'De anderen willen dat ik het opsteek', antwoordde ze.

'Ja, dat wil ik wel geloven', zei hij alleen maar.

De kinderen en Stine waren weer naar boven gegaan.

Het begon laat te worden. Het nachtlicht drong tussen de kanten gordijnen en de kamerplanten door naar binnen.

'Je hebt me verteld dat je stiefmoeder muzikaal was, en dat hebben we nu gehoord. Maar jij zei dat ze cello speelde', zei Zjukovsky tegen Johan.

Het was de eerste keer dat iemand Dina stiefmoeder noemde. Ze deed haar mond open, alsof ze iets wilde zeggen. Maar deed hem weer dicht.

'Ja', zei Johan enthousiast. 'Speel iets voor ons op de cello, Dina!'

'Nee, nu niet.'

Ze stak een verse sigaar op.

Jacob was erg tevreden over haar.

'Wanneer heb je verteld dat ik cello speelde?' vroeg ze.

'Op de boot. Het was het enige dat ik over Dina wist te vertellen', antwoordde Johan.

'Ja, meer zul je je wel niet herinneren...' mompelde ze.

Leo Zjukovsky keek van de een naar de ander. Niels hief zijn hoofd op. Er was uit die hoek de hele avond nog bijna geen geluid gekomen. Maar hij was er in ieder geval bij.

'Hoezo?' vroeg Johan onzeker.

'Nee, niets, alleen dat je lang weg bent geweest...' antwoordde ze.

Ze rechtte haar rug, en vroeg of iemand nog een wandeling wilde maken voor hij naar bed ging, nu het onweer voorbij was.

Ze keken haar bevreemd aan. Leo Zjukovsky was de enige die opstond. Johan keek naar hen. Alsof het een detail was dat hem interesseerde. Toen stak hij zijn hand uit naar de sigarenkist die Anders openhield en rond liet gaan.

Het was zijn eerste sigaar die avond.

Tomas liep vaker brandwacht dan hem was opgedragen.

Toen hij op een gegeven moment van de kårstue naar de stal liep, zag hij Dina en de vreemde over het witte schelpgruis bij het tuinhuis wandelen.

De vreemdeling had weliswaar beide duimen achter de mouwgaten van zijn vest gestoken en liep op een flinke afstand. Maar toen verdwenen ze samen in het tuinhuis.

Tomas dacht er serieus aan om de zee in te lopen. Maar er waren veel haken en ogen. In de eerste plaats was de brandwacht zijn verantwoording. En dan waren zijn oude ouders er nog. En zijn jongere zusjes.

Uiteindelijk bleef hij op de hooizolder zitten, zijn knieën onder zich opgetrokken, terwijl de strootjes tussen zijn kleren kriebelden. Hij had een beslissing genomen. Hij wilde met haar praten. Haar dwingen hem aan te kijken. Hij zou haar zo lang lastig vallen, tot ze met hem op jacht ging!

De kajuitboot van de deken was zover op de Sont, dat ze op de kade konden gaan dansen.

Tomas liep naar het Andreaspakhuis om de volgende man op wacht te sturen.

Daarna ging hij weer naar de keuken en Oline. Hielp haar het eten dat over was naar de kelder te brengen. Haalde meer wijn. Droeg meer water en hout naar binnen.

Een paar keer draaide Oline zich om van haar werk en keek hem aan.

'Tea en Annette zijn aan het dansen...' probeerde ze.

Hij gaf geen antwoord.

'Wil je niet dansen, Tomas?'

'Nee.'

'Zit je iets dwars, jongen?'

'Ach, soms ben je gewoon moe', zei hij luchtig.

'En je hebt geen zin om te praten, nu het werk er voor vandaag opzit?'

'Jawel', zei hij gekweld.

Hij liep met een lege emmer naar de bijkeuken en schraapte onophoudelijk zijn keel. Hij had de waterton daar en het reservoir achter op de kachel tot op de rand gevuld. Het brandhout lag keurig opgestapeld in de mand. Het aanmaakhout in een kist.

'Kom dan even bij mij zitten', zei Oline.

'Ga je nog niet naar bed?'

'Dat heeft vandaag niet zo'n haast.'

'Nee, nee.'

'Wat zou je zeggen van koffie met iets erin?'

'Dat lijkt me prima.'

Ze bleven beiden in gedachten verzonken aan de enorme tafel zitten.

Het weer was opgeklaard. De wind was niet meer dan een herinnering en een zwak suizen. De augustusnacht was vervuld van kruiden en blauw licht, dat door het open raam naar binnen sijpelde.

Tomas roerde grondig de suiker om in zijn kopje.

II

Leg mij als een zegel aan uw hart, als een zegel aan
uw arm. Want sterk als de dood is de liefde, onver-
biddelijk als het rijk van de doden de hartstocht.

(Hooglied 8:6)

Hij zag er in het nachtelijk licht beter uit dan onder de lampen.
Dina nam hem schaamteloos op. Ze liepen over het knarsende
schelpgruis. Hij alleen in overhemd en vest. Zij met een rode,
zijden omslagdoek om haar schouders.
'Je bent niet in Noorwegen geboren?'
'Nee.'
Pauze.
'Praat je liever niet over je vaderland?'
'Dat niet. Maar het is een lang verhaal. Ik heb twee vaderlan-
den en twee talen. Russisch en Noors.'
Hij leek te aarzelen.
'Mijn moeder was Noors', zei hij toen kortaf. Bijna brutaal.
'Wat doe je als je niet op reis bent?'
'Dan zing en dans ik.'
'Kun je daar van leven?'
'Soms.'
'Waar kom je vandaan?'
'Uit St. Petersburg.'
'Dat is zeker een ongelooflijk grote stad?'
'Een ongelooflijk grote en mooie stad', zei hij en begon te
praten over de kerken en pleinen van St. Petersburg.
'Waarom ben je zo vaak op reis?' vroeg ze na een poosje.
'Ja, waarom? Ik vind het leuk, denk ik. Bovendien ben ik op
zoek.'
'Waarnaar?'
'Waar iedereen naar op zoek is.'
'Wat is dat dan?'

'De waarheid.'

'Waarover?'

Hij keek haar verrast, bijna minachtend aan.

'Zoek jij nooit naar de waarheid?'

'Nee', zei ze kortaf.

'Hoe kun je zonder de waarheid leven?'

Ze trok zich een beetje terug. Jacob was tussen hen in. Hij was tevreden.

'Die tijd komt nog wel', zei hij zachtjes. Toen pakte hij haar elleboog stevig vast en duwde Jacob weg, uit tijd en ruimte. Ze liepen langs de halfverbrande stal. De koeien loeiden vreselijk daarbinnen. Maar verder was alles stil. Er kwam hun alleen een scherpe stank van verschroeid hooi en hout tegemoet.

Ze liepen door het witte hek de tuin in. Ze wilde hem het tuinhuis laten zien. Het lag daar tussen al het groen gevlochten. Wit, met sierlijk, blauw houtsnijwerk. Een achthoekig gebouwtje met aan iedere zijde een drakekop. Goed onderhouden. Hoewel de winter een paar gekleurde glazen ruitjes op zijn geweten had.

Hij moest zijn hoofd buigen toen hij naar binnen wilde stappen. Ze lachte, want dat moest zij ook.

Binnen was het halfdonker. Ze gingen naast elkaar op de bank zitten. Hij vroeg haar over Reinsnes. Zij gaf antwoord. Hun lichamen waren zo dicht bij elkaar. Zijn handen lagen op zijn knieën. Rustig. Als slapende dieren.

Hij gedroeg zich erg netjes, juist nu hij zo dichtbij zat. Jacob lette op iedere beweging. Alsof hij dat wist, zei hij, dat het laat begon te worden.

'Het is een lange dag geweest', zei Dina.

'Het is een fantastische dag geweest', zei hij.

Hij stond op, pakte haar handen en kuste die. Zijn lippen waren warm en vochtig.

De volgende ochtend stonden ze op de gang van de bovenverdieping. Vlakbij de trap.

Het was er schemerig en het rook er nog naar slaap, nachtspiegels en zeep.

Hij was de laatste van de reizigers die het huis verliet. De anderen waren al op weg naar de boten.

'Ik kom voor de winter weer naar het zuiden...' zei hij, en keek haar vragend aan.

'Je bent welkom!' zei ze, alsof hij een willekeurig iemand was.

'Kan ik je dan cello horen spelen?'

'Waarschijnlijk. Ik speel bijna iedere dag', antwoordde ze, en gaf hem haar hand.

'Maar gisteren niet?'

'Nee, gisteren niet.'

'Je was misschien niet helemaal in de stemming? Er was brand geweest...'

'Er was brand geweest.'

'En nu moet je erop toezien dat het nieuwe dak er goed op komt?'

'Dat hoort erbij.'

'Rust er veel verantwoording op je schouders? Heb je veel mensen in dienst?'

'Waarom vraag je zulke dingen... nu?'

Zijn litteken werd naar boven getrokken. Zijn glimlach was een openbaring.

'Ik probeer tijd te rekken. Dat is niet zo gemakkelijk. Ik maak je het hof, Dina Grønelv...'

'En dat is nieuw voor Barabbas?'

'Niet helemaal... Ik bén dus Barabbas?'

Ze lachten naar elkaar met ontblote tanden en kelen. Twee honden die in de schaduw speelden en elkaars kracht schatten.

'Jij bent Barabbas.'

'Dat was een boef', fluisterde hij en kwam dichterbij.

'Hij werd losgelaten!' hijgde ze.

'Maar Christus moest in zijn plaats sterven.'

'Christus moet altijd sterven...'

'Zwaai naar me', fluisterde hij, terwijl hij een beetje hulpeloos bleef staan.

Ze gaf geen antwoord. Greep toen bliksemsnel met beide handen zijn hand en beet hem hard in zijn middelvinger. Hij stootte een verraste kreet van pijn uit.

Alles was in de war. Zozeer dat hij haar tegen zich aantrok en zijn hoofd tussen haar borsten verborg. En diep ademde.

Ze bleven even zo staan. Zonder zich te bewegen. Toen kwam hij overeind, kuste haar hand en zette zijn hoed op.

'Ik kom voor de winter weer naar het zuiden', zei hij met hese stem.

Traptrede na traptrede scheidden hen. Hij draaide zich een paar keer helemaal om en keek naar haar. De buitendeur sloeg dicht.

Hij was weg.

De raderboot had een heel etmaal vertraging.

Leo Zjukovsky stond op de brug, zijn hand ten afscheid opgeheven. Het was warm. Hij stond er in hemdsmouwen. Daardoor zagen alle dichtgeknoopte, opgedofte mensen er idioot uit.

Zij bekeek het geheel vanuit haar slaapkamerraam. Hij wist dat ze daar stond.

Ik ben Dina. We drijven langs de stranden. Dicht bij elkaar. Het litteken is als een fakkel tussen het wier. Zijn ogen zijn de groene zee. Het licht over de zanderige bodem. Dat mij iets wil laten zien. En iets anders wil verbergen. Hij drijft van mij weg. Verdwijnt achter de landtong. De bergen. Want hij kent Hjertrud nog niet.

Johan stond op een rotsblok op het met wier bedekte strand en riep iets naar de raderboot. Leo Zjukovsky knikte en groette met zijn hoed.

Toen kwam het fluitsignaal. De schoepen zetten zich in beweging. De stemmen verdronken. Ze hing de groene ogen om haar hals.

Het gezin van de drost was voor dag en dauw vertrokken. Anders en Niels hadden hen meegenomen in hun boot. Ze moesten toch naar Strandstedet om materialen voor de reparatie van het dak te halen. Aangezien ze enorme hoeveelheden droog materiaal nodig hadden, had het geen zin te denken aan hout uit hun eigen bos.

Om zeker te zijn dat ze alles mee konden nemen, vertrokken ze daarom met het vrachtschip. De knecht van Fagernes hoefde alleen met de paarden over de bergrug te rijden, in de stekende zon.

Moeder Karen probeerde met Johan een vertrouwelijk gesprek te voeren over de zin van het leven. Over de dood. Over Johans toekomst. Zijn predikantsplaats.

Dina ging alleen uit rijden. En kwam pas laat in de middag terug.

Tomas beschouwde dat als een slecht teken. Het leek hem beter zijn gesprek met haar uit te stellen tot een andere dag.

Vanwege alle consternatie rond de brand en de thuiskomst van Johan, had niemand Dina verteld dat er een lange, grote kist van de raderboot aan land was geroeid.

Toen de winkeljongen met dat bericht kwam, ging ze naar het Andreaspakhuis. Met lange, lichte passen.

Ze pakte de kist ter plekke uit. Hij had een heel etmaal op de kade gestaan!

Lorch voelde zich verraden. Maar hij verweet haar niets. Zijn geur werd duidelijker naarmate ze dichter bij de cello kwam. Die was goed ingepakt.

Ze haalde hem voorzichtig uit de kist. En probeerde hem meteen te stemmen.

De snaren huilden tegen haar. Ze wilden zich niet laten stemmen. Ze praatte er met Lorch over. Raakte opgewonden en vol vuur. Draaide en probeerde het nog een keer. Maar er klonk alleen een vertwijfeld gehuil.

De golven sloegen tegen de stenen onder haar. Kabbelden ergerlijk zorgeloos. Schitterden door de spleten tussen de planken.

Ze jankte, uit razernij en teleurstelling omdat ze er niet in slaagde de cello te stemmen.

Ze wilde hem naar haar slaapkamer dragen. Hij moest blijkbaar helemaal thuis zijn voordat hij zich wilde laten stemmen.

Maar toen ze buiten in de zon kwam, zag ze het. Hij had het onderweg opgegeven. De cello. Hij was dood. Het was gebeurd. Hij was gebarsten!

Moeder Karen probeerde haar te troosten. Dacht dat het door de temperatuur kwam en het verschil in vochtigheidsgraad langs de lange kust.

Dina zette hem in haar slaapkamer. In de hoek. Naast haar eigen cello. De dode en de levende. Zij aan zij.

12

Des daags sloopte mij de hitte en des nachts de
koude, en de slaap week van mijn ogen.

(Genesis 31:40)

Tussen het hooien en de aardappeloogst was een korte adem-
pauze. Het was dus zaak om het dak te repareren voordat de
mannen met ander werk moesten beginnen.

De vissers uit het dorp begonnen nu ook binnen te druppelen met hun klipvis. Die moest nauwkeurig worden gesorteerd,
in de vispers op de zolder van het pakhuis worden geperst tot
bundels van veertig kilo en worden opgeslagen voor Bergen en
voor de export.

De lever die tegelijk met de vis werd binnengebracht, werd
in de loop van de herfst tot bruine traan gebrand. Dan rook
alles en iedereen naar traan. De lucht was een plaag voor de hele
hoeve. Ging in haren en pasgewassen kleren zitten. Nam als een
boze geest bezit van de stumpers die de traan moesten koken.

Alles kostte tijd. En mensen. Maar het betekende geld en
zorgeloze dagen voor iedereen.

Er waren problemen met het nieuwe, jonge melkmeisje. Ze was
bijna bang voor de oudste koe.

Het was alsof de koe en het melkmeisje sinds de brand op
elkaars zenuwen werkten. Bijna dagelijks lag de melk over de
vloer van de stal en kwam het melkmeisje huilend bij Oline de
keuken binnen.

Op een avond hoorde Dina het lawaai.

Ze ging naar de keuken en kreeg het trieste verhaal te horen
van de melk die weer op de vloer van de stal lag.

'Heb je wel goed leren melken?' vroeg Dina.

'Ja', snufte het meisje.

'Ik bedoel, heb je leren melken met levende koeien?'

'Ja', zei het melkmeisje en maakte een buiginkje.

'Hoe doe je het dan?'

'Ik ga op het krukje zitten en neem de emmer tussen mijn knieën en...'

'En de koe? Wat doe je met de koe?'

'Ik... droog de spenen af... weet je...'

'Maar verder?'

'Verder?'

'Ja. Denk je soms dat je een kruk aan het melken bent?'

'Neee...'

'Een koe is een koe, en moet dus ook behandeld worden als een levende koe. Begrijp je dat?'

Het melkmeisje wrong zich angstig in allerlei bochten.

'Ze bijt zo.'

'Ze bijt als jij komt om haar te melken.'

'In het begin was ze niet zo.'

'Maar wel sinds de brand?'

'Wat heeft dat er nou mee te maken?'

'Het komt omdat jij zo'n haast hebt, omdat je naar het knechtenverblijf wilt om te kijken of er daar iets loos is. Voor de koe ben jij een soort brand.'

'Maar...'

'Het is echt zo. Kom. Dan gaan we naar de stal!'

Dina liep naar de ingang van het knechtenverblijf om stalkleren te pakken. Toen liepen ze samen naar de loeiende koe.

Dina zette de emmer en het krukje een eindje buiten haar hok. Toen liep ze naar de koe toe en legde haar hand op de koeiehals. Zwaar en rustig.

'Rustig maar, rustig maar!' zei ze zachtjes, en streelde het snuivende beest.

'Pas op, ze bijt', waarschuwde het melkmeisje angstig.

'Ik ook', antwoordde Dina terwijl ze de koe aaide.

Het melkmeisje keek met grote ogen toe.

Dina liep het hok helemaal in en beduidde het melkmeisje ook te komen. Aarzelend zette die de ene voet voor de andere.

'Zo. Doe lief tegen de koe', beval Dina.

Het melkmeisje aaide de koe. Eerst bang. Toen rustiger.

'Kijk haar in de ogen', beval Dina.

Het melkmeisje deed haar best. De koe kwam langzamerhand tot rust en nam een paar happen uit de hooibaal in de kribbe.

'Praat met haar alsof het een mens is!' beval Dina. 'Praat over het weer en wat voor zomer het is geweest.'

En het meisje begon een soort gesprek met de koe. Eerst een beetje onrustig en klagerig. Toen ongedwongener, en ten slotte bijna innig.

'Laat haar de emmer en de doek zien en blijf de hele tijd praten', zei Dina. Ze bleef op hen letten, terwijl ze zich terugtrok uit het hok.

Het eind van het liedje was dat de koe haar grote kop omdraaide en vol bezorgdheid en begrip naar het melkmeisje keek, dat aan het melken was.

Het meisje straalde. De melk spoot in harde, witte stralen in de emmer, en schuimde over de rand.

Dina bleef staan tot ze klaar was.

Terwijl ze met de melkemmers over het erf liepen, zei Dina ernstig: 'Praat met de koe over je zorgen, meiske! Over je vriendje! Koeien houden van verhalen!'

Het meisje wilde haar juist bedanken voor de hulp, maar bleef nu verschrikt staan.

'Maar stel dat iemand me hoort?' vroeg ze benauwd.

'Die wordt dan getroffen door bliksem en ongeluk!' zei Dina ernstig.

'Maar als ze in het dorp over me hebben kunnen kletsen voordat de bliksem inslaat?'

'Dat gebeurt niet', zei Dina stellig.

'Waar heb je dat allemaal geleerd?' vroeg het melkmeisje.

'Geleerd? Ik ben opgegroeid bij de paarden en koeien van de drost', zei ze kortaf. 'Maar dat zou ik maar niet verder vertellen, want de drost bijt sneller dan welke koe dan ook.'

'Heb je daar leren melken?'

'Nee, dat heb ik geleerd op een klein boerderijtje. Daar hadden ze maar één koe.'

Het meisje keek haar verbaasd aan en slikte haar volgende vraag in.

Het melkmeisje kon er maar niet over uit wat voor een meesteres ze had. Vertelde het aan wie het maar wilde horen. Over mevrouw die zo goed met dieren kon omgaan. Die zo vriendelijk en behulpzaam was.

Ze spon het verhaal verder uit, zodat het de ronde deed langs alle boerderijen. In een triomftocht, zowel voor Dina, het melkmeisje als de koe.

En het werd duidelijk dat Dina van Reinsnes meer kon dan het Onze Vader. En dat ze aan de kant van de arme mensen stond. De mensen dachten terug aan het verhaal van de staljongen Tomas. Met wie ze was opgegroeid. Hij had nu een verantwoordelijke taak op Reinsnes en genoot alom respect.

En dan had je nog dat Lapse meisje, Stine. Met een dode en een levende bastaard! Opgenomen in de familie. Ze had zelfs het jongetje Benjamin ten doop gedragen!

Er werden details bij verzonnen die de verhalen nog smeuiger maakten, en die Dina's medeleven met de kleine luiden benadrukten. Haar rechtvaardigheidsgevoel. Haar grote, gulle hart.

Na een poosje verloren de minder flatteuze verhalen over Dina hun macht. Ze werden bijna een soort toegift, die haar onderscheidden van andere meesteressen en mevrouwen. En die haar nog specialer en sterker maakten.

De heide kleurde de ruiterpaden roodpaars. Als ze onder de bomen reden vielen er grote druppels op hen neer, als regenbuien. De zon was niet meer dan een waterig oog, zonder kracht of warmte. De varens sloegen sloom tegen de paardebenen.

Toen begon Tomas tegen Dina te praten. Omdat hij al lange tijd het gevoel had dat ze door hem heen keek, alsof hij lucht was.

'Dina zou zeker het liefst zien dat ik ergens anders werk zocht?'

Dina hield haar paard in, en draaide zich naar hem om. Haar ogen verraadden dat ze verrast was.

'Waarom zeg je dat?'

'Ik weet het niet, maar...'

'Wat probeer je te zeggen, Tomas?'

Haar stem klonk zacht, helemaal niet afwijzend, zoals hij had gevreesd.

'Ik denk... ik denk nog zo vaak aan die dag. De berenjacht...' Tomas wist het niet meer.

'Heb je er spijt van?'

'Nee! Nee, dat moet je niet denken!'

'Je zou graag vaker op berenjacht zijn gegaan?'

'Ja...'

'In de zaal?'

'Ja!' zei hij resoluut.

'En denk je dat je oud had kunnen worden op Reinsnes, als de mensen in de gang over je waren gaan struikelen?'

'Ik weet het niet?' Zijn stem klonk gesmoord. 'Maar zou jij willen, zou jij kunnen...'

Hij greep haar teugels vast en keek haar radeloos in haar ogen.

Tomas. Een paard met angst voor grote hindernissen. Toch sprong hij.

'Zou jij het kunnen?' herhaalde hij.

'Nee', zei ze botweg. 'Ik ben Reinsnes. Ik ken mijn plaats. Je bent dapper, Tomas! Maar jij kent je plaats ook.'

'Maar zonder dat, Dina? Zou je dan kunnen...?'

'Nee', zei ze, en veegde haar haar uit haar gezicht. 'Dan was ik naar Kopenhagen gegaan.'

'Wat had je daar willen doen?'

'De daken van de huizen zien. En de torens! Studeren. Alles over getallen leren. Waar ze zich verstoppen als ze niet zichtbaar zijn. Weet je, Tomas, getallen zijn eeuwig. Woorden niet. Woorden liegen voortdurend. Als de mensen praten en als ze zwijgen... Maar getallen! Die staan vast!'

Haar stem. De woorden. Waren als het klappen van een zweep. Die hem raakte. Hij kreeg geen genade.

Maar toch! Ze praatte tegen hem! Over haar gedachten. Als hij niet in haar slaapkamer kon komen, dan zou hij toch in ieder geval moeite doen om te weten wat ze dacht.

'En Benjamin, Dina?'

'Benjamin?'

'Ja, is hij van mij?' fluisterde hij.

261

'Nee!' zei ze hard, gaf Zwarterik een por met de punt van haar schoen en reed van hem weg.

Ik ben Dina. De levenden hebben ook iemand nodig. Net als dieren. Hebben iemand nodig die hen over hun flanken aait en tegen hen praat. Tomas is zo'n dier.
Ik ben Dina. Wie aait mij over mijn flanken?

De vlaggeheuvel was een fijne plek. Het woei er bijna altijd. Niets was bestendig, alles was vluchtig en eeuwig in beweging. Stro en bloemen, vogels en insekten. Sneeuwvlokjes en sneeuw-wallen. De winden woonden op die heuvel.

Maar de heuvel zelf stond vast. De met gras bedekte, lage, winderige heuvel, waar de eigenaar van Reinsnes jaren geleden een vlaggemast in had laten metselen. Die stond steviger dan de meeste vlaggemasten langs de kust. Ondanks het feit dat hij rampzalig blootstond aan alle winden en alle soorten noodweer.

De vlag liet zich meestal wel herstellen. Toch moest er vaak een nieuwe worden besteld. Over die uitgave werd niet gezeurd. Want de vlag van Reinsnes kon je al van verre zien op de Sont, of je nu uit het zuiden of uit het noorden kwam.

Dina had altijd een zwak gehad voor het winderige heuveltje. Deze herfst leek het wel of ze er woonde. Of ze greep naar haar cello. De snaren jankten. De mensen hielden hun handen voor hun oren en moeder Karen hinkte zelf naar de gang om haar naar beneden te roepen.

Of ze klom in de lijsterbes. Om Jacob te voorschijn te roepen, omdat ze zich op iemand wilde wreken.

Maar de doden meden haar als ze in zo'n bui was. Het was alsof ze begrepen dat ze niet in haar wereld bestonden. Dat die Barabbas de enige was.

'Ik kom voor de winter weer naar het zuiden.' Maar Dina kon niet wachten op de winter. Ze was er de vrouw niet naar om te wachten. Ze pakte Zwarteriks kop vaker dan anders. Ze hing een schommel voor Hanna en Benjamin in de bomen. Maar ze liep vooral naar de vlaggeheuvel, zodra er een zeil in het zuiden verscheen.

En daar stond ze als de raderboot die naar het zuiden ging werd gepraaid.

Ze probeerde van Johan te weten te komen waar die Leo naartoe ging.

Hij schudde zijn hoofd en keek haar bevreemd aan. Ze had zich blootgegeven. Hij liep naar haar toe en legde zijn hand op haar schouder. 'Op Leo moet je niet wachten. Hij is als de wind. Die komt nooit meer terug', zei hij zelfverzekerd.

Ze richtte zich abrupt in haar volle lengte op. Voordat een van beiden besefte wat er gebeurde, had ze hem met één enkele klap tegen de grond geslagen.

Ze bleef een ogenblik naar hem staan kijken. Toen liet ze zich op de grond zakken en nam zijn hoofd in haar schoot. Jankte als een geslagen hond. 'Jij bent predikant, jij mag nooit zeggen dat iets onmogelijk is. Begrijp je dat niet? Begrijp je dan niets? Niets...'

Ze veegde het bloed dat uit zijn neus stroomde weg en haalde hem weer terug naar de werkelijkheid. Het was een geluk dat er niemand binnen kwam.

Ze spraken met niemand over dit voorval. Maar Johan ontwikkelde een reflex die soms een vreemde indruk maakte op omstanders. Als Dina een onverwachte en bruuske beweging maakte, dook hij bliksemsnel in elkaar. Daarna verscheen er een beschaamde en gekwelde uitdrukking op zijn gezicht.

Het wilde niet vlotten met Johans beroeping. Hij had belangstelling getoond voor plaatsen in het noorden en verder naar het zuiden. Maar het was alsof ze waren vergeten dat hij bestond.

Dina liet moeder Karen en Johan hun gang gaan. Jacob was afwezig en vaag. Hjertrud ontglipte haar tussen de trossen touw, zonder een woord te zeggen. Keer op keer.

Benjamin liet zich op schoot nemen, met een verbaasde uitdrukking in zijn lichte ogen. Maar hij had al snel genoeg van haar hardhandige, veeleisende manier van doen, gleed van haar schoot en rende naar de deur.

Ze was een slaapwandelaar. Die in Hjertruds zwarte boek las.

Over rechtvaardigen en onrechtvaardigen.
Die hard sloeg. Hard liefkoosde en wraak zwoer.

De eerste nachtvorst kwam. Met beijsde plassen en vergeten aalbessen. Op een avond kwam de sneeuw als een bescheiden voorschot, maar met een zware, dreigende adem achter zich. Nu was het niet meer 'voor de winter'.

Dina stak een stokje voor Oline's gewoonte om ruim op tijd beddegoed en huiden van de zolder van het pakhuis te halen.

'Het is nog te vroeg voor de winterdekens!' zei ze koppig.

Daarmee kwam ze op het terrein van de ander. Oline leed gezichtsverlies ten overstaan van anderen. Dina en Oline waren als twee gletsjers. Met een diepe fjord ertussen.

Op een nacht joeg de koude dwars door zomerdekens en lakens tot diep in de ziel.

De volgende dag ging Dina naar de stal, naar Tomas. Boog zich over een paarderug die hij stond te kammen, gaf hem een por zoals altijd.

Hun ogen ontmoetten elkaar met verschillende signalen. Zijn ogen waren verrast, nieuwsgierig, gehoorzaam. De hare waren woedend, bevelend, hard. Een snerpend bevel dat hij de zolder van het pakhuis moest opruimen en de winterspullen naar het huis moest brengen. Alsof hij in ongenade was gevallen.

Toen hij vroeg wie hem ging helpen, maakte ze hem duidelijk dat hij het alleen moest doen.

'Maar Dina! Dat kost me de hele dag, en de avond ook!'

'Doe wat ik je zeg!'

Hij verbeet een antwoord.

De winter had zijn tanden laten zien.

Tomas nam een lamp mee. Hij kwam met gebogen hoofd op haar af, niet wetend dat zij daar was. Keek bij elke stap goed uit. Iemand zou spullen hebben kunnen laten liggen, die een arme stakker met de neus in het stof konden doen belanden.

Ze stapte plotseling tevoorschijn uit de hoek.

De dekens hingen over stokken, recht naar beneden, als grote, zachte wanden. Zogen de geluiden op. Begroeven die voor altijd.

Buiten was er vorst en een volle maan achter onrustige, jagende wolken. Geen weer voor mensen die sporen wilden volgen.

Haar razernij was intens en diep.

'Ik kom voor de winter weer naar het zuiden', bauwde de maan na, dwars door wolken en het oude dak heen.

Ze greep Tomas vast als een uitgehongerde hond. Maakte zich nauwelijks kenbaar voordat ze ondersteboven tussen de dekens lagen.

Het duurde even voordat hij besefte wat hij in zijn handen hield. Zijn eerste kreet van pijn en schrik dwong zich naar buiten toen hij haar tanden in zijn nek en haar armen om hem heen voelde. Toen liet hij zich omver trekken tussen twee in de zomer geluchte wollen dekens met de kleur van zeeschuim. Hij kon nog net de lamp in veiligheid brengen. Die stond beschaamd toe te kijken.

Dina was pijn, of genot. Het was hem om het even of hij in de zaal voor de zwarte kachel lag of op de zolder van het pakhuis. Al stortte de hemel zich als een zwarte havik op hem, het was toch... de hemel.

Ze rukte haar omslagdoek af en knoopte het lijfje van haar jurk los. Trok haar rokken op tot aan haar middel. Boog haar sterke, grote lichaam naar hem toe, zonder inleiding.

Hij zat op zijn knieën op de deken en staarde naar haar in het gele schijnsel van de lamp. Toen maakte hij het allernoodzakelijkste los. Zo snel dat alles in de war raakte, en zij hem moest helpen.

Een paar keer wilde hij iets zeggen. Want hij voelde de behoefte haar te zegenen. Hij wilde zo graag het Onze Vader opzeggen.

Maar ze schudde haar hoofd, en groeide met hem in het donker. Haar lichaam was als een gladde rots in het maanlicht. De geuren vulden zijn geest en sloten al het andere buiten.

Lieten al zijn spieren schokken en exploderen. Een wellust, zo groot, dat hij een kerk had kunnen vullen! Een lawine, een vloedgolf kon veroorzaken. Schuimbekkend, almachtig en nat.

Hij werd er op weggedragen. Liet zich meedrijven naar open zee. De golven sloegen over hem heen.

Af en toe kwam hij boven, en probeerde of hij haar kon tuchtigen.

Ze liet hem begaan. Dan trok ze hem weer onder. Mee naar het woud van waterplanten. Zilt zeewier en hitsige onderstromen. Ze trok hem over het strand, waar de zee zich had teruggetrokken, en het blaaswier prikkelende geuren naar zijn neusgaten zond. Ze bereed hem naar de visgronden, waar de vissen in scholen zwommen, zij aan zij. Buik tegen buik. Hij rook hen. Voelde dat ze hun vinnen tegen zijn heup sloegen. Zo!

Toen ging het naar de diepte. En hij verloor alle besef. Lucht en vocht werden uit hem geperst met een enorme kracht toen ze hem aan land, op het strand reed. Hij voelde grote vishaken en vismessen in zijn lies en borst steken. Zijn middenrif was een gebarsten spoeltrog. Hij kon net zo goed sterven. Hij was daar waar hij wilde zijn.

Maar hij stierf niet. Ze liet hem zachtjes liggen. In de vloedlijn. Hij was een jonge berketak. Na een hevig noodweer van de stam gebroken. Met bladeren en kleur nog intact. Verder niets. Behalve het besef: te hebben gegeven – en ontvangen.

Ze hadden geen woord gezegd. Buiten was de blauwviolette dag. Meeuwen krabbelden op het dak. De woede was uitgeraasd. Niet mooi, maar spookachtig.

Hjertrud kwam onverwachts uit de hoek, en probeerde het licht uit te doen. Dat was terwijl ze nog op adem lagen te komen.

Ze boog zich voorover om de vlam uit te blazen. Vlak, vlak bij Dina's arm. De zoom van haar rok viel over haar arm.

'Nee!' riep Dina uit. Strekte zich bliksemsnel uit en trok de lamp naar zich toe.

Hjertrud deinsde achteruit en verdween.

Dina bleef achter met verbrande vingers.

Tomas kwam overeind om te kijken. Hield haar vast. En

vond troostende woorden terwijl hij op haar hand blies. Alsof ze Benjamin was...

Ze wilde haar hand terugtrekken. Hij had Hjertrud niet gezien! Had niet begrepen dat zij hun wereld had willen verduisteren.

Dina kleedde zich langzaam en zorgvuldig aan, zonder naar hem te kijken. Toen hij haar vastpakte voordat ze zouden gaan, legde ze haar voorhoofd even tegen hem aan.

'Tomas! Tomas!' zei ze alleen maar.

Het beddegoed en de huiden kwamen ook dat jaar in huis.

Tomas droeg lasten zo hoog als hooibergen. Hij gebruikte alle kracht die hij in zich had. Zonder te verslappen. Voor het avondeten was het gedaan. Toen maakte hij een wak in het dunne ijslaagje in de waterbak op het erf en doopte zijn hele hoofd en bovenlichaam erin. Een paar keer. Daarna deed hij een schoon hemd aan en ging naar Oline en zijn avondpap.

Het was beginnen te sneeuwen. Voorzichtige, witte vlokken. Onze Lieve Heer was goed en discreet. De zonde is vaak niet zo groot als de zondaar denkt. Tomas was de gelukkigste zondaar in het noorden.

Zijn lichaam was beurs door de ongewone bewegingen. Tussen de dekens en bij het sjouwen van huiden. Elke spier deed pijn. Hij genoot ervan, met grote vreugde en vermoeidheid.

13

Tot de avondwind waait en de schaduwen vlieden,
wend u dan hierheen, en doe als de gazel, mijn
geliefde, of als het jong van een hert op de gekloofde
bergen.

(Hooglied 2:17)

Stine leerde Hanna en Benjamin hun verwachtingen niet te
hoog te spannen door hen werkjes te laten doen die ze aan
konden.

Soms kregen ze genoeg van haar moederhand en stommel-
den ze de zaal binnen.

Dina stuurde hen vrijwel nooit weg, maar soms zei ze dat ze
stil moesten zijn, of wilde ze niet met hen praten. Of ze liet hen
alle spullen in de kamer tellen.

Benjamin haatte dat spelletje. Hij deed Dina's zin in de hoop
dat ze hem zou zien, als hij een poosje had zitten tellen. Maar
hij sjoemelde met de getallen en herinnerde zich het aantal van
de vorige keer. Schilderijen, stoelen en tafelpoten.

Hanna was nog niet helemaal ingewijd in de getallen, en
schoot schromelijk te kort.

Aangezien Johan nog geen beroeping had gekregen, werd besloten dat hij tot na de winter als leraar voor Benjamin op Reinsnes
zou blijven.

Maar Hanna werd zijn meest trouwe volgelinge. Benjamin
kon niet goed wennen aan die grote broer die hem eindeloos les
moest geven.

Het was veertien dagen voor Kerst. De drukste tijd van het jaar.
Oline gaf haar bevelen. Anders, moeder Karen en Johan waren

in het dorp om boodschappen te doen voor de hoogtijdagen, toen Benjamin en Hanna in de zaal bij Dina kwamen.

Ze beklaagden zich over het feit dat Johan gezegd had dat Benjamin moest lezen, terwijl al dagen geleden was afgesproken dat ze vandaag de kaarsen voor Driekoningen zouden gieten.

'De dag is nog lang. Benjamin kan best én lezen, én kaarsen maken!' zei Dina.

Hanna liep onrustig door de kamer. Ze was net een jong hondje dat tegen alles aanbotste dat haar in de weg stond. Hanna trok in het voorbijgaan het kleed van Lorchs cello.

Dina staarde naar het instrument. De barst was weg! Hij was heel!

Hanna begon te huilen, omdat ze dacht dat ze iets heel stouts had gedaan toen het kleed viel en Dina een luide kreet slaakte.

Stine hoorde het gehuil en kwam aangerend.

'Lorchs cello is weer heel!' riep Dina.

'Dat kan toch niet?'

'Toch is het zo!'

Dina droeg de cello naar de dichtstbijzijnde stoel. Voorzichtig begon ze het instrument te stemmen, zich niet meer bewust van de aanwezigheid van de anderen.

Toen de zuivere tonen door het huis stroomden, hief iedereen het hoofd op en hield Hanna op met huilen.

Het was de eerste keer dat ze op Reinsnes de Lorch-cello hoorden. Hij had een donkerder boodschap dan Dina's cello. Een wildere toon en meer kracht.

Urenlang vond men andere geluiden niet de moeite van het luisteren waard. Zelfs niet het geluid van de raderboot die uit het noorden kwam.

Alleen Niels was zoals gewoonlijk ter plekke. Het sneeuwde gestaag. Het schip had een paar uur vertraging.

Er waren niet veel reizigers, zo laat in het jaar. Welgeteld één lange, donkere gestalte met een reistas van runderleer in zijn hand en een plunjezak over zijn schouder. Hij had een grote muts van wolfshuid op zijn hoofd, droeg een jas van wolfshuid en was niet gemakkelijk te herkennen in het duister van de advent.

Tomas stond in de deur van de stal toen de man samen met

Niels vanaf het strand kwam aangelopen. Ze liepen over het erf, naar de hoofdtrap.

Tomas groette de vreemde stijfjes toen hij het litteken zag dat de man op zijn linkerwang had. Toen liep hij de stal weer binnen.

Leo Zjukovsky vroeg vriendelijk om logies voor een paar dagen. Hij was moe na een dagenlange storm in Finnmark. Hij wilde niet storen. Hoorde dat mevrouw musiceerde...

Ondertussen speelde de Lorch-cello daarboven. Met diepe, volle klanken, alsof er nooit een barst in had gezeten.

Leo Zjukovsky werd op eigen verzoek in alle eenvoud in de keuken bij Oline onthaald.

Ze vertelde hem over de cello. Die maandenlang gebarsten was geweest, en die als door een wonder weer heel was. En over hoe blij Dina was geweest met het instrument dat ze van die arme Lorch had geërfd.

Niels hield hem een poosje gezelschap. Maar toen Stine binnenkwam met de kinderen, zei hij iets over werk dat gedaan moest worden en vertrok.

Stine wilde Dina gaan vertellen dat er een gast was. Dat wilde Leo Zjukovsky absoluut niet. Maar als de deur naar de gang open mocht, zodat hij de muziek beter kon horen...

De man at pap, met Oline's frambozensap erbij. Hij stelde het zeer op prijs dat hij bij haar in de keuken mocht zitten, zei hij, en bedankte voor de maaltijd door lichtjes te buigen en haar hand te kussen.

Oline was sinds Jacobs dood niet meer zo hoffelijk bejegend. Ze werd zenuwachtig. Praatte druk over het huis en zijn bewoners en over de oogsten. Er ging een uur voorbij. Oline deed haar dagelijkse bezigheden, liep af en aan.

Leo luisterde. Keek voortdurend naar de deur. Zijn neusvleugels vibreerden zachtjes. Maar zijn gedachten waren verborgen achter zijn ernstige, beminnelijke voorhoofd.

Oline was verrukt over het feit dat hij zich niet te goed voelde om ongevraagd hout in de kachel te leggen. Zonder heisa. Ze wierp de man een bewonderend knikje toe.

Lorchs cello huilde. Tomas kwam niet binnen voor het avondeten. Die Rus zat in de keuken!

Dina wilde beneden wijn gaan halen om Lorchs cello te vieren. Ze kende de mantel van wolfshuid die over de trapleuning hing niet.

De tas van runderleer herkende ze wel. De aanblik en de geur sprongen haar met zo'n kracht naar de keel dat ze zich vast moest grijpen.

Haar grote lichaam vouwde zich over de leuning. Dubbelgeklapt, alsof ze werd overvallen door hevige pijn. Haar handen rond het gladde, ronde houtwerk waren in een klap nat van het zweet. Ze ging op de trap zitten en siste toen Jacob zich kenbaar maakte.

Maar hij kon niets beginnen. Was net zo overrompeld als zijzelf.

Ze trok langzaam haar rokken op en deed haar knieën uit elkaar om haar voeten op de trede onder haar te kunnen zetten. Stevig. Haar hoofd hing tussen haar handen, alsof het was afgehakt en haar in bewaring was gegeven.

Ze zat daar totdat ze gewend was aan de duisternis op de gang, in het spaarzame licht van de kaptafel. Toen stond ze eindeloos langzaam op en liep de trap af. Greep gretig naar de reistas. Alsof ze wilde controleren of hij er echt was. Maakte hem open en pakte beet wat er in lag. Vond een boek. Ook deze keer. Zuchtte en stak het onder haar omslagdoek. Daarna deed ze de tas dicht.

Het licht flakkerde toen ze opstond. Ze had een onderpand genomen.

Ze liep de trap weer op. Stilletjes. Stookte de kachel niet meer op. Niemand mocht het kacheldeurtje open horen gaan.

Ze ging volledig gekleed op bed liggen, haar ogen op de deurklink gericht. Maar er kwam geen geluid. Er gebeurde niets. Jacob zat op de rand van het bed naar haar te kijken.

Stine bracht de gast naar zijn kamer. Hij had niet gewild dat ze voor hem de kachel aanmaakte. Hij was in uitstekende conditie, en warm als gloeiende kolen, zei hij.

Stine haalde handdoeken en deed warm en koud water in de kannen.

Hij bedankte haar met een buiging, terwijl hij de kamer in ogenschouw nam. Alsof hij verwachtte dat er iets vanuit de wanden op hem af zou springen.

Een van de meisjes, Tea, was boven aan het werk. Ze stond bij de linnenkast te treuzelen en keek steels naar de kamer. Zij wilde ook haar deel van de vreemdeling hebben.

Iets aan de man maakte Stine verlegen. Ze haastte zich, en liep achterwaarts de deur uit terwijl ze goedenacht fluisterde.

'Is Dina Grønelv al gaan slapen?' vroeg hij, net toen ze wilde verdwijnen.

Stine was van haar stuk gebracht.

'Ze speelde daarnet nog... Zal ik gaan kijken?'

Leo schudde zijn hoofd. Hij liep naar haar toe en bleef in de deuropening staan.

'Slaapt ze daar?' fluisterde hij, en knikte naar de donkere gang, richting zaal.

Stine was zo verbouwereerd, dat die onbehoorlijke vraag haar niet eens schokte. Ze knikte alleen maar, en liep buigend de duisternis in, naar het kamertje waar zij en de kinderen sliepen.

Het werd stil in het grote huis. De nacht was niet zo koud. Maar wel zwart, met een zware hemel. Binnen was een donkere gang, met twee gesloten deuren.

De lichten in de zaal werden vanuit het knechtenverblijf bewaakt. Voor Tomas was deze nacht een hel. Die als een onverzadigbare bloedzuiger zijn lichaam teisterde, tot de dag aanbrak.

Tea vertelde dat de Rus met het litteken de vorige avond met de boot was aangekomen. Ze was 's ochtends naar de zaal gegaan om de kachel aan te maken.

'Die van de herfst hier was, toen het dak van de stal in brand stond!' voegde ze eraan toe.

'O ja?' zei Dina vanuit de kussens.

'Hij had een plunjezak en een reistas bij zich. Hij wilde niet dat mevrouw gestoord werd. Vroeg ons de deur naar de gang open te zetten zodat hij de cello kon horen... Hij heeft urenlang in de keuken gezeten. Oline viel om van de slaap, en de kachel was al uit en zo!'

'Was Niels er niet?'

'In het begin wel, ze hebben samen wat zitten roken. Maar geen punch gedronken...'

'In de keuken?'

'Ja.'

'Zei hij wat hij wilde?'

'Nee, hij vroeg alleen om eten en onderdak, ze hadden blijkbaar erg slecht weer gehad in het noorden. Hij zei niet zoveel, vroeg alleen maar. Over van alles en nog wat. En Oline ratelde maar door!'

'Hou op over Oline! Blijft hij hier tot de volgende boot?'

'Dat weet ik niet.'

'Was Stine er niet?'

'Jawel, zij heeft hem naar zijn kamer gebracht met water en zo... Ik hoorde dat hij vroeg of mevrouw hier sliep, en...'

'Stil! En rammel niet zo met de kacheldeur!'

'Dat was niet de bedoeling...'

'Nee.'

'Ik dacht alleen dat hij... dat hij misschien zin had om te praten...'

'Je denkt maar wat je wilt. Maar hou op met die kacheldeur te slaan.'

'Ja.'

Tea volbracht haar taak. Bijna geruisloos.

De warmte begon zich door de kamer te verspreiden. De grote, zwarte buik knorde en snorde.

Dina bleef liggen, nog steeds helemaal aangekleed, tot Tea verdwenen was en ze hoorde dat het meisje op de deur van de gastenkamer klopte.

Toen stond ze op en hing de vreemde nacht over een stoel. Laag na laag. Liet lauw water over haar naakte huid sijpelen, en dwong Jacob op afstand.

Ze borstelde haar haar en kleedde zich aan, en nam daar uitgebreid de tijd voor. Koos een zwarte rok met een roestrood lijfje uit. Geen broche of andere juwelen. Bond een mosgroene gebreide omslagdoek rond haar schouders en middel, zoals dienstmeisjes dat deden. Toen haalde ze diep adem en liep langzaam naar beneden, voor het ontbijt.

Moeder Karen was net terug uit Strandstedet, en verweet zichzelf dat ze de avond tevoren niet thuis was geweest, nu er een gast was gekomen.

Oline leek opeens beledigd, wat de reden daarvoor ook mocht zijn, en kneep haar mond dreigend samen.

Dina zei gapend dat het niet zo ernstig was, hij was immers geen hoge ambtenaar of profeet. Het viel wel goed te maken met een goede maaltijd, zo midden in de advent.

Moeder Karen begon alvast met een uitgebreid ontbijt te verordonneren, met alles erop en eraan.

Oline zond haar rug een woedende blik, en dacht aan alle dingen die ze die ochtend nog moest doen. De bakvrouw zou de volgende dag komen. Alles was te laat. De mazelen en andere ziekten gingen rond in het dorp en hielden mensen dagenlang aan het bed gekluisterd. Alle hulpkrachten die van buiten waren ingehuurd, kwamen te laat. En het nieuwe melkmeisje was nog steeds niet ingewerkt, al was ze van goede wil. Stine had genoeg te doen met de kinderen, en Dina was geen hulp waar het huishoudelijke zaken betrof.

Wat moest ze beginnen? Een uitgebreid ontbijt? Puh!

'Kijk eens aan, Leo Zjukovsky vereert ons met een bezoek voor het zomer wordt?' Dina's stem was ijskoud.

Ze hoorde hem van de trap naar beneden komen, en zorgde ervoor dat ze in de gang stond.

De glimlach die hij haar had gezonden bevroor.

'Misschien ontvangen jullie op Reinsnes geen gasten, zo vlak voor de Kerst?' vroeg hij terwijl hij met uitgestoken handen op haar af kwam.

'Op Reinsnes ontvangen we altijd gasten. Gasten die beloofd hebben te komen en anderen...'

'Dus ik kom niet ongelegen?'

Ze bleef naar hem staan kijken zonder te antwoorden.

'Waar kom je vandaan?' vroeg ze en gaf hem een hand.

'Uit het noorden.'

274

'Het noorden is heel groot.'

'Ja.'

'Blijf je lang in ons huis?'

Hij hield haar hand tussen zijn beide handen, alsof hij hem wilde verwarmen.

'Tot de volgende boot, als dat kan? Ik zal niemand tot last zijn.'

'Heb je net zulke goede sigaren bij je als de vorige keer?'

'Ja.'

'Dan nemen we er een op onze nuchtere maag, voor het ontbijt! Er is overigens een boek met onbegrijpelijke Russische tekens bij mij in de zaal gekomen. Vannacht.'

Zijn ogen glimlachten, maar hij bleef ernstig.

'Dat mag je zolang houden... Als je veel op reis bent, worden je boeken vochtig en laat de lijm los. Ik wil de gedichten graag voor je vertalen. Het zijn juweeltjes. In een krankzinnige wereld. Ik kan een vertaling opschrijven, die je er dan naast kunt leggen. Ken je Poesjkin?'

'Nee.'

'Ik wil je graag over hem vertellen, als het je interesseert.'

Ze knikte. Haar ogen weerspiegelden nog steeds blinde woede.

'Dina...' zei hij zacht.

De vorst had alle ramen met kant versierd. Een zwakke geur van wierook kwam uit de woonkamer.

'Barabbas is geen smid', fluisterde ze en wreef met haar wijsvinger over zijn pols.

14

Hij opende de rots, en wateren vloeiden, zij stroomden door de dorre streken als een rivier.

(Psalm 105:41)

Niels bewoog zich in de schaduw van Leo, alsof hij bescherming bij de Rus zocht. Hij kwam zelfs voor de maaltijden naar
het woonhuis en zat 's avonds in de rookkamer. Ze voerden
samen op gedempte toon gesprekken.

Anders had het erg druk met de voorbereidingen voor de
visvangst bij de Lofoten na de Kerst. Hij liep af en aan. Hij had
bijzonder veel koolvis gevangen bij Andenes. Afgelopen jaar
had hij tot ver buiten het district de 'Koolviskoning' geheten.
Er waren nieuwe netten gekocht, zowel zink- als sleepnetten.

Toen de drost op een dag met zijn gezin op bezoek was, liet
Anders een paar tekeningen zien, op het moment dat ze aan
tafel zouden. Trots als een pauw spreidde hij ze uit op een lege
plek op tafel.

Het vlees stond dampend te wachten, terwijl iedereen naar
de tekeningen keek.

Anders wilde een opbouw op de sloep zetten met daarin een
kachel, zodat ze niet aan land hoefden te gaan om eten te
koken. Zo konden ze dag en nacht doorvaren en om beurten
onder het dak slapen.

De drost knikte en plukte aan zijn baard. Het zag er wat
onbeholpen uit, vond hij, maar het kon heel praktisch zijn.
Had hij met Dina overlegd over zo'n verbouwing?

'Nee', zei Anders, terwijl hij steels naar Dina keek.

Niels vond het gekkenwerk om zoiets te bedenken. En wat
werd de sloep lelijk! Hoog en onbestuurbaar, moeilijk te manoeuvreren.

Leo vond het een goed idee. De Russische *lodje* was ook een log schip, maar toch bijzonder functioneel. Hij keek naar de tekening die Anders liet zien en knikte goedkeurend.

Moeder Karen klapte in haar handen en prees het initiatief, maar noodde hen nu allemaal aan tafel, opdat het eten niet koud werd.

Dina gaf Anders een duw tegen zijn schouder en zei vriendelijk: 'Anders is een sluwe vos! Dat huis op de sloep zal er wel komen.'

Ze keken elkaar even aan. Toen vouwde Anders de tekeningen op en ging zitten. Hij had zijn zin gekregen.

Ik ben Dina. Eva en Adam hadden twee zonen. Kaïn en Abel. De een sloeg de ander dood. Uit jaloezie.
Anders slaat niemand dood. Toch wil ik hem houden.

Niels' aanwezigheid aan tafel en zijn voortdurende gesprekken met Leo lagen als vliegen in Dina's eten. Ze hield hem eerst in bedwang met haar glimlach, toen eiste ze de aandacht van Anders en Leo op.

Stine was ook op haar hoede zolang Niels er was. Ze sprak, als dat nodig was, met zachte, indringende stem tegen de kinderen. Behandelde de jonkies streng maar zacht. Ze zaten met de volwassenen aan tafel, wat in strijd met alle normale regels was. Als ze klaar waren mochten ze van tafel. Het was moeilijk om de kinderen in bed te krijgen. Maar er werd op Reinsnes niet geslagen. Dat had Dina bevolen. Als je een wild paard kon berijden zonder hem de zweep te laten voelen, dan kon je twee kleine kinderen ook opvoeden met als enige wapen een strenge blik.

Stine was het er niet altijd mee eens, maar dat hield ze voor zich. Dat ze zich af en toe genoodzaakt zag Benjamin aan zijn haar te trekken, bleef tussen hen.

Benjamin accepteerde Stine's straffen, omdat ze altijd rechtvaardig waren. Bovendien zond Stine een bepaalde geur uit als ze zich druk maakte. Die geur had Benjamin als zuigeling al zalig gevonden.

Hij accepteerde haar hand als die hem in woede of rust tuchtigde, zoals je het veranderen van het weer of het wisselen van de seizoenen accepteert. Hij koesterde geen wrok, en huilde het meteen van zich af.

Hanna was anders. Haar moest je niet straffen zonder dat ze wist waarom. Dat kon een lawine van geluiden, angst en wraak losmaken. Dan kon niemand haar troosten, behalve Benjamin.

Benjamin had de dag dat de drost met zijn zonen op visite was, uitgekozen om bijzonder onrustig aan tafel te zijn.

De drost mompelde geërgerd dat het te gek was dat op Reinsnes twee kinderen opgroeiden zonder de tucht van een vader.

Stine boog haar hoofd, bloedrood van schaamte. Niels keek naar de muur, alsof hij midden in de winter een zeldzaam insekt in het oog had gekregen.

Maar Dina lachte en stuurde Benjamin en Hanna van tafel, en zei dat ze in de keuken bij Oline konden afeten.

Ze namen hun borden mee en gingen vrolijk van tafel, zonder een spoor van schaamte.

'Ik kan niet zeggen, dat mijn vader zich veel met mijn opvoeding bemoeid heeft. Dat is algemeen bekend.'

Het was alsof iemand de drost midden in zijn gezicht spuugde.

Moeder Karen keek vertwijfeld van de een naar de ander. Maar ze wist niets te zeggen. De stemming werd als ranzig levervet toen Dina er aan toevoegde: 'Ik heb als meisje erg weinig van mijn vader gezien, toen ik als pleegkind werd ondergebracht bij de pachter op Helle. En nu zit ik op Reinsnes.'

De drost wilde net woedend opstuiven. Maar Dagny greep zijn arm stevig vast. Ze had hem uitdrukkelijk te verstaan gegeven, dat als hij geen vrede met Dina kon bewaren terwijl ze op Reinsnes op bezoek waren, zij er nooit meer een voet zou zetten.

Want Dina's wraak en boosaardige antwoorden als de drost haar terechtwees, raakten Dagny ook. Ja, eigenlijk was zij de enige die werd vernederd. Want de drost had net zo'n dikke huid wat krabben en vechten betrof als een walrus in de paartijd.

Hij vermande zich met moeite en lachte het geheel weg als

een grapje. Toen begon hij ijverig met Anders te praten over de opbouw op de sloep.

Tijdens de rest van de maaltijd waren Leo's ogen als twee valken die de mensen aan tafel bespiedden.

Het leek alsof iedereen lamgeslagen was door alles wat Dina niet gezegd had toen ze haar brutale antwoord uitspuugde.

Stine hief haar hoofd pas weer op toen ze goed en wel de kamer uit was, een half uur later.

De avond werd kort. Iedereen ging vroeg naar bed, en de drost nam zijn gezin de volgende ochtend vroeg mee naar huis.

Moeder Karen probeerde het leed te verzachten. Overlaadde hen met cadeautjes, en praatte opgewekt met Dagny voor ze afscheid namen.

Dina verkoos zich te verslapen, zodat ze vanuit het slaapkamerraam gedag moest roepen toen het bezoek naar de aanlegsteiger stapte.

'Zalig kerstfeest', riep ze poeslief en zwaaide.

Van de inktzwarte ochtend tot het namiddagse opdoemen van de duisternis over bevroren sporen in de sneeuw, ondergingen deze dagen voor Kerst een verandering. Naarstige bedrijvigheid ging langzaam over in avonden van diepe rust. Zelfs de dieren werden besmet met dit ritme, hoewel ze nauwelijks daglicht zagen.

Laat op de avond hoorden ze de Lorch-cello vanuit de zaal, en achter alle ramen gloeide kaarslicht. Niemand zei iets over zuinig zijn met kaarsen. Normaal was er 's winters een quotum van zes kaarsen in de woonkamer, doordeweeks. Twee tegelijk. Plus de vier grote lampen.

Het huis rook naar groene zeep en bakwerk, berkehout en wierook. Oline had hulp van een bakvrouw, die de keuken en aanrechtkeuken in een heerlijke geur hulde. Maar sommige werkstukken vertrouwde ze alleen zichzelf toe. Het bladerdeeg bijvoorbeeld. Dat ontstond tussen haar bemeelde handen op het werkblad in de bijkeuken. Terwijl de deur openstond naar de ijskoude decemberavond.

Ze troonde daar als een groot, bedrijvig dier, gekleed in een bontjas en met een bakmuts over haar haar. Haar gezicht werd na verloop van tijd wit, met blosjes van de kou op haar wangen.

De lefser lagen in houten dozen op de zolder van het pakhuis. De taarten stonden in de grote voorraadkamer. De rollades lagen in de pers in de kelder. De hele dag klonk het hakmes in het bakhuis, toen Oline het vlees voor de worst fijnhakte. De verse kaas was in schalen gedaan, met kaneel bestrooid en afgedekt met een linnen doek. De broden lagen in voorraaddozen en kisten, en waren ook bedoeld voor de vistocht naar de Lofoten.

Er waren veel kamertjes en vertrekken op Reinsnes. Dus Dina had Leo Zjukovsky best onder vier ogen kunnen ontmoeten als ze daar moeite voor had gedaan. Maar er waren ook veel deuren. En die gingen allemaal open en dicht, zonder kloppen. Daarom werd Leo de gast van iedereen.

De raderstoomboot werd pas tussen Kerst en oudjaar verwacht. Misschien zelfs pas in het nieuwe jaar!

Leo Zjukovsky sprak met Johan over politiek en religie. Met moeder Karen sprak hij over literatuur en mythologie. Hij bladerde in haar boeken. Maar gaf toe dat hij Russisch en Duits beter kon lezen dan Noors.

Leo Zjukovsky werd voor iedereen mijnheer Leo. Hij gaf geld aan Tea die elke ochtend de kachel voor hem aanmaakte. Maar niemand wist waar hij vandaan kwam, of waar hij naar toe ging. Als iemand er naar vroeg antwoordde hij overtuigend, maar kort, en meestal zonder plaatsnaam of datum.

De mensen op Reinsnes waren gewend om met vreemdelingen om te gaan, dus dat accepteerden ze rustig en beleefd. Ze leerden de signalen van de Rus naar eigen kunnen en interesse te duiden.

Dina begreep dat hij na de afgelopen keer in Rusland geweest moest zijn, want hij had Russische boeken bij zich. Ze was een paar keer met een smoesje naar zijn kamer geslopen, als ze wist dat hij in de winkel was. Snoof zijn geur op. De geur van zijn tabak, kleren, de reistas.

Ze bladerde in zijn boeken. Hij had dingen onderstreept, maar geen aantekeningen gemaakt, zoals Johan altijd deed. Alleen maar vage potloodstrepen.

Een van de eerste dagen dat Leo er was, vroeg Anders wanneer hij het laatst in Bergen was geweest.

Leo antwoordde alleen maar: 'Afgelopen zomer.'

Toen begon hij de Moeder Karen te prijzen, die aan de wal lag te wachten om uit te varen naar de Lofoten.

'De schepen in het noorden zijn pas echte schepen!' zei hij.

En Anders' ogen begonnen te stralen, alsof hij het vrachtschip zelf had gekocht en betaald.

's Avonds gooide Leo zijn jasje uit en danste en zong. Zijn dragende, donkere stem vulde het hele huis. De mensen kwamen uit de keuken en de bijgebouwen om te kijken en te luisteren. Deuren werden opengezet, en turende ogen, gewend aan de poolnacht, begonnen te gloeien door de warmte en het gezang.

Dina leerde de melodieën kennen en speelde op gehoor pianoforte.

De cello van Lorch bleef altijd in de zaal. Ze beweerde dat hij geen veranderingen kon verdragen.

De avond voor Kerst was de hemel melkwit van de sneeuw. Onverwacht had de dooi toegeslagen. Dat beloofde niet veel goeds voor de kerstvieringen. Het sledepad kon binnen een etmaal onbegaanbaar zijn, en de zee was al onrustig. Er hing een sneeuwstorm boven de Sont die als het ware niet het achterste van zijn tong liet zien. Je wist niet welke kracht hij nog in zich droeg.

Dina reed langs de vloedlijn, omdat de poreuze sneeuw met een scherpe rand eronder gevaarlijk was voor paardebenen die er doorheen stapten.

Ze liet de teugels vieren, terwijl ze naar de grauwe horizon staarde.

Ze had Leo mee willen vragen voor een rijtocht, maar hij was al naar de winkel gegaan. Ze wilde dat hij zich bloot gaf. Hij had niets herhaald van de dingen die hij na de brand op de gang had gezegd.

Haar voorhoofd was gefronst en haar ogen tuurden even naar de hoeve.

De huizen lagen daar in een kluwen en zonden kegels van geel licht door de vele ramen. De bevroren lijsterbessen en korenaren werden geteisterd door hemelse deugnieten met snelle vleugels. Sporen van dieren en mensen, mest en afval, lagen als grijze en bruine vlekken in al dat wit rond de huizen. Schaduwen van druipende ijspegels tekenden gulzige tanden op de sneeuwhopen.

Dina's gezicht bood geen prettige aanblik.

Maar toen ze na een uur weer bij de stal aankwam, glimlachte ze.

Dat maakte Tomas onrustig. Hij nam de teugels aan en hield Zwarterik vast, terwijl zij afsteeg en het paard een klopje op zijn flank gaf.

'Geef hem wat extra's...' mompelde ze.

'En de andere paarden?'

Ze keek verward op.

'Doe maar wat je wilt.'

'Kan ik een paar dagen vrij krijgen tussen Kerstmis en Nieuwjaar?' vroeg hij. Schopte tegen een ijsklomp met paardemest.

'Wel als je er voor zorgt dat er iemand bij de dieren blijft', zei ze onverschillig en wilde weglopen.

'Blijft hij lang, die mijnheer Leo?'

De vraag verraadde hem. Verraadde dat hij haar om rekenschap vroeg... Zich het recht toeëigende zich dingen af te vragen.

Dina leek een vernietigend antwoord te willen geven. Maar hield zich opeens in.

'Waarom stellen de mensen zich altijd zo aan op Reinsnes, Tomas?'

Ze boog zich naar hem toe.

Hij dacht aan de eerste zuring tussen je tanden in de lente. Hoogzomer...

'Mensen komen en gaan...' voegde ze eraan toe.

Hij bleef het antwoord schuldig. Aaide het paard afwezig.

'Prettig kerstfeest dan maar!'

Zijn ogen gleden over haar mond. Haar haar.

'Je eet toch nog wel het kerstmaal hier, voordat je naar huis gaat?' vroeg ze luchtig.

'Ik neem liever iets extra's mee naar huis, als dat mag.'

'Het mag allebei.'

'Bedankt.'

Plotseling werd ze kwaad.

'Sta daar niet zo te mokken, Tomas!'

'Mokken?'

'Je ziet eruit als een hoopje ellende!' beet ze hem toe. 'Wat er ook met je gebeurt, je ziet er altijd uit alsof je van een begrafenis komt.'

Het werd meer dan stil. Toen haalde de man diep adem.

Diep. Alsof hij van plan was alle kaarsen in een keer uit te blazen.

'Een begrafenis, Dina?' zei hij uiteindelijk, met de nadruk op ieder woord.

Hij keek haar recht in de ogen. Spottend?

Toen was het moment voorbij. Hij liet zijn gedrongen schouders zakken. Hij leidde het paard naar binnen en gaf het haver, zoals zij had bevolen.

Leo kwam juist uit zijn kamer toen zij de trap opliep.

'Kom!'

Ze zei het als een bevel, zonder inleiding. Hij keek haar verbaasd aan, maar volgde haar. Ze deed de deur van de zaal open en nodigde hem binnen.

Ze was voor het eerst sinds zijn komst met hem alleen. Ze wees naar een van de stoelen bij de tafel.

Hij ging zitten en gebaarde dat zij op de stoel naast hem moest gaan zitten. Maar daar zat Jacob al.

Ze wrong zich uit haar rijjasje. Hij stond op en hielp haar. Legde het jasje voorzichtig op het nadrukkelijk aanwezige bed.

Ze negeerde Jacob en ging bij de tafel zitten. Ze waren figuren in een tableau. Jacob zat toe te kijken.

Er werd niets gezegd.

'Wat ben je ernstig', zei Leo als inleiding. En legde zijn ene been over het andere, terwijl hij de twee cello's bekeek. Liet zijn blik over het raam, de spiegel, het bed glijden. En ten slotte terug naar Dina's gezicht.

'Ik wil weten wie je bent!'

'En dat moet per se vandaag? Op de avond voor kerst?'

'Ja.'

'Ik probeer voortdurend uit te vinden wie ik ben. En of ik in Rusland thuishoor of hier in Noorwegen.'

'En waar leef je van terwijl je dat probeert uit te vinden?'

Even schitterden de groene ogen.

'Net als mevrouw Dina, van het landgoed en de bezittingen van mijn voorvaderen.' Hij stond op, maakte een buiging en ging weer zitten.

'Zou je willen dat ik nu meteen betaal voor mijn logies en maaltijden?'

'Alleen als je morgen vertrekt.'

'Mijn schuld wordt groter naarmate ik langer blijf. Misschien wil je een onderpand?'

'Dat heb ik al. Poesjkins poëzie! Bovendien is het niet onze gewoonte gasten te laten betalen. Dat is waarschijnlijk de reden waarom we willen weten wie we in huis hebben.'

In zijn hoofd werd gewerkt. Twee knopen bewogen zich. Op elke kaak een.

'Je lijkt onvriendelijk en boos', zei hij recht op de man af.

'Dat was niet de bedoeling. Maar jij verstopt je voor mij.'

'Je bent niet bepaald toegankelijk. Behalve wanneer je speelt. En dan kun je niet met je praten.'

Ze negeerde de ironie.

'Je zei... voordat je vertrok... dat je me het hof maakte. Zei je dat zomaar?'

'Nee.'

'Wat bedoelde je dan?'

'Dat kan ik moeilijk uitleggen, tijdens zo'n verhoor. Je bent gewend de antwoorden te krijgen die je wilt, niet waar? Concrete antwoorden op concrete vragen? Flirten met een vrouw die je ontmoet, is niet concreet. Dat is een gevoelsmatige uitdaging. Waar tijd en tact voor nodig is.'

'Gebruik je ook tijd en tact als je met Niels zit te kletsen in zijn kantoor?'

Leo lachte. Legde al zijn tanden bloot.

'Dat wilde ik alleen maar weten', brieste ze en stond op. 'Je kunt wel gaan!' voegde ze eraan toe.

Hij boog zijn hoofd, alsof hij zijn gezicht wilde verbergen. Toen keek hij plotseling op, en zei smekend: 'Je moet niet boos zijn. Speel liever iets voor me, Dina!'

Ze schudde haar hoofd, maar stond toch op en liep naar de instrumenten. Liet haar handen over Lorchs cello glijden terwijl ze de man bleef aankijken.

'Waar praat je met Niels over?' vroeg ze plotseling.

'Wil je alles over iedereen weten? Alles onder controle hebben?'

Ze gaf geen antwoord. Liet haar handen over het instrument glijden in grote, trage cirkels. Volgde de lijnen van het instrumentenlijf. Het maakte een vaag geluid. Een gefluister van gene zijde.

'We praten over Reinsnes. Over de winkel. Over boekhouden. Niels is een bescheiden man. Erg eenzaam... Maar dat weet je natuurlijk wel. Hij zegt dat Dina erg eigengereid is en alles controleert.'

Pauze. Dina zweeg.

'Vandaag hebben we het erover gehad dat het misschien een idee is om de winkel uit te breiden, zodat de ruimte moderner wordt. Lichter. Met plaats voor meer waren. En we hebben de mogelijkheid besproken om contacten met Rusland te leggen en goederen te halen die hier niet zo gemakkelijk te krijgen zijn.'

'Jij bespreekt Reinsnes met mijn mensen, maar niet met mij?'

'Ik dacht dat jij een vrouw was met andere interesses.'

'Wat voor interesses?'

'Kinderen. De huishouding.'

'Dan weet je niet veel van de plichten van een weduwe van een herbergier! Ik zou het prettiger vinden als je Reinsnes met mij bespreekt, en niet met mijn ondergeschikten! Wat voor belang heb jij trouwens bij Reinsnes?'

'Dit soort samenlevingen interesseren mij. Ze zijn een wereld op zich, met hun goede en slechte kanten.'

'Zijn er daar waar jij vandaan komt niet zulke samenlevingen?'

'Nee, niet precies zo. Mensen hebben minder vrijheid, als ze geen land bezitten. Arme mensen hebben geen reden om loyaal te zijn, zoals hier. Het zijn moeilijke tijden in Rusland.'

'Ben je daarom hier gekomen?'

'Onder andere. Maar ik heb ooit een brand op Reinsnes helpen blussen...'

Hij kwam dichterbij. Het karige daglicht plantte groeven in het grove gezicht.

Ze bleven staan, de cello tussen hen in. Hij legde ook een hand op het instrument. Zwaar als een steen die warm is van de zon.

'Waarom duurde het zo lang voor je kwam?'

'Vond je dat het lang duurde?'

'Dat vind ik niet alleen, het is ook zo. Je zou voor de winter komen, zei je.'

Hij scheen het amusant te vinden.

'Herinner je je zo precies wat ik heb gezegd?'

'Ja', bitste ze.

'Maar je kunt toch zeker wel aardig tegen me doen, nu ik er ben', fluisterde hij. Vlak bij haar gezicht.

Ze bleven elkaar in de ogen staan kijken. Lang. Maten elkaars kracht. Peilden, in alle ernst.

'Hoe aardig moet je zijn voor Barabbas?' vroeg ze.

'Daar is niet zo veel voor nodig...'

'Wat dan?'

'Een beetje vriendelijkheid.'

Hij nam de cello uit haar handen en zette hem tegen de muur. Behoedzaam. Toen greep hij haar polsen.

Ergens in huis brak iemand iets. Gevolgd door Benjamins gehuil.

Even zag hij dat daardoor iets bewoog in haar blik. Toen gleden ze samen tegen de wand. Hij had niet gedacht dat ze zo sterk zou zijn. Haar mond, haar open ogen, haar rijzige, struise voorkant. Ze deed hem denken aan de vrouwen thuis. Maar zij was harder. Doelbewuster. Ongeduldig.

Ze waren een kluwen tegen de donkere wand. Een onontwarbare, beweeglijke knoop in Jacobs tableau.

Leo hield haar een eindje van zich af en fluisterde: 'Speel, Dina! Dan kun je ons redden.'

Er ontsnapte haar een laag, dierlijk geluid. Even drong ze zich tegen hem aan. Toen pakte ze het instrument, droeg het naar de stoel en spreidde haar dijen om het te ontvangen.

De strijkstok werd tegen het grauwe daglicht geheven.

De klanken kwamen. Eerst struikelend en niet bepaald mooi. Toen werd haar arm zeker en zacht. Ze werd meegesleept. En Jacob deinsde terug.

Leo's armen hingen langs zijn lichaam en hij keek naar haar borst die op het instrument leunde. Naar de lange vingers die af en toe trilden om de toon intensiteit te geven. Haar pols. De leren broek die de struise, ferme dijen onthulde. Haar wang. Toen viel haar haar naar voren en verborg haar gezicht.

Hij liep de kamer door, de deur uit. Maar hij deed de deur niet dicht. En zijn eigen deur ook niet. Er was een onzichtbare lijn getrokken over de brede vloerplanken. Tussen de gastenkamer en de zaal.

15

Ik strek mijn handen tot u uit, mijn ziel smacht naar
u als een dorstig land.

(Psalm 143:6)

Moeder Karen had alle kisten en manden ingepakt die naar de
drie pachtboerderijtjes moesten worden gebracht en naar de
nooddruftige mensen die ze kende.

Als dat zo uitkwam had ze de manden laten brengen, of ze
had de mensen laten roepen als ze naar de winkel kwamen om
de meest noodzakelijke dingen voor het kerstfeest te kopen.

Oline trakteerde in de keuken. Daar was het gezellig en
warm, en alles was tot het kleinste detail geregeld.

Lappenlaarzen, winterlaarzen en jassen werden naast het
grote ijzeren fornuis met de zwarte buik uitgedaan. Ze moesten
worden ontdooid, gedroogd en opgewarmd voor de thuisreis.
Er was altijd warm water in het reservoir achter op het fornuis.
Pas gepoetst en gloeiend wierp hij zijn schijnsel op de potten en
ketels, als de ringen er uit werden genomen om plaats te maken
voor de koffiepot.

De hele week was het een komen en gaan van mensen
geweest. Er was gegeten en gedronken. Mensen waren naar de
winkel gekomen, hadden op krukjes, tonnen en kisten gezeten
en gewacht op een lift naar huis.

Niemand had het nu over openingsuren. De winkel was
open als er mensen waren. Zo was dat. Niels en de bediende
renden van hot naar her.

Ze moesten voortdurend de ringen uit de onderste verdieping van de etagekachel halen. Om de koffieketel neer te zetten.
Het water stond daar te pruttelen tot het uit de tuit spoot.

Dat veroorzaakte een boel stoom en lawaai, tot iemand de
tijd nam de ketel van het vuur te halen en er koffie in te gooien.

Op de vloer naast het fornuis was een platte steen waar je de koffieketel op kon zetten. De koffie trok vanzelf, en zond zijn geur rechtstreeks naar de neuzen van de mensen die binnenkwamen uit de duisternis, de kou en het opspattende zeewater.

De blauwgebloemde kopjes met gouden rand, zes in totaal, werden even omgespoeld na de vorige klant en weer volgeschonken voor de nieuwe. Soms lag er een slecht gemaalde koffieboon als een bruinverbrande boot tegen de rand van het kopje. Deinde mee, als een verkleumde drommel het kopje greep om zich te warmen en om de sterke nectar naar zijn mond te brengen. Er gingen ook bruine kandij en koekjes rond.

Een enkeling kreeg achter gesloten deuren een borrel. Maar veel borrels werden er in de winkel op Reinsnes niet geschonken. En dat was maar goed ook, vond Niels.

In de blauwe keuken van Oline werd alleen brandewijn geschonken voor Oline zelf. Ze gunde zich zelf af en toe koffie met een stevige borrel erin om haar bloed te verdunnen.

Slechts weinigen kwamen in moeder Karens kamer voor de sherry.

Dina kreeg vrijwel nooit zelf gasten. Als er bezoek kwam op de hoeve, liet ze hen uit naam van het huis in de woonkamers trakteren.

Niels hield van de tijd voor kerst. Dan was de omzet van het grote assortiment kwaliteitsgoederen het grootst. Hij had de gewoonte om steeds meer rimpels in zijn voorhoofd te trekken naarmate de zaken beter gingen.

En op deze avond voor Kerst waren de rimpels extra diep, toen hij om zich heen keek naar de halflege planken en hij de lege magazijnen van de winkel en het pakhuis inspecteerde. Hij deed zijn best eruit te zien als een geruïneerd man.

Toen Anders fluitend voorbij kwam, in een schoon, zondags overhemd, merkte Niels met droeve stem op dat er zo weinig meel over was dat hij vreesde voor de bevoorrading van de boten die naar de Lofoten zouden vertrekken.

Anders lachte. Hij vond de gemaakte bezorgdheid van zijn broer over de lege voorraaddozen en planken wel grappig. Maar af en toe verbaasde hij zich er wel over dat er niet meer winst werd gemaakt op de handel. Want ze hadden vele, goede klanten. En de mensen die hun voorraden voor de visserij kwamen halen, waren bijna zonder uitzondering brave mensen, die na de visvangst vis of geld afleverden.

Toen de laatste klant vertrokken was en hij alles had afgesloten, ging Niels naar een eenzame mis. Op het kantoor van de winkel, achter gesloten deuren en dichte gordijnen.

Hij verpakte zijn offergaven netjes in twee dikke enveloppen, die hij op tafel legde. Daarna draaide hij de kous van de lamp naar beneden en begaf zich naar het altaar, met een envelop in zijn hand.

De wastafel was een solide meubel van eikehout met een dikke marmeren plaat erop, een emaille schaal en dito zeepbakje.

Plechtig legde hij zijn hele gewicht ertegenaan en schoof de wastafel opzij. De losse vloerplank lag daar trouw te wachten en keek hem aan, met zijn vele knoesten en butsen.

Even later werd de blikken doos in het gedempte licht getild, opengemaakt en gevoed met de nieuwste offergave. Daarna werd alles weer op zijn plaats geschoven.

De bankbiljetten die in de boekhouding stonden opgevoerd, borg hij op in de brandkast in de hoek.

Na afloop stond Niels midden in de kamer met aangestoken pijp om zich heen te kijken. Alles was goed zo. Het was de zevende dag.

Het enige dat hem zorgen baarde was dat de kaart van Amerika die hij gekocht had, verdwenen was. Hij had hem op de tafel laten liggen. En nu was hij weg!

Hij had overal gezocht. En Peter, de winkelbediende, gevraagd. Die beweerde dat hij niets had gezien of gehoord.

Niels wist dat hij nooit een vrouw naar Reinsnes kon halen zo lang Stine en het kind er waren. Dat trieste besef had hem gedwongen een moeilijke beslissing te nemen. Een kaart van Amerika aan te schaffen. En nu was die dus verdwenen.

Op 24 december kwam om vijf uur altijd mølje op tafel: flatbrød geweekt in vleesbouillon, met stroop erop. Aquavit en bier. Iedereen probeerde dan klaar te zijn met zijn werkzaamheden.

Niels was dit jaar ook van de partij. Dankzij de Rus vond hij het weer leuk om samen met de anderen te eten.

Bovendien was er de kwestie met de kaart van Amerika. Misschien kon hij aan de gezichten zien wie de kaart had weggenomen.

Er was voor iedereen gedekt in de eetkamer. Op de avond voor Kerst at niemand in de keuken. Een gebruik dat moeder Karen had ingevoerd toen ze naar de hoeve kwam.

Maar niet iedereen voelde zich even goed op zijn gemak in de eetkamer. Ze durfden nauwelijks tegen elkaar te praten uit angst onbeschoft te lijken of iets verkeerds te zeggen.

Leo en Anders braken de spanning door grapjes met de kinderen te maken. Dat gaf hun iets om over te lachen. Iets gemeenschappelijks.

Schalen werden af en aan gedragen. De stoom van het warme eten legde zich op hun huid en vermengde zich met de sappen die van binnenuit kwamen.

Moeder Karen zat voor de verlichte kerstboom. Het hele huis rook naar feestdagen. In de gevlochten papieren mandjes lagen rozijnen, peperkoek en kandij. Ze mochten niet worden aangeraakt voordat moeder Karen daar toestemming voor gaf.

Ze had in de stoel aan het uiteinde van de tafel gezeten en voorgelezen uit het kerstevangelie. Eerst in het Noors. Toen in het Duits, om mijnheer Leo een plezier te doen, zoals ze zei.

Maar Benjamin en Hanna barstten bijna van nieuwsgierigheid naar de pakjes en het snoepgoed. Voor hen was het kerstevangelie niet alleen dubbel zo lang, ze beschouwden het ook als een niet verdiende straf van God.

Later gebruikten ze nog vaak samen de uitdrukking 'Nu gaat ze het vast ook nog in het Duits doen!'

Dina was een brede, stromende rivier door de kamer. In haar koningsblauwe, fluwelen jurk met het damasten frontje. Ze keek de mensen recht aan en zag er bijna vriendelijk uit. Ze speelde kerstliederen alsof ze de toetsen liefkoosde.

Leo was voorzanger in zijn witte linnen overhemd met wijde

mouwen en kanten manchetten. Zijn boordje werd bijeenge-
houden door een zilveren speld, en hij droeg een zwart vest.

De twee driearmige kandelaars, de driekoningenkandelaars,
die met Kerstmis altijd op de piano stonden, waren aangestoken. De zilveren blaadjes onder de kandelaars glinsterden. Die
waren om het smeltende kaarsvet op te vangen. In de loop van
de avond raakten de blaadjes overstroomd met kaarsvet, dat een
soort landschap vormde onder de kaarsen.

De driekoningenkandelaars waren Stine's werk. Een voor
Benjamin en een voor Hanna. Hoewel moeder Karen uitdrukkelijk beweerde dat ze er ter ere van Christus stonden.

Aangezien de hoeve voor de Kerst door een schoenmaker was
bezocht, was het niet moeilijk te raden wat er in de pakjes zat.
Al snel zat het hele personeel schoenen te passen.

Leo stond op en zong een Russisch versje over alle drukke
schoenen ter wereld.

Benjamin en Hanna zongen mee. In een koeterwaals Russisch. Hartverscheurend vals en doodernstig.

Moeder Karen werd al snel erg moe, met haar gesteven kanten
kraagje en het keurig gekapte haar. Plotseling liep Hjertrud
door de kamer en aaide moeder Karen over haar witte, gerimpelde wang. Moeder Karen sloot haar ogen half en dommelde
weg.

Oline liet zich vanavond verwennen. Ze had een open wond
aan haar enkel. Die was door alle kerstdrukte erger geworden.

Stine had een zalfje gekookt van honing en kruiden en dat
erop gesmeerd. Maar het werd niet beter.

Leo was van mening dat ze op haar achterste moest blijven
zitten en zich moest laten vertroetelen tot ze weer gezond was.
Sindsdien volgde Oline's blik Leo. Zoals haar ogen indertijd
Jacob hadden gezegend.

Stine was vervuld van een diepe rust. Af en toe keek ze naar
Niels, alsof ze naar een pasgeboende vloer keek. Peinzend en
met grote tevredenheid. Haar ogen waren donkerder, haar huid
goudkleuriger dan gewoonlijk. Haar haar was stijf gevlochten
en achter in haar nek in een wrong gelegd. Maar dat kon niet
verhullen dat Stine een ongewoon mooie hals had.

Johan had allerlei herinneringen aan Kerstmis op Reinsnes, afgezien van de jaren dat hij voor predikant studeerde. Hij was in die herinneringen verzonken. Ingeborg die de kaarsen aanstak en moeder Karen die voorlas uit de bijbel. Jacob die altijd blozende wangen kreeg als hij voor de feestdagen met de mensen dronk.

Deze avond voelde hij zich kinderachtig en verraden als moeder Karen Benjamin en Hanna op schoot nam. Hij schaamde zich en deed bij wijze van boetedoening extra vriendelijk tegen iedereen, vooral tegen de twee kinderen.

Maar hij zag dat de geest van Dina voorgoed bezit had genomen van Reinsnes terwijl hij weg was. Ze beïnvloedde Anders en Niels. Die werden marionetten onder haar blik. De oude vrouw was de enige die hij nog had.

Anders was deze avond een glimlachende broer. Hij zat het grootste gedeelte van de tijd naar moeder Karen, Johan en Leo te luisteren. Af en toe viel zijn blik op Dina. Eén keer knikte hij tegen haar, alsof ze samen een geheim hadden. Het was duidelijk dat deze man niet geplaagd werd door een slecht geweten.

Niels was af en toe even in de woonkamer. Maar verder had hij andere bezigheden, waar niemand hem naar vroeg. Af en toe bood hij sigaren aan, of vulde hij de glazen. Maar zijn woorden waren opgesloten, weg. Zijn ogen dwaalden als gejaagde schaduwen over de mensen in de kamer.

Ik ben Dina. Hjertrud staat vanavond in de woonkamer van de hoeve van de drost te huilen. Ze heeft engelen en slingers opgehangen en uit het zwarte boek gelezen. Maar het helpt niet. Sommige mensen worden boosaardig van hoogtijdagen. Daarom huilt Hjertrud en verbergt haar geschonden gezicht. Ik houd haar vast en tel de schoenen.

Af en toe wisselden Dina en Leo een blik. De hardheid was verdwenen. Alsof ze vergeten was dat hij te laat was gekomen. Het onafgemaakte gesprek in de zaal vergeten was.

Moeder Karen trok zich terug. De kinderen sliepen. Onrustig, met bezwete haren op hun voorhoofd, na alle snoepgoed en taart – en die met angst vermengde vreugde van zes en acht jaar oud te zijn en Kerstmis te vieren op Reinsnes. Al die verhalen over kerstkabouters, al die handen en schoten. De stemmen, de muziek, de cadeautjes.

Iedereen had zijn werk afgemaakt en was naar bed gegaan. De meisjes boven de keuken, de mannen in het knechtenverblijf. Oline bewaakte de keukendeur tegen nachtelijke vrijers. Ze liet de deur naar de keuken openstaan, ook als ze sliep.

Oline's slaapgeluiden waren als een nachtelijk instrument. De dag dat dat verstomde, zou de belangrijkste klok van de hoeve verdwenen zijn.

Niels had het huis verlaten. Niemand vroeg zich af of hij in de kårstue was, waar hij twee kamers had, of op zijn kantoor.

Niemand, behalve Stine. Maar zij liet niets merken. Zij verborg haar gedachten onder haar donkere, gladde haar en viel niemand ermee lastig. Ze kleedde zich langzaam uit voor de spiegel en bekeek haar lichaam in het spaarzame schijnsel van de kaars.

Nadat ze eerst het gordijn voor het stevige houten bed waar de kinderen sliepen had dichtgetrokken.

Deze avond had niets nieuws in haar leven gebracht. Behalve één ding: ze was begonnen de erfenis voor haar kind op te eisen. Langzaam maar zeker. Daarom had ze een kaart van Amerika opgeborgen in de onderste lade van haar commode.

Eén ding had ze geleerd door naar Dina te kijken: je deed, wat je deed. En je vroeg niemand om raad, als je het zonder kon redden.

Anders, Johan, Leo en Dina bleven achter in de rookkamer.

Dina leunde achterover en speelde met een van de zware zijden kwasten die aan de stoelleuning waren bevestigd. Ze rookte een milde havanna. En blies onvrouwelijk maar erg kunstig rookkringen over hun hoofden.

Anders vertelde over de voorbereiding voor de visserij bij de Lofoten. Hij was van plan eerst één vrachtschip te sturen en de zaak eens aan te kijken. Als de vangst goed was, kon hij een tweede vrachtschip uitrusten. Hij dacht dat hij daar wel genoeg mensen voor zou krijgen. Als de voorspelling uitkwam, zou het een droomvangst worden. Of Leo niet mee wilde?

Leo keek alsof hij erover nadacht, en zei toen peinzend dat hij dacht dat hij niet geschikt was voor dat soort werk. Bovendien moest hij naar het zuiden, naar Trondhjem.

Dina keek hem aan. 'Mag ik vragen wat je daar moet doen?'

'Ik moet een gevangene ophalen die ik naar het noorden, naar Vardøhus moet brengen. Hij heeft gratie gekregen en moet nu een tuchthuisstraf uitzitten in de vesting Vardøhus.'

'Bedoel je dat je mensen die naar de gevangenis moeten, begeleidt?' vroeg Dina.

'Ja', zei hij eenvoudig, nam een slokje punch en keek hen om de beurt uitdagend aan.

'Is dat werk?' vroeg Anders ongelovig.

'Net zo goed als elk ander werk.'

'Maar die arme mensen dan?'

Dina rilde en ging overeind zitten.

'We hebben allemaal onze gevangenissen', zei Leo.

'Dat is niet helemaal hetzelfde', vond Anders.

Hij probeerde te verbergen dat hij geschokt was over de dingen die deze Rus deed.

'Reis je vaak met strafgevangenen?' vroeg Dina.

'Nee', zei hij kortaf.

'Hoe ben je erbij gekomen dat soort werk aan te nemen?' vroeg Johan.

Hij had tot dan toe gezwegen, niet zo'n beetje geschokt.

'Zin voor avontuur en luiheid!' lachte Leo.

'Maar dat je je niet liever bezig houdt met echte handel... in plaats van handel met gevangenen', zei Anders.

'Dit is geen handel. Ik ben niet geïnteresseerd in handel. Dit is het omgaan met mensen in moeilijke omstandigheden. Mensen interesseren mij. Ze leren mij het een en ander over mijzelf.'

'Dat begrijp ik niet', zei Anders verward.

'En wat leren gevangenen je dan?' viel Dina in.

'Dat wat je doet, niet altijd laat zien wie je bent!'

'Er staat in de bijbel dat onze daden bepalen wie we zijn. Niet waar, Johan?' zei Dina.

Ze zat nu recht overeind.

'Dat is waar,' schraapte Johan zijn keel, 'maar er kan natuurlijk veel zijn dat we niet weten over het ongelukkige lot van een mens.'

'Niels bijvoorbeeld, doet dingen die hij eigenlijk niet wil doen, omdat hij een vreemde is op deze hoeve. Als hij zich hier thuis had gevoeld, had hij de dingen heel anders aangepakt', zei Leo.

Anders staarde hem met open mond aan.

Dina boog zich naar voren.

'Niels is hier toch zeker net zo min vreemd als ik?' vond Anders, met een snelle blik op Dina.

Dina leunde achterover in de chaise longue en zei: 'Leg dat eens uit, Leo Zjukovsky!'

'Ik heb gehoord hoe Niels en Anders hier in huis zijn gekomen. Heb hun verhalen gehoord. Die hetzelfde zijn. Toch is er iets in dit huis dat Niels buitensluit en Anders met open armen verwelkomt.'

'En dat is?' vroeg ze vriendelijk.

'Ik geloof dat het Dina's manier van doen is, waar alle anderen zich naar moeten richten.'

Je kon de sneeuw rond de ramen horen ruisen. Een zacht, waarschuwend geritsel.

'En waarom zou ik Niels buitensluiten?'

'Dat weet ik niet.'

'Misschien zou je het hem kunnen vragen, of iemand anders?'

'Ik heb het Niels al gevraagd.'

'En wat zegt hij?'

'Dat hij er niets van heeft gemerkt.'

'En dat zegt jou misschien dat er iets rondspookt in Niels geweten? Als ongedierte in een verder schoon bed?'

'Dat zou best kunnen', zei Leo.

Anders werd onrustig. Het gesprek beviel hem niet.

'Hij heeft Stine zwanger gemaakt en geweigerd het kind te erkennen!' gooide Dina eruit, vol minachting.

'Zulke rotstreken doen mannen nou eenmaal. Maar daar kom je tegenwoordig nauwelijks nog voor in de gevangenis.'

'Nee, maar misschien zouden er wel gevangenissen moeten zijn voor mensen die anderen laten geloven dat ze met hen willen trouwen', zei Dina.

'Misschien. Maar dan zouden de gevangenissen vol zitten. Waar moeten we dan met de moordenaars naar toe?'

'Moordenaars?'

'Ja. De mensen die als gevaarlijk beschouwd worden. De mensen die iedereen hoe dan ook buitensluit.'

Ergens in haar lichaam stak ze een zoekende hand uit. Hjertrud was er niet! Lorch! Hij was in diepe duisternis gehuld.

'Het wordt laat', zei ze luchtig en stond op.

Johan bleef zitten en plukte aan zijn revers. Hij vond dat het gesprek weinig met Kerstmis te maken had.

'Volgens mij heeft niemand hier op Reinsnes zich onbeleefd tegen Niels gedragen. We hebben vertrouwen in hem, hij heeft hier werk, een huis en eten. Het valt niet te ontkennen dat hij een beetje vreemd is. Maar daar kun je Dina niet de schuld van geven', zei Johan, als afsluiting.

Hij kuchte een paar maal.

'Ik geloof dat hij zich zo uitgestoten voelt dat hij erover denkt naar Amerika te gaan', zei Leo afwezig. Alsof hij niet gehoord had wat Johan zei.

'Amerika?' zei Anders ongelovig.

Dina's gezicht was een masker.

'Hij zat vlak voor Kerst met een kaart van Amerika voor zich. Ik verraste hem en vroeg of hij van plan was te vertrekken. Uit zijn antwoord meende ik te kunnen opmaken dat hij daar inderdaad over dacht', zei Leo.

'Maar daar heeft hij nooit iets over gezegd! En wat kost dat wel niet!' mompelde Anders.

'Misschien heeft hij gespaard', zei Leo.

Op dat moment werden Dina's ogen springlevend. Ze ging weer zitten. En haar ene schoen, die ze half uitgetrokken had, kwam scheef onder haar voetzool te zitten.

De getallen? De getallen verschenen in kolommen boven de lambrizering in de kamer. Kropen tevoorschijn in de schaduw op het zijden behang. Ze werden zo duidelijk!

Dina zat met een gretig gezicht te luisteren.

'Gespaard? Waarvan zou hij moeten sparen?' vroeg Anders. 'Ik heb een hoger inkomen, omdat ik procenten krijg van de winst uit de handel met de vrachtschepen, en ik kan daar niet van sparen! En Niels krijgt alleen maar loon...'

Hij keek Dina en Johan verontschuldigend aan, voor het

geval ze zouden vinden dat hij te vrijpostig sprak.

Hij heeft met zijn manier van leven niet zoveel uitgaven als jij, Anders. Hij is misschien al jaren aan het sparen!' zei Dina hard.

Toen trok ze haar schoen aan en bond hem stevig vast, zodat ze geen benen zou breken. Pakte haar rokken op en ging weer staan.

Ze was even dicht bij Leo als bij de Grote Beer.

'Het is laat', zei ze nogmaals, en liep naar de deur.

'Ik denk dat als jullie Niels nodig hebben voor de winkel, jullie hem in jullie midden moeten opnemen. Anders raken jullie hem kwijt', zei Leo langzaam en duidelijk tegen Dina's rug.

'Daar zit wat in', mompelde Johan. 'Ik heb wel gemerkt dat er iets was. Hij schreef zulke merkwaardige brieven... Toen ik studeerde...'

Dina keerde zich zo bruusk om dat haar rokken omhoog zwierden.

'Wie zich niet normaal gedraagt en niet zijn verantwoordelijkheden accepteert, die krijgt nergens rust, waar hij ook is', zei ze, plotseling buiten adem.

'Maar het is niet aan de mensen om te oordelen', vond Johan.

'Niemand heeft hem veroordeeld!' stelde ze vast.

'Dat is niet helemaal waar', mompelde Anders. 'Niels weet niet hoe hij het weer goed moet maken. Dat is nu onmogelijk. En hij kon niet met Stine trouwen – niet alleen voor het kind.'

'Waarom niet?' bitste ze.

'Nou ja, godallemachtig...' Anders kwam er niet uit.

'Het is duidelijk dat hij een fout heeft gemaakt, maar dat doen we vroeger of later allemaal', zei Johan stilletjes. 'En Stine heeft het nu immers goed', voegde hij eraan toe.

'Stine heeft het niet goed! Ze rot hier weg. Terwijl hij van plan is naar Amerika te reizen! Laat ik je dit zeggen: dat is wel zo goed! Voor iedereen. Dat ruimt op. Zodat we weer kunnen ademen.'

'Maar de winkel dan?'

Johan wist niet wat hij hier tegenin moest brengen. Wist alleen dat hij iets moest zeggen.

'Daar zijn wel mensen voor, zul je zien', zei Dina zelfverzekerd. 'Maar hij is nog niet vertrokken!'

'Ik heb iemand in de winkel horen mompelen dat Niels eigenlijk Dina wilde hebben', zei Leo.

Hij gaf blijkbaar niet op. Dina had al buiten willen zijn. Nu was het te laat. Ze moest blijven staan.

'O ja? En nu wil Leo Zjukovsky dat ik met Niels trouw zodat hij zich niet zo buitengesloten voelt?'

Haar glimlach stond als een hek om haar heen.

'Vergeef me! Dat was een onbeleefde opmerking van me!' zei Leo en stond op met een buiging. Toen snelde hij toe en hield de deur voor haar open. Hij wenste goedenacht en deed de deur achter hen dicht.

De kaarsen in de gang waren opgebrand tot de messing kandelaars. Het was donker. De maan wierp zuilen licht door de hoge ramen, en maakte vensterkruisen tot een hekwerk van tralies dat op hen neerdaalde.

Hij had tralies voor zijn gezicht en schouders. Ze bewogen zich achter dezelfde tralies.

Hij legde zijn arm om haar heen toen ze de trap opliepen. Die kraakte zachtjes, zoals altijd. Zijn heupen raakten de hare. De woorden die hij net gezegd had, en alles wat daarmee samenhing, vervlogen. Waren er gewoon niet meer.

Hij was een zwaar gewicht. Diep, diep in haar schoot.

'Vergeef Niels', fluisterde hij terwijl ze over de gang liepen.

'Dat is mijn zaak niet', antwoordde ze. Kwaad, omdat hij het onderwerp weer ter sprake bracht.

'Het zal je rust geven.'

'Ik heb geen rust nodig!'

'Wat heb je dan nodig?'

Ze greep zijn heupen met beide handen en trok hem tegen zich aan. Toen maakte ze zijn overhemd open en legde haar handen tegen zijn borst.

Ze kneedde de broche die hij in de halsopening had gedragen tussen haar handen, zodat hij alsmaar gaatjes in haar prikte.

Toen maakte ze zich los en glipte haar slaapkamer binnen. Het gebeurde zo snel. Was zo donker. Misschien hadden ze het alleen maar gedroomd. Allebei.

16

Juicht de Here, gij ganse aarde, dient de Here met
vreugde, komt voor Zijn aangezicht met gejubel.
Erkent, dat de Here God is; Hij heeft ons gemaakt,
en Hem behoren wij toe.

(Psalm 100:1-3)

Ze voeren op eerste kerstdag naar de kerk. In een sloep. Johan
was kort tevoren gevraagd de preek te houden, omdat de deken
ziek was.

Dat was een grote gebeurtenis. Moeder Karen werd volgens
de regels van de kunst ingepakt en als een pakketje aan boord
gedragen.

Ze glimlachte en knikte voortdurend tegen iedereen, en
barstte bijna van trots vanwege Johan.

De deken lag te bed, maar zijn vrouw was er wel.

Moeder Karen werd samen met haar op de eerste bank
geïnstalleerd. Dina en de anderen uit Reinsnes zaten op de
tweede rij.

Leo zat op eigen verzoek achter in de kerk.

De dikke stenen muren. De kaarsen. De schaduwen die in de
hoeken leefden waar noch daglicht, noch kunstlicht konden
regeren. De psalmen. De mensen werden klein onder Gods
enorme dak. Ze drukten zich samen op de houten banken en
warmden zich aan elkaar.

Het evangelie volgens Johannes: 'En het licht schijnt in de
duisternis, maar de duisternis nam het niet aan.' 'Hij kwam in
het zijne, maar de zijnen aanvaardden Hem niet.'

Johan had zich de laatste dagen voor Kerstmis goed voorbereid. Had de preek geoefend voor moeder Karen. Zijn gezicht
was erg bleek en zijn ogen keken smekend. Maar zijn stem was
rotsvast.

Hij praatte over de genade van Jezus Christus. Over in staat te zijn de openbaring en de verlossing te ontvangen. Over de zonde die machteloos werd als de mens het licht in zich toeliet. Het grootste wonder van de mens was Christus en zijn genade.

Moeder Karen knikte en glimlachte. Ze kende elk woord van buiten. Hoe oud ze ook was, haar hoofd werkte nog steeds als een ladenkast. Had ze er iets in opgeborgen, dan lag het er nog als ze het nodig had.

De mensen vonden het een mooie preek en dromden na de dienst bij de uitgang van de kerk om Johan heen.

'Dat bracht waarlijk vrede in ons hart', zei de vrouw van de deken en drukte Johan de handen.

Uit iedere mond kwam een dikke mist. Die zich tot een wolk boven hun hoofden samenvoegde. Langzaam liepen de mensen in de richting van de predikantswoning om koffie te gaan drinken.

Dina nam de tijd. Ging eerst naar de plee. Alleen.

Na een poosje was het stil voor de kerk. Ze volgde het smalle, platgetreden paadje rond de kerk tot ze aan de zeezijde kwam. Daar klom ze op de sneeuwwal, tot de borstwering. Dit was een weerkerk. Met een vrij uitzicht over de zee en met stenen muren.

Toen Dina naar de bergwand aan de overkant van de fjord keek, wierp Hjertrud daar miljoenen paarlemoeren schelpen overheen. Het glinsterde zo fel dat de geluiden uit de predikantswoning verstomden. De boten op het strand waren betoverde zeemonsters die lagen te wachten.

Niemand zag haar. De grote stenen kerk stond tussen haar en de anderen in.

Toen verbraken zijn voetstappen Hjertruds schittering.

Ze liepen door de sacristie de lege kerk in. De deur was vanuit het huis niet te zien. Het was erg donker in de kerk, nu alle kaarsen gedoofd waren.

Hun voetstappen echoden tussen de stenen muren. Ze liepen de hele kerk door, van het koor naar de deur. Naast elkaar, zonder een woord te wisselen. De trap op, naar het orgel. Daar was het nog donkerder dan beneden. Het orgel boog zich zwijgend en zwaar over hen heen.

'Ik geloof dat we een zegen nodig hebben', zei hij.

'Ja, maar voor het licht moeten we zelf zorgen', antwoordde ze met haar mond tegen zijn hals.

Er hadden zijden lakens en brandende kaarsen bij het orgel moeten zijn. Het had zomer moeten zijn, met berketakken in vazen langs het middenpad. In ieder geval had de houten vloer geboend moeten zijn. Maar er was geen tijd voor zulke voorbereidingen.

Ze zagen elkaar niet goed. Maar hun bloed joeg door alle kleine aderen en vaten. Ze hadden niet veel tijd. Maar genoeg voor een hele wijding.

Zijn litteken was haar baken toen de storm het hevigst was. Er was geen weg terug.

Voordat Leo bij de muur opdook, had hij gezien dat de koster de kerk ook verlaten had. Getuigen moesten wachten tot een andere keer. De plaats was niet gepland. Maar als het toch moest zijn, was er in het hele noorden geen betere kathedraal.

In het huis van de deken werd in alle feestelijkheid koffie geserveerd.

De drost en Johan zaten aan weerszijden van een koopman uit Bergen die zich in het district had gevestigd en een schenkvergunning had gekregen. Tot ergernis van velen, omdat hij een bedreiging vormde voor de handel in Kjøpstedet.

Het gesprek ging over gletsjers. De man uit Bergen verbaasde zich erover dat er hier in het noorden niet meer gletsjers waren, met zulke hoge bergen! En zoveel koude mist vanuit zee, in alle jaargetijden! In het westen, en met name in Sogn, was het klimaat veel milder en toch waren daar enorme gletsjers.

De drost wierp zich op als expert. De zee was hier niet zo koud als de mensen dachten. Er waren warme golfstromen.

Johan was het met de drost eens. Hij voegde er op eigen gezag aan toe dat je in het zuiden tot ver boven de naaldbomengrens moest gaan om dwergberken en bergframbozen te vinden, terwijl hier in het noorden de gedrongen, dikbebladerde dwergberk tot aan de zee groeide. En de bergframbozen rijpten op de eilanden en langs het strand!

Maar een echte verklaring voor zo'n ingewikkeld botanisch en biologisch probleem had niemand.

Moeder Karen dacht dat God in zijn wijsheid onderscheid maakte tussen de mensen. Dat hij ongetwijfeld inzag dat het nodig was om bergframbozen en berkestruiken in het noorden tot aan de zee te laten groeien. En dat hij de noorderlingen de afschuwelijke gletsjers wilde besparen, omdat ze al genoeg te verduren hadden. Die koude jaargetijden. De herfststormen, het noodweer! En de ondoorgrondelijke bewegingen van de vissen in de zee. Alles in aanmerking genomen, God was wijs!

De vrouw van de deken knikte vriendelijk en beamend. Minder welingelichte mensen van de hoeven in de omgeving knikten ook – nadat de vrouw van de deken haar instemming had betuigd. Zó hoorde het.

Johan wilde niet ingaan op moeder Karens theologische verklaring voor de ligging en omvang van de gletsjers. Hij keek haar teder aan en zweeg.

De koopman negeerde de oude dame oneerbiedig. Hij vond het meer dan wonderlijk dat gletsjers niet altijd op de hoogste bergtoppen voorkwamen. Het was vaak willekeurig en zonder logica.

Dina kwam stilletjes de kamer binnen en kreeg koffie en lefser van een meisje met een wit, vliesdun schortje voor. Ze ging op een stoel met hoge rug bij de deur zitten, hoewel er rond de tafel plaats voor haar werd gemaakt.

De drost dacht dat de theorie over vochtige zeelucht onjuist was. Voor zover hij wist lag de Jostedalsgletsjer in een van de droogste districten in Sogn, terwijl de bergen in Romsdal en het noorden, die vlakbij de zee lagen, bijna geen gletsjers kenden!

Ongeveer op dat moment gebeurde er iets. Er ontstond een unanieme onrust. Die niets met de Noorse gletsjers te maken had. Het viel niet goed uit te maken waar het begon. Maar na een poosje verspreidde zich een zwakke geur door de kamer. Eerst heel voorzichtig. Een eigen, aardse geur. Die de goegemeente onrustig maakte.

Leo kwam een paar minuten later binnen en prees de prachtige kerk. Dat maakte de eigenaardige lucht van zilte zeewind en aarde er niet zwakker op. Maar toen hadden de kerkgangers hem al een poosje geroken.

Het herinnerde hen aan iets dat ze ooit hadden gevoeld. In een ver verleden? In hun vroege jeugd? Iets dat al lange tijd als braakland in hun ziel had gelegen?

Toch trilden er hier en daar wat neusvleugels als de grote Rus te dichtbij kwam. Of wanneer Dina's haar en handen iemand aanraakten. De mannen leken hun hoofd niet meer bij het gesprek te hebben. Ze bogen zich over hun koffiekopjes.

De drost vroeg afwezig hoe het met de deken ging. De arme man lag op zolder te hoesten. De vrouw van de deken knikte verbouwereerd. De drost had dat al een keer gevraagd, en als antwoord gekregen dat hij nog steeds hoestend en met koorts boven lag. En dat het niet aan te raden was om naar hem toe te gaan. Maar dat ze de groeten zou overbrengen.

Deze keer zei ze alleen kortaf: 'Goed, dank u!' en borstelde een stofje van haar mouw.

De schalen met taart en koek gingen keer op keer rond. Er werd koffie ingeschonken. Er lag een slaperige tevredenheid over het gezelschap. En tussen de happen door zogen hun neusgaten de geuren in de kamer op.

Als de mensen al genoeg fantasie hadden om de geur te herkennen, dan waren ze ongetwijfeld niet driest genoeg om na te gaan waar hij vandaan kwam. Gewoon omdat dat niet kòn bestaan in de gedachten van de mensen.

Maar de geur was er. Had zijn uitwerking op de eetlust. Onderbrak als bij verrassing gesprekken, zodat de woorden een ogenblik bleven hangen en de blikken verzaligd en afwezig werden. Legde zich als een prikkelende balsem over de mensen, en loste tegen het einde van het koffieuurtje zachtjes op. Om nog lang daarna weer op te duiken in de herinnering van sommigen. Die zich verwonderd afvroegen wat toch die goede stemming had veroorzaakt in de predikantswoning, op eerste kerstdag?

De vrouw van de deken merkte ook iets. Ze snuffelde zachtjes alle geuren op nadat de parochianen vertrokken waren.

Het was een gezegend koffieuurtje geweest!

Ze ging naar boven naar haar zieke man en verschafte hem veel zielerust en troost.

Dina zat in de boot en liet de wind door haar haren waaien.

Leo! Zijn huid brandde zich in haar vast, dwars door mantel en kleren heen. Haar lichaam was een wichelroede, in een boog gespannen over een verborgen bron in de rotsen.

Ze trok de deken goed om zich heen en praatte met Johan en moeder Karen. Ze bedankte Johan voor zijn preek. Ze prees moeder Karen omdat ze naar de kerk was gegaan, ook al had ze zich de laatste tijd niet goed gevoeld.

Haar loodgrijze ogen waren twee glanzende holen in de lucht. Leo ontmoette haar blik. Het was alsof hij tot in het oneindige in de blauwe lucht staarde.

Dina zat tussen Johan en Leo, die haar rug tegen opspattend zeewater beschermde.

17

Hij heeft mij gebracht naar het wijnhuis en zijn
banier over mij was de liefde.

(Hooglied 2:4)

Het kon niet verborgen blijven dat er iets aan de hand was.
Evenmin als je de jaargetijden kunt verbergen voor mensen die
buiten onderweg zijn.

Johan was de eerste die de blikken tussen Leo en Dina
begreep. Hij herinnerde zich hoe nieuwsgierig Dina geweest
was naar Leo's doen en laten, toen hij Reinsnes de vorige keer
verlaten had.

Tijdens zijn studie had de herinnering aan zijn vaders echtgenote aan zijn gedachten gekrabbeld. Als een brutale kever op
een bijbelblad. Ze was als Oline's koektrommels in zijn jeugd.
Boven op een plank, en verboden. Een broeinest van zondige
gedachten.

Hij droomde van haar, als hij wakker was en als hij sliep.
Naakt en wit, terwijl maanlicht en druppels over haar lichaam
sijpelden. Tot haar heupen in het zeewater staand, met kippevel
en stijve tepels. Zoals hij haar gezien had in de nacht dat ze
samen gezwommen hadden, voordat hij vertrok.

Toen hij thuiskwam, was hij negen jaar ouder. En dacht dat
hij er goed op was voorbereid. Toch was er iets dat hem iedere
keer dat hij haar zag kwelde en prikkelde. Maar Dina was het
eigendom van zijn vader, voor God en alle mensen. Al was
Jacob nog zo dood en verdwenen. Ze had zijn halfbroer gebaard
en bestierde hun gemeenschappelijke eigendom als een soort
moeder.

Moeder Karen maakte zich een beetje ongerust toen ze de
blikken van Leo en Dina zag. Maar het ontroerde haar ook. En
ze rekende snel af met de herinnering aan haar zoon. Wende

aan de gedachte, dat ze Dina een levende man gunde.

Maar ze betwijfelde of deze Rus enig vermogen bezat. Ze geloofde ook niet dat hij een goede koopman of gastheer zou zijn.

Maar toen ze er goed over nadacht, besefte ze dat Jacob als zeeman naar Reinsnes was gekomen... Ja, ze begon zich er al op te verheugen dat er iemand in huis zou komen met wie ze over kunst en literatuur kon praten. Iemand die Duits en Frans beheerste en die vast en zeker tot aan de Middellandse Zee had gereisd.

Niels was overrompeld en verbijsterd toen hij de openlijke aantrekking zag. Om de een of andere reden, waar hij verder niet over na wenste te denken, werd hij er onrustig van. Alsof de liefde plotseling een bedreiging voor hem was.

Anders bekeek het geheel vol verbazing. Maar hij kon moeilijk geloven dat het iets zou worden.

Stine hield zich afzijdig en wachtte af, en verried door niets wat ze wist of dacht. Dina's goede humeur en kwikzilveren rusteloosheid waren voor haar geen reden tot ongerustheid.

Oline daarentegen begon hoog op te geven van de voortreffelijke eigenschappen van Jacob zaliger, toen Leo op een dag de keuken binnenkwam. Hij luisterde belangstellend en beleefd. Knikte en vroeg naar details over deze held, die heer en meester op Reinsnes was geweest.

Oline wijdde uit over Jacobs deugden. Zijn knappe gezicht, het feit dat hij nachtenlang door kon dansen, zijn zorgzaamheid voor het personeel en de armen. En niet in de laatste plaats zijn krullende haar en jeugdige geest.

Zonder het te beseffen liet Oline zich verschalken door Leo's talent om te luisteren. Eindelijk kon ze praten over een liefde die dertig jaar had geduurd. Het einde van het liedje was dat ze haar verdriet en gemis uithuilde tegen Leo's borst en zich voor eeuwig aan hem verbond.

Toen Tomas op vierde kerstdag terugkwam, trof hij Leo in de keuken aan, druk bezig een huilende Oline op te fleuren met droeve Russische liederen. Dat maakte hem dakloos.

Hij begon zichzelf onmiddellijk te kwellen door te spioneren. Hij luisterde 's avonds, als de deuren tussen de keuken en de woonvertrekken opengingen, naar Dina's koerende lach. En omdat het bijna volle maan was, zocht hij naar sporen in de sneeuw rond het tuinhuisje. Hij kreeg hartverscheurende zekerheid. Twee grote, gesmolten plekken in de rijp op de bank in het tuinhuisje. Zo dicht bij elkaar dat ze in elkaar overgingen, tot één grote vlek. Twee in bontjassen geklede lichamen op de bank... Bontjassen met een opening van voren.

Dus ze had de Rus hier mee naartoe genomen! Waar ze in het maanlicht haar plengoffers aan de goden bracht!

Hij sloop ook naar de voorkant van het woonhuis, om te kijken hoeveel schaduwen zich aftekenden tegen de gordijnen van de zaal. Maar de zware, donkere fluwelen gordijnen gaven geen geheimen prijs. Toen hij geen schaduwen kon onderscheiden, werd hij gekweld door de gedachte dat er binnen zo weinig licht was.

Hij zag Dina's blanke lichaam voor zich. In de omhelzing van de ander, voor de kachel, in het schijnsel van de kandelaar op de kaptafel. Het beeld van het hemelbed plaagde hem dag en nacht, zodat hij het overdadige en uitstekend toebereide kersteten nauwelijks aanraakte.

Tomas begon de keuken te mijden, behalve tijdens de maaltijden, als hij zeker wist dat de Rus in de eetkamer zat.

Uiteindelijk waren er inderdaad twee schaduwen in de zaal.

Ze haalde hem de nacht van de zevende kerstdag. Op het gevaar af zich voor het hele huis bloot te geven. Voor Johan. Voor moeder Karen!

De bronstigheid leidde haar, als de wolvenleidster haar roedel. Misschien grauw en onzichtbaar voor anderen, maar voor Dina een rode bek met scherpe, spitse tanden en een sterke geur. Hongerig en allesverterend, tot de dood erop volgde.

Daarom stond ze op en trok ze al haar kleren weer aan. Kamde haar haar en sloop naar de donkere gang, die geen raam had. Ze knevelde Jacob achter de linnenkast, en zette koers naar de juiste deur. Drukte de piepende koperen klink voorzichtig naar beneden, en glipte naar binnen.

Hij zat als een trouwe lijfwacht op haar te wachten. Weliswaar zonder laarzen en zonder hemd, slechts in zijn broek. Alsof hij had zitten lezen, met een half oor luisterend naar elk signaal.

De gastenkamer was geen plek voor twee. Had te dunne wanden die hen zouden verraden aan Anders en aan Johan. De zaal had aan weerszijden lege kamers. Ze doofde de kaars tussen twee vingers. Bliksemsnel en zonder haar vingers eerst nat te maken.

'Kom!' fluisterde ze.

De man ging mee, alsof het van tevoren zo was afgesproken.

Zodra ze in de zaal waren draaide ze de sleutel met een zucht om en duwde de grote man naar het bed. Hij wilde iets zeggen, maar zij vormde een geruisloos sst! tegen zijn mond.

Er schitterde een lach in de groene ogen. Ernstig en glimlachend, als een in gebed verzonken Boeddha.

Hij sloot zijn ogen een paar keer en ontblootte zijn keel. Ze kwam zo dichtbij, zo dichtbij. Maar hij raakte haar niet als eerste aan.

Het bleek dat Jacobs oude hemelbed niet op deze taak berekend was, zodat ze naar de vloer uitweken. Maar ze gebruikten wel de dekbedden van het fijnste eiderdons met de mooiste damasten hoezen en lakens.

Hij tastte toe, speels, maar gulzig. Lachte zich naar binnen. Woordenloos en wellustig. Als een oude berg die zijn echo smoort om de zon niet af te schrikken. Of als zwevende wolken, die de dauw op de bosbessenstruiken en de adelaarsjongen in de bergspleet niet willen verjagen.

Zij was een rivier die een boot meevoerde met een krachtig ploegende romp en een boeg om stroomversnellingen en stenen mee te trotseren. Haar oevers waren allesverterend en hongerig, en schuurden langs zijn flanken.

Vlak voor het laatste stukje, waar de waterval hem zou grijpen, scheurde de romp open en zonk hij naar de bodem.

De zandbanken waren niet meer dan een fluistering. Maar het water bulderde en ruiste, en haar oevers waren nog even

hongerig. Hij wist de boot weer naar boven te krijgen. Ondersteboven en zonder roeispanen, maar vol wilskracht en energie.
Hij werd vanaf de oever besprongen door een groot beest dat
hem beet, diep en dodelijk.

Toen was hij in de waterval.

Het hemelbed stond rustig midden in de kamer, alsof het had
ingezien dat het oud en zwak was.

Het had nog nooit zoiets gezien. Het was alsof het zijn
gewichtigheid opgaf. De vier hoekpilaren en het zware hoofdeinde probeerden in alle stilte, en met ongekende zorgzaamheid, het gezang dat in de kamer klonk te dempen.

Maar het hemelbed kon Jacob niet op afstand houden. Hij
kwam ertussen, als een eenzaam kind. Het had geen zin hem
weg te jagen.

Jacob bleef dicht in de buurt, totdat de dieren in de stal zich
deden gelden, en de ochtend als een winterse muur achter de
bergen oprees.

De dagen en nachten waren koud. De hemel keerde zijn ingewanden binnenstebuiten. Schril groen noorderlicht, met rode
en blauwe darmvingers aan de zijkanten. Alles in een golvende
beweging tegen de zwarte sterrenhemel.

De Prinds Gustav kwam, als een ongewenst zeemonster.

Dina begon weer op de bovenverdieping te ijsberen.

Derde boek

I

Er zijn er, die uitstrooien en toch nog meer verkrijgen; terwijl anderen meer inhouden dan recht is en
toch gebrek lijden.

(Spreuken 11:24)

Het jonge naaistertje dat ze voor de kerst hadden ingehuurd,
bleef bij hen. Het bleek dat ze nergens naar toe kon, toen ze
klaar was met haar werk.

Nadat ze alle draadjes en spoelen had opgeruimd en het
knechtenverblijf had aangeveegd, vond Stine haar in tranen,
met een touw om haar doos en met haar jas aan. Er was
afgerekend, en ze zou vertrekken.

Niemand kreeg van Stine te horen hoe het trieste verhaal nu
eigenlijk in elkaar zat. Maar ze kon niet op de avond voor kerst
van de hoeve worden verjaagd, dat stond vast. Dat zou dan in
het hele district bekend worden en Reinsnes niet tot eer strek-
ken.

Ze lieten het meisje voortaan de winkel en het kantoor
schoonmaken, wanneer de laatste klant vertrokken was. De met
pruimtabak bevlekte vloeren waren ruw en grof. Maar ze klaagde niet.

Op een dag liep Dina langs de aanrechtkeuken en hoorde het
naaistertje met Annette kletsen. Niels' naam werd genoemd.

'Hij komt steeds langs als ik het kantoor schoonmaak', zei
het meisje.

'Wees maar niet bang, scheld hem maar gewoon uit. Hij is
geen heer', zei Annette.

Dina bleef achter de geopende deur staan.

'Nee, ik ben ook niet bang. Maar het is vervelend. En volgens
mij is hij niet helemaal goed bij zijn hoofd', zei ze ernstig. 'Op
een keer schoof hij de zware wastafel heen en weer, alsof hij niet
goed snik was.'

'De wastafel!'

'Ja, die in het kantoor staat. Het was op de avond voor Kerst, toen Oline vroeg of ik naar de kachel wilde gaan kijken, voor het geval niemand eraan gedacht had dat er altijd iets in brand kan vliegen, op een boerderij waar de bliksem zomaar inslaat... Nou, en toen zag ik hem. Hij had de gordijnen dichtgetrokken, maar ik zag hem toen ik dichterbij kwam. Hij trok aan de wastafel! Daarna bukte hij zich en keek een poosje naar iets in de hoek. En toen schoof hij de wastafel met veel moeite weer op zijn plaats en stak een sigaar op. Dat doet een normaal mens toch niet?'

De blauwschemerende februaridagen waren aangebroken.

Ze liep zonder te kloppen het kantoor van Niels binnen. Hij keek nauwelijks op van zijn papieren toen hij haar groette. Het was warm in de kamer. De kachel liet sissende zuchten horen en troonde gloeiend in de hoek.

'Werkt Niels op vrije dagen net zo hard als anders?' vroeg ze als inleiding.

'Ja, ik wil dit allemaal noteren voordat Anders met zijn bestellingen komt. Dat is een heel karwei...'

'Natuurlijk.'

Ze liep naar het solide bureau en bleef staan, haar armen over elkaar geslagen. Hij begon te zweten. Een onaangename klamheid verlamde zijn woorden en gedachten.

'Wat wou ik ook al weer zeggen...? O ja, dat is waar ook, ik heb gehoord dat je van plan bent naar Amerika te gaan?'

Hij kromp onmerkbaar ineen. Het licht grijzende haar aan zijn slapen piekte. Hij zat daar in hemdsmouwen, met open vest. Zijn hals was pezig en mager, evenals zijn handen.

Niels was geen lelijke man. Zijn bovenlijf was gespierd en sterk, voor een winkelbediende. Zijn neus was recht en zijn gelaatstrekken zouden een edelman niet hebben misstaan.

'Wie zegt dat?' vroeg hij en maakte zijn lippen vochtig.

'Dat doet er niet toe. Ik wil graag weten of het waar is.'

'Heb jij soms de kaart van Amerika van mijn bureau gepakt?'

314

Hij had zichzelf vermand tot een soort aanval. En was daar even tevreden over.

'Nee. Heb je een kaart gekocht? Ben je al zover? Waar wil je dan naar toe?'

Hij keek haar argwanend aan. Ze stonden nu allebei aan een kant van het bureau. Hij steunde met vlakke handen op de rand van het tafelblad en hief zijn gezicht naar haar op.

Hij stond zo bruusk op dat hij bijna de inktpot omgooide.

'De kaart is verdwenen! Spoorloos! Voor kerst lag hij nog hier.'

Hij pauzeerde even.

Dina nam hem op, zonder iets te zeggen.

'Nee, ik heb er alleen maar over nagedacht...' antwoordde hij uiteindelijk.

'Het is een dure reis', zei ze zachtjes.

'Het was alleen maar een idee...'

'Je hebt zeker een lening bij de bank gekregen? Of heb je misschien iemand nodig die borg voor je staat?'

'Daar heb ik nog niet aan gedacht...'

Niels verschoot van kleur, en haalde een paar keer een hand door zijn haar.

'Heb je zelf soms genoeg geld?'

'Nee, zo moet je dat niet zien...'

Niels vervloekte zichzelf omdat hij zich niet op de situatie had voorbereid. De antwoorden uit zijn hoofd had geleerd.

Zo was het altijd met Dina. Ze dook op als een grote heilbot en sloeg toe wanneer je het het minst verwachtte.

'Er is iets waar ik al veel eerder met je over had moeten praten, Niels', zei ze uitnodigend en leek van onderwerp te veranderen.

'Ja?' zei hij opgelucht.

'Dat zijn de cijfers... Die wel bestaan, maar die niet te vinden zijn... Die overblijven. Die alleen tevoorschijn komen als ik de vaten tel, en het lossen en laden, en met mensen praat over wat ze nog schuldig zijn en wat ze tegoed hebben. Ik heb wat aantekeningen gemaakt. Die zijn niet voor de drost en de rechter bestemd, maar ik heb ontdekt waar de cijfers zijn, Niels.'

Hij slikte krampachtig. Toen mobiliseerde hij zijn woede en keek haar recht aan.

'Je hebt me al eens eerder beschuldigd van geknoei met de boeken!' siste hij. Net drie seconden te snel.

'Ja!' fluisterde ze bijna, en pakte zijn arm stevig vast. 'Maar deze keer weet ik het zeker!'

'Wat voor bewijzen heb je dan?!' brieste hij. Het drong slechts vaag tot hem door dat het ernst was.

'Die houd ik geloof ik voorlopig maar voor me, Niels!'

'Omdat je geen bewijs hebt. Het is gewoon kwaadsprekerij. Allemaal kwaadsprekerij en leugens! Sinds dat gedoe met het kind van Stine...'

'Het kind van Niels', verbeterde ze hem.

'Noem het zoals je wilt! Maar sinds die tijd heb ik hier op Reinsnes geen thuis meer. En nu wil je me ten overstaan van iedereen als misdadiger bestempelen! Waar zijn je bewijzen!' schreeuwde hij.

Zijn gezicht was bleek in het licht van de lamp en zijn kin trilde.

'Je begrijpt toch wel dat ik mijn bewijzen niet wil verspelen door ze aan jou te verklappen... Voordat ik weet of jij van plan bent de zaken recht te zetten.'

'Wat bedoel je?'

'Laat me zien waar de cijfers zijn, in baar geld! Dan kunnen we onderhandelen over de rest, en over de borgstelling voor je reis naar Amerika.'

'Ik heb geen geld!'

'Dat heb je wel! Je hebt zelfs je eigen broer opgelicht en hem de tien procent die hij hoorde te krijgen na de tocht naar Bergen onthouden. Je hebt cijfers opgevoerd die op geen enkele manier kloppen met de goederen die Anders heeft meegenomen naar het zuiden. Dat was je grootste fout. Je hebt het op je eigen broer afgewenteld. Zodat het in het ergste geval zou kunnen lijken of hij de schurk was. Maar je vergeet dat ik jullie ken, jullie allebei!'

Hij balde zijn vuist en wilde in blinde woede om zijn schrijf-tafel heen naar haar toe lopen.

'Ga zitten, man!' zei ze. 'Had je soms liever gehad dat ik de drost en de veldwachter had gehaald en alles op tafel had gelegd? Geef antwoord!'

'Nee', zei hij. Nauwelijks hoorbaar. 'Maar het is niet waar...'

'Breng die cijfers aan het licht, liefst in contanten, en vlug een beetje! Heb je het opgemaakt, of begraven? Ja, want het geld staat nergens op de bank.'

'Hoe kun je dat zeggen', vroeg hij.

Ze glimlachte. Een onaangenaam lachje. Dat hem over zijn hele lichaam kippevel gaf. Hij kneep alle openingen dicht. Alsof hij bang was dat ze door zijn poriën naar binnen zou kruipen om hem van binnenuit te vernietigen.

Niels zeeg neer achter het bureau. Zijn blik fladderde ongewild naar de wastafel. Hij had de ogen van een jongetje dat verraadde waar hij het houten paard dat hij van zijn vriendje had geleend, had verstopt.

'Heb je het begraven? Of ligt het onder je matras?'

'Ik heb niks!'

Toen richtte ze haar ogen op hem. Ze doorboorden hem als ploegscharen.

'Zoals je wilt. Je hebt tot vanavond de tijd. Dan haal ik de drost erbij!' zei ze hard. Draaide zich om en wilde weggaan.

Als een soort ingeving keerde ze zich bliksemsnel weer om.

Zijn blik naar de wastafel!

Toen besefte hij dat hij werd gadegeslagen.

'Ik kwam overigens om de boeken te controleren. Je kunt dus wel gaan', zei ze langzaam. Een kat. Die plotseling nog een keer zijn nagels laat zien.

Hij stond op en zorgde ervoor dat zijn rug recht was toen hij wegliep.

Ze deed de deur achter hem op slot, zonder zich erom te bekommeren dat hij dat hoorde. Toen rolde ze haar mouwen op en ging aan het werk.

Er was nauwelijks beweging te krijgen in de enorme wastafel met de zware marmeren plaat. Eikenhout en marmer. Zeer solide.

Ze legde haar lichaam er tegen aan.

Niels liep in de winkel heen en weer toen zij met de open doos onder de lamp stond en het geld telde.

317

De volgende morgen reed Dina de berg over. De sneeuwschoenen, zowel voor zichzelf als voor het paard, hingen aan het pakzadel, over de zadeltassen.

Niels kwam net uit de winkel toen zij langs de smidse reed.

De aanblik van de rijzige vrouw op het paard, op weg naar de bergen, trof hem zo hard dat het hem zwart voor de ogen werd. Hij wist waar ze naar toe ging.

Vanaf het moment dat hij haar in het kantoor hoorde rommelen, hadden zijn ingewanden geweigerd mee te werken. Het was er aan twee kanten uitgekomen, zo plotseling dat hij nog maar net op tijd naar de plee bij de winkel kon rennen. Had zich over het ene gat moeten buigen om over te geven, terwijl hij op het andere gat zat om zich leeg te laten lopen.

's Avonds was hij een paar keer op weg geweest naar de zaal, om om genade te smeken. Maar hij kon het niet.

De nacht was een lege hel, met dromen over doden en schipbreuk.

Hij was die ochtend opgestaan, had zijn grijze baardstoppels met schuim bedekt en zich geschoren, alsof zijn leven daar vanaf hing.

Hij dacht er nog steeds over om naar het woonhuis te gaan en zijn zaak te bepleiten bij de bikkelharde Dina Grønelv.

Maar hij kon die beslissing maar niet nemen. Stelde het van minuut tot minuut uit. Zelfs toen hij haar zag wegrijden van de hoeve, had hij het nog kunnen doen. Had achter haar aan kunnen rennen om het paard tegen te houden.

Hij had al eerder haar kracht gevoeld. Wist dat ze geen genade zou kennen, zo lang hij niet voor haar kroop.

Maar hij kon het niet.

Hij had moeten weggaan, toen het nog kon! Had niet moeten treuzelen tot na de kerst, alleen maar omdat er een man naar de hoeve was gekomen met wie je kon praten als een normaal mens.

En de kaart! Waarom had hij in al zijn naïviteit gedacht dat het hebben van een kaart een voorwaarde was om naar Amerika te kunnen gaan? Nu had hij geen geld meer, en geen kaart.

Hij ging met een smoesje naar de keuken, om Oline te horen zeggen dat Dina naar Fagernes was gegaan.

'Ze heeft blijkbaar toch nog iets uit te praten met de drost', zei Oline met een droog lachje.

Er werd een strakke, zwarte kap over zijn hoofd getrokken. Hij kon niet meer goed zien. Hoorde de donderende stem van de rechter al op zich neerdalen.

Hij sloeg de koffie die Oline voor hem neerzette af.

Het was licht en veel te warm in de keuken. Hij had de hele weg naar de kårstue moeite met ademhalen.

Later op de dag, toen een van de meisjes kwam vragen waarom hij zich niet liet zien, klaagde hij over ziek zijn en liet niemand binnen. Het blad met eten was nog onaangeroerd toen het meisje de schotels bij de deur kwam ophalen.

Het meisje haalde haar schouders op. Niels stelde zich wel vaker aan. Wat dat betreft was hij net een kind.

Dina reed door de bergen met een forse som geld, die ze op de spaarbank wilde zetten.

Af en toe moesten het paard en zijzelf sneeuwschoenen gebruiken. Het paard bepaalde het tempo over de beijsde weg, die gedeeltelijk door sneeuwhopen was versperd.

Ze bleef staan op de top, waar de rivier zich het grootste gedeelte van het jaar over de rand wierp en met een eeuwig dreunen in de kolk stortte. Nu was het maar een karige waterstraal. Groene ijspegels hingen in een bizar patroon over de rand.

Ze bleef staan kijken naar de steile rotswand waar de slede ooit naar beneden was geschoten.

Ik ben Dina. Jacob is niet in de waterval. Hij is bij mij. Hij is niet erg zwaar. Alleen maar lastig. Hij ademt altijd tegen me. Hjertrud is niet in de frambozenstruiken op de plek waar de smidse op Fagernes heeft gestaan. De schreeuw is er wel. Stroomt op de grond als ik de bessen stuk knijp in mijn handen. En Hjertruds gezicht wordt weer heel. Net als Lorchs cello. Ik tel en besluit voor iedereen. Ze hebben mij nodig.

Ze klom op de paarderug zonder het dier daarop voor te bereiden, zoals ze meestal deed. Het paard schrok en hinnikte. Hij stond niet graag aan de rand van de afgrond. Had daar herinneringen aan, die hem niet loslieten. Ze lachte luid en aaide hem over zijn hals.

'Hu!' riep ze, en trok de teugels aan.

Het werd een barre tocht. Ze kwam pas laat in de middag aan. Op sommige stukken moest ze voor het paard uit door de sneeuw ploegen, omdat hij diep wegzonk in de rulle sneeuw.

Toen ze de eerste boerderijen bereikte, kwamen de mensen naar buiten om te staren, zoals ze daar gewoonlijk deden.

Dina van Reinsnes werd al snel herkend aan het zwarte paard zonder zadel. Een mevrouw met een broek aan, als een man. Die aanblik maakte de vrouwen zowel jaloers als verontwaardigd. Maar ze waren vooral dodelijk nieuwsgierig naar wat er aan de hand was, dat ze hartje winter naar de hoeve van haar vader reed.

Ze stuurden kinderen en staljongens naar haar toe. Maar daar werden ze niet veel wijzer van. Dina groette hen, en reed dan verder.

Op de heuvel boven de hoeve van de drost bleef ze staan om te kijken naar het sneeuwhoen dat zich daar schuilhield, zoals ze wist.

Het hoen vloog niet op toen Zwarterik en zij aan kwamen gereden. Drukte zich met glanzende ogen tegen de grond en waande zich onzichtbaar.

Dina draaide om hem heen tot ze hem zover kreeg dat hij een stukje over de sneeuw fladderde. Toen lachte ze vrolijk, als een kind en stapte er achteraan. Ten slotte koerde en blies hij omdat ze zo dichtbij kwam.

Dit spelletje hadden Tomas en zij 's winters altijd gespeeld. Ze hadden ook vallen gezet.

's Winters waren de sneeuwhoenders rondom Fagernes zo tam als kippen in een ren. Ze werden niet bang als je ze achtervolgde.

In de lente en de zomer, als ze jongen hadden, was dat anders. Dan drukten ze hun kleine lijfjes in de heide, of vlogen laag over de hoofden van de mensen om hen weg te lokken, zodat de jongen konden vluchten.

Altijd met die hese schreeuw van ze: 'Ke-beu-ke-beu!' Dat zo'n klein schepsel zo moedig kon zijn!

Ze wist dat er een beer op Eidet was. Dus reed ze voor de zekerheid met Tomas' geweer onder haar been. Maar er moest wel iets bijzonders aan de hand zijn, wilde Bruintje in deze tijd van het jaar uit zijn hol komen.

De drost schrok zich wild. Hij tuurde met bijziende ogen uit het raam van zijn kantoor toen hij het paard hoorde. Liet alles wat hij in zijn handen had vallen en rende haar met open armen tegemoet.

De ontvangst was warm en verwijtend. Ze had geen bericht gestuurd! Ze maakte deze lange tocht in moeilijk begaanbaar terrein ook nog zonder zadel! En nu ze moeder en weduwe was, wist ze zich nog steeds niet als een vrouw te kleden!

Hij sprak er met geen woord over dat ze de laatste keer dat hij uit Reinsnes vertrok, niet bepaald als boezemvrienden afscheid hadden genomen.

Maar hij maakte er veel drukte over dat ze alleen was gekomen, in het donker, en zo de hele familie te schande maakte. Of ze onderweg iemand tegengekomen was, en wie dan wel? Of ze haar herkend hadden?

Dina trok haar bontjas uit en liet hem op de vloer naast de trap vallen. Ze beantwoordde zijn vragen als een bedachtzaam orakel. Zonder veel misbaar. Zodat zijn woordenstroom weg kon vloeien.

'Ik bevries! Hebben jullie punch in huis? Die moet zo heet zijn als de hel!' riep ze, om er een einde aan te maken.

Dagny en de jongens kwamen erbij. Oscar was een lange slungel geworden. Het was duidelijk dat hij de oudste was en de meeste opvoeding en verantwoording kreeg. Hij had al een gebogen nek en keek je niet recht in de ogen.

Dina pakte hem bij zijn kin en keek hem aan. Zijn ogen schoten onrustig heen en weer en hij wilde zich uit haar greep bevrijden. Maar ze hield hem vast. Toen knikte ze ernstig en zei, terwijl ze haar blik naar de drost verplaatste: 'Je zit die jongen te veel op zijn kop. Die loopt op een dag weg, dat zul je zien. Kom maar naar Reinsnes, als het hier te moeilijk wordt', fluisterde ze luid en duidelijk boven het hoofd van de jongen.

Toen liet ze zich neerploffen op een stoel naast de deur.

Egil, de jongste zoon van de drost, dook als een hond tussen zijn broer en Dina op.

'Goedendag, mijnheer Egil Holm, en hoe oud ben jij tegenwoordig?'

'Bijna tien!' antwoordde hij stralend.

'Sta daar dan niet te staren, maar trek mijn laarzen uit zodat we kunnen zien of ik koudvuur in die bevroren voeten heb gekregen!'

En Egil trok als een kerel. De laars schoot uit, en hij vloog tegen de muur. Hij was even gedrongen en donker als zijn broer lang en blond was. Hij deed zich op een heel andere manier gelden.

Hij hield van Dina met een opdringerige vrijmoedigheid, die alles en iedereen in de schaduw stelde. En die zonder uitzondering tot ruzie en vechtpartijen met Benjamin leidde, als ze elkaar zagen.

Iets waar Dina zich nooit mee bemoeide.

Dagny was maar matig te spreken over de liefdesbetuigingen van haar zoon jegens Dina. Maar ze jammerde beleefd dat het haar speet dat ze niet geweten had dat Dina kwam, waardoor ze geen feestmaal had kunnen voorbereiden.

'Ik ben hier niet voor een feestmaal, maar voor zaken!' zei Dina.

Dagny voelde de honende steek onder water, maar verbeet zich. Ze had altijd het onbehaaglijke gevoel dat Dina haar uitlachte en haar dom vond.

Dagny had nerveuze blosjes van vernedering op haar wangen toen Dina de punch en de drost meenam naar zijn kantoor.

Dina vertelde achter gesloten deuren waarom ze was gekomen. Dat ze wilde dat hij het geld op de spaarbank zette.

De drost vouwde zijn handen en zuchtte toen hij de grote stapel geld zag die ze voor hem uittelde.

'En waar komen al deze contanten vandaan?' vroeg hij ademloos starend, in plechtige drostentaal. 'In deze tijd wordt de handel niet afgerekend! We zitten midden in de Lofot-visserij

– en er is geen vrachtschip naar Bergen geweest! Verstopt de dochter van de drost in deze moderne tijden contanten in de lade van haar commode?'

Dina lachte. Maar wilde niet vertellen waar ze het geld vandaan had. Zei alleen dat dit een reservepotje was, dat ze pas geleden had ontdekt...

Ze wilde zelf niet naar de bank gaan. Het was beneden haar waardigheid om met een envelop vol bankbiljetten binnen te komen. Dat moest haar vader maar doen. En hij moest het stortingsbewijs goed bewaren tot hij naar Reinsnes kwam. Een derde van het geld moest op Hanna's naam worden gezet, een derde op die van Benjamin en een derde op haar eigen naam.

De zaak werd aan de drost toevertrouwd. Hij kweet zich van zijn taak met de grootst mogelijke ernst. Al wilde hij er eerst niet van horen dat ze zoveel middelen wilde schenken aan een Lappenkind, een bastaard nog wel! Was het niet genoeg dat ze het kind onderhield en dat ze zowel haar als dat Lapse meisje, haar moeder, voorzag van onderdak en eten en de meest noodzakelijke dingen? Dan hoefde ze al dit geld toch niet over de balk te gooien.

Dina glimlachte, terwijl haar woedende ogen de snor van zijn gezicht rukten.

Dat deed de drost beseffen dat hij zich beter gewonnen kon geven. Maar hij bleef proberen, als een kind op de avond voor Kerst, haar te laten verklappen waar het geld vandaan kwam.

Terwijl ze aan tafel zaten, vroeg hij: 'Je hebt toch geen schip verkocht, of landerijen?'

'Nee', zei ze kortaf en keek hem waarschuwend aan. Ze hadden afgesproken dat dit alles tussen hen zou blijven.

'Waarom vraag je dat?' vroeg Dagny.

'Nee, zo maar... zo maar een gedachte.'

'Ik probeerde hem alleen maar uit te horen hoeveel geld hij voor Reinsnes betalen zou', antwoordde Dina rustig en veegde haar mond af met de rug van haar hand. Dat laatste om de jongens op te vrolijken en Dagny te ergeren.

Dina's aanwezigheid bracht de drost zelfs in een goed humeur. Hij vertelde uitgebreid over een zaak die hij had lopen tegen de prefect in Tromsø. De drost vond dat de prefect te veel luisterde naar drosten met een juridische opleiding, van die leeghoofden die uit het zuiden kwamen en niets wisten over de mensen en gewoonten in het noorden. Terwijl de oude zwoegers, die het district en de volksaard kenden, als sukkels werden afgedaan.

'Er is toch niets verkeerd aan dat mensen doorgeleerd hebben', zei Dina pesterig. Wel wetend dat dit een teer punt was bij de drost.

'Nee, maar dat ze niet zien dat anderen ook verstand hebben, door hun ervaring en wijsheid!' zei de drost gekrenkt.

'Je praat misschien zo veel, dat de zaak ondersneeuwt', zei Dina en knipoogde naar Dagny.

'Hij heeft echt geprobeerd tot een verzoening te komen', zei Dagny.

'Maar waar ging het over?' vroeg Dina.

'Een onchristelijk oordeel', brieste de drost. 'De weduwe van een dagloner werd veroordeeld tot twee maanden tuchthuis in Trondhjem omdat ze een gebloemd schort, drie kazen en wat geld had gestolen van een boerderij waar ze werkte! Ik heb geklaagd bij de districtsrechter in Ibestad. Zowel over het oordeel als de getuigen. Maar ze hadden zich al geallieerd met de prefect.'

'Pas op, vader, dat zijn machtige vijanden', lachte ze.

De drost keek haar gekrenkt aan.

'Ze behandelen arme mensen als vee! En eerlijke, oude drosten als luizen! Het is de tijd, zeg ik je. In deze tijd kent men geen respect meer.'

'Nee, in deze tijd kent men geen respect meer', beaamde Dina terwijl ze openlijk gaapte.

'En mijn vader heeft geen onredelijke veroordelingen op zijn geweten?'

'Nee, dat zweer ik bij God en de koning!'

'En de veroordeling van Dina dan?'

'De veroordeling van Dina?'

'Ja.'

'Welke veroordeling?'

'Hjertrud!'

Iedereen hield op met kauwen. Het dienstmeisje deinsde

achteruit, de deur naar de keuken door. De muren en het dak hielden elkaar vast.

'Dina, Dina...' zei de drost schor. 'Je zegt de raarste dingen.'

'Nee, ik zwijg over de raarste dingen.'

Dagny loodste de jongens van tafel en ging zelf mee. De drost en Dina van Reinsnes zaten alleen onder de kroonluchter. De deuren werden gesloten, het verleden pulkte in ontstoken wonden.

'Je kunt een kind niet beschuldigen', zei de drost vermoeid. Hij keek haar niet aan.

'Waarom word ik dan beschuldigd?'

'Dat doet toch niemand?'

'Dat doe jij!'

'Maar, Dina...'

'Je hebt me weggestuurd. Ik telde niet mee. Tot je me aan Jacob verkocht. Hij was gelukkig een mens. Terwijl ik een wolfskind was geworden.'

'Wat een schandelijke taal! Verkocht! Hoe kun je...'

'Omdat het waar is. Ik stond in de weg. Kreeg geen opvoeding. Als de deken je niet tot de orde had geroepen, had ik vandaag de dag nog koeien en geiten gemolken op Helle! Denk je dat ik dat niet weet? En jij hebt medelijden met vreemden die gebloemde schorten en geld stelen! Weet je wat er in Hjertruds boek staat over mensen zoals jij?'

'Dina!'

De drost kwam met al zijn autoriteit overeind, zodat het bestek rinkelde en zijn glas omviel.

'Schreeuw maar! Maar jij weet niet wat er in Hjertruds boek staat. Jij bent de drost en je weet niks! Jij helpt arme mensen die jou niet kennen. Zodat je dat aan de grote klok kunt hangen. Zodat iedereen kan zien dat drost Holm van Fagernes een rechtvaardig man is.'

'Dina...'

De drost klapte plotseling dubbel over de tafel en verbleekte achter zijn baard. Toen zeeg hij mooi ineen in zijn stoel, waarna hij tegen de grond sloeg. Zijn benen en lichaam waren als een zakmes met een lam scharnier.

Dagny schoot de kamer binnen. Ze huilde en omarmde de

man op de grond. Dina hees hem op een stoel, gaf hem water uit haar glas en verliet de tafel.

De drost kwam snel weer bij. Zijn hart was op hol geslagen, verklaarde hij beschaamd.

Ze aten het dessert, voltallig, bijna een uur te laat, in alle rust en verdraagzaamheid.

De drost had Dina naar beneden geroepen met een luide, smekende stem, terwijl hij zich vasthield aan de trapstijl en zich ellendig voelde.

Toen Dina naar beneden kwam en aan tafel ging zitten, staarden de jongens haar met angstige bewondering aan.

De jongens werden geacht niets te horen, niets te zien. Maar vandaag hadden ze wederom gezien hoe Dina de woede van hun vader trotseerde. Ze leerden dat ze daar niet dood van ging. Integendeel. De drost was degene die op de grond viel.

Dagny veranderde voortdurend van gelaatsuitdrukking zolang Dina aanwezig was. Als ze naar de drost keek, was ze een vroege boterbloem langs een beekje. Als ze zich tot Dina wendde, deed ze denken aan rottend zeewier.

Ik ben Dina. Mijn voeten groeien vast aan de vloer terwijl ik in mijn nachtgoed sta en de maan over Hjertruds hemel zie rollen. Hij heeft een gezicht. Ogen, mond en neus. Zijn ene wang is een beetje ingevallen. Hjertrud staat nog steeds naast mijn bed te huilen, als ze denkt dat ik slaap. Maar ik slaap niet. Ik loop langs de hemel en tel sterren, zodat ze me zal zien.

Dina schiep er genoegen in dingen te verplaatsten als ze op bezoek was. Ze op hun oude plek te zetten. Waar ze voor Dagny's tijd stonden.

Dagny verdroeg het tandenknarsend. Ze kende Dina langer dan vandaag. Gunde haar niet de triomf dat zij zich ergerde. Wachtte met opeengeklemde kaken tot de gast weer vertrok.

Deze keer hoefde ze slechts tot de volgende ochtend te wachten. Toen rende ze briesend door alle kamers en zette alles weer op zijn plaats. De naaidoos uit de rookkamer terug naar het kabinet. Het schilderij van Hjertruds familie uit de eetkamer naar de gang op de bovenverdieping.

Dina had het schilderij omgeruild met een porseleinen bord, versierd met de blauwe beeltenis van prins Oscar en een gouden rand.

Wee degene die Dagny voor de voeten liep, of commentaar gaf op wat ze deed.

Later die dag, toen de drost zijn middagsigaar rookte en niet op onraad bedacht was, kon ze het niet laten: 'Er is toch heel wat scherpzinnigheid voor nodig om zo tactloos en grof te zijn als Dina!'

'Nou, nou... Wat is er nu weer?'

Hij had genoeg van de vrouwen. Hij begreep hen niet. Wilde niets weten, geen partij kiezen. Toch was hij gedwongen dat te vragen.

'Ze scheld je uit! Verpest het diner! Zet dingen op een andere plaats, alsof ze hier nog steeds woont. Ze geeft Hjertruds familie een ereplaats, om mij in mijn gezicht uit te lachen', zei Dagny schril.

'Dina heeft een moeilijk karakter... Het is vast niet kwaad bedoeld.'

'En hoe is het dan wel bedoeld?'

Hij zuchtte, zonder te antwoorden.

'Ik ben dolblij dat ik maar één dochter heb', mompelde hij.

'Anders ik wel!' siste ze.

'Nu is het genoeg, Dagny!'

'Ja, tot de volgende keer dat ze hier als een staljongen naar toe komt gereden, het hele dorp door, schrijlings en zonder zadel, en zich gedraagt alsof de hele hoeve van haar is! En ook nog jouw hart op hol laat slaan!'

'Zo vaak gebeurt dat niet...'

'Nee, godzijdank, de hemel zij geprezen!'

Hij krabde op zijn hoofd en nam zijn pijp mee naar zijn kantoor. Hij kon het niet meer opbrengen de orde in huis te handhaven. Schaamde zich omdat hij zijn echtgenote niet zo nadrukkelijk op haar plaats wees dat er rust in huis kwam. Voelde dat hij oud begon te worden en minder kon verdragen.

En hij moest toegeven dat Dina's komst een frisse wind was geweest. Hij bewees haar immers een dienst! Die niemand anders haar kon bewijzen. Ze was tenslotte de dochter van de drost. Stel je voor! Bovendien was het leuk om iemand te hebben waar je af en toe mee kon kibbelen en bekvechten. Want de mensen waren zo verdomde snel op hun teentjes getrapt!

Hij zuchtte, liet zich in de oorfauteuil vallen, legde zijn pijp op tafel en pakte de doos snuiftabak.

De drost kon beter denken met een snuif tabak. En hij had nu gedachten waar hij dieper op in wilde gaan. Maar hij wist als het ware niet waar hij moest beginnen.

Het was iets met die arme Hjertrud... Wat had Dina gezegd? Wat stond er in haar zwarte boek?

2

> Wanneer hij langs mij heen gaat, zie ik hem niet, en glijdt hij voorbij, dan bespeur ik hem niet. Wanneer hij wegrukt, wie zal hem weerhouden? Wie zal tot hem zeggen: 'Wat doet gij?'
>
> (Job 9:11-12)

De stilte was een muur toen Dina het erf opreed.

Het licht flikkerde onrustig in de kårstue. Een wit schijnsel op de blauwige sneeuw. Er hingen lakens voor de ramen. De dood was op Reinsnes. Een schaduw door een berijmd raam. Tomas had hem losgesneden. Er bleef een stompje touw hangen. Dat lange tijd ritmisch heen en weer bewoog.

Niels had een spleet gevonden tussen de balken en de planken van de zolder. Moest hebben geploeterd om het touw er doorheen te wurmen, want de spleet was erg nauw.

Daarna had hij zich verhangen.

Hij had niet de moeite genomen om de warme kårstue te verlaten en te doen wat de mensen in zo'n geval meestal deden. Zich verhangen op de zolder van het pakhuis. Daar kon je gemakkelijk een geschikte balk vinden.

Hij had verkozen zijn laatste ogenblikken bij de warmte van de kachel door te brengen. Het dak van het pakhuis was te eenzaam en hoog. Met veel lucht onder het dak en genoeg plaats voor vele lichamen.

Maar Niels verhing zich bij de kachel. Aan een plafond dat zo laag was dat een volwassen man er nauwelijks kon bungelen zonder met zijn voeten de grond te raken.

Het was geen afzichtelijke aanblik geweest, ondanks de omstandigheden. Zijn ogen waren niet verwrongen, zijn tong hing niet naar buiten. Alleen zijn kleur was niet in orde.

Het was duidelijk dat het hoofd niet veel contact had met de rest van de man. Zijn kin wees naar de grond. Hij wiegde zachtjes heen en weer. Moest al lange tijd gewiegd hebben.

Tomas had de deur ingetrapt, met een hart als een stoommachine.

Het oude huis begon zich te roeren, en Niels moest meebewegen. Zijn donkere haar hing over zijn voorhoofd. Alsof hij een borrel te veel op had. Zijn ogen waren gesloten. Zijn armen hingen wat hulpeloos naar beneden.

Nu pas liet hij zien wie hij was. Een verschrikkelijk eenzame kruidenier, met vele onzichtbare dromen. Die eindelijk een besluit had genomen.

Niels lag uitgestrekt op een luik op de eettafel tot ze een passende kist hadden gemaakt.

Anders was op de Lofoten. Ze hadden hem al bericht gestuurd.

Johan had samen met Stine de dodenwake op zich genomen. Lette de hele nacht op de kaarsen.

Stine nam voortdurend het laken van Niels' lichaam, en dekte hem weer toe. Merkte het niet als iemand de kamer binnenkwam. Zelfs niet toen moeder Karen hinkend langskwam, haar magere hand op Stine's schouder legde en huilde. Of als Johan met regelmatige tussenpozen binnenkwam en stukken uit de bijbel las.

Stine had haar donkere eiderogen naar de zee gericht. Haar wangen waren niet zo goudkleurig als anders. Ze deelde haar gedachten met niemand. De weinige woorden die ze gezegd had, die dag dat ze de vader van Hanna lossneden, waren tegen Johan gericht: 'Jij en ik zijn waarschijnlijk zijn naaste familieleden, wij moeten hem wassen.'

Dina bekeek Niels' gezicht aandachtig toen ze de kamer binnenkwam, bijna zoals je een dier bekijkt waarvan je net besloten hebt het niet te kopen. Maar haar blik was niet onwelwillend.

De mensen op de hoeve waren bij elkaar gekomen. Hun gezichten weerspiegelden ongeloof en machteloosheid, vermengd met oprechte afschuw en een mespuntje geweten.

Dina knikte zwijgend tegen Niels' laatste gedachten, die nog hulpeloos door de kamer zweefden. In dat knikje lag eindelijk erkenning besloten.

Johan moest alle zeilen bijzetten om moeder Karen ervan te overtuigen dat hij ervoor zou zorgen dat Niels in gewijde aarde zou worden begraven. Ondanks het feit dat hij een zonde had begaan in de ogen van God en alle mensen.

'Als ze Niels niet op het kerkhof willen hebben, dan leggen we hem in de tuin', zei Dina kortaf.

Johan huiverde van dergelijke taal, en moeder Karen huilde stilletjes en hartstochtelijk.

Dat Niels in gewijde aarde kwam, had meerdere oorzaken. Allereerst duurde het zes weken voordat er überhaupt aan een begrafenis gedacht kon worden, ongeacht of het in Gods aarde was of die van de mensen. Want de ergste vorst sinds mensenheugenis viel in. Als je probeerde te graven, was elke klomp aarde als graniet.

Ten tweede heette het dat Niels gewoon gestorven was. De gesprekken van de deken en Johan, met elkaar en met God, waren wat dat betreft erg nuttig.

Bovendien duurde het zo lang voordat men met het graf kon beginnen, dat de ergste roddels al verstomd waren. Niels kreeg de gewenste plaats achter de kerk. In stilte.

Iedereen wist dat hij zich in de kårstue van Reinsnes had verhangen. Aan het splinternieuwe henneptouw dat Anders meegenomen had uit Rusland, of Trondhjem, of waar ook maar weer vandaan. Maar ze wisten ook dat de mensen op Reinsnes hun macht en hun eigen regels hadden.

Stine begon tegen Hanna te zeggen: 'Dat was drie weken voordat je vader stierf' of 'dat was de winter dat je vader overleed.'

Zij, die nooit over Niels' vaderschap praatte toen hij nog leefde, greep nu elke gelegenheid aan om er bij iedereen in te hameren wie Hanna's vader was. Dat had een verbluffend effect.

Het duurde niet lang voordat iedereen accepteerde dat Hanna's vader helaas dood was, en dat Stine een vrouw was met een vaderloos kind.

Niels gaf haar in zijn dood het eerherstel dat hij haar niet had kunnen geven toen hij nog leefde.

Dina liet hier en daar een opmerking vallen. De mensen op de boerderij pikten dat op, en vormden zo hun waarheid: Niels was op het laatste moment tot inkeer gekomen. Hij had Dina gevraagd zijn spaargeld op de bank te zetten, als lijfrente voor Hanna. Dat nieuws verspreidde zich sneller dan een grasbrand in mei. Na de Lofot-visserij was er geen mens die er niet van op de hoogte was.

De mensen beseften dat Niels helemaal niet zo gek was. En dat hij een plaatsje naast Onze Lieve Heer behoorde te krijgen, al had hij zijn lot in eigen handen genomen.

Op een dag kwam het vrachtschip terug van de Lofoten. Er was goed geld verdiend. Maar Anders was grauw en bedrukt.

Hij ging rechtstreeks naar Dina in de zaal en wilde horen hoe het gebeurd was.

'Dat kan hij toch niet zomaar doen, Dina!'

'Dat kon hij wel', zei Dina.

'Maar waarom? Wat had ik nog voor hem kunnen doen?'

Hij omarmde Dina en verborg zijn gezicht bij haar. Zo bleven ze lange tijd staan. Dat was nog nooit eerder gebeurd.

'Ik denk dat hij het moest doen', zei Dina ernstig.

'Niemand moet zoiets!'

Hij maakte beekbeddingen tussen hun gezichten.

'Sommige mensen wel!' zei Dina.

Ze greep zijn hoofd vast. Keek hem lang in de ogen.

'Ik had moeten...' begon hij.

'Sst! Híj had moeten! Iedereen moet de verantwoording voor zijn eigen leven dragen!'

'Je bent hard, Dina.'

'Sommige mensen moeten zich verhangen, en sommige mensen moeten hard zijn', antwoordde ze en trok zich los.

3

De zegenende ziel wordt overvloedig verkwikt, wie
laaft, wordt ook zelf gelaafd.

(Spreuken 11:25)

Moeder Karen had een bijzonder boek in haar boekenkast.
Geschreven door een hoge ambtenaar uit Drammen, Gustav
Peter Blom, die de eervolle titel van Hoofdmatriculeringscom-
missaris droeg. Hij had geschreven over zijn reis door het
noorden. Er stonden leerzame dingen in over de noorderlingen
in het algemeen en de Lappen in het bijzonder.

'De Lappen kennen geen pijn en geen gemis', en 'de noorderlingen zijn bijgelovig, waarschijnlijk vanwege hun afhanke-
lijkheid van de natuurkrachten', beweerde mijnheer Blom.

Moeder Karen begreep niet wat er bijgelovig was aan mensen
die hun lot in Gods handen legden, en die eerder vertrouwden
op de natuur dan op de valse beloften van mensen. Maar omdat
ze met niemand over deze dingen kon discussiëren, liet ze het
voor wat het was.

Blom vond dat er zo vlak onder de pool maar weinig verlichte en culturele wezens waren. Hij had geen goed woord over
voor het uiterlijk van de Lappen.

Dan had hij Stine op Reinsnes niet gezien, dacht moeder
Karen. Maar ze zei het niet hardop. Verstopte het boek achter
de andere. Voor het geval Stine hier ooit zou afstoffen.

Moeder Karen had met haar man veel van de wereld gezien.
Aan de Middellandse zee, in Parijs en Bremen. Ze wist dat de
mens met zijn nieuwe zonden naakt voor God staat, uit welk
geslacht hij ook komt.

Toen op een dag bleek dat Stine niet kon lezen en schrijven,
had moeder Karen er persoonlijk op toegezien dat ze dat leerde.

Ze leerde snel. Het was alsof ze een glas aan haar mond zette en kennis dronk. Moeder Karen had ook de strijd aangebonden met Oline. En wist haar, na een lange belegering, aan het verstand te brengen dat Stine een natuurtalent was in het bestieren van een groot huishouden.

Na verloop van tijd kreeg Stine, net als Oline en Tomas, haar eigen, onmisbare plaats, en werd ze gerespecteerd.

Maar buiten de hoeve was ze het Lappenmeisje dat door Dina onder haar hoede was genomen. Dat Dina haar Benjamin in de kerk had laten dopen, kon de mening over Lappenmeisjes niet veranderen.

Nu werd er gezegd dat Niels door hekserij de dood ingedreven was. En terwijl op Reinsnes levend en dood kapitaal floreerden, stierf de boerin die Stine uit Tjelsund had verjaagd. Dat kwam door die Lapse heks, die terugbetaalde wat ze had ontvangen.

Stine reisde zelden ver van Reinsnes. Ze bewoog haar pezige lichaam van kamer naar kamer, met geruisloze energie.

Het was alsof ze zo vol verdriet zat dat ze haar lichaam voortdurend aan het werk moest houden, zodat het geen tijd zou krijgen in te storten.

De erfenis van haar voorvaderen zat in haar spieren. Ze bracht haar rustige, soepele manier van doen over op de meisjes die ze in de leer had.

Ze liet zelden blijken wat ze dacht. Haar gezicht en ogen hadden een donkere uitstraling die zei: ik wil wel met je in dezelfde ruimte zijn, maar ik heb je niets te zeggen.

Haar hoge jukbeenderen verraadden haar afkomst, evenals haar zangerige manier van spreken. Die droeg het ritme van de hoogvlakte en de rivieren in zich.

Ze droeg 's zomers geen linnen boezeroen meer en 's winters geen boezeroen van bont. Maar aan haar riem hingen nog steeds een mes en een schaar in een schede van gelooid leer, en een naaldenkoker met koperen huls en rinkelende koperen ringen. Zoals op de dag dat ze naar Reinsnes kwam om Benjamin te zogen.

Dina had haar ooit gevraagd waar ze vandaan kwam. Ze had haar korte geschiedenis verteld. Dat ze uit een familie uit

Zweeds Lapland stamde, die voordat zij geboren werd alle rendieren tijdens een lawine had verloren. Ze hadden lange tijd aan de Zweedse kant van de grens rondgezworven. Hadden wilde rendieren bijeengedreven, gejaagd en gevist.

Maar toen werd er over haar vader en grootvader gezegd dat ze uit andermans kuddes stalen.

De hele familie moest de grens over vluchten.

Na een tijdje vestigden ze zich in een plaggenhut in Skån-land, zorgden voor boten en gingen vissen. Maar een Lap die van visvangst leefde en geen rendieren hield, had geen zelfrespect.

Ze waren voor de Noren niet meer dan arme 'boeren-Lappen' en werden niet eens in de volkstellingen opgenomen.

Toen ze twaalf was, had Stine haar eigen brood moeten verdienen. Ze werkte in een stal op een boerderij in het zuiden van Tjelsund. Toen ze op een dag een dood kind baarde, was het afgelopen. Ze konden haar niet beschuldigen van kindermoord. Er was alleen sprake van zondige bijslaap.

De boer deed een goed woordje voor haar. Maar de boerin wilde die Lapse niet meer zien. Ze werd van de boerderij verjaagd. Met borsten die bol stonden van de melk en met bloederige vodden tussen haar dijen.

'Vrouwen verscheuren mensen vaak in piepkleine reepjes die ze op de wind weg laten vliegen. En daarna gaan ze naar de kerk!' gaf Dina als commentaar.

'Waar heb je dat vandaan?' vroeg Stine aarzelend.

'Van de drost.'

'Op Reinsnes zijn de mensen niet zo.'

'Nee, maar hier zijn de mannen ook geen drost!' stelde Dina vast.

'Was Dina's moeder zo?'

'Nee!' zei Dina en liep snel de kamer uit.

Ieder jaargetijde betekende voor Stine een vast ritueel. Mandjes vlechten van berkeschors, kleedjes weven, geneeskrachtige kruiden verzamelen of wol verven. In haar kamertje rook het naar berkeschors en wol en de gezonde lichaamsgeur van kinderen.

Ze had haar eigen planken in de voorraadkamer. Daar stonden aftreksels af te koelen. Of te wachten tot het bezinksel was neergeslagen, voordat ze het in flessen goot. Klaar voor gebruik.

Nadat Niels van het plafond van de kårstue was losgesneden, was ze alleen maar twee werkende handen. Lange tijd.

Op een avond liet Dina haar komen. Laat, nadat de anderen al naar bed waren gegaan, klopte Stine bij Dina aan en gaf haar een kaart van Amerika.

'Ik had je zijn kaart al eerder willen geven, maar het kwam er niet van', zei ze.

Dina vouwde de kaart uit op haar bed, boog zich erover en bestudeerde hem grondig.

'Ik wist trouwens niet dat jij Niels' kaart had. Maar daar wilde ik het niet met je over hebben... Zou jij meegaan?'

'Nee!' zei Stine hard.

'Waarom heb je die kaart dan?'

'Ik heb hem weggenomen. Zonder kaart kon hij niet vertrekken!'

Dina richtte zich op en ving Stine's ogen.

'Wilde je niet dat hij wegging?'

'Nee.'

'Waarom wilde je dat hij hier bleef?'

'Vanwege Hanna...' fluisterde ze.

'Maar als hij het je gevraagd had, zou je dan meegegaan zijn naar Amerika?'

Het werd stil in de kamer. De geluiden uit andere delen van het huis legden zich over hen heen als een deksel dat losjes op een blikken emmer ligt. Zij zaten in de emmer. Opgesloten met elkaar. En met zichzelf.

Stine begon te vermoeden dat dit verhoor meer inhield dan alleen vragen.

'Nee', antwoordde ze ten slotte.

'Waarom niet?'

'Omdat ik op Reinsnes wil blijven.'

'Maar jullie hadden daar een goed leven kunnen hebben.'

'Nee.'

'Denk je dat het daarom zo gelopen is?' vroeg Dina.

'Nee...'

'Waarom denk je dat hij het gedaan heeft? Zich verhangen?'

'Ik weet het niet... Daarom ben ik met die kaart bij jou gekomen.'

'Ik weet waarom hij het gedaan heeft, Stine. En het had niets met jou te maken!'

'De mensen zeggen dat ik hem met hekserij de dood heb ingedreven.'

'Mensen praten met hun kont', bitste Dina.

'Misschien... hebben de mensen wel gelijk...'

'Nee!'

'Hoe weet je dat zo zeker?'

'Er was een andere reden, die alleen ik ken. Hij kon hier niet blijven.'

'Was het omdat hij Dina wilde hebben?' vroeg Stine plotseling.

'Hij wilde Reinsnes hebben. Dat was het enige dat we gemeen hadden, Stine.'

Hun blikken ontmoetten elkaar. Dina knikte.

'Kun jij iemand beheksen, Stine?'

'Ik weet het niet...' antwoordde ze, nauwelijks hoorbaar.

'Dan zijn we met z'n tweeën', zei Dina. 'Maar de mensen moeten zelf maar uitkijken, niet waar?'

Stine staarde haar aan.

'Meen je dat?'

'Ja!'

'Denk jij... dat er krachten kunnen zijn die...?'

'Die krachten zijn er! Hoe hadden we het anders kunnen klaren?'

'Ik ben er bang voor.'

'Bang... Hoezo?'

'Omdat... het de duivel is...'

'De duivel houdt zich niet met zulke kleinigheden bezig. Vraag maar aan moeder Karen.'

'Het is geen kleinigheid dat Niels zich heeft verhangen.'

'Geef je om Niels?'

'Ik weet het niet.'

'Als je om mensen geeft gaat dat niet over, zelfs niet als ze zich verhangen.'

'Nee, dat zal wel niet.'

'Ik geloof dat het Niels van alles en van zichzelf kan redden, als jij om hem geeft. Dan heeft hij zich niet tevergeefs verhangen.'

'Geloof je dat echt?'

'Ja. En Niels heeft in ieder geval één ding gedaan. Daarom heb ik je laten roepen. Hij heeft een kleine lijfrente op de bank vastgezet voor Hanna. Jij bent haar voogd. Het is ongeveer zoveel als de reis naar Amerika kost.'

'Godallemachtig', mompelde Stine terwijl ze de ruitjes op haar schort bestudeerde. 'Ik heb er al over horen praten, maar ik dacht dat het leugens waren, zoals alles wat ze over mij zeggen. Wat moet ik met dat geld?' fluisterde ze verder.

'Jullie zullen nergens om hoeven te bedelen, al zou de duivel op Reinsnes gaan wonen', antwoordde Dina nadrukkelijk.

'De duivel is nooit op Reinsnes geweest', zei Stine ernstig. Toen sloot ze zichzelf weer op. Stond op om te gaan.

'Hij moet aan Hanna hebben gedacht – voor hij het deed.'

'Hij heeft vast ook aan jou gedacht...'

'Hij had het niet moeten doen!' zei Stine onverwacht fel.

'Jullie het geld geven?'

'Nee, zich verhangen.'

'Misschien was dat de enige manier waarop hij jullie iets kon geven', antwoordde Dina droog.

De ander slikte. Toen klaarde haar gezicht op. De grote deur met de statige rococo-versieringen en de zware koperen knop werd behoedzaam tussen hen gesloten.

Er was iets, dat moeder Karen het 'lentewonder' noemde.

Het gebeurde elk jaar, sinds de eerste lente dat Stine's borsten waren opgedroogd. Op een dag zag Stine de grote groep eidereenden die zich op de eilanden en rotsen voor de kust genesteld had. Ze hoorde dat het verzamelen van eiderdons vroeger een goede bijverdienste was geweest.

Stine wist veel van de natuur. Ze maakte eigenhandig een onderkomen voor de eidereenden. Ze bond takken van de jeneverbes bij elkaar zodat het een natuurlijke tent werd. Ze voerde hen en praatte tegen hen.

En ze lette er vooral op dat niemand hen stoorde, of hun eieren roofde.

De vogels kwamen iedere lente bij honderden naar Reinsnes. Ze trokken allemaal dons uit hun borstkas om hun nesten mee te bedekken.

In heel het district verspreidde zich het gerucht hoe het Lappenmeisje op Reinsnes de eidereenden hoedde. En de bedragen die ze verdiende met het verzamelen van dons uit de nesten, die werden verlaten nadat de eieren waren uitgebroed, kregen enorme dimensies.

De winst was nu al zo groot dat het Lappenmeisje haar geld op de bank had gezet. En ze zou blijkbaar naar Amerika gaan om zich daar te vestigen.

Er waren vrouwen die Stine na probeerden te doen. Maar dat werd niets. Want die Lapse meid haalde met hekserij alle eidereenden uit het hele district naar Reinsnes! Ze verstond haar vak, zeiden diegenen die er verstand van hadden.

Op alle denkbare en ondenkbare plaatsen staken in het broedseizoen eidereenden de kop op. Eén keer liep zelfs een eendemoeder door de open deur het bakhuis binnen en nestelde zich in de grote bakoven.

Het werd een touwtrekken tussen Oline en Stine over wat nu het belangrijkste was tijdens de weken dat het broedseizoen duurde: de oven gebruiken of de eendemoeder met rust laten.

Oline verloor het gevecht, zonder dat er woorden aan te pas kwamen.

Toen ze de jongen naar het bakhuis stuurde om het nest te verplaatsen en de oven op te stoken, stortte Stine zich op hem, als de bliksem. Ze greep de jongen stevig bij zijn arm en zei een paar Lapse woorden, terwijl haar ogen vuur schoten.

Dat was genoeg. De jongen kwam bleek en hoofdschuddend de keuken binnen.

'Ik wil niet behekst worden!' verkondigde hij.

Daarmee was de zaak afgedaan.

De deuren van het bakhuis en van de oven bleven open staan, zodat de eendemoeder in en uit kon lopen om voedsel te zoeken.

Achter elk heuveltje, onder elk afdakje was beweging.

Stine begon het dons te verzamelen zodra de vogels eieren hadden gelegd en begonnen te broeden. Haar rokken veegden langs de nesten.

Ze pakte niet al het dons ineens. Pikte alleen hier en daar wat mee.

Af en toe ontmoetten twee donkere blikken elkaar. Haar donkerbruine ogen en de zwarte, ronde van de vogel. De vogel bleef rustig zitten terwijl zij wat dons uit de rand van het nest trok.

Als ze wegliep, ging de vogel verzitten, hief zijn vleugels wat op en verzamelde de eieren weer onder zich. Dan pikte hij snel en geroutineerd wat dons uit zijn borst en vulde wat Stine had weggepakt weer aan.

Ze had in die weken in april en mei honderden huisdieren onder haar hoede. Ze kwamen elk jaar terug. De vogels die op Reinsnes werden uitgebroed, kwamen terug. Zo werd het lentewonder alsmaar groter.

Zodra de eieren waren uitgebroed, droeg Stine de pluizige bolletjes naar de zee, in haar schort van zaklinnen. Om de eidereenden te helpen hun jongen tegen de kraaien te beschermen.

De eidereenden accepteerden het escorte in alle rust. Ze waggelden luid snaterend achter Stine aan. Alsof ze haar om raad vroegen over de opvoeding.

Ze bleef op de rotsen bij de zee zitten om het kleine gezin te beschermen, tot ze waren herenigd en veilig en wel op het water waren. De mannetjes waren al vertrokken. Naar de zee en de vrijheid. De vrouwtjes bleven alleen achter. Stine trok zich de eenzaamheid van de vrouwtjes aan.

En de kleine donzen balletjes kregen veren en andere kleuren, en leerden voedsel te vinden. In de herfst waren ze weg.

Maar de manden vol dons werden geleegd en het dons werd schoongemaakt en in speciale jutezakken genaaid om naar Bergen te worden vervoerd.

Eiderdons was gewilde koopwaar. Vooral als je contact kon krijgen met handelaren in Hamburg en Kopenhagen.

Anders nam het niet zo nauw met zijn percentage als het om Stine ging. Om eerlijk te wezen rekende hij niets voor het vervoer en de bemiddeling.

Stine's ogen gingen steeds meer lijken op de ronde, vochtige blik van de verlaten eidereendmoeder die haar mannetje weer naar de zee ziet vliegen.

Ze was bang dat de kraaien zouden komen om een einde te maken aan het prille leven waar ze de verantwoording voor had.

Stine wist niet dat in moeder Karens boek stond dat 'de Lap geen smart kent, en geen gemis voelt.'

4

Want zie, de winter is voorbij, de regen is over,
verdwenen. De bloemen vertonen zich op het veld,
de zangtijd is aangebroken, en 't gekir van de tortel
wordt gehoord in ons land.

(Hooglied 2:11-12)

Dina had de losse vloerplank in het kantoor laten vastspijkeren.
En voor de zekerheid droeg ze het meisje op om elke woensdag,
als ze schoonmaakte, de wastafel naar voren te trekken.

Niels viel haar niet vaak lastig. Meestal wanneer ze niet wist
of de bestellijsten compleet waren, of wanneer ze belangrijke
dingen vergeten was. Of wanneer ze Hanna op blote voeten
over het erf zag lopen, met Benjamin in haar kielzog.

Niels kon dan plotseling voor haar staan en weigeren opzij te
gaan. Dan moest ze de lijsten opnieuw doorlopen. Tot ze er
absoluut zeker van was dat de details en de kolommen met
cijfers klopten.

Soms dwong hij haar het vaderloze meisje op schoot te
nemen.

Niels had zijn praktische nut gehad toen hij in de draaistoel in
het kantoor zat. Maar hij was niet onmisbaar.

Dina verdiepte zich in bestellijsten en de dagelijkse boekhouding. Ze ruimde alle oude rommel op die hij in de loop van de
jaren had verzameld. Bracht orde in de planken, de kasten.
Duidelijkheid in uitstaande bedragen.

Ze stuurde een berichtje naar degenen van wie ze wist dat ze
konden betalen, en een waarschuwing naar degenen die zich zo
schaamden over hun oude schuld, dat ze niet meer naar Reinsnes kwamen om spullen in te slaan voor de oogst en de visserij,
maar liever naar Tjelsund of andere plaatsen gingen.

De waarschuwing was niet mis te verstaan: zo lang ze naar

Reinsnes kwamen als ze iets te bieden hadden, zou Dina er voor zorgen dat ze niet verhongerden als ze geen geld hadden. Maar zodra ze ergens anders met huiden of vis werden gezien, zou de schuld worden geïnd.

Dat werkte snel.

Er woonden veel mensen in het hoofdgebouw. Achter elke wand en in ieder bed was geluid en beweging.

Op welk tijdstip van de dag Dina ook door het huis liep, altijd kwam ze iemand tegen die iets moest doen op de plee, in de keuken, of waar dan ook.

Het ergst waren al die vrouwen. Ze liepen altijd rond. Die bedrijvige, breiende, kwebbelende, dwarrelende vrouwen veroorzaakten overal chaos. En tegelijkertijd waren ze onmisbaar.

Dina werd er kribbig van.

Ze wilde de kårstue in orde laten brengen en daar gaan wonen.

'Dan kan Johan met al zijn boeken naar de zaal verhuizen', zei Dina tegen Anders.

Hij was de eerste die haar plannen te horen kreeg. Hij was een belangrijke bondgenoot.

Anders voer naar Namsos om materiaal te halen voor de kajuit die hij op de sloep wilde bouwen.

Tot ieders ontzetting kwam hij terug met een hele vloot materialen op sleeptouw. Hij had zijn contacten, dus de prijs was laag en het hout prima.

Tot dan toe was hij de enige die in de plannen was ingewijd, daarom kwam het voor iedereen als een schok toen Dina het onzalige huis waar Niels zich had verhangen, wilde laten verbouwen.

Oline barstte in snikken uit. Zij had gewild dat de kårstue zou worden afgebroken en vergeten. Ze had het alleen nog niet kunnen zeggen. Tot dan toe.

'Moet er een levende ziel in dat onzalige huis gaan wonen? Moeder Karen wil er niet naartoe! En er zijn zoveel kamers in

344

het hoofdgebouw!' schold ze.

Dina en Anders legden alles uit en lieten tekeningen zien. Vertelden over de serre die ze aan de zeezijde wilden bouwen. Zodat je in alle rust naar de plevieren kon zitten kijken die op vroege lenteochtenden over de akkers kwamen aanlopen, op jacht naar regenwormen. Ze vertelden over de schoorsteen die weer opgemetseld zou worden. Over de ramen op het zuidwesten die vervangen moesten worden.

Ze maakten vooral duidelijk dat Dina er zou gaan wonen.

Maar Oline was nog steeds niet gekalmeerd. Ze huilde vanwege Dina. En vanwege de kleine Benjamin die met zijn moeder in dat huis van de dood moest wonen.

'Sloeg de bliksem maar in dat huis! Dan was het tenminste weg!' zei ze hartstochtelijk.

Toen greep moeder Karen in. Zulke bezweringen wilde ze niet horen. Oline moest haar onchristelijke wensen herroepen en beterschap beloven wat haar boze tong betrof. Als Dina dacht dat ze in de kårstue kon wonen, dan had ze daar vast haar redenen voor. Jonge mensen hebben tijd en ruimte voor zichzelf nodig. Dina had veel verantwoordelijkheden en moest over veel dingen nadenken. Over de hoeve, de handel en de boekhouding.

Moeder Karen had allerlei excuses.

Oline mokte nog steeds. Vond dat Dina in het kantoor wel over verantwoordelijkheden en getallen kon nadenken. Basta!

Dina verloor ten slotte haar geduld en zei onomwonden dat ze niet van plan was het personeel te raadplegen over de verbouw van het huis. Dat stak als een giftige pijl in Oline's borst. Ze boog ogenblikkelijk haar hoofd, maar vergat dit nooit meer!

Dina had al lang geleden gekleurde ruitjes voor de serre besteld in Trondhjem, en een witte tegelkachel in Hamburg.

Ze gebruikte het spaargeld van Niels, dat ze de drost van de bank liet halen als ze het nodig had.

Zo bracht ze de kårstue ook voor hem in orde. Zodat hij niets te klagen had.

Dina liet de spleet tussen de planken van het plafond en de balk dichtmaken. Op uitdrukkelijk bevel van moeder Karen.

Ze wilde niet iedere keer dat ze de kårstue binnenkwam aan de laatste daad van die arme Niels herinnerd worden.

De timmerlui en oogstarbeiders moesten te eten en te drinken hebben. Het waren lange werkdagen voor Oline.
Maar ze nam overal rustig de tijd voor. Haastte zich niet. De mensen konden beter een half uurtje honger hebben in afwachting van goed eten, dan dat ze kliekjes en rommel aten, vond ze.
Oline besloot dat er in alle vroegte, om vijf uur, ontbeten zou worden.
En wie niet op zijn plaats zat als de etensbel drie maal kort sloeg, werd niet meer bediend.
'Schaal van tafel, eten van tafel!' zong ze terwijl ze de arme stakker, die met een lege maag aan het werk moest, streng aankeek.
Noch moeder Karen, noch Dina dachten er over om zich met Oline's ijzeren discipline te bemoeien. Want die had tot gevolg dat het grootste gedeelte van het werk ruim voor de avond klaar was.
Soms kwamen er werklui die niet gewend waren aan zo'n hard regime, en die daarom vrij namen en weer verdwenen.
Dan zei Oline droog: 'Rot hooi kan maar beter op de wind wegvliegen.'

Op een dag, toen Dina op de vlaggeheuvel stond en samen met Hanna en Benjamin de bergtoppen telde, kwam de Prinds Gustav aangegleden. De nieuwe winkelbediende was naar het schip geroeid om post en goederen op te halen.
Hij was het! Gekleed als zeeman. Met plunjezak en reistas. Zijn gezicht was slechts vaag te zien.
Het bootje voer langzaam in de richting van de aanlegsteiger, terwijl de raderboot floot – en naar het noorden voer.
Dina trok Benjamin aan zijn haar en telde de toppen in het noorden, met galmende stem. Ze noemde ze allemaal bij naam. In vliegende vaart, terwijl ze de kinderen met zich meetrok over het rotsachtige pad naar het huis. Daar liet ze hen achter, met

een gezicht alsof ze hen nooit eerder had gezien.

Ze wist de zaal te bereiken. Vond geen kleren. Geen haarborstel. Vond haar gezicht niet. Struikelde over het kleed.

En de kårstue was nog niet klaar om gasten die ze voor zich zelf wilde houden te ontvangen!

Ondertussen stond hij al in Oline's blauwe keuken. Zijn stem kwam via de trap en langs openstaande deuren naar boven. Vleide zich in haar gehoorgangen. Als de mirre uit Hjertruds boek.

Ze begroette hem als een huisvriend, in ieders aanwezigheid. Maar Oline en de meisjes wisten wel beter. Er waren niet veel mensen die Dina bij wijze van begroeting omhelsde. Ze draaiden zich om en vonden iets te doen, maar zorgden er wel voor dat ze voortdurend in de buurt bleven.

Stine begroette de gast en begon met de voorbereidingen voor een grootse tafelschikking. Johan en Anders kwamen de gang in, met Leo's plunjezak tussen hen in. Ze lieten hem bij de trap vallen en kwamen de woonkamer binnen.

Anders stak zijn hoofd om de deur van de keuken en vroeg of Oline een welkomstdrankje kon serveren.

Johan riep vanuit de gang. Hij hing zijn jas aan de kapstok en informeerde ondertussen naar het weer onderweg en Leo's gezondheid.

De kinderen, die de vreemdeling herkenden, kwamen binnen. Twee kleine muizen die rond hun holletje speelden, voortdurend bedacht op de kat die zou kunnen komen om op hen te jagen.

Het gesprek aan tafel was levendig.

'Waar is je gevangene?' vroeg Dina plotseling.

Twee groene en twee ijskleurige ogen ontmoetten elkaar.

'De gratie is ingetrokken', zei hij, en keek haar vorsend aan. Alsof het hem verbaasde dat ze zich de gevangene herinnerde.

Hij zat vlakbij haar. Rook naar teer en zilte winden.

'Waarom?'

'Omdat hij zich als een idioot gedroeg en met een houten knuppel op een bewaker heeft ingeslagen.'

'Heeft hij de bewaker geraakt?'

347

'Ja, min of meer', antwoordde hij, en knipoogde tegen Benjamin die met open mond zat te luisteren.

'Wat voor gevangene?' zei Benjamin argeloos, en sloop naar Leo's knie.

'Sst!' zei Dina niet onvriendelijk.

'Iemand die ik mee moest nemen naar Vardøhus, omdat ik toch naar het noorden ging', antwoordde Leo.

'Wat had hij gedaan?'

'Vreselijke dingen', zei Leo.

'Wat dan?' Benjamin gaf niet op. Ondanks de blikken van Dina, die aanvoelden alsof hij per ongeluk te dicht bij de kachel kwam.

'Hij had zijn vrouw doodgeslagen met een bijl.'

'Met een bijl?'

'Met een bijl.'

'Verdomme!' zei Benjamin. 'Waarom?'

'Hij was blijkbaar boos. Of ze stond in de weg. Wie weet?' Leo wist niet goed wat hij met deze jeugdige nieuwsgierigheid aan moest.

'Zou je hem hier mee naartoe hebben genomen, als hij die bewaker niet met dat stuk hout had geslagen?' vroeg Benjamin.

'Nee', zei Leo ernstig. 'Zulke gasten neem je niet mee hier naartoe. Dan had ik Reinsnes nu niet kunnen bezoeken.'

'Dan was het dus niet zo erg dat hij heeft geslagen?'

'Nee, voor mij niet. Maar voor hem wel.'

'Ziet hij er net zo uit als andere mensen?' wilde de jongen weten.

'Ja, als hij zich wast en scheert wel.'

'Wat deed hij voordat hij haar doodsloeg?'

'Dat weet ik niet.'

'Wat gebeurt er nu met hem?' wilde Benjamin weten.

'Hij moet daar heel lang blijven.'

'Is het daar erger dan in Vardøhus?'

'Ze zeggen van wel', zei Leo.

'Denk je dat hij het nog een keer doet? Iemand doodslaan?'

'Nee', zei Leo, nog steeds doodernstig.

'Niels heeft zich verhangen!' zei Benjamin plotseling, en keek de grote man recht aan.

Het litteken stak blauwachtig af tegen zijn bruine huid.

'Tomas zegt dat het bijna tien jaar geleden is dat er voor het laatst iemand is doodgegaan op Reinsnes', ging Benjamin verder. 'Dat was Jacob', voegde hij er terzakekundig aan toe.

De jongen stond midden in de kamer en keek de volwassenen een voor een aan. Alsof hij naar een uitleg zocht. De stilte was als een oorvijg.

Dina's ogen zagen er niet goed uit. Haar rok ritselde vervaarlijk en ze kwam als een vrachtschip in volle vaart op hem af.

'Neem Hanna mee en ga buiten spelen!' zei Dina met een enge, vriendelijke stem.

Benjamin greep Hanna's hand. En weg waren ze.

'Nee, Niels is niet meer', zei moeder Karen. Ze was ongemerkt uit haar kamer gekomen. Zij kneedde het zilveren handvat van haar stok, terwijl ze de deur voorzichtig achter zich dicht deed. Toen draaide ze zich weer om, schuifelde door de kamer en greep Leo's hand.

Hij leek wel een slaapwandelaar, toen hij opstond en haar zijn stoel aanbood.

'Maar wij anderen moeten verder. Welkom terug op Reinsnes!'

Het verhaal werd verteld. Met eenvoudige woorden. Die zich als een laag stof op hun gelaatstrekken legden.

Moeder Karen nam deze taak op zich. Eén keer hoorde je een zucht tussen de zinnen door. En ook een keer 'mijn God...'.

'Maar waarom...' vroeg Leo ongelovig. Hij keek Dina recht aan.

Stine liep stilletjes de kamer in en uit. Anders sloeg twee bruinverbrande handen voor zijn gezicht, als lege scheepsrompen. Johan zat met samengeknepen mond en ontheemde ogen. Moeder Karen zegende de arme Niels.

'Waarom heeft hij het gedaan?' herhaalde Leo.

'Gods wegen zijn ondoorgrondelijk', zei moeder Karen.

'Dit was God niet, moeder Karen. Het was Niels' eigen vrije wil. Dat mogen we niet vergeten', zei Johan stilletjes.

'Maar God laat nog geen vogel ter aarde vallen, zonder dat hij het weet', zei moeder Karen koppig.

'Ja, daar heb je gelijk in, lieve moeder Karen', zei Johan toegeeflijk.

'Maar waarom heeft hij het gedaan? Wat was er met hem aan de hand? Waarom wilde hij niet meer leven?' herhaalde Leo.

'Misschien had hij niets om voor te leven', zei Anders.

Zijn stem klonk schor.

'Je hebt dat wat je wilt zien, en iets moet het gezichtsveld van Niels geblokkeerd hebben', zei Johan.

Leo keek van de een naar de ander. En deed geen moeite om te verbergen dat hij aangedaan was. Plotseling stond hij op en greep zich vast aan de rand van de tafel, alsof hij een speech wilde houden. Toen begon hij te zingen.

Een vreemde melodie in mol. Het verdriet stroomde uit hem als uit een kind. Hij gooide zijn hoofd achterover en slikte het in, maar ging door met zingen. Lang. Het refrein kwam steeds terug:

> Погасло дневное светило,
> Nu dooft de dag
> на море синее вечерный пал туман.
> de blauwe avondnevel daalt neer op zee.
>
> Шуми, шуми, послушное ветрило,
> Suis, suis, jij gehoorzaam zeil
> волнуйся подо мной, угрюмый океан.
> wieg onder mij, jij donk're oceaan.

Ze hadden nog nooit zoiets gezien of gehoord. Hij was gezonden om hen wat ze wekenlang voor elkaar verborgen hadden, te helpen doorstaan. Die vervloekte, eenzame vraag: 'Heb ik schuld?'

Na de maaltijd reden Dina en Leo weg, met de ontredderde blik van Tomas in hun rug.

Het voorjaarslicht was als een geslepen mes boven hen, tot laat in de avond.

'Rijden jij en Tomas ook samen?'

'Ja, als het zo uitkomt.'

Hier en daar lagen nog resten sneeuw. Zij reed voorop de weg over de berg op.

'Is Tomas hier al lang?'

'Ja. Hoezo?'

'Hij heeft de ogen van een hond.'

'O ja?' zei ze lachend. 'Ze zijn alleen een beetje bijzonder – een blauw en een bruin oog... Hij werkt hard. Is te vertrouwen.'

'Dat geloof ik graag. Maar hij heeft dezelfde ogen als Niels, als hij naar je kijkt...'

'Hou op over Niels!' blies ze en zette het paard aan tot galop, de steile helling op.

'Jij drijft mannen ver!' riep hij haar achterna.

Ze draaide zich niet om. Gaf geen antwoord.

Hij haalde haar in en greep haar teugels. Zwarterik werd bang en steigerde met woedend gehinnik.

'Laat los! Het paard wil dat niet!' zei ze. Haar stem klonk alsof hij urenlang opgesloten was geweest.

'Weet jij wat Niels de dood in gedreven heeft?' vroeg hij indringend.

'Ja, hij heeft zich verhangen!' bitste ze en rukte zich los.

'Je bent hard!'

'Wat wil je dan dat ik zeg? Dat het door mij komt, omdat ik hem niet wilde hebben? Denk je werkelijk dat dat de reden was, Leo Zjukovsky?'

Hij gaf geen antwoord.

Ze zwegen en verstopten zich voor elkaar.

Ik ben Dina. Waarom neem ik Hjertruds gezant hier mee naar toe? Zodat hij de tijd en de plaats zal zien? De slede in de waterval? En als hij het gezien heeft, wordt hij dan stom?

Toen ze bij de rand van de afgrond waren gekomen, waar Jacob en de slede naar beneden waren gestort, hield Dina het paard in en zei: 'Ben je de hele tijd in Trondhjem geweest?'

'Nee.'

'Waar ben je dan geweest? Je hebt niets van je laten horen.'

Ze sprong van haar paard en liet dat loslopen. Hij volgde

haar voorbeeld en antwoordde toen: 'Ik had gedacht dat ik veel eerder naar het noorden zou komen.'

'Waar vandaan dan?'

'Uit Bergen.'

'Wat deed je daar, Leo? Heb je daar ook een weduwe?'

'Nee. Geen weduwen in Bergen. Geen weduwen in Trondhjem. En geen weduwen in Archangelsk, alleen maar op Reinsnes...'

Ze gaf geen antwoord.

Zwarterik hinnikte onrustig, zocht Dina op. Duwde zijn muil in haar haar.

'Waarom is hij zo onrustig?' vroeg Leo.

'Hij vindt het hier niet prettig.'

'O? Waarom niet? Is hij bang voor het geraas van de waterval?'

'Jacob is hier naar beneden gestort. Het paard en ik bleven op de rand achter.'

Leo draaide zich om en keek haar onderzoekend aan.

'En dat is bijna tien jaar geleden, zoals Benjamin zei?'

'Ja, het paard is al oud. Ik zal binnenkort een nieuw moeten kopen.'

'Dat moet... vreselijk geweest zijn.'

'Het was geen pretje', zei ze kortaf en boog zich over de afgrond.

'Hield je van Jacob?' vroeg hij na een poosje.

'Of ik van hem hield?'

'Ja, ik heb begrepen dat hij een stuk ouder was dan jij?'

'Ouder dan mijn vader.'

Hij bekeek haar met een uitdrukking van nieuwsgierigheid en verbazing op zijn gezicht, tot ze vroeg: 'Van welke mensen die je ontmoet, houd je? Dat zul jij, die zoveel rondtrekt, toch wel weten?'

'Dat zijn er niet zoveel...'

'Als je zo brutaal bent om mij te vragen of ik van Jacob hield, kun je me ook wel vertellen van wie jij gehouden hebt.'

'Ik hield van mijn moeder. Maar zij is er niet meer. Ze heeft zich in Rusland nooit op haar gemak gevoeld. Had altijd heimwee naar Bergen. Naar de zee, geloof ik... Toen ik twintig was, ben ik getrouwd. Ze stierf toen ik drieëntwintig was.'

'Zie je haar nog wel eens?'

'Als je bedoelt of ik aan haar denk... Ja, soms. Zoals nu... Omdat je er naar vraagt. Maar ik hield niet van haar op de manier die zou moeten. Onze families vonden dat wij een passende partij voor elkaar waren. Ik was alleen maar een onverantwoordelijke student medicijnen die liever de radicaal uithing en die de hielen likte van kunstenaars en rijke charlatans aan het hof van de tsaar. Ik las en dronk wijn... Hield politieke redevoeringen, en...'

'Hoe oud ben jij?'

'Negenendertig', zei hij glimlachend. 'Vind je dat oud?'

'Op de leeftijd komt het niet aan.'

Hij lachte luid.

'Ben je van goede komaf? Had je toegang tot het hof?'

'Ik probeerde het.'

'Waarom lukte het niet?'

'Omdat Poesjkin doodging.'

'Die van de gedichten?'

'Ja.'

'Hoe ging hij dood?'

'In een duel. Uit jaloezie, werd er gezegd. Maar eigenlijk was hij het slachtoffer van een politieke intrige. Rusland verrot van binnenuit. Dat treft ons allemaal. Poesjkin was een groot kunstenaar die bekrompen mensen om zich heen had.'

'Hij klinkt zelf ook een beetje bekrompen', stelde ze vast.

'Iedereen is bekrompen als het om liefde gaat.'

Ze keek hem snel aan en zei: 'Zou jij uit jaloezie iemand kunnen doodschieten?'

'Dat weet ik niet. Misschien...'

'Waar werd hij geraakt?'

'In zijn onderlichaam...'

'Een beroerde plek', zei ze droog.

'Heb jij wel eens medelijden, Dina?' zei hij, plotseling geërgerd.

'Hoezo?'

'Voor een vrouw kun je er goed tegen over lijden en dood te horen praten. Zoals je over je gestorven man praat... Over

Niels... En nu Poesjkin. Dat is niet normaal.'

'Ik ken die Poesjkin niet.'

'Nee, maar de anderen wel...'

'Wat verwacht je dan?'

'Wat medeleven in een vrouwenstem.'

'Het zijn de vrouwen die de doden moeten afleggen. Mannen gaan gewoon liggen sterven. Je kunt niet gaan huilen over een belachelijke duelwond in het onderlichaam. Bij ons gaan de mannen overigens niet op die manier dood. Hier verdrinken ze.'

'Of ze verhangen zich. En in het noorden huilen de vrouwen ook.'

'Dat is mijn zaak niet.'

Niet alleen haar woorden waren afwijzend.

'Je moeder is ook dood? Een gewelddadige dood?' ging hij verder, alsof hij dat laatste niet gehoord had.

Dina boog zich voorover en pakte een flinke steen op. Bracht haar arm naar achteren en slingerde de steen met al haar kracht de afgrond in.

'Ze kreeg kokend zeepsop over zich heen', zei ze zonder hem aan te kijken. 'Daarom heeft de drost het washuis op Fagernes laten afbreken en zou hij het liefst zien dat ik voorgoed hier op Reinsnes blijf.'

Toen floot ze haar paard, met twee vingers tussen haar tanden.

Leo stond daar, zijn armen slap langs zijn lichaam. Ergens in zijn groene ogen ontwaakte plotseling een grenzeloze tederheid.

'Ik begreep al dat er iets was... Die scène met je vader met kerst. Je bent niet echt bevriend met je vader, of wel, Dina?'

'Hij is niet bevriend met mij!'

'Dat is kinderachtig van je, om dat te zeggen.'

'Toch is het zo.'

'Vertel wat er gebeurd is.'

'Jij moet eerst jouw verhaal vertellen', zei ze dwars. Maar even later kwam het: 'Wat zou jij gedaan hebben, als jouw kind de hendel had gepakt waardoor het zeepsop uit de pot stroomde? En wat zou jij gedaan hebben als je vrouw je ontglipte voordat je de kans had gekregen haar een beetje liefde te tonen, nadat je haar jarenlang gekweld had?'

Leo liep op haar af. Pakte haar beet. Trok haar stevig tegen zich aan. En kuste haar blind en hard.

De waterval was een kerkorgel. De hemel verborg het paard. Jacob was slechts een engel. Want Hjertruds nieuwe gezant stond naast haar.

'Je zet strepen in je boeken, dat ziet er niet zo fraai uit', zei ze opeens toen ze de steile helling naar beneden reden.

Hij verborg zijn verbazing razendsnel en antwoordde: 'Jij bespioneert mensen. Je onderzoekt tassen en boeken.'

'Ja, als ze zelf niet willen vertellen wie ze zijn, dan wel.'

'Ik heb verteld...'

'Over die Poesjkin, die je als een godheid vereert. Je had me een vertaling beloofd.'

'Die krijg je ook.'

'Van het boek dat ik van je heb gekregen.'

'Dat heb je niet gekregen! Dat heb je gepakt. Het tweede heb je gekregen.'

'Je had twee dezelfde boeken. Een met strepen, en een zonder. Ik hield het meest van die met strepen.'

'Ze is goed op de hoogte', zei hij, alsof hij tegen zichzelf sprak.

Ze draaide zich om op het paard en keek hem plagerig aan.

'Je moet beter oppassen!'

'Ja, dat zal ik in het vervolg zeker doen. Dat boek is echt belangrijk...' zei hij, maar hield abrupt op.

'Aan wie geef jij Russische boeken, hier in Noorwegen?'

'Aan jou, bijvoorbeeld.'

'Ik moest het boek dat ik wilde hebben zelf pakken.'

'Je schaamt je niet', zei hij droog.

'Nee.'

'Waarom nam je het boek met de onderstrepingen?'

'Omdat dat het meest voor jou betekende!'

Hij zei niets meer. Ze had hem uitgeput.

'Heb je het andere boek nu bij je?'

'Nee.'

'Waar is het?'

'Het is gestolen door een weduwe.'

'In Bergen?'

'In Bergen.'

'Je bent kwaad.'

'Ja, ik ben kwaad.'

'Kom je vanavond naar de zaal om het gedicht dat je het mooist vindt in Poesjkins boek te vertalen?'

'Is dat wel gepast?'

Toen lachte ze, terwijl haar lichaam op de paarderug op en neer deinde, het steile pad af. Ze zat schrijlings. Haar dijen klemden zich vastberaden en zacht rond de flanken van het paard, terwijl haar heupen in dezelfde cadans als het zwoegende dier bewogen.

De man zou willen dat het zomer was. Zonder kou. Dan zou hij zijn paard aan de boom hebben gebonden.

Op de derde dag vertrok hij. Dina begon 's nachts te ijsberen. En het wilde maar geen lente worden.

5

De schaamte van de vrouw van uw vader zult gij niet
ontbloten; het is de schaamte van uw vader.

(Leviticus 18:8)

De vrouwen op Reinsnes waren als de vrachtschepen op Reinsnes. Op hetzelfde strand getrokken. Maar met verschillende
bestemmingen, zodra ze op zee waren. Met verschillende ladingen. Verschillende eigenschappen.

Maar terwijl de vrachtschepen een schipper hadden, hesen de
vrouwen hun zeilen zelf. Naar het scheen eigenzinnig en met
een grote individuele macht.

Sommigen dachten dat Stine wind kon oproepen. Anderen
dachten dat Dina een pakt had gesloten met het kwaad. Waarom zou ze anders in haar jas van wolvehuid in het ingesneeuwde
tuinhuis wijn zitten drinken, terwijl de maan aan de winterhemel stond?

Nog weer anderen zeiden dat de kwade en goede machten
elkaar in evenwicht hielden op Reinsnes. Maar het zou een ramp
betekenen, als moeder Karen er op een dag niet meer zou zijn.

De oude vrouw hing aan het leven. Ze zag eruit als licht, zacht
berkeschors. Wit, met donkere vlekken op haar huid. Haar haar
werd iedere dag met zorg door Stine gekapt. Na de wekelijkse
wasbeurt met een aftreksel van jeneverbessen, had het altijd een
gouden glans. En was zo zacht als zijde tijdens het kammen.

De markante, kromme neus hield haar monocle op zijn
plaats. Ze las elke dag steevast drie uur. Kranten, boeken, oude
en nieuwe brieven. Als je oud werd, zei ze, was het belangrijk
om je geest niet te laten wegkwijnen.

Ze deed een middagdutje in de oorfauteuil, met een plaid
over haar schoot. Ze ging tegelijk met het werkvolk naar bed en
stond op met de haan. Dat ze zo slecht ter been was, was

vervelend. Maar ze maakte er geen drukte over, nu ze de kamer achter de eetkamer had gekregen en geen trap meer hoefde te lopen.

Moeder Karen was het niet eens geweest met de verbouwing van de kårstue. Maar toen Dina niet opgaf en de werklui naar de hoeve kwamen, veranderde ze van gedachten.

De kårstue werd opgeknapt en in orde gebracht, en tot slot was het een juweel van een gerestaureerd huis.

De dag dat het werk gedaan was en Dina's spullen werden verhuisd, kwam moeder Karen over het erf aangelopen om het geheel in ogenschouw te nemen.

Zij had besloten dat het huis okergeel geverfd moest worden, met witte kozijnen en ornamenten.

Dina was het er mee eens. De kårstue moest okergeel worden geverfd! Eén groot, wit huis op de hoeve was genoeg. En de kårstue moest er niet uitzien als een gewoon rood bijgebouw.

Het mooiste aan het huis was de serre aan de zeezijde. Met drakekoppen en gekleurde raampjes. Dubbele deuren en een brede trap. Daar kon je zitten en in en uit lopen zonder vanuit de andere gebouwen te worden gadegeslagen.

'Een serre met dubbele deuren op het zuidwesten! Dat word hard stoken en veel tocht!' stelde Oline vast. 'En die varens en azalea's op de piëdestals overleven het in de winter nog geen dag!'

'Een aanval van grootheidswaanzin', zei de drost, toen hij op bezoek kwam. 'Een serre past helemaal niet bij een huis met een plaggendak', vond hij. Maar hij glimlachte.

Anders stond aan Dina's kant. Vond het een prachtig huis. 'In een serre zit je in de winter in ieder geval beter dan in een tuinhuis', zei hij en knipoogde naar Dina. Zo bracht hij onversaagd Dina's slechte gewoonten onder woorden.

Moeder Karen vereerde de nieuwe ramen met haar sterkste geraniumstekjes.

Op de dag van verhuizing zat ze in haar schommelstoel naar al dat prachtigs te kijken. Ze sprak er nooit meer over dat Niels in de kårstue was gestorven.

'Dit had Jacob moeten zien, Dina! Lieve hemel!' riep ze uit en sloeg haar handen in elkaar.

'Jacob ziet wat hij moet zien', zei Dina en schonk twee glaasjes sherry in.

De mannen waren na gedane arbeid vertrokken en hadden hen alleen gelaten. Annette had de kachel aangemaakt. De rook legde zich op het dak van het huis, en zweefde fraai weg over de Sont. Als een dot rendiermos op het enorme hemeloppervlak.

'Zeg, we moeten Oline en Stine ook roepen!' zei de oude vrouw.

Dina deed het nieuwe klapraam open en riep over het erf. Ze waren er al snel. Vier vrouwen onder de balken in de kårstue.

Oline loerde naar het plafond, daar waar ze Niels hadden losgesneden.

'Het ruikt hier anders dan vroeger?' zei ze en draaide het glaasje rond tussen haar sterke vingers.

'Het ruikt naar nieuw houtwerk – en een beetje naar de nieuwe kachel', vond Stine.

'Het is een wonder! Een witte kachel! Er is vast niemand in het district die een witte kachel heeft!' zei Oline trots.

Dina had ervoor gezorgd de zaal niet van al zijn meubels te beroven. Ze had bedankt voor het grote hemelbed. Dat mocht Johan hebben. Maar de ovale tafel en de stoelen die moeder Karen naar de hoeve had meegebracht, kregen een ereplaats in haar kamer. Ze pasten bij het lichte, linnen behang en de loofgroene lambrizering. En bij de spiegel met het plankje en de zilveren kandelaar.

Verder zou ze deze zomer nieuwe meubels bestellen in Bergen.

Dina had Hanna en Benjamin verteld dat ze een secretaire wilde kopen met geheime laatjes voor goud en zilver en edelstenen.

Ze had ook besloten dat ze voor zichzelf een heerlijk breed weduwenbed zou kopen.

De keuken was met het allernoodzakelijkste uitgerust. Niemand geloofde dat Dina ooit iets in die keuken zou doen, maar dat zeiden ze niet.

De cello's stonden ook in de kamer. Allebei. Ze had ze op deze zonnige dag eigenhandig en met een vastberaden gezicht over het erf gedragen.

Toen haar glas leeg was, deed ze de deur naar de serre open en ging zitten met de Lorch-cello tussen haar dijen.

Met haar rug naar de anderen, haar gezicht naar de zee, speelde ze polonaises. Achter de gekleurde ruitjes van haar nieuwe serre. De zee was bloedrood of geel, lichtblauw of groenachtig, al naar gelang door welk ruitje ze keek. De wereld veranderde steeds van kleur.

In de kamer achter haar zaten de vrouwen van Reinsnes met gevouwen handen op hun stoelen te luisteren. Het was de eerste keer dat ze allemaal tegelijk vrij namen, om samen iets te doen.

Ik ben Dina. Hij loopt door mijn pasgeverfde kamers. Hij buigt zijn hoofd boven de tafel en luistert naar de Lorch-cello. Zijn haar heeft aan de linkerkant een kruin, zo sterk, dat het lijkt alsof al zijn hoofdhaar op dat punt ontspringt, om dan als een bruine waterval over zijn hoofd te stromen. Zijn haar is gletsjerwater dat op weg naar de zee in zijden draden is veranderd. Het spat me in het gezicht.

Leo!

Hij is als de herinneringen die steeds weer opduiken. Zoals in de late herfst voor de stal op Helle te staan en je blote voeten te warmen aan verse koeievlaaien. Als hij door de kamer loopt, voel ik verbazing over het feit dat ik me kan bewegen, geluiden kan uitstoten, de wind in mijn haren kan voelen. Of mijn ene been voor het andere kan zetten. Waar komt die kracht vandaan? Waar komt al dat sap vandaan, al die vochtigheid. Al die dingen die fris beginnen, maar die veranderen in vieze, kleverige, stinkende vlekken. En de steen? Wie heeft de steen zo'n onmetelijke kracht gegeven? Om daar altijd te liggen! En de herhalingen. Wie heeft al die herhalingen bepaald? De klanken die zichzelf steeds herhalen in een patroon. De eindeloze en wetmatige reeksen van getallen. En de jacht van het noorderlicht over de hemel! Altijd in banen die ik niet begrijp. Maar er zit een systeem in. Dat een raadsel is. Die verwondering komt over mij en is gemakkelijker te dragen als de man met de grote kruin door mijn kamers loopt. Hij jaagt ze allemaal weg. Want hij heeft de afgrond gezien. Hij heeft over Hjertrud gehoord. En toch praatte hij.

Komt hij terug?

Wie ben ik? Die zulke gedachten heeft? Ben ik Dina? Die doet wat ze wil?

Ze hoorden 's nachts de Lorch-cello uit de kårstue. Dina begon te verschrompelen als een winteraardappel waar de vorst zijn tanden in heeft gezet.

Oline zag het als eerste, met haar adelaarsblik. En ze zei zonder omhaal, dat dit de vloek was die op haar rustte omdat ze in een dodenhuis woonde. Niemand kon zich ongestraft onder zulke balken begeven. Je kon zo'n vreselijke zonde niet zomaar even wegstoppen achter wat stro, behang en verf. Die bleef daar tot in eeuwigheid. Amen.

Maar iedereen zag dat de vloek ook een andere uitwerking had op Dina. Ze maakte even lange werkdagen als een oogstarbeider. Ze stond op bij het ochtendgloren. En je kon tot ver na middernacht schaduwen achter de ramen zien en muziek uit de serre horen.

Tomas was vastgesnoerd door het werk van alledag op Reinsnes. Hij kon de geur van Dina ruiken, dwars door haringtonnen, traankokerij en Oline's broodgeur heen. Hij loofde de dag dat de Rus vertrok, en Dina als een beest begon te werken.

Tomas rook haar, zag haar heupen, verbaasde zich erover dat haar polsen smaller waren geworden. Dat haar haar zijn veerkracht begon te verliezen.

Ze wilde hem niet meer mee hebben als ze ging rijden. Was opgehouden met spelen. Haar blik was even scherp als die van de schipper op een vissersboot. En haar stem, al werd die zelden gehoord, was even onontkoombaar als een donderslag.

Toen ze naar de kårstue verhuisde, had hij verwacht dat ze hem zou laten komen.

De deur van haar serre kon alleen vanaf de zee gezien worden.

Op een dag kwam er een brief met een lakzegel. Voor Johan.

Het was een lentedag vol lawaai en meeuwengekrijs, omdat

de mensen die het vrachtschip naar Bergen zouden bemannen waren gekomen.

In alle consternatie bleef Johan met de brief in zijn hand in de winkel staan. Er was op dat moment niemand. Dus maakte hij de brief open. Die meldde dat hij eindelijk een gemeente had gekregen. In een klein dorp aan de kust van Helgeland.

Hij liep naar buiten, naar de pakhuizen. Keek uit over de kades, de bijgebouwen, het woonhuis en de kårstue, die de mensen intussen Dina's huis waren gaan noemen. Hoorde het geroezemoes vanaf het strand, waar iedereen bezig was het schip te water te laten. Pachters, kinderen en toevallige voorbijgangers. Als toeschouwers of helpers. Anders en de stuurman hadden de leiding. Met autoritaire stemmen.

De akkers waren zover je kon kijken groen, tot aan het bos en de bergen. De blauwgroene baai en de bergen lagen achter een melkwitte warmtenevel verborgen.

Moest hij dat allemaal verlaten?

Toen hij zich omdraaide naar het woonhuis, waar de ramen van de zaal hem als glanzende ogen toeschenen, kwam Dina over de oprijlaan aangelopen in een bloedrood lijfje, haar haar fladderend in de wind.

Zijn ogen schoten plotseling vol tranen, en hij moest zich afwenden om het te verbergen.

De brief, waar hij bijna niet meer op had durven hopen, leek plotseling een straf.

'Wat sta je hier te kniezen?' vroeg ze, en kwam vlak bij hem staan.

'Ik heb een gemeente gekregen', antwoordde hij toonloos en probeerde haar in de ogen te kijken.

'Waar?'

Hij noemde de plaats en gaf haar de brief. Ze las hem langzaam door, vouwde hem toen op en keek hem aan.

'Je hoeft het niet aan te nemen', zei ze alleen maar en stak hem de brief toe.

Ze had hem gelezen. Had alle signalen die hij haar zond gezien. Signalen waarvan hij het bestaan nauwelijks vermoedde.

'Maar ik kan toch niet hier blijven?'

'We hebben je nodig', zei ze bruusk.

Hun ogen ontmoetten elkaar. De hare eisend, de zijne zoekend. Vol vragen waar ze geen antwoord op gaf.

'De kinderen hebben een leraar nodig', ging ze verder.

'Maar dat was niet wat moeder wilde...'

'Je moeder kon niet in de toekomst kijken. Ze wist niet wie jou nodig zou hebben. Ze wist alleen dat je iets moest worden.'

'Denk je niet dat ze het vreselijk zou vinden?'

'Nee.'

'Maar jij dan Dina? Een predikant zonder gemeente?'

'Een predikant in de buurt komt altijd van pas', zei ze met een droog lachje. 'Bovendien, dat postje dat je zou krijgen, is zo klein dat het een belediging is', voegde ze eraan toe.

Later die dag controleerde Dina de lijsten met scheepsbenodigdheden voor de tocht naar Bergen. Ze liep over de kades en keek na wat er nog ontbrak.

Toen kwam Jacob uit de wand, naakt. Zijn grote lid stak uit als een speer.

Ze lachte hem uit, omdat hij zich aanbood. Maar hij bleef koppig staan en daagde haar uit.

Was ze soms vergeten hoe hij geweest was, de oude Jacob? Herinnerde ze zich niet dat hij zo prachtig en diep in haar kon glijden? Dat hij haar in de lakens kon laten bijten, omdat in opperste wellust alle lucht en geluid uit haar geperst werden? Herinnerde ze zich niet meer hoe hij haar had geliefkoosd? Wat kon een eenzame, babbelende Rus, die heen en weer voer als een losgeslagen boei, tegenover Jacobs opgeheven lid stellen? Kon ze hem dat vertellen? Kon ze bewijzen dat die Rus beter uitgerust was? Of zachtere handen had dan Jacob?

Er knapte iets in haar lichaam.

'Wat ben jij voor iemand, dat je wacht op een halve gare die niet weet of hij naar Archangelsk of naar Bergen wil?' zei Jacob honend.

Zijn lid was zo groot geworden dat het tot in de goederenlijsten groeide. De papieren trilden in haar handen.

Ik ben Dina. Johan loopt met mij de zee in. We drijven. Maar hij weet het niet. Ik zweef. Omdat Hjertrud mij vasthoudt. Zo straffen we Jacob. Straffen Barabbas.

Diezelfde avond haalde ze een fles wijn en nodigde Johan uit voor de middernachtzon in haar serre, onder het voorwendsel dat ze Reinsnes en zijn toekomst met hem wilde bespreken.

Ze wilde hem rondleiden, zodat hij kon zien hoe ze het ingericht had.

Hij moest natuurlijk ook het kamertje aan de zeezijde zien, waar ze sliep.

Hij volgde haar. Eerst wist hij niet hoe hij haar kon weigeren, zonder haar te kwetsen. Want het was niet zeker dat zij dacht wat hij dacht... Dina was zo direct. Ze deed de meest ongepaste dingen, op klaarlichte dag. Zoals bijvoorbeeld haar stiefzoon haar slaapkamer laten zien. Alleen. Of zo dicht bij hem komen dat hij zich geen raad wist. Vergat hoe hij de meest simpele woorden moest uitspreken.

Ze ving hem als een kat die een vogel half bewusteloos heeft geslagen om ermee te spelen. Hield hem een paar minuten in haar klauwen. Gooide hem op tussen de kanten gordijnen en het bed. Ze kwam steeds dichterbij. Ten slotte greep ze hem.

'Dina! Nee, Dina!' zei hij resoluut.

Ze gaf geen antwoord. Luisterde alleen even naar de geluiden van buiten. Toen sloot ze zijn mond met grote gulzigheid.

Jacob kwam uit de wand en probeerde zijn zoon te redden. Maar het was te laat.

Hij had Jacobs gereedschap geërfd. Hoewel hij verder kleiner en tengerder was.

Zijn lid verhief zich met verbazende kracht en omvang. Mooi gevormd, met stevige blauwe aderen. Als een net, om alles bijelkaar te houden als de uitbarsting kwam.

Zij leidde hem.

Hij had haar niet veel te geven. Behalve zijn grote lid. Toen ze hem uitkleedde, had hij al een groot gat in zijn ziel. Dat hij voor hen allebei probeerde te verbergen. Vol schaamte. Maar hij was leergierig. Hij was niet alleen verwant aan Jacob, maar aan alle mannen tot aan de oude Adam. Nu hij zich eenmaal had laten pakken.

Naderhand lag hij in het trillende licht achter de witte, dichtgetrokken gordijnen naar adem te snakken. Hij wist dat hij zijn God, zijn roeping, zijn vader verraden had! En hij voelde hoe hij gewichtloos zweefde, als een adelaar boven de oceaan.

Eerst werd hij overweldigd door schaamte, omdat hij zich zo nadrukkelijk had blootgegeven. Niet alleen had hij zich in haar en over haar geleegd, hij was ook halfnaakt en in een ellendige toestand. En hij wist niet hoe hij weer lucht moest krijgen.

Hij zag aan haar dat dit een zonde was die hij alleen zou moeten dragen. En hij begreep eindelijk het grenzeloze heimwee van de jaren dat hij als een vreemdeling door Kopenhagen doolde en niet naar huis durfde komen.

Zij zat in het beddegoed gewikkeld, met blote dijbenen, en rookte een grote sigaar, terwijl ze hem glimlachend bekeek. Toen begon ze rustig te vertellen over de eerste keer dat ze met Jacob geslapen had.

Johan voelde zich eerst misselijk en ellendig. Het was allemaal zo onwerkelijk voor hem. De woorden die ze gebruikte. En dat het zijn vader was over wie ze sprak. Maar na een poosje begon het verhaal hem te prikkelen. Maakte hem tot een gluurder door zijn vaders sleutelgat.

'Het is tijdverspilling om predikant te willen worden', zei ze en leunde achterover op het bed.

Woedend greep hij naar haar. Trok aan haar haar. Graaide in het beddegoed. Krabde haar arm.

Toen trok ze hem tegen zich aan – verborg zijn gezicht tussen haar borsten en wiegde hem heen en weer. Ze zei niets meer. Hij was thuis. Erger kon het toch niet worden.

Het ergste was al gebeurd – en kon niet ongedaan worden gemaakt.

Toen hij eindelijk vertrok, ging hij niet door de achterdeur. Ondanks het feit dat de mensen wakker waren en hem konden zien. Dina was daar heel duidelijk over geweest.

'Wie door de achterdeur gaat verbergt zich. Jij hebt niets te verbergen. Onthoud dat. Je hebt het recht om te komen en te gaan wanneer het mij past. Reinsnes is van ons, met alles wat er bij hoort.'

Hij was een naakte schipbreukeling, die over scherpe stenen aan land had weten te komen.

De zon had al in zee gebaad. Nu kwam ze over de akkers aangestroomd.

Johan had geen verstand van kinderen. Hij had nooit kinderen gekend.

Dat hij geen ervaring had, was één ding. Maar hij had ook niet in de gaten wanneer je contact met hen kon krijgen.

Ze waren altijd in beweging. Voor je het wist hadden ze zich alweer verplaatst, zowel lichamelijk als geestelijk. Waren onbereikbaar.

Johan had niet het gevoel dat ze veel opstaken tijdens de les.

Benjamin vond al snel manieren uit om de leraar af te leiden en Hanna onrustig te maken. Of haar aan het lachen te krijgen.

Ze zaten aan de tafel in de salon en kregen vrij weinig boekenwijsheid mee, maar leerden wel veel over komplotten en onderlinge geheime tekens.

Het werd een ghetto van blikken, brutaliteiten en oproerkraaierij.

Ze hadden gezwoegd op de catechismus en de tien geboden.

'Gij zult niet begeren uws naasten huis; gij zult niet begeren uws naasten vrouw, noch zijn dienstknecht, noch zijn dienstmaagd, noch zijn rund, noch zijn ezel, noch iets dat van uw naaste is!' dreunde Hanna met hoge stem op, terwijl haar wijsvinger langs de letters gleed.

'Waarom heb jij geen vrouw en geen bezittingen, Johan?' vroeg Benjamin op het moment dat Hanna ademhaalde.

'Ik heb geen vrouw, maar ik heb wel bezittingen', antwoordde hij kortaf.

'Waar zijn die dan, Johan?'

'Ik bezit Reinsnes', zei Johan afwezig en beduidde Benjamin met een knikje dat hij verder moest lezen.

'Nee, Reinsnes is van Dina', zei de jongen fel.

'Ja, Reinsnes is van Dina en van mij', wees Johan hem terecht.

'Jullie zijn niet getrouwd!'

'Nee, ze was getrouwd met Jacob, mijn vader en jouw vader.'

'Maar Dina is toch niet jouw moeder?'

'Nee, maar we bezitten en besturen Reinsnes samen.'

'Ik heb jou nog nooit iets zien besturen op Reinsnes', zei de jongen laconiek en sloeg met een klap zijn catechismus dicht.

Zonder nadenken gaf Johan de jongen een tik. Er verscheen een rode striem op Benjamins wang. De ogen van de jongen werden zwarte knopen.

'Dat zal ik je betaald zetten!' siste hij en rende naar buiten. Hanna liet zich van haar stoel glijden en rende hem als een schaduw achterna.

Johan bleef met halfgeopende rechterhand bij de stoel staan en voelde de klap branden.

Johan zag in, dat het zo niet langer kon. Hij haalde de brief met het koninklijke zegel tevoorschijn en dacht vol afgrijzen aan de situatie waarin hij zich nu bevond.

Er werden hem steelse blikken toegeworpen, er was hem gevraagd of hij nog steeds niet beroepen was als predikant, en of hij de dagen op Reinsnes een beetje door kon komen. Hij met zijn diploma en zijn goed stel hersens.

De drost had onomwonden gezegd dat het niets voor een volwassen man uit gegoede familie was om als huisleraar bij zijn stiefmoeder te werken. Johan was ineengekrompen, zonder weerwoord. De zoon van Ingeborg en Jacob had zich nooit leren verdedigen.

Johan schreef dat hij de gemeente accepteerde. Hij zorgde ervoor dat hij niet naar het kantoor hoefde of alleen was met Dina.

De laatste dagen en de afscheidsavond waren Dina en Johan vreemden voor elkaar. Hij liep naar de deur en mompelde voor zich uit dat het afscheid maar tot morgen moest wachten. Anders en moeder Karen waren verbijsterd. Zijn besluit om de gemeente te accepteren was te plotseling gekomen. De atmosfeer was geladen.

Stine stond op en liep naar de zwartgeklede man, greep met haar beide handen zijn hand en boog diep.

Johan draaide zich ontroerd om en liep weg.

Dina stond snel op en liep achter hem aan, zonder de anderen goedenacht te wensen. Ze haalde hem halverwege de trap in. Kwam als een bliksemschicht achter hem aan en hield hem vast aan zijn kleren.

'Johan!'

'Ja.'

'Ik geloof dat we iets moeten uitpraten.'

'Dat zou kunnen.'

'Kom! Ga met me mee...'

'Nee', fluisterde hij en keek om zich heen, alsof de wanden konden zien en horen.

'Johan...' riep ze.

'Dina, het was zo'n grote zonde...'

Hij zette zijn ene voet voor de andere. De trap op. Toen hij boven was, draaide hij zich om en keek haar aan. Hij was drijfnat van het zweet. Maar gered.

Later was ze voor hem een heilige hoer. Een symbool voor al zijn lusten. Zij zou alles op Reinsnes besturen terwijl hij wegtrok om de Heer te dienen, zoals zijn moeder dat gewild had. De zonde moest hij meedragen, daar moest hij boete voor doen. Maar omdat ze zo direct was in haar zinnelijkheid, zo liederlijk, en er niet aan dacht dat ze de plaatsvervangster van zijn moeder was, vergaf hij zichzelf. Misschien begreep de Almachtige dat er grenzen waren aan wat een man kon weerstaan.

Ze wuifden hem uit toen hij de volgende dag de raderboot nam. Ook Dina volgde hem naar het strand. Iets wat uitzonderlijk was. Op de een of andere manier slaagde ze erin hem te behandelen alsof hij een vertrekkende gast was.

Johan stapte in de sloep en tilde zijn hoed op, bij wijze van afscheidsgroet. Toen duwde winkel-Peter de boot af.

Benjamin moest aankloppen als hij bij Dina op bezoek wilde. Dat had Stine gezegd. De eerste nachten nadat Dina met al haar spullen naar Dina's huis was verhuisd, huilde hij en wilde niet slapen. Toen ging hij over tot een sluwe strategie. Hij wendde al zijn trucjes en al zijn charme aan om de vrouwen die in het woonhuis waren achtergebleven een voor een te gebruiken.

Hij begon met Stine, die hem doorzag en hem met rustige ogen tot gehoorzaamheid dwong.

Toen klampte hij zich vast aan de magere schoot van moeder Karen. Ze was zijn oma, niet waar? Ze was alleen zijn oma! Niet die van Hanna. Alleen van hem. Zo maakte hij Hanna aan het huilen, omdat moeder Karen alleen zijn eigendom was. Met de zilveren knop op haar stok, haar knotje, haar kanten kraag en broche en de rest. En Hanna begreep wederom dat haar status in huis afhankelijk was van het feit of de anderen goedgehumeurd waren en er niet over nadachten wie ze was en welke rechten ze had.

Moeder Karen wees Benjamin terecht, maar ze moest toegeven dat ze niet echt Hanna's oma was.

Daarna was Oline aan de beurt. Zij liet zich niet manipuleren door feitelijke informatie over verwantschap en status, maar zij liet zich vleien tot ze haar voornemens vergat. En dat had tot gevolg dat je in de keuken thee met honing kon zitten drinken, als je allang in bed had moeten liggen. Als je maar stil genoeg op blote voeten liep en aan de keukendeur luisterde, en er zeker van was dat Oline alleen in de keuken was, dan kon je wanneer je maar wilde toeslaan.

Een andere mogelijkheid was Tomas. Maar dat moest dan zijn wanneer hij de dieren voederde. Want Tomas had zoveel te doen, en was niet altijd gemakkelijk te pakken te krijgen. Hij kon Tomas lief aankijken met zijn grote, ernstige ogen en vragen of hij op het paard mocht zitten terwijl hij het in de dissel leidde of naar het land bracht. Als dat niet genoeg was, kon hij zijn hand in de grote knuist van Tomas stoppen en er gewoon zijn.

Benjamin maakte er een gewoonte van op een stoel te klimmen en het raam van het kamertje dat uitkeek op de kårstue open te maken. Hij ging in het raamkozijn staan en stond heel stil achter het vensterkruis te kijken naar Dina's ramen.

Maar dat had alleen maar tot gevolg dat Stine kwam, hem op de grond zette en het raam sloot. Zonder een woord te zeggen.

'Ik wil alleen maar met Dina praten', zei hij kleintjes en wilde weer naar boven klimmen.

'Dina praat zo laat op de avond niet meer met kinderen', zei Stine en stopte hem in bed.

Plotseling voelde hij zich te moe om zijn razernij te voorschijn te halen. Hij snufte nog wat en bleef doodstil liggen tot zij het avondgebed had gezegd en hem had ingestopt.

Daarna was de nacht een wespennest van licht en meeuwengekrijs. En hij was alleen met het onderaardse. Hij moest zelf in slaap proberen te komen om er een einde aan te maken.

6

Op mijn legerstede des nachts zocht ik mijn zielsbeminde; ik zocht hem, maar ik vond hem niet. Ik wil
opstaan en rondgaan in de stad, op straten en pleinen
en mijn zielsbeminde zoeken; ik zocht hem, maar ik
vond hem niet.

(Hooglied 3:1-2)

Dina had dit jaar meer last van het licht dan gewoonlijk. Ze
hoorden haar zowel binnen als buiten heen en weer lopen. Als
een dier.

Het was begonnen toen Leo vertrokken was. En was erger
geworden na een gebeurtenis die duidelijk maakte dat Leo deze
zomer niet terug zou komen. Want er was onverwacht een
Russische lodje voor anker gegaan in de Sont. De stuurman en
de kapitein werden aan land geroeid. Ze hadden kisten en
tonnen bij zich. Eerst dacht iedereen dat ze die wilden ruilen of
verkopen, maar het waren geschenken van een anonieme
vriend.

Dina twijfelde er geen moment aan wie de afzender was, en
dat hij de geschenken stuurde omdat hij zelf niet kwam.

Er was het allerbeste touw voor Anders en een stevige houten
kist met Duitse boeken voor moeder Karen. Oline kreeg een
kanten kraag van fraai Frans kloskant. Een leren koker met
Dina's naam erop bevatte muziek voor cello en pianoforte.
Russische volksliedjes en Beethoven.

Dina sloot zichzelf op en liet de Russische zeelui over aan
moeder Karen en Anders.

Reinsnes beviel de Russen uitstekend en ze maakten het zich
gemakkelijk. De stuurman sprak een soort Noors en onderhield
hen met verhalen en vragen.

Hij was op de hoogte van de politieke gebeurtenissen en de
handel in het noorden en oosten van de wereld. Er was onenig-

heid tussen Rusland en Engeland. Over Turkije vermoedelijk. Er waren trouwens al langer moeilijkheden met die Turken. Maar hij kon niet vertellen waar het over ging.

Anders had gehoord dat de Russische tsaar zich zeer eigenmachtig gedroeg waar het Turkije betrof.

'Je kunt niet zomaar het recht in eigen handen nemen, ook al ben je dan tsaar', vond hij.

De tweede avond at Dina met hen mee. Ze vergastte hen op pianospel, gebruikte de nieuwe bladmuziek. De Russen zongen zo hard mee, dat het onder de balken weergalmde. De punch vond gretig aftrek.

De stuurman had een bebaard, robuust gezicht met levendige ogen. Hij had zijn eerste jeugd achter zich, maar was in uitstekende conditie. Zijn oren waren abnormaal groot en staken met een verbluffende koppigheid uit zijn haar- en baarddos. Zijn handen behandelden bestek en glazen alsof het poppenservies was.

Naarmate de avond vorderde, werd het gezelschap levendiger. De kamer zag blauw van de sigarenrook, lang nadat moeder Karen zich teruggetrokken had.

De meeuwen schreeuwden hen toe door de open ramen. Het licht legde zich als veertjes op de grove wollen kleren. Onthulde bruinverbrande zeemanshuid, speelde met Stine's gouden wangen en donkere ogen. Huppelde over Dina's vingers die over de toetsen snelden. En liefkoosde Jacobs gouden ring, die Dina om haar linker middelvinger droeg.

Stine's eidereenden legden hun kopjes schuin en luisterden met glanzende ogen en trillend borstdons naar de stemmen en het gerinkel van de glazen daarbinnen. Het was al mei, en de zuidelijke hemel was opnieuw geboren.

Dina probeerde de Russen uit te horen waar ze de geschenken van Leo aan boord hadden gekregen. Maar dat begrepen ze niet goed. Ze probeerde het steeds weer.

Ten slotte zei de stuurman dat de geschenken in Hammerfest aan boord waren genomen. Van een andere lodje, die op weg was naar het oosten. Niemand kon haar vertellen, wie de afzender was. Maar ze hadden nauwkeurige instructies gekregen waar de goederen gelost moesten worden. En er was bij gezegd, dat ze op grootse en gastvrije wijze zouden worden ontvangen!

De nieuwe winkelbeheerder knikte enthousiast. Het was een magere, kalende man van een jaar of dertig. Met gebogen rug en ogen die twee kanten tegelijk uitkeken. Hij droeg een monocle en een horlogeketting zonder horloge. Nu, na een uitstekende maaltijd en drie glazen punch, liet deze employé zich van een kant zien die ze nog niet kenden. Hij lachte!

Voor ze wisten wat er gebeurde begon hij te vertellen over een koopman uit Bremen, die gezien had dat de Russen grote hoeveelheden crucifixen van goedkoop, gebeitst hout en een beeldje van gestanst, verguld messing bij zich hadden als ze met hun lodjes kwamen.

Het jaar daarop had hij een kist vol zulke kruisbeelden en schilderijen, in de verwachting grote zaken te doen. Maar de Russen wilden ze niet hebben. Toen hij vroeg waarom niet, kreeg hij te horen dat het hoofd van Christus naar links hing en dat hij baardloos was, als een kind! De Russen wilden niets te maken hebben met die bespottelijke, Duitse Christus! Ze geloofden niet dat hij een Russische zeeman zou kunnen helpen. Maar de koopman was niet voor één gat te vangen. Hij wendde zich onmiddellijk tot de mensen uit het hoge noorden, die dachten dat ze een geweldige slag sloegen als ze de crucifixen voor de helft van de prijs kregen. Ze waren zulke goede lutheranen, dat ze geen Christus met baard nodig hadden. Zo hing Christus al snel in alle huizen langs de kust.

Iedereen lachte hartelijk. En Anders dacht dat hij er onderweg wel eens een paar gezien had. Dus dat verhaal kon best kloppen.

De Russische kapitein had andere ervaringen wat noorderlingen en zaken betrof. Baard of geen baard.

Toen werd er een toost uitgebracht op de gezamenlijke handel en de gastvrijheid. Daarna proostten ze op het gerst uit Kola, dat buitengewoon goede eigenschappen had en sneller rijpte dan gerst uit andere streken.

Naderhand verplaatste het gezelschap zich naar buiten om naar de middernachtzon te kijken. Die zat al klem in het ravijn waarin Jacob verdwenen was.

Dina probeerde nogmaals de stuurman, die een beetje Noors sprak, uit te horen over Leo.

Maar de man schudde verontschuldigend zijn hoofd.

Ze schopte in het voorbijgaan een steen weg, streek met een geërgerde beweging haar rok recht, en vroeg hem Leo de groeten te doen en te zeggen dat hij voor de Kerst werd verwacht. Als hij niet kwam, konden de geschenken haar ook gestolen worden.

De stuurman bleef staan en pakte haar hand.

'Geduld, Dina op Reinsnes. Geduld!'

Dina wenste vlak daarna iedereen goedenacht. Ze liep de stal in en maakte Zwarterik los. Dat beviel hem maar matig.

Ze vond een stukje touw waarmee ze haar rokken opbond, sprong op het paard en reed op een sukkeldrafje door het berkenbos de heuvel op. Ze duwde de punt van haar laars in de flanken van het paard. Zwarterik strekte zijn hals en hinnikte. Toen kreeg de lentewind zijn manen te pakken. Ze vlogen.

Op de kale rotsen naast de aanlegsteiger stonden de Russische zeelui de vrouwe van Reinsnes na te staren. Ze was Russischer dan hun eigen vrouwen, vond de stuurman en streek over zijn baard.

'Ze is me iets te mannelijk', vond de kapitein. 'Ze rookt sigaren en zit erbij als een kerel!'

'Maar ze heeft prachtige roze nagels', zei de tweede stuurman en boerde luidkeels.

Toen stapten ze in de sloep en roeiden naar de logge lodje, die rustig op de windstille zee lag.

Het meerstemmige koor vulde de lucht en verdween langzaam in de verte. Ritmisch, klagend en vreemd. Bijna teder. Alsof ze voor een kind zongen.

Die meinacht nam ze het besluit. Ze zou met het vrachtschip meegaan naar Bergen. Toen ze dat besloten had, was de nacht het weer waard om te slapen.

Ze liet het paard omkeren en reed naar huis.

De moerassen bereidden zich voor op de bloei. De berken stonden tussen het havikskruid langs de rivierbedding.

Er steeg een dun sliertje rook op uit het keukengedeelte van het woonhuis. Dus was Oline al op haar post om het ontbijt te maken voor de oogstarbeiders.

Jacob kwam toen ze haar laarzen uittrok. Herinnerde zich de tocht die zij samen naar Bergen hadden gemaakt. De rit in het logeerbed op Helgeland, op weg naar het noorden.

Jacob was er duidelijk niet gerust op, dat ze op reis wilde gaan. Want er waren mannen in Bergen. Mannen langs de hele vaarroute. Mannen, mannen en nog eens mannen.

Toen het vrachtschip bijna helemaal uitgerust was voor de tocht naar Bergen, kondigde Dina aan dat ze meeging.

Moeder Karen was duidelijk ontzet over dit nieuws, slechts drie dagen voor vertrek.

'Het is onverantwoord om zo hals over kop te vertrekken, lieve Dina. De winkelbeheerder is nog niet voldoende inge- werkt om de verantwoording voor de boeken en waren over te nemen. En wie moet er toezicht houden op de hooioogst en de stallen, als Tomas ook meegaat?'

'Een man die elke zaterdag over de bergen trekt om zijn vader te bezoeken, en die iedere zondag weer terugkomt, weer of geen weer, is ongetwijfeld in staat om voor dode dingen in rekken en kasten te zorgen. En Tomas... gaat niet mee.'

'Maar Dina, hij heeft het de laatste tijd over niets anders.'

'Het gebeurt zoals ik zeg. Als ik meega, is Tomas hier des te harder nodig. Hij blijft thuis!'

'Maar waarom moet je zo plotsklaps naar Bergen toe? Waar- om heb je dat niet eerder gezegd?'

'Ik stik hier!' zei Dina kwaad en wilde weglopen.

Dina werd in moeder Karens kamer ontboden. De oude vrouw zat in het vriendelijke avondlicht voor het raam. Maar dat straalde niet op haar af.

'Je hebt het te druk gehad. Je moet even iets rustiger aan

doen. Dat kan ik begrijpen... Maar de reis naar Bergen is geen pleziertochtje, dat weet je zelf ook.'

'Ik kan hier niet op Reinsnes blijven wegrotten! Jaar in, jaar uit! Ik moet eens wat anders zien!'

Haar woorden waren korte, schokkerige kreten. Alsof ze nu pas begreep hoe het ervoor stond.

'Ik zag wel aan je dat er iets aan de hand was... Maar dat het zo erg was... Dat wist ik niet.'

Dina treuzelde bij het weggaan. Stond daar als op naalden.

'Jij hebt toch veel gereisd toen je jong was, moeder Karen?'

'Ja.'

'Vind je het dan eerlijk dat ik gedoemd ben heel mijn leven op één plaats te blijven? Ik moet kunnen doen wat ik wil, anders word ik gevaarlijk. Begrijp je dat?'

'Ik begrijp dat je het gevoel hebt dat het leven je te kort doet. Misschien moet je een man zoeken? Meer op bezoek gaan in Strandstedet? Bij je vader? Bij kennissen in Tjeldsund?'

'Daar kunnen ze me niet geven wat ik zoek. Mannen die het waard zijn om mee naar huis te nemen groeien niet aan de bomen in Tjeldsund of Kvæfjord!' zei Dina droog. 'Jij bent ook weduwe gebleven sinds je hier kwam.'

'Ja, maar ik had niet de zorg voor een hoeve, een pleisterplaats en vrachtschepen. Had niet de verantwoording voor mensen en dieren en zaken.'

'Ik ga niet stad en land af reizen om iemand te zoeken die met mij gaat bekvechten over hoe alles moet zijn, zolang ik hier genoeg mensen heb. Dan reis ik liever voor de lol...'

'Maar je besluit komt zo plotseling, Dina.'

'Je moet doen wat je wilt doen, voordat je begint te twijfelen', zei ze.

En was verdwenen.

Tomas had zijn kist ingepakt. Hij was nog nooit buiten het district geweest. Zijn hele lichaam tintelde van verwachting. Het was alsof hij in een jeneverstruik lag.

Hij had de mensen die naar de winkel kwamen over de reis

verteld. Hij was naar huis, naar Helle geweest en had de zegen van zijn ouders meegekregen en spullen van zijn zusters. Oline en Stine hadden elk op hun manier ervoor gezorgd dat zijn kist vol heerlijkheden zat. Hij stond het paard te roskammen, terwijl hij de staljongen op de hoogte bracht van alle gewoonten en regels.

Toen kwam Dina de stal binnen.

Ze stond een poosje toe te kijken en zei toen vriendelijk: 'Als je klaar bent, kun je in de serre een glaasje frambozensap komen halen, Tomas.'

'Ja, graag', antwoordde Tomas en liet de roskam zakken. De staljongen loerde naar hem. Vol respect, omdat het mogelijk was uitgenodigd te worden in de serre van Dina.

Tomas dacht dat de uitnodiging een blijk van erkenning behelsde. Een ontmoeting. Maar het bleek niets anders te zijn dan de zakelijke mededeling dat hij niet mee op reis kon, omdat hij op de hoeve nodig was.

'Maar Dina! Hoe kan dat nou, net nu ik alles geregeld heb en de mensen hun taken heb opgedragen en een nieuwe staljongen heb ingehuurd, die zowel in de paardestal als bij de koeien kan werken? En mijn vader komt helpen tijdens de oogst, en Karl Olsa, de dagloner op Nesset en zijn twee zonen komen ook en doen meer werk dan hun plichtarbeid. Ik begrijp je niet!'

'Er valt niets te begrijpen!' zei ze kortaf. 'Ik ga zelf op reis. En dan kan jij niet.'

Tomas zat op een stoel bij de openstaande deuren van de serre met een halfleeg glas frambozensap voor zich op tafel.

De zon brandde recht in zijn gezicht. Hij voelde hoe het zweet hem uitbrak onder zijn ruwe hemd.

Toen stond hij op. Greep zijn pet en schoof het glas naar het midden van de tafel.

'Kijk eens aan, Dina gaat op reis! En daarom kan Tomas niet mee? Sinds wanneer is Tomas onmisbaar, als ik vragen mag?'

'Tomas is absoluut niet onmisbaar', zei Dina zachtjes. Zij kwam ook overeind. Torende een halve kop boven hem uit.

'Wat bedoel je? Waarom moet ik dan...?'

'Alleen mensen die doen wat ze willen, zijn onmisbaar!' constateerde ze.

Tomas wendde zich van haar af. Hij ging de deur uit. De trap van de serre af. Terwijl hij zich vasthield aan het witgeverfde hek met de okergele plankjes. Alsof het een vijand was die hij probeerde te wurgen. Toen liep hij regelrecht naar het knechtenverblijf, ging op zijn bed zitten en vroeg zich af wat hij moest doen. Hij dacht erover om zijn plunjezak en de kist en de hele rimram te pakken, en naar Strandstedet te gaan om daar werk te zoeken. Maar wie wilde een knecht hebben die zonder reden van Reinsnes was weggelopen?

Hij ging naar de keuken van Oline. Ze was al op de hoogte. Vroeg niets. Maakte alleen koffie met een flinke scheut drank erin, midden op de dag. De man met het bruine en het blauwe oog zag er slecht uit.

Toen hij daar zonder een woord te zeggen zolang gezeten had, als Oline nodig had om tarwedeeg te kneden, merkte Oline op: 'Voor iemand met rood haar ben je een lankmoedig en verstandig mens, moet ik zeggen.'

Hij keek op. In opperste nood. Toch moest hij grijnzen. Een rauwe lach die helemaal tussen zijn dijen begon, en die zich verder vrat, naar buiten.

'Dina heeft opeens besloten dat ze naar Bergen gaat, en daarom kan ik niet mee! Heb je dat gehoord, Oline?'

'Ja, Oline hoort tegenwoordig van alles...'

'Kun jij me vertellen wat er aan de hand is?' zei hij vermoeid.

'Nu Niels er niet meer is, begint Dina Tomas te pesten.'

Tomas werd plotseling bleek. Hij kon niet meer in de keuken blijven. Hij bedankte en vertrok. Maar niet naar Strandstedet.

De dag dat het vrachtschip naar het zuiden voer, was Tomas in het bos.

7

Ik deed mijn geliefde open, maar mijn geliefde was
weg, verdwenen! Mijn ziel bezwijmde, toen hij sprak,
ik zocht hem, maar vond hem niet, ik riep hem, maar
hij antwoordde mij niet.

(Hooglied 5:6)

De mensen praatten over de oorlog. Die kwam plotseling hun
deegkommen binnengeslopen. De Witte Zee was die zomer
geblokkeerd, zodat de Russische lodjes er niet door konden met
hun meel. Er gingen al langer geruchten dat de situatie zo
ernstig was, dat de kooplui uit Tromsø erover dachten om naar
het oosten te zeilen om meel te halen. De mensen konden met
de beste wil van de wereld niet begrijpen dat de mensen in het
noorden gestraft moesten worden voor een oorlog op de Krim.

Ondertussen lag het vrachtschip Moeder Karen van Reinsnes
klaar om naar het zuiden te zeilen. Het vrachtschip had Jacob
een dikke 3000 daalders gekost. Hij had het gekocht in het jaar
dat hij Dina op Fagernes cello zag spelen.

Het schip had een kiel van 24 el lang en het kon 70 ton vis
vervoeren.

Jacob vond dat hij een goed vrachtschip gekocht had en was
dik tevreden.

De bemanning bestond meestal uit tien man.

Er waren een aantal jaren verstreken. Het vrachtschip was
wat bruiner van kleur geworden, maar het kon nog steeds
volgeladen en zeilklaar liggen wachten op de laatste proviand en
de laatste mensen. Het schip was goedgebouwd en stevig, en
bestand tegen alle weersomstandigheden. Met zijn brede, over-
naads gebouwde romp en zijn solide ijzeren nagels.

Op de rechte achtersteven bevond zich een witte kajuit met
ronde raampjes. Jacob had die door een kennis uit Rana laten
bewerken met rococo-ornamenten en traditionele versieringen.

Want Jacob had niet veel opgehad met de nieuwerwetse vierkante ramen. Rechthoeken hoorden niet thuis op een schip, stelde hij. Dat druiste in tegen elk geloof aan God en de geesten.

Anders had geen bezwaren gehad. Hij was vooral geïnteresseerd in de zeilvoering, het roer en het laadvermogen. Zo was het nog steeds. In de kajuit bevonden zich twee kooien en een tafel. De kooien werden afgesloten met een gordijn en waren in noodgevallen groot genoeg voor twee.

Hier zouden Anders en Dina verblijven. De stuurman moest kort voor vertrek verkassen naar de nauwe hut voor de bemanning in de voorsteven. Stuurman Anton deed er niet moeilijk over.

Zowel boven de kajuit als boven de hut bevond zich een vast dek met een kleine schans. Verder was het vrachtschip open. Het was gebouwd om vracht te vervoeren, niet voor het comfort.

Het schip was nu zorgvuldig geladen, door mannen die dit werk vaker gedaan hadden.

De zware tonnen traan en de huiden lagen onder in het ruim. Rond de mast lag de stokvis hoog opgestapeld. De stapel kwam boven de reling uit en moest met een zeil worden afgedekt tegen vocht en opspattend zeewater.

Een stevig zetboord langs de scheepsrand, tussen kajuit en hut, beschermde de vracht tegen weer en wind en zeewater.

De mast was Jacobs trots geweest. Eén enkele boomstam die hoog boven de reling uittorende. Hij had hem persoonlijk uitgezocht in Namsos. Hij was behalve door de bakstag en de stag ook verstevigd met zes wanten. De mast was onder in de kolsem verankerd in een enorm blok hout.

Het razeil was twaalf meter breed en zestien meter hoog. Als ze het zeiloppervlak kleiner wilden maken, werden de bonnetten naar behoefte losgemaakt. Bij echt slecht weer moest vaak het hele zeil gevierd worden.

Maar als het nodig was, kon er ook een topzeil gehesen worden. Dan moest de gehele bemanning aan de slag om het touw door de katrollen te trekken.

Aan de vlaggemast op het achterschip prijkte nog steeds de

oude Deense vlag met de Noorse leeuw. Dat was ter ere van moeder Karen. Ze had zich nooit met die Zweedse Oscar kunnen verzoenen. Hij was te licht, vond ze, zonder daar dieper op in te gaan. Anders en zij hadden er felle discussies over gevoerd. Maar de Deense vlag bleef de Moeder Karen sieren, ook al werd er langs de hele kust op weg naar Bergen wat lacherig over gedaan. Haar vlaggekeuze werd gerespecteerd, omdat het ongeluk kon brengen als je de peetmoeder tegen je in het harnas joeg.

De stuurman heette Anton Dons. Een gedrongen, kleine man, met een goed verstand en een nog beter humeur. Toch was er niemand die hem te na durfde te komen. Want zijn gemoed had twee kanten. En zijn jaarlijkse woedeaanval kwam meestal tijdens de tocht naar Bergen. Vooral als een van de mannen zich bezighield met gebbetjes en geintjes.

Sterke drank op zee was een doodzonde. Hij gaf de zondaar zelf een aframmeling, als dat nodig was. Wachtte nooit tot de stakker nuchter genoeg was om terug te slaan. Zo werd een kater aan boord van de Moeder Karen even erg als katers bij moeder de vrouw.

Geschikte stuurlui groeiden niet aan de bomen, dus het loonde de moeite om goed voor Anton Dons te zorgen. Hij kende de kust even goed als de deken de bijbel, werd er gezegd.

In harde wind was hij stil en rustig, maar als het stormde ging hij een pakt aan met alle boze en goede machten.

Er werd gezegd dat hij in zijn jeugd eens zo grondig op een rots was gevaren, dat hij daar drie dagen had vastgezeten voordat hij was gevonden. Dat was genoeg voor de rest van zijn leven.

Het was een kunst om met het grote vrachtschip met zijn logge vorm en tuigage te manoeuvreren. Vooral wanneer er een stevige wind stond en de druk op de zeilen enorm was. Dan had het geen zin om op goed geluk door de wind te gaan als je geen door de wol geverfde stuurman had. Eentje die de riffen en scheren kende, en die verstand had van de windrichtingen.

Er werd gezegd dat Anton ooit in zes dagen een vrachtschip van Bergen naar Tromsø had gezeild. Daar was meer voor nodig dan alleen wind, mompelde Anders.

Benjamin stond voor het raam van de kårstue en keek naar alle drukte rond de Moeder Karen. Hij was woedend en ontroostbaar.

Dina's reiskist was al naar het schip geroeid en in de kajuit gezet. Ze zou ver weg varen, over de zee, naar Bergen! Hij kon het niet verdragen.

Dina hoorde op Reinsnes te zijn. Anders stond alles op zijn kop.

Hij had haar op verschillende manieren aangevallen. Met huilen en vloeken. Heel zijn jongenslijfje was overstuur vanaf het moment dat hij te horen kreeg dat ze weg zou gaan.

Ze lachte niet om zijn boosheid. Greep alleen stevig zijn nek beet en kneep erin, zonder iets te zeggen.

Eerst begreep hij niet wat dat te betekenen had. Maar toen besefte hij dat het een soort troost moest zijn.

Ze zei niet dat ze cadeautjes voor hem zou gaan kopen, zei niet dat ze snel terug zou zijn. Zei niet dat het noodzakelijk was dat ze wegging.

En als hij haar voor de voeten wierp dat geen enkele vrouw naar Bergen ging, zei ze alleen maar: 'Nee, Benjamin, geen enkele vrouw gaat naar Bergen.'

'Maar waarom Dina dan wel?'

'Omdat ik dat besloten heb, Benjamin. Jij mag in mijn kamer wonen en op de cello's en zo passen als ik weg ben.'

'Nee, er is een dode in Dina's huis.'

'Wie zegt dat?'

'Oline.'

'Doe de groeten aan Oline en zeg haar dat daar niet meer doden zijn dan zij in haar vingerhoed kan stoppen.'

'Niels heeft zich daar verhangen, aan een balk!'

'Ja.'

'Dan is er toch een dode.'

'Nee. Ze hebben hem losgesneden, in een kist gelegd en naar het kerkhof gebracht.'

'Is dat echt zo?'

'Ja. Dat weet je toch nog wel.'

'Hoe weet jij dat de doden niet terugkomen?'

'Ik woon daar en zie die balk dag en nacht.'

'Maar je zegt dat Jacob hier is, altijd, ook al is hij dood...'

'Dat is iets anders.'

'Hoezo?'

'Jacob is je vader, jongen. Hij kan er niet op vertrouwen dat de engelen in hun eentje op jou kunnen passen, zo wild als jij bent.'

'Ik wil Jacob hier niet hebben! Hij is ook een dode! Zeg dat hij met jou meegaat naar Bergen!'

'Dat kan lastig voor mij worden. Maar ik doe het, voor jou. Ik neem hem mee!'

De jongen veegde snot en tranen af aan zijn schone mouw – en vergat dat Dina zich niet ergerde aan zulke dingen. Stine was degene die daar boos over werd.

'Maar je kan je toch bedenken en thuisblijven!' brulde hij, toen hij besefte dat het gesprek een wending had genomen die hij niet voorzien had.

'Nee.'

'Dan ga ik naar de drost en vertel hem dat je weggaat', kefte hij.

'Dat kan de drost niets schelen. Stroop je mouwen op en help mij deze hoededoos te dragen, Benjamin.'

'Ik gooi hem in zee!'

'Dat heeft geen zin.'

'Ik doe het echt!'

'Ik hoor je wel.'

Hij greep de hoededoos met beide handen beet en begon hem met ingehouden woede over de vloer te slepen.

'Als je terugkomt, ben ik er niet', zei hij triomfantelijk.

'Waar ben je dan?'

'Dat zeg ik niet!'

'Dan wordt het moeilijk voor mij om je te vinden.'

'Misschien ben ik wel dood en weg!'

'Dat is dan een kort leven.'

'Kan me niet schelen.'

'Het leven kan iedereen wat schelen.'

'Nou, mij niet. Ik ga spoken! Dat je het weet.'

'Ja, dat hoop ik wel, dan raak ik je niet helemaal kwijt.'

Hij slikte de rest van zijn tranen in toen ze naar de kade en de aanlegsteiger liepen.

Toen ze de kluwen mensen, die daar stond te wachten om afscheid te nemen, bijna bereikt hadden, zei hij kleintjes: 'Wanneer kom je terug, Dina?'

Ze boog zich naar hem toe en pakte zijn nek weer stevig beet, terwijl ze met haar vrije hand over zijn haar streek.

'Voor het einde van augustus, als jij bidt voor goede wind', zei ze vriendelijk.

'Ik ga niet naar je zwaaien, Dina!'

'Nee, dat zou te veel gevraagd zijn', zei Dina ernstig en tilde zijn gezicht op. 'Je kunt stenen gaan gooien, dat helpt.'

Zo namen ze afscheid. Hij omhelsde haar niet. Rende de heuvel op. De slippen van zijn hemd fladderden als vleugels achter hem aan.

Hij wilde Hanna niet zien, die dag.

's Avonds gedroeg hij zich onmogelijk en verstopte zich, zodat ze moesten zoeken. Hij kreeg veel uitbranders en veel aandacht. Ten slotte liet hij zich troosten op Stine's schoot.

'Dina is een kreng! Ik vind haar helemaal niet lief!' brulde hij tot hij in slaap viel.

De Moeder Karen was al eerder dat jaar op zee geweest. Anders was op de Lofoten geweest, achter de vissersschepen aan. Daar had hij mensen uit Helgeland en Salten bevoorraad.

Hij had twintig boten bevoorraad, en grote hoeveelheden vis, kuit en visselever mee terug genomen. Hij had ook netten uitgeleend en zich daarmee verzekerd van een percentage van de vangst.

Dina had hem tevreden in zijn zij geport toen hij thuiskwam. Ze begrepen elkaars tekenen.

Anders zag er nauwkeurig op toe dat de bevrachters een goed contract kregen voor de goederen die ze met het vrachtschip verzonden. Als hij niet genoeg plaats had en dus niet kon garanderen dat de vracht goed aankwam, zorgde hij voor een andere vrachtschipper die de goederen kon vervoeren.

Met Dina's hulp werd het gewoonterecht in ere gehouden

dat de bevrachters zich van hun kant aan de afspraak hielden, en niet met hun vracht naar anderen gingen.

Een keer had Dina een boete geïnd als vergoeding voor het verliezen van een lading die haar beloofd was. Een bevrachter uit Strandstedet had Anders om de tuin geleid en was met zijn gedroogde vis naar een schipper uit Kvæfjord gegaan.

Er werd gemopperd dat de dochter van de drost zulke boetes gemakkelijker kon opleggen dan andere mensen.

Ze sloten zich aan bij een konvooi van vier vrachtschepen die zuidwaarts voeren, naar Bergen. Twee kwamen nog verder uit het noorden, en haalden hen in omdat ze meer snelheid maakten. Bij Vestfjord voegden zich nog drie vaartuigen bij het groepje. Het weer was redelijk, met wind uit het noordoosten.

De stemming was goed. Iedereen had zijn eigen taak en iedereen had een aandeel in de vracht, dat hij veilig wilde stellen. Door het licht hoefden ze niet alleen overdag te zeilen. De bemanning werkte in ploegen, vierentwintig uur per dag.

De oogst van Reinsnes lag zwaar tussen de spanten. Tien tonnen met veren en dons. Gereinigd, ingepakt en verzorgd door Stine. Tweehonderd liter ingemaakte bergframbozen, geplukt door de dagloners, gekookt en gesuikerd door Oline. Tijdens de winter in de kelder opgeslagen en gecontroleerd en bewaakt, opdat er geen schimmel of andere onrechtmatigheden in zouden komen, die de kwaliteit van het produkt verminderden. Vijftig rendierhuiden en twee tonnen rendiervlees, geruild met en gekocht van Lappen die langs waren gekomen en etenswaren wilden hebben. Tomas had sneeuwhoenders en vossehuiden meegestuurd. Er waren vijfenzeventig tonnen traan en zesendertig ton gedroogde vis.

Dina stond vaak op het dek en liet bergen en eilandjes voorbij drijven. Ze had een gedaanteverwisseling ondergaan. De wind lachte haar toe, en alle dingen die haar op Reinsnes zo hadden geërgerd en woedend gemaakt, waren nu verdronken katten in het kielzog.

'Je zou moeten kunnen leven zoals jij, Anders! Dat is een

leven waar je vrolijk van wordt!' riep ze vanuit de deur van de kajuit, toen de Vestfjord zich verbreedde en in luttele ogenblikken tot een zee werd.

Anders draaide zich om en tuurde naar haar, tegen het sterke zonlicht in. Zijn forse, koppige kin was duidelijk zichtbaar. Toen ging hij door met waar hij mee bezig was.

Hij en Dina deelden hut en tafel, en ze dronken samen menig glas. De sfeer tussen hen was ongedwongen. Hij voelde zich merkwaardig vrij van gêne, ondanks het feit dat hij een vrouw in zijn hut had. Maakte er geen probleem van. Hij wist hoe hij met vrouwen om moest gaan. Klopte altijd aan, en wachtte tot hij antwoord kreeg. En hij zorgde ervoor dat hij zijn oliejas en zeemanskleren altijd buiten hing, onder het afdak van de kajuit.

De eerste keer dat Dina met Anders was meegevaren, was hij verbannen naar de hut van de bemanning. Jacob en zij rolden op de golven. In hun toestand hadden ze niet eens gemerkt dat er een meer dan stevige bries op de Vestfjord had gestaan. Deze keer moest Jacob op het dek blijven. Terwijl Dina met de scherpe zintuigen van een wolvin Anders' koppige onderkaak en zachte mond bestudeerde.

8

Juist door zijn ellende redt hij de ellendige, en door
de verdrukking opent hij hun oor.

(Job 36:15)

De nevel lag als een schapewollen muts over Bergens zeven
bergtoppen. De stuurman wist bij welke kade ze het beste
konden aanleggen. De geuren en de beelden overweldigden
hen, vertrouwd en verlokkend. Ze hadden het een paar maanden moeten verdringen. Nu sloeg het in alle hevigheid toe. Een
springvloed van oude verwachtingen – en goede herinneringen
aan de vorige keer.

De mannen deden hun werk terwijl ze genoten van de
aanblik van het beloofde land. De kades! De stad! De schepen
lagen dicht tegen elkaar aan. Vrolijke bevelen klonken over het
water en de wielen van de koetsen ratelden over de kinderkopjes.

Af en toe kreunden de katrollen boven de openstaande pak-
huisdeuren waardig. De pakhuizen stonden zij aan zij. Majestu-
eus en vanzelfsprekend, als een eeuwenoud landschap, leunden
ze langs de hele Vågen tegen elkaar aan. De Bergenshus-vesting
was een grijze reus die zich voor de rest van zijn leven te rusten
had gelegd. Zichtbaar voor alle standen. Een onbeweeglijk
familielid van de berg zelf.

Nog voordat ze een ligplaats hadden gevonden, kwamen er
kleine bootjes langszij.

Bijdehante en vrolijke vrouwen kwamen hun kringels aan-
bieden. Ze werden onder veel gelach en aanmoedigingen aan
dek geholpen.

Ze hielden hun manden krampachtig vast. Het leek alsof ze
zich liever in zee wilden laten gooien, dan ook maar één kringel
zonder betaling af te geven. Maar als de handel beklonken was,

werd er onder de hoofddoekjes en de mutsen van oor tot oor gelachen. En werd er als toegift kwistig gestrooid met gratis koekjes en flirtende blikken.

Een hele jonge Bergense joffer, getooid met een blauwe zijden hoed met de purperkleurige halsveren van een haan en in een lichtgroene jurk van bombazijn, ging schrijlings op de reling zitten. Ze stelde al haar elegante stadgenotes in de schaduw.

Dina gruwde van de aanblik. Anders en zij wisselden lachende blikken, toen Anton zich in alle bochten wrong voor de joffer en haar kringels.

Het zonlicht was een pasgeslagen munt in een versleten geldbuidel. De mannen hadden witte overhemden aangetrokken. Stonden er voor deze gelegenheid met natgekamd haar en zonder muts bij.

De aankomst was een feest.

Dina droeg een hoed met brede rand en een groen reiskostuum. Ze had voor deze ene keer haar haren opgestoken. Ze piekten zwaar en ontembaar onder de rand van haar hoed vandaan.

Anders plaagde haar met haar nette kleren en kapsel. 'Nu ben je een echte schippersweduwe!' zei hij goedkeurend toen ze aan dek kwam.

'Je zult de prijs voor onze vis vreselijk opdrijven', voegde hij eraan toe.

Ze keek hem stralend aan en glipte aan land over de loopplank die naar het aanliggende vrachtschip gelegd was. En toen ze langs de pakhuizen flaneerden, hield ze hem stevig bij zijn arm.

Ongewone geuren prikkelden hun neus. Zelfs de zeelucht rook hier anders. Was vermengd met de geur van rotting en stinkende riolen, van teer verzadigde schepen en vis. De kraampjes langs de haven waren overladen met allerlei goederen. En alles scheidde deze onstuimige, samengestelde stank van stad af.

Voor een werkplaats, waar kennelijk wagens werden verkocht en gerepareerd, stond een onberispelijk geklede heer in de brandende zon.

Hij leunde op een ingeklapte paraplu en schold de wagenmaker uit. Hij wees woedend naar het paard, dat uitgespannen was en naast de koets uit een zak hooi stond te eten. Hij beschuldigde de wagenmaker ervan hem vermolmde disselpinnen te hebben geleverd.

Dina trok Anders aan zijn arm en bleef staan, terwijl ze naar de scheldkanonade luisterde. De wagenmaker ging over tot de tegenaanval. Maar hij was niet zo goed gebekt als de ander.

Opeens stapte Dina op hen af.

'Jullie zouden disselpinnen van wilgetakken moeten gebruiken', onderbrak ze hen.

De mannen hieven als op commando hun hoofd op en staarden haar aan. De heer was zo verbluft dat hij midden in zijn betoog bleef steken.

De wagenmaker daarentegen schraapte zijn keel, boog en zei beleefd dat daar misschien iets in zat...

'Dat is taai, wilgehout', ging Dina verder. Ze liep naar de dissel en onderzocht de pin.

De mannen staarden. Maar deden niets. Hun spraakwater was in de zon verdampt.

'De pin is op een knoest gebroken', zei ze. Wurmde de restanten los en gaf die aan hen.

De wagenmaker nam de pin met beteerde handen aan. Dina knikte en liep naar Anders, zonder zich om te keren.

Ze liet een diepe stilte achter.

Er was geen gebrek aan bierhuizen. Noch aan hotels en pensions.

Er liep een stadswacht rond die riep dat hij wist waar je het best kon overnachten. Hij noemde een paar namen, met grote gebaren en een diepe, uitnodigende stem. Het was duidelijk dat hij voor dit soort werk betaald werd.

De vismarkt was een mierenhoop. Hier waren de geuren bedwelmender dan van een mestkelder waarvan de deuren waren opengezet voor de lentezon. De visvrouwen riepen hun prijzen. Schelle stemmen uit roodgevlekte gezichten. Ferme boezems in kruiselings omgeslagen wollen doeken, ondanks de hitte.

Hier was het standsverschil groter dan thuis in de kerk.

Niemand kon tippen aan de kleurrijke kledij van de marktvrouwen en de dienstmeisjes. Hier en daar zweefde een witte kanten jurk onder een breedgerande strooien hoed. Met linten, rozetten en strikjes en kwikjes. Kleine, elegante zijden of leren schoenen mengden zich in het geklepper van klompen en het geschuifel van laarzen op het plaveisel.

Een stem herhaalde eindeloos dat je vanavond gerookte zalm en tong moest eten.

Hogerop in de stad kwamen ze bij de lanen met de statige villa's. De brede oprijlanen en de keurig gesnoeide heggen.

Dina straalde minachting uit terwijl ze daar wandelden. Anders kon er niet goed achter komen jegens wat. Maar hij schaamde zich als ze iemand tegenkwamen.

Plotseling begon ze lachend te vertellen over de keer dat Jacob en zij hadden overnacht in een hotel dat zo uitstekend heette te zijn.

Daar hadden ze erg moeten lachen om het feit dat de porseleinen waskom niet groter was dan een aardappelschaal! En dat de room met een lepel in de koffie werd geschonken, en niet uit een kannetje.

En van eierdopjes had de hoteleigenaar zelfs nog nooit gehoord.

Vanwege hun beleefde, maar hautaine klaagzangen, ging het gerucht in de keuken dat ze Engels waren.

Maar dat liet Jacob onder geen beding op zich zitten, dus maakte hij zijn opwachting bij de kokkin en legde het geval uit.

Het hotelpersoneel behandelde hen op slag een stuk vriendelijker. En de laatste ochtend kregen ze koffiemelk in een kannetje op tafel.

Tijdens dit verhaal liet een koetsier zijn rijtuig naast hen stoppen en bood hen tegen betaling een lift aan. Dina schudde haar hoofd, en Anders sloeg het aanbod af.

Ze liepen omhoog door de steile straten, die alsmaar smaller werden. Dina's schoenen waren stug en warm, dus toen ze een bank onder een boom vonden, gingen ze even zitten. Ze keken uit over de stad. Anders legde uit en wees. Bergenhus met het landgoed van de koning en de toren. Vågen, met alle vrachtschepen, onderling verbonden door loopplanken. Voor de haven lagen talloze vaartuigen voor anker. Een paar stoomschepen lieten hun schoepenraderen rondgaan en stootten zwarte rook uit, tegen de lichte hemel. Een vrachtschip liep met vallende zeilen binnen en schoof geruisloos op zijn plaats in de rij.

Ze liepen langzaam de helling weer af, vonden een rijtuig en lieten zich terugrijden naar de kade. Ze moesten de tijd in de gaten houden. Ze waren uitgenodigd bij een koopman, voor een kleine versnapering. Een gebaar dat niet genegeerd kon worden.

'Je moet je aan de etiquette houden', zei Anders.

Toen ze bij de kade aangekomen waren, wees Anders de vrachtschepen van Kjerringøy, Husby en Grøttøy aan.

Vlak achter de pakhuizen aan de kade lag een kerk met twee torens, die zich scherp aftekenden tegen de hemel.

'Dat is de Mariakerk', zei hij.

Hun blikken ontmoetten elkaar. Alsof ze elkaar nooit eerder hadden gezien.

'Ik ben nog nooit samen met iemand op reis geweest!' riep hij verbaasd uit.

'Je bedoelt dat je nog nooit met een vrouw op reis bent geweest?'

'Ja. Dat is anders.'

'Hoe dan?'

'Jij ziet dingen waarvan ik nooit beseft heb, dat ze belangrijk waren. Jij vraagt dingen waarvan ik niet wist dat ik er antwoord op kon geven.'

'Je bent een wonderlijke man!' constateerde ze. 'Niels mocht zich gelukkig prijzen met zo'n broer.'

De handelslieden en herbergiers waren bemiddelaars tussen de Bergense kooplieden en de bevrachters.

Hoewel de prijzen in Bergen zelden dramatische dalingen of stijgingen vertoonden, werd er toch steeds met een zekere spanning afgewacht met welke berichten zij terugkwamen. De bevrachters waren blij dat ze de verantwoordelijkheid voor het onderhandelen af konden schuiven.

Het gebeurde ongetwijfeld meer dan eens dat vissers behoorlijk werden afgezet, zowel wat prijzen als gewicht betrof.

Maar de kooplui en de eigenaars van de vrachtschepen maakten zich de kneepjes van het vak eigen. Ze hadden tijd en ervaring genoeg om te wachten op het gunstigste aanbod. En wisten met welke burgers uit Bergen het zich op den duur loonde om te onderhandelen.

De bevrachters werden onthaald in de eetzaal. Grutten met stroop. Ze kregen een Goudse pijp aangeboden, en het gesprek ging geanimeerd over koetjes en kalfjes.

De koopman was rondbuikig en had een extra nek rond de nek die Onze Lieve Heer hem had meegegeven. Als hij gesticuleerde of lachte, puilde die aan alle kanten over zijn jabot.

Dina kon hem zich nog herinneren van haar reis met Jacob. Zijn naam was vaak genoemd op Reinsnes. Mijnheer Rasch! Ze had zijn getallen jarenlang ingevoerd in de boekhouding.

De laatste keer dat Dina hem had gezien, was hij in gezelschap geweest van een strenge, struise dame.

Ze was gestorven aan een geheimzinnige ziekte waar niemand het fijne van wist, vertelde hij. Was gewoon verschrompeld als een vergeten zomerappel. Sommigen zeiden dat er zenuwziekte en krankzinnigheid in haar familie voorkwamen. Maar daar wist de koopman niets van. Hij verzekerde hen dat die mensen hun conclusies baseerden op louter roddel en achterklap... Hij zelf dacht dat het iets met haar gal was geweest... Maar hij was nu dus weduwnaar, en dat al voor het vierde jaar. Zijn vrouw had rijke familieleden in Hardanger, die haar een aanzienlijke erfenis hadden nagelaten. Maar de koopman bezwoer hen dat de hoogte van die erfenis overdreven werd.

Dina, Anders en Anton hadden nog nooit over die erfenis gehoord, maar waren een en al oor voor alle roddels die een arme ingezetene van Bergen heden ten dage over zich heen kon krijgen.

Er bestond in deze wereld nergens meer respect voor. Men praatte over het verdriet en de ellende van anderen alsof het niets was! Dat was een nare gewoonte!

De koopman was tijdens deze lange monoloog lichtrood

aangelopen. Zijn extra nek vouwde zich bedroefd over zijn jabot. Nu eens aan de ene kant, dan weer aan de andere.

Dina staarde hem ongegeneerd aan. Maar ze leek besloten te hebben dat ze hem aardig vond.

Hij, van zijn kant, herinnerde zich de jonge mevrouw Dina Grønelv ook nog.

'Ach, het is allemaal niet zo belangrijk', zei hij hees, en keek haar flirtend aan.

Na een poosje werden Anders, Anton en Dina van de andere gasten gescheiden en uitgenodigd in 'het privé-vertrek', zoals mijnheer Rasch het noemde.

Zoals Anders had voorspeld, kwam meteen de punch op tafel. De koopman liet madeira voor mevrouw komen, maar Dina sloeg dat af. Ze wilde een klein glaasje punch en een pijp.

De koopman was verbaasd, maar liet dat niet merken. Hij stopte zelf de pijp voor haar, terwijl hij vertelde over een Deense adellijke dame die hij in zijn jeugd had gekend. Die had ook pijp gerookt, en herenhoeden gedragen.

'Zonder een vergelijking te willen maken, trouwens', voegde hij er vergoelijkend aan toe en knikte naar Dina's hoed.

'Die is zeker niet daar in het hoge noorden aangeschaft?'

'Nee, die heb ik aan de hand van een nauwkeurige tekening gekocht, van een postorderbedrijf in Bremen. We hebben de hoed en de tegelkachel uit Bremen laten komen, en boeken en bladmuziek uit Hamburg. En schilderijen uit Parijs. Voor moeder Karen!' voegde ze er glimlachend aan toe.

Anders werd onrustig en wierp haar een blik toe. Ze liep naar de koopman toe en stak amicaal haar arm door de zijne.

Na een korte aarzeling glimlachte hij onzeker en stak haar pijp aan. Toen nodigde hij hen uit in de salon te gaan zitten, zodat ze konden praten over 'vergankelijke zaken', zoals hij het uitdrukte.

Dina luisterde aandachtig hoe Anders over prijzen en hoeveelheden onderhandelde. Hij noemde hoeveel vis en kuit, huiden en dons ze hadden, en hoe de kwaliteit was.

Maar ze mengde zich niet in het gesprek.

Anders' blik was zo eerlijk dat het elke koopman wantrouwig moest maken. Maar het was duidelijk dat deze twee eerder samen zaken hadden gedaan.

Anders' gezicht was glad als het maanlicht wanneer hij een prijs voorstelde. Hij keek net zo bedroevend eerlijk wanneer hij zijn hoofd schudde omdat de prijs te laag werd. Eerbiedig, alsof hij tegen de dominee sprak, resoluut, alsof hij cruciale bevelen gaf aan de bemanning.

De koopman zuchtte veelbetekenend en zei dat ze maar eens moesten zien... en dan kwamen ze een prijs overeen. Het was hetzelfde ritueel. Jaar in, jaar uit. Zo ging het altijd. De koopman sloeg Anders op zijn schouder, maakte een buiging voor Dina en zei gemoedelijk: 'Misschien is Dina Grønelv wel de rijkste van ons beiden, als alles afgerekend is.'

'We hebben het niet over rijkdom, maar over handel', bracht Dina hem in herinnering.

Anders schoof weer onrustig heen en weer.

'Rijkdom is een zaak met vele kanten. Er zijn zelfs mensen die zonder tegenprestatie liefde krijgen', zei ze en keek de koopman diep in de ogen.

Hij wendde zijn blik af. De man wist absoluut niet wat hij met de situatie aanmoest. Hij was niet gewend zaken te doen met vrouwen. Maar aan de andere kant kon hij niet ontkennen dat hij het niet onprettig vond. Hij kon geen hoogte krijgen van deze weduwe uit het noorden. Hij had het onbehaaglijke, klamme gevoel dat ze hem voor de gek hield. Zonder dat hij precies kon zeggen hoe. Maar ze deden goede zaken. Vooral wat de gedroogde vis betrof. Net als Anders had voorspeld.

De naaimachine voor Stine werd geregeld via de contacten van de koopman, met aanzienlijke korting.

Als tegenprestatie werd er voor de koopman een heel vat ingemaakte bergframbozen aan land gerold, voor eigen gebruik. 'Gratis en voor niks', zoals Anders zei.

Dina dwaalde op eigen houtje door de stad, terwijl ze wachtte tot ze klaar waren met lossen en laden.

Ze wilde het melaatsenhospitaal zien, waar moeder Karen haar vaak over verteld had.

Ze liep drie keer voor de ingang heen en weer. Als een overwinning. Zodat ze moeder Karen kon vertellen dat ze gedaan had wat ze had beloofd: gebeden voor de zieken naar boven, naar God de vader sturen!

De gebeden waren er een beetje bij ingeschoten.

Ik ben Dina. In Hjertruds boek staat dat Job zich afvraagt hoe God zo streng kan zijn tegen de mensen, die zo'n kort en onrustig leven hebben. Job heeft zoveel te dragen. Hij begrijpt niet dat God de rechtvaardigen straft, maar de goddelozen vergeet. Job gebruikt veel tijd en kracht om over zijn lot na te denken. Hier lopen ze van muur tot muur met hun wonden. Niet iedereen maakt er evenveel ophef van als Job.

Bij de ingang van elk huis in Bergen stond een emmer water. Ten slotte vroeg Dina aan een winkelmeisje waar dat gebruik voor diende.

Dat kwam door de brand van afgelopen voorjaar, was het antwoord. Iedereen was bang voor brand.

'U komt zeker niet uit Bergen?' voegde het meisje er aan toe.

Dina glimlachte. Nee, dat kwam ze niet.

'Maar allemachtig, wat naïef om te denken dat een paar druppels water in een emmer jullie kan redden als er brand uitbreekt.'

De vrouw kneep haar mond samen, maar zei niets.

Dina kreeg de keperband, het kant, de knopen en alle andere dingen die op het lijstje stonden dat Stine haar had meegegeven.

Dina huurde een wagen die haar langs de plaats van de brand reed. Op 30 mei waren er 120 huizen in vlammen opgegaan. Het was een verwoeste, maar spannende wereld.

De plaats van de brand werd aan alle kanten omgeven door de gezonde stad die bruiste van leven, als de wonde van een melaatse. Bedelaars liepen rond en zochten iets van hun gading. Ze waren gekleed in vodden en bogen zich af en toe voorover om met een stok ergens in te wroeten. Soms rechtte een van hen zijn rug en stopte iets in zijn buidel.

'Er moeten hier ontzettend veel armen en bedelaars zijn! En melaatsen!' zei Dina tegen Anders toen ze die avond samen in de kajuit waren.

'En hoeren!' voegde ze eraan toe. 'Ze hangen om alle mannen heen die aan land of aan boord gaan.'

'Dat moet een moeizame handel zijn. Je wordt er niet vet van, zo te zien', zei Anders.

'Job hoefde in ieder geval geen hoer te worden!' zei Dina.

Anders keek haar bevreemd aan.

'Waar ben je vandaag geweest?' vroeg hij.

Ze vertelde over de gebeden voor het melaatsenhospitaal, en over de plaats van de brand.

'Je moet niet bij die afgebrande huizen rondlopen. Dat kan gevaarlijk zijn', zei hij.

'Gevaarlijk voor wie?'

'Voor een vrouw alleen', antwoordde hij.

'Niet voor mannen?'

'Ook voor mannen', zei hij toegeeflijk.

'Wat zijn dat voor mensen?' begon ze.

'Wie?'

'Die naar de hoeren gaan?'

Anders rekte verlegen zijn nek uit.

'Dat zijn mannen die op de een of ander manier niet krijgen waar ze behoefte aan hebben', antwoordde hij langzaam. Alsof hij daar tot nu toe nooit bij had stilgestaan.

'Je bedoelt dat het voor iemand die niemand heeft, gemakkelijker is er meerdere te hebben?'

'Ja', zei hij, slecht op zijn gemak.

'En verder? Wat zoeken die mannen?'

Hij wreef in zijn nek en trok aan zijn haar.

'Dat hangt er vanaf', zei hij uiteindelijk.

'Wat zoek jij?'

Hij keek haar aan. Op dezelfde manier als hij de koopman had aangekeken. Leeg.

'Ik zoek niks!' zei hij kalm.

'Nooit?'

Hij werd langzaam rood onder haar blikken.

'Wat wil je?'

'Ik weet het niet, Anders. Ik geloof dat ik wil weten wat dat voor mannen zijn... Wat ze denken...'

Hij gaf geen antwoord. Keek haar alleen aan.

'Ga jij naar de hoeren?' vroeg ze.

De vraag brandde in zijn gezicht. Maar hij gaf antwoord.

'Dat is wel eens gebeurd ja...' zei hij ten slotte.

'Hoe was dat?'

'Niet om over naar huis te schrijven', zei hij zachtjes. 'Blijkbaar is dat niets voor mij', zei hij, nog zachter.

Anton klopte op de deur en wilde Anders even spreken. De motregen ritselde op het dak. Dina bleef achter met nog een vraag.

Het laden was van een leien dakje gegaan en de prijs voor gedroogde vis was beter dan hij in jaren was geweest. Het grootste gedeelte was verkocht als beste sortering, eerste kwaliteit.

De mannen waren tevreden en praatten druk terwijl ze aan boord kwamen. De laatste nacht sliepen Dina, Anders en Anton aan boord. De afgelopen dagen hadden ze in een pension in de stad gelogeerd. Alleen maar om eens te kijken hoe het was om in een stad te wonen, zoals Anders zei.

Het lawaai van de stad was anders aan boord. Met kabbelende golfjes en het gekraak van slapende schepen, naast al die andere geluiden. Het ging in je bloed zitten. Bleef daar zitten als een sluimerende koorts, tot de volgende keer dat je de Vågen binnen stevende.

9

Ik hef mijn ogen op naar de bergen: vanwaar zal mijn
hulp komen?

(Psalm 121:1)

Ze hadden de wind in de zeilen op hun tocht naar het noorden.
Alles verliep in rust en verdraagzaamheid.

De trots en het pronkjuweel van het vrachtschip, De Roerganger, stond in vol ornaat boven op de roerschacht en staarde
diepzinnig voor zich uit. En de vlaggemast droeg de oude
Deense vlag, die als een gestreken tafelkleed recht naar het
noordwesten wees.

Vlak nadat ze Stadtlandet hadden gerond liet Dina de bom
ontploffen. Dat ze van plan was even langs Trondhjem te gaan.
Anton en Anders stonden onder het dak van de kajuit toen ze
met die boodschap kwam.

'Trondhjem!' riep Anton en staarde haar ongelovig aan. 'Wat
moeten we in hemelsnaam in Trondhjem?!'

Zij moest er iets afhandelen, zei Dina. Bovendien wilde ze de
dom zien. Wilde er wel even naar toe, ja.

Anton en Anders praatten door elkaar heen. Anton steeds
luider. Anders met diepe stem, indringend. Of ze wist wat ze
hen aandeed? Die ellendige lange Trondhjemsfjord binnen-
kruisen, terwijl de andere vrachtschepen met een gunstige wind
naar huis voeren? Daar in die fjord in de luwte liggen dobberen,
en geen bruikbare wind of zeilen hebben om daar iets aan te
kunnen doen! Of ze wel besefte dat dat tien dagen extra zou
kunnen betekenen, op zijn minst?

'En het is al eind augustus!' zei Anders.

'O ja? Ik heb de dagen niet geteld. Maar we hebben toch geen
haast? We komen heus wel thuis!'

Anton vergat dat hij een gemoedelijke kerel was. Hij begon

te schuimbekken. De wind kreeg zijn zwaar gepommadeerde snor te pakken en dreigde die met huid en haar af te rukken.

Anders nam het rustiger op. Hij had Dina taaiere twijgen dan Anton zien breken.

'We varen naar Trondhjem!' zei Dina enkel. Raapte haar rokken bij elkaar en stapte de kajuit weer binnen.

Anton stond de hele nacht blind van woede aan het roer. Hij was zo razend dat hij nauwelijks naar zijn kooi wilde toen Anders hem tijdens de hondewacht kwam aflossen.

'We hoeven niet meteen allemaal ons verstand te verliezen', zei Anders droog.

'Jij moest zo nodig dat vrouwmens meenemen!' brulde Anton tegen de wind in.

Hij stond daar blootshoofds in de donkerblauwe jopper die hij in Bergen had gekocht. Bij zonsopgang schitterden de koperen knopen hen tegemoet. De jopper had een opgeslagen kraag en opgevulde schouders, breed als de deuren van de hooizolder.

'Dina is de baas over het schip, en over ons', zei Anders kortaf terwijl hij het roer greep.

Anton siste vloeken als water op een heet aambeeld. Maar hij ging naar zijn kooi en snurkte de hele ochtend, zodat de hut kraakte en zich van pijn en afschuw in alle bochten wrong.

Toen ze in Trondhjem aankwamen, was het eerste dat hen bereikte het nieuws dat de Russische marinebasis Bomarsund op de Ålandeilanden was aangevallen door Engelse en Franse oorlogsschepen. Scheepswerven en houtopslagplaatsen langs de Finse kust waren in brand gestoken.

De Finnen hadden loyaal de kant van de Russen gekozen, werd er gezegd. Ze verdedigden hun eigen en de Russische belangen als woedende dieren. Degenen die er verstand van hadden, dachten dat de koning ook Zweden-Noorwegen in het oorlogsgewoel wilde storten.

Anders maakte zich zorgen over de Finnen. Want hij had Finse immigranten in zijn familie. Hij dacht dat de Finnen niet echt met de Russen sympathiseerden, maar dat ze vooral kwaad waren omdat de westerse vloot Fins grondgebied verwoestte en Finse schepen in beslag nam.

'Wie zou zich niet verdedigen als een stel gekken bij je thuis de trap naar zolder in brand steekt?' zei hij boos.

Dina kon niet begrijpen wat Engelsen en Fransen met hun kruit in de Oostzee te zoeken hadden.

Anton was weer tot zichzelf gekomen en sprak weer met haar. Maar met deze kwestie bemoeide hij zich niet. Praatte alleen over dingen die hij begreep, zei hij. Vrouwen en zeelui hoorden niet over wereldpolitiek te discussiëren. Die moesten gewoon hun zaken afhandelen en maken dat ze thuiskwamen.

'Leo heeft ooit gezegd,' zei Dina peinzend, zonder acht te slaan op Anton, 'dat de Fransen en Engelsen de kant van de Turken hadden gekozen in de eindeloze Turks-Russische oorlog, en dat dat gevaarlijk was voor de hele wereld... Hij zei dat de Finnen hoe dan ook nooit de kant van Zweden zouden kiezen. Dat het stom was van de koning om dat niet in te zien. Hij zei dat tsaar Nicolaas het buskruit ook niet uitgevonden had. Dat de oorlog begonnen was met een onzinnige ruzie tussen twee monniken. Een grieks-orthodoxe en een katholieke.'

'Waar hadden die ruzie over?' vroeg Anders.

'Ze maakten ruzie over wie er aanspraak mocht maken op de heilige plaatsen in het joodse land', lachte Dina.

'Wat heeft dat nou met oorlog te maken?' zei Anton korzelig.

'Heiligheid heeft altijd iets met oorlogen te maken', zei Dina rustig. 'De Bijbel, Christus, de maagd Maria, de heiligdommen in het joodse land...'

Plotseling kromp ze ineen, alsof iemand haar een stomp in haar buik had gegeven.

'Is er iets?' vroeg Anders.

'Nee!' zei ze kortaf. 'Maar dat ze een koning en een tsaar zo gek krijgen!' ging ze verder terwijl ze zich weer oprichtte.

'Als het oorlog is, zijn er altijd mensen die rustig toekijken en die veel geld verdienen, of zich van hun rotzooi ontdoen', zei Anton.

'Waar zou Leo gehoord hebben wie de oorlog begonnen is, denk je?' vroeg Dina. Ze wendde zich tot Anders.

'Hij reist veel. Hij zal hier en daar wel eens wat opvangen.'
Dina sloot zich van hen af. De oorlog was dichterbij gekomen dan hen lief was.

Tussen de Kongensgate en Erling Skakkesgate lag een heel gebied dat ooit door de koning aan de stad geschonken was. Zodat ze op die plek alle mensen konden verzamelen die zich anders in steegjes en achterkamertjes ophielden.

Dat waren de melaatsen, de armen, de gekken, de ouderen en de wezen. De gegoede burgers in Trondhjem lieten in hun testament legaten na en zorgden er zo voor dat alle ellende geordend bleef.

Een geruststellend complex van steen en hout. Een heleboel gebouwen vol menselijke drek en ellende. Het zag er bijzonder ordelijk uit. Van buiten.

Dina vond de Schanswacht, een gebouw met de gevel aan de Vollgate. Met een open arcade en een imposante, bepleisterde muur. Er lag een groot plein tussen de Schanswacht en de Slavernij. Maar de hekken waren hoog en de poort werd bewaakt.

Ze werd binnengelaten toen ze vertelde wat ze wilde. Dit was een wereld op zich. Verborgen voor het gewone volk. Verborgen voor degenen die er niet om de een of andere reden moesten zijn.

Houten huizen van twee verdiepingen. Af en toe een stenen huis ertussen. De rode dakpannen persten de huizen tegen elkaar aan in een soort uitwendig gemeenschappelijk lot.

De strafinrichting ofwel de Slavernij was een groot gebouw van twee verdiepingen met empire lijsten rond ramen en deuren.

Dina werd in een ovale zaal op de bovenverdieping binnengelaten. Er kwamen allerlei geluiden uit de aangrenzende kamers. Ze ademde snel, alsof er spanning of een ramp in de lucht hing.

De eerste persoon die ze zag, afgezien van de bewaker, was een reusachtig, op een man gelijkend wezen, dat met een kist vodden in de weer was. Hij wees voortdurend naar de muur en overlegde met zichzelf of het al dan niet nodig was om naar de stad te gaan. Hij vroeg en antwoordde met twee verschillende stemmen. Alsof hij helemaal opging in twee verschillende rollen. De ene stem trilde van woede en was rauw, de andere was zacht en slepend. Af en toe schoot zijn hand met enorme kracht uit terwijl hij 'Paf! Paf!' zei, alsof hij illustreerde dat hij iets met zijn vuist raakte.

Hij had een kaalgeschoren hoofd, alsof hij net het slachtoffer was geweest van een ruwe ontluizing. Maar op zijn grauwe, ingevallen kaken groeide een baard van twee, drie dagen oud.

Dina bleef staan. Er verspreidde zich een soort opgewonden onbehagen om haar heen. Ze spande haar lichaam, alsof ze zich voorbereidde op wat er zou gebeuren als de man haar in de gaten kreeg. Maar er gebeurde niets.

De bewaker kwam terug en zei dat de directeur op weg naar buiten was, maar dat hij hier met haar kon praten. Hij zou zo komen. Dat was een duidelijke afwijzing. Hij wist niet wie Dina Grønelv was. En het beviel hem blijkbaar niet dat ze had gezegd dat ze wilde horen wanneer Leo Zjukovsky verwacht werd.

Terwijl ze wachtte, vroeg ze de bewaker uit over de Slavernij. Hij vertelde gewillig. Op de begane grond waren werkruimtes, eetzalen en gebedsruimtes. 'Zij daar!' oftewel de 'ingezetenen' zaten in de cellen op de bovenverdieping. Sommige cellen waren helemaal donker, kreeg ze te horen.

'Die cellen zijn donker als het graf', zei de bewaker met een glimlach die een armzalige rij tanden onthulde, maar die verder glad en zonder boosaardigheid was. 'De mensen die op de bovenverdieping zitten, zijn al afgeschreven!' zei hij. 'Maar iedereen heeft zijn eigen kachel. Dat wel!'

Van boven drongen luide geluiden tot hen door. Geschuifel, gebonk en een luide, woedende stem.

'Er komt niet alleen zegen van boven', grijnsde de bewaker.

De stakker met de vodden was nog steeds bezig, zonder acht op hen te slaan. De bewaker volgde haar blik en zei: 'Bendik is vandaag een beetje in de war. Maar hij is niet gevaarlijk, of hij nu een goede dag heeft of een slechte.'

'Waarom is hij hier?'

'Hij is gek! Maar niet gevaarlijk. Ze zeggen dat hij iets vervelends heeft meegemaakt, ergens in het noorden. Iets met een vrouw die levend verbrandde. Toen is het begonnen. Bij ons heeft hij nog geen wilde kat kwaad gedaan. Hij is alleen met zichzelf bezig. Nee, dat is wel anders met de mannen die in de donkere cellen zitten. Die durf ik niet in de ogen te kijken zonder dat er iets tussen ons in zit!'

Dina zocht iets in haar tasje. Dat was als een moeras. Zwart en donker en bodemloos.

'Mevrouw moet wel een belangrijke boodschap hebben, dat ze hier naartoe komt! En dan helemaal uit Noord-Noorwegen!'

Dina richtte zich op. En vertelde vertrouwelijk dat ze met haar vrachtschip naar Bergen was geweest. Dat het dus een kleine moeite was om even naar Trondhjem te zeilen.

'Bezit mevrouw een vrachtschip?' hijgde hij verrukt en keek haar vol respect aan. Ja, hij zelf kende een dame die eigenaresse was van een heel stoomraderschip. Hij zond haar een steelse, vragende blik.

Toen Dina geen commentaar gaf, voegde hij eraan toe: 'Maar zij is dan ook de rijkste weduwe van de stad.'

Dina keek naar de wanden en gaf te kennen dat ze niet van plan was rijke weduwen en hun stoomschepen te bespreken. In plaats daarvan vroeg ze droog: 'En wat doe jij hier?'

'Ik zorg ervoor dat het rapalje niet ontsnapt!' antwoorde hij rap.

'En wat hebben ze dan gedaan? De mensen die hier zitten?'

'Moord en brandstichting, krankzinnigheid en diefstal', zei hij, alsof hij een psalm uit zijn hoofd opdreunde.

'Waar komen ze vandaan?'

'De meesten uit de stad en omgeving. Maar verder: overal vandaan!'

Op dat moment kwam de stakker op hen af, met zijn vodden achter zich aan.

Het gebeurde zo snel. Voordat de bewaker het kon verhinderen, had hij Dina's arm gegrepen, terwijl hij haar aanstaarde. De bewaker trok hem weg. De reus stak zijn handen uit. In zijn ogen dreven grauwe wolkenvelden voorbij. En diep daarbinnen was Dina's spiegelbeeld.

Het leek alsof ze een plotselinge ingeving kreeg. Tilde haar behandschoende hand op en legde die op de schouder van de man.

Hij klaarde op, alsof hem plotseling iets belangrijks te binnen schoot. Zijn gezicht lichtte op en hij zond haar een tandeloze glimlach toe. Zijn enorme rug was gebogen door een onzichtbare last, die hij waarschijnlijk al jaren meetorste.

'Ze... ze is eindelijk gekomen...' mompelde hij en pakte haar weer vast. Bliksemsnel.

De bewaker trok de stakker weg en zei iets, met harde stem.

Dina bleef staan. Haar kaak verkrampte en haar gezicht werd langzaam wit. Ze maakte zich los uit de greep van de man, maar kon zich niet uit zijn blik bevrijden.

De bewaker sleepte de gek mee naar buiten, naar de binnenplaats.

Ik ben Dina. Er is een vuur met een kokende pot erboven! Ik ben in de stoom. Daarom zweet ik. Mijn huid wordt onophoudelijk weggeschraapt. Ik word gewassen tot ik verdwijn. Terwijl Hjertrud onafgebroken schreeuwt.

De directeur dook op uit het niets. Alsof hij ter plekke ontstond. Hij schreed waardig door het vertrek en reikte haar de hand.

Een lange, dunne man, met een keurig geknipte, strenge baard. Het leek alsof hij die op zijn kin had vastgeplakt.

Geen teken van vriendelijkheid of een glimlach. Zijn handdruk was droog en correct, evenals de rest van zijn verschijning.

Een dikke, zwarte bos haar lag met water gekamd op zijn kogelronde hoofd. Dit was überhaupt een man die voor zijn haren scheen te leven.

Hij knikte galant en pakte zijn stok weer in zijn rechterhand, nadat hij haar hand had losgelaten. Waarmee kon hij haar van dienst zijn? Zijn blik nam alle resten stoom mee. Zijn stem was kalm en donker. Als spaanders in een oven, voordat je die aansteekt.

Dina stortte door twee watergrijze ogen haar onwil jegens hem uit. Hij had haar niets gedaan. Behalve dat hij haar van de stoom had bevrijd.

Ze vertelde waarom ze gekomen was. Had het pakje met Poesjkins boek en de brief voor Leo bij zich, verzegeld. Maar aarzelde of ze het te voorschijn moest halen.

De directeur was iets te snel met zijn verbazing. Hij was er niet van op de hoogte dat er ene Leo Zjukovsky bij hen in dienst was om gevangenen te begeleiden. In het geheel niet. Een dergelijk transport was in zijn tijd slechts enkele malen voorgekomen. En Russen? Nee!

Dina negeerde zijn antwoord en vroeg hoe lang hij al directeur was van 'dit oord'.

'Drie maanden', antwoorde hij onaangedaan.

'Dat is niet bepaald lang...'

De man schraapte zijn keel, alsof hij op een leugen was betrapt.

'Je kunt niet aan Leo Zjukovsky merken dat hij een Rus is', zei ze. 'Hij spreekt Noors!'

Haar stem bleef als vrieskou in de kamer hangen.

Ik ben Dina. De grote berkebomen buiten ruisen veel te hard. Ze klampen zich met hun takken vast om mijn hoofd zodat ik niet kan nadenken. De kerkklokken beieren. Vlakbij. Ik tel alle deuren die uit deze kamer voeren. Maar het aantal verdwijnt in alle geluiden en stemmen uit de cellen daarboven. De directeur van een gekkenhuis, is dat een mens? Waarom wil hij niets van Leo weten?

De directeur vond dat ze maar eens in de gevangenis moest navragen, of bij de directeur van het tuchthuis. Hij kon haar er persoonlijk naartoe brengen, als ze wilde. Het was vlakbij. Het leek hem het beste als hij haar over de binnenplaats en door de hal begeleidde.

Dina liep met de man mee. Een zinloze wandeling door de zware poort en de sombere deuren. Langs bewakers met nietszeggende blikken. Het bracht haar niet dichter bij Leo. Niemand kende een Rus die Leo Zjukovsky heette, Noors sprak en gevangenen van of naar Vardøhus begeleidde.

Toen ze weer in de ovale kamer stonden, haalde ze het pakje te voorschijn. Duwde het in de slappe hand van de directeur, zodat hij het wel aan moest nemen.

Ze keek hem aan alsof hij een van de knechten op Reinsnes was. Gaf hem autoritair haar bevelen door. Die hij niet kon negeren zonder bijzonder onbeleefd tegen een dame te zijn.

'Wanneer mijnheer Zjukovsky komt, kun je hem dit pakje geven. Het is verzegeld, zoals je ziet...'

De directeur schudde zijn hoofd, maar kromde zijn vingers rond het pakje opdat het niet zou vallen.

Ze zette haar hoed recht, deed het handtasje om haar arm. Trok haar rechter handschoen aan en bedankte hem. Toen nam ze afscheid en liep snel naar de uitgang.

Een eindje verderop in de straat reed de koets langs een kruis-vormig huis, met grote ramen en zware dakpannen. Het portaal boven de ingang was zeer voornaam. En de middenvleugel had drie verdiepingen met bovenin een groot, halvemaanvormig raam.

Dina boog zich naar voren en vroeg wat dat voor een huis was.

'Tronka. Het krankzinnigengesticht', antwoorde hij lijzig.

'Waarom heet het Tronka?'

'Ze zeggen dat het er mee te maken heeft dat er vroeger een offerblok voor de ingang stond. In het Frans is een offerblok een 'tronc', zeggen ze.'

De koetsier kwam tot leven tijdens het vertellen.

'Waarom had het gesticht een Frans offerblok?'

'Mensen vallen gewoon op dure woorden. Het blok was vast Noors. En binnen zitten gekken en ander gespuis, Franse naam of niet!'

Hij klakte met zijn tong tegen de paarden die langzaam begonnen te lopen. Ergens klonk een luid gesuis. De koetsier draaide zich een paar maal om. Want de vrouw zei niets meer. Ze zat ineengedoken van voor naar achteren te wiegen.

Na een poosje bracht hij de koets tot stilstand en vroeg of ze zich niet goed voelde.

Ze antwoordde hem met twee glasheldere, lege ogen. Maar toen ze uitstapte, betaalde ze hem gul.

Ben ik Dina? Zijn nachtmerries echt? Bendik de smid? Waarom

vind ik van alles, maar Leo niet? Ben ik Dina? Die een stuk uit
mijn hart snijd, en het in de handen van de directeur van een
gekkenhuis leg? Waarom ben ik hier als ik een wond heb die niet
wil bloeden? Waar is Hjertrud nu?

Dina bleef de rest van de dag in de kajuit.

's Nachts werd Anders een paar keer wakker omdat Dina kreunde achter het gordijn. Hij praatte tegen haar.

Maar ze gaf geen antwoord.

De volgende ochtend was ze grauw en gesloten.

Toch huurden ze een rijtuig en reden naar de fabriek aan de rivier de Nidelv om een nieuwe etensbel voor op de voorraadschuur te kopen.

De oude was al een hele poos geleden gebarsten. Tijdens de lenteoogst was de helft naar beneden gekomen en had een groot gat in het dak gemaakt.

Ze vonden een klok van het juiste formaat, met het jaartal erop en met een mooie klank.

De eigenaar van de fabriek was een oude vriend van Jacob geweest.

Dina had haar bezoek van tevoren aangekondigd. De ontvangst was daarom onberispelijk, met versnaperingen en een rondleiding. Huitfeldt verontschuldigde zich dat zijn compagnon, mijnheer de ingenieur, even in Engeland was en daarom niet zijn opwachting kon maken.

De man negeerde Anders. Het was duidelijk dat er bij de burgerij in Trondhjem andere regels voor tact golden dan bij kooplieden in Bergen.

Anders accepteerde het gelaten. Hij was vaker onder de mensen geweest. Die niet begrepen dat je moeilijk je schepen mee het land op kon slepen om ermee te pronken.

De fabriekseigenaar ging grondig te werk en vertelde over de fantastische vooruitgang die het bedrijf boekte wat kachels, klokken en machineonderdelen betrof.

De nieuwe tijd was hem goed gezind, lachte hij. En alsof dat niet genoeg was, had hij ook nog de verantwoordelijke en veeleisende opdracht gekregen om de machines van de stoomraderboot Nidelven te gieten.

Toen ze weer in het rijtuig zaten, keken Anders en Dina elkaar aan.

'Ik weet niet of er veel over te zeggen valt. Maar de mensen in Trondhjem zijn in meer dan één opzicht een merkwaardig slag volk.'

'Afgezien van het feit dat niet alle mensen uit Trondhjem uit Trondhjem komen', zei Dina droog.

Ze lachten wat.

Dina schopte plotseling met de punt van haar schoen tegen zijn scheenbeen.

'Waarom laat je je overdonderen door al die grootheidswaanzin?'

'Tja, wat zal ik zeggen... Het kan de moeite waard zijn. Op den duur.'

'Jij bent eigenlijk een koopman, niet, Anders?'

'Misschien... Maar in dat geval eentje zonder kapitaal.'

'Zou je dat willen hebben? Kapitaal?'

'Nee, je ziet hoe mensen daar van worden. Mensen met kapitaal.'

'Ben ik ook zo?' vroeg ze ineens.

'Nee. Maar jij hebt ook je slechte kanten', zei hij eerlijk. 'Nu je het toch vraagt.'

'Wat voor slechte kanten? Ben ik gierig?'

'Nee. Maar vasthoudend. En koppig. Neem nou bijvoorbeeld dit tochtje naar Trondhjem!'

Ze gaf geen antwoord.

De wielen hamerden op de straatstenen. De stad lawaaide om hen heen.

'Gisteren ben je alleen op stap geweest... Mag ik vragen waar naar toe?'

'Ik ben in de Slavernij geweest.'

Anders draaide zich naar haar toe, niet alleen met zijn gezicht, maar met zijn hele lichaam.

'Dat meen je niet! Wat moest je daar?'

'Ik heb een pakje voor Leo afgegeven. Een boek dat hij had laten liggen... Hij laat altijd boeken liggen...'

'Was hij daar?'

'Nee, maar hij komt wel.'

'Hoe weet je dat?'

'Omdat ze zeiden dat hij niet zou komen...' zei ze peinzend.

'Ze zeiden dat hij niet zou komen... En daarom geloof jij dat hij wel komt? Wat bedoel je, Dina?'

'Er klopt iets niet. De directeur vond het niet prettig dat ik daar was. Dat ik wist dat Leo daar zou komen.'

'Je bent op deze tocht wel wat vreemd geworden.'

'Weet je nog dat Leo vertelde dat hij een gevangene naar Vardøhus moest brengen?'

'Ja... nu je het zegt... Maar dat was gewoon iets dat hij vertelde.'

'Hoe dan ook, hij komt vaak hier in Trondhjem in de Slavernij.'

'Hoe weet je dat nou?'

'Ik weet het!' zei ze kordaat.

Ze zaten zwijgend naast elkaar, terwijl de koetsier onderhandelde met een stel mensen dat niet opzij wilde gaan.

Anders keek een poosje aandachtig naar wat er rondom hen gebeurde. Toen zei hij: 'Heeft Dina voor de Rus gekozen?'

'Je pakt je vragen niet bepaald in, mijn lieve Anders.'

'Nee. Wat is je antwoord?'

'Dat ik niet te koop loop met mijn keuzes.'

'Maar je wilt hem hebben. Dat heb ik gezien.'

'Als je dat gezien hebt, hoef je er ook niet meer naar te vragen', antwoordde ze.

Hij legde zijn armen over elkaar en zei niets meer.

'We hadden het daarnet over kapitaal...' zei ze na een poosje.

'Ja', zei Anders grif.

'Weet je wat die broer van je heeft gedaan?'

'Niels? Bedoel je hoe hij... aan zijn einde kwam?'

Hij keek haar verbouwereerd aan.

'We weten allebei hoe hij aan zijn einde is gekomen', antwoordde ze resoluut. 'Ik bedoel iets anders.'

'Wat dan?'

'Hij heeft jarenlang geld verduisterd, die broer van jou!'

Ze keek recht voor zich uit.

'Wat... wat zeg je daar!?' Hij staarde haar met opengesperde ogen aan.

Ze gaf geen antwoord.

Na een poosje greep hij haar handen. De slagader in zijn hals klopte, maar zijn gezicht was bleek.

'Waarom zeg je zulke dingen, Dina?'

'Omdat het waar is', zei ze kortaf en vertelde Anders over de ruimte onder de vloerplanken.

Anders' handen grepen de hare en knepen.

'Hoeveel was het?' vroeg hij hees.

'Genoeg voor een reis naar Amerika.'

'Een waar is het nu? Het geld?'

'Op de bank.'

'Waarom deed hij dat in godsnaam...?'

'Hij wilde kapitaal hebben.'

Anders staarde.

'Het is niet te geloven!'

'Misschien had hij er in zekere zin wel recht op', zei ze. De woorden ontglipten haar.

'Recht!?'

'Hij was een verschoppeling geworden. Vanwege die zaak met Hanna.'

'Maar godallemachtig!'

'Hij moest wel weg. Ver weg. Had geen zin om als zwerver te reizen. Leo zei dat hij naar Amerika wilde. Stine vond een kaart... Zo was het, ja. Hij kon niet naar het tuchthuis. Hjertrud had dat niet toegestaan...'

'Hjertrud? Lieve kind... Maar waarom ging hij niet weg? Waarom...'

'Hij verhing zich omdat hij wist dat ik het wist.'

'Dat jij het wist?'

'Ik stelde hem een ultimatum om het geld terug te geven.'

'Bedoel je dat hij een einde aan zijn leven maakte omdat...'

'Vanwege de schande.'

'Dacht hij dat jij hem zou aangeven?'

'Hij had geen reden om iets anders te denken.'

'Dina! Heb jij hem ertoe gedwongen?'

Hij kon niet verder praten. Zijn handen knepen alsmaar harder. Zijn nagels sneden in haar huid.

Ze leunde achterover tegen de rugleuning. Alsof ze zich over gaf.

'Ik weet het niet', zei ze boos en kneep haar ogen stijf dicht.

Toen legde hij zijn armen om haar heen en drukte haar tegen zich aan.

'Vergeef me', smeekte hij. 'Natuurlijk was het jouw schuld niet! Mensen die schandelijke dingen doen, moeten daar zelf de verantwoording voor dragen, vind ik. Maar dat Niels... Dat hij dat heeft gedaan! Zonder ook maar iets tegen mij te zeggen...'

Hij zuchtte. Maar liet haar niet los.

Twee kinderen met een gemeenschappelijk, oud ongeluk.

Lange tijd waren er alleen gedachten.

'De straten in Trondhjem zijn breder dan in Bergen', zei Dina in het wilde weg.

'Maar het lossen is hier veel moeilijker en het is een ramp om door de fjord te moeten varen!'

Anders greep deze afleiding dankbaar aan.

'De haven is te ondiep!' voegde hij er met nadruk aan toe.

Ze staarden allebei naar de dikke rookkolom die opsteeg uit het stoomschip dat binnenvoer.

Ze reden door een smalle zijstraat, langs armoedige huisjes. Een matroos stak vlak voor de paarden wankelend het straatje over, en een hysterisch vrouwmens schreeuwde tegen een dikke man in een te krap jasje dat hij op moest schieten, omdat de raderboot er al aankwam. Hij ademde als een blaasbalg en verloor in de consternatie een hoededoos. Ze renden voor de paarden uit alsof ze erom smeekten overreden te worden.

Het rijtuig stopte, en de koetsier kreeg wat hem toekwam. Ze liepen het laatste stukje.

Op de kade dook het kibbelende paar weer op. De vrouw dwong een veerman om hen naar het schip te varen. Ze struikelden over de roeibanken. Even leek het alsof ze het smalle bootje zouden doen omslaan. Ze kibbelden voortdurend en schreeuwden tegen elkaar.

De dertig el lange aanlegsteiger met wachtruimte zag zwart van de mensen. Er waren meer mensen die net als het eerste paar een veerman smeekten hen over te zetten voordat de raderboot vertrok. Het schip mocht niet aan de kade aanleggen, vanwege het brandgevaar, zei men.

Anders was blij dat hij zijn vertwijfeling ergens op af kon reageren.

'Dit is ook een theekop van een haven!' schold hij, zonder dat iemand hem iets had gevraagd.

Dina nam hem van opzij op, zonder iets te zeggen.

Een man rende blootsvoets en met opgeheven slagersmes over de kade een jongen achterna, die krampachtig een fles rum vasthield. De politie kwam erbij en nam onder veel geschreeuw en spektakel de twee onder haar hoede. De mensen deinsden achteruit, om er niet bij betrokken te raken. Sommigen werden bijna van de kade geduwd.

Anders had verdriet. Dina's wonden wilden niet bloeden. De hemel liet diepe scheuren zien, maar geen zon. Gedachten vielen neer als regen.

De volgende morgen voeren ze uit.

De wind stond goed. Toch was het Anton niet naar de zin.

'Ik voel noodweer in mijn heupen', zei hij. Hij stond als een gewonde os aan het roer.

Ze lieten hem in alle rust mopperen, zonder er al te veel aandacht aan te besteden.

Anders en Dina hadden andere moeilijkheden. Er was een spanning tussen hen ontstaan. Nieuw en onontgonnen. Het gesprek in het rijtuig was niet afgerond. Was de aanzet tot iets dat moeilijk te hanteren was nu ze in dezelfde kajuit moesten wonen.

Anders' ogen waren een bijbeltekst onder een vergrootglas. Die zei: Wij zijn broer en zuster! Maar onze rollen zijn verstoord. We zouden moeten weten wat we aan elkaar hebben.

Hij moest bij zichzelf toegeven, dat hij er jarenlang naar had verlangd dat Dina hem in vertrouwen zou nemen. Hem om raad zou vragen.

Nu had ze hem toevertrouwd dat Niels een schurk was geweest. Dat verwarde hem, en hij schaamde zich ervoor dat hij eerder blij was over Dina's vertrouwelijkheid, dan dat hij aan Niels' laatste dagen dacht.

Dina was een uil die in de boom zat en het daglicht verafschuwde.

10

Toen antwoordde de Here Job uit een storm en
zeide: 'Wie is het toch, die het raadsbesluit verduis-
tert met woorden zonder verstand? Waar waart gij,
toen Ik de aarde grondvestte? Vertel het, indien gij
inzicht hebt! Wie heeft haar afmetingen bepaald? Gij
weet het immers! Of wie heeft over haar het meet-
snoer gespannen? Waarop zijn haar pijlers neergelaten, of wie heeft haar hoeksteen gelegd, terwijl de
morgensterren tezamen juichten, en al de zonen Gods
jubelden? Wie heeft de zee met deuren afgesloten,
toen zij bruisend uit de moederschoot kwam? – toen
Ik wolken maakte tot haar kleed en duisternis tot
haar windselen; toen Ik de door mij gestelde grens
uitbrak, grendel en deuren aanbracht; toen Ik sprak:
'Tot hiertoe en niet verder zult gij komen, hier zal de
trots uwer golven blijven staan!' Hebt gij ooit in uw
leven de morgen ontboden, de dageraad zijn plaats
aangewezen...'

(Job 38:1-2 en 4-12)

Ze voeren de Trondhjemsfjord uit en wendden de steven naar
het noorden. Anders zag dat recht voor hen uit regen en
noodweer zich samenpakte. Het was bijna een opluchting.

Toen ze aan de rechterkant het vlakke Ørland niet konden
zien, en aan hun linkerkant geen Agdenes en ze dus waren
overgeleverd aan zichzelf en de machten, was er nog steeds een
lichte nevel en stevige wind.

Maar het noodweer wilde niet opgeven. Kwam als een lood-
grijs zeemonster aangedreven met noordwestenwind en regen.

De voorsteven van de Moeder Karen werd gespoeld. En het
grote schip werd in de golfdalen geslingerd als was het een
koffiekopje zonder oor dat op drift was geraakt.

Kostbare lading werd extra vastgesjord en zo goed mogelijk afgedekt.

Een daglonerszoon van Reinsnes lag al te kooi. De arme jongen had zich op het beddegoed leeg laten lopen. Tot grote consternatie en veel gescheld van degene die er naast lag. Maar niemand koos partij. Ze hadden genoeg aan hun eigen zorgen.

Het kraakte en rommelde in de buik van het robuuste schip. Jankte en kreunde in zeilen en ra.

De uren verstreken, meer onder dan boven water. Toch wilde Anton geen haven opzoeken. Hij dwong de boot naar de Foldzee, als nam hij de uitdaging persoonlijk op.

Toen brak het onweer los.

Dina zat alleen in de kajuit en klampte zich vast aan de rand van de tafel.

De wanden veranderden voortdurend van richting.

Ze drukte een kussensloop tussen haar dijen toen ze het bloed zag dat op de vloer drupte. Toen klapte ze met haar lichaam tegen de tafelrand.

Een verschrikte bloedpoel veranderde steeds van koers op de onrustige vloerplanken. Stroomde naar oost en west, noord en zuid, al naar gelang de richting waarin de boot zich wrong. Na een poosje werd het een trage, bruinige rivier tussen de spleten in de planken van de vloer.

Ben ik Dina? Die gisteravond een orgel was. Met vele koralen die mijn lichaam gingen verlaten! Omdat ik dat wilde! Vandaag kerven messen snee na snee in mij. Ik ben een rivier die niet weet waar hij naartoe gaat. Er is niet eens geschreeuw. Ik stroom zo vreselijk stil. Waar is Hjertrud nu?

Het portret van moeder Karen, in het hout uitgesneden als een statige dame met een hoge boezem en een grote haardos bijeen-gebonden in een losse chignon, verdween in de razende golven.

Maar ze herrees weer trots. Schudde de schuimende golven af. Keer op keer. Haar ogen waren met een scherp mes uitge-sneden door een lokale kunstenaar uit Vefsn. Ze staarden nu eens nietsziend naar de kolkende zee beneden, dan weer naar de hemel daarboven.

Dit was de ware, boosaardige aard van de Foldzee. Minstens twee maanden te vroeg in het jaar.

Anton gaf het bevel de bonnetten en het razeil te strijken. Anders hield in het opspattende zeewater op de voorsteven de wacht, als een havik.

Het weer was niet genadig. Het had geen zin om naar het land te zeilen. Daar waren overal rotsen en eilandjes.

Anton voer naar de open zee. Er zat niets anders op.

De wind was ongelijkmatig en grillig, maar moest zich gewonnen geven, omdat Anders en Anton in al die jaren haar kuren hadden leren kennen.

Iedere keer dat ze de boot weer omhoog kregen en Anders voelde dat ze de zaak onder controle hadden, had hij het gevoel alsof iemand hem bij zijn nek greep. Dina! Greep hem bij zijn nek.

De strijd tegen de stormvlagen vervulde hem steeds weer met wellust. Die hij urenlang voelde. Ze tuchtigden de golven, tuchtigden de wind. De boot en de zeilen.

Hij had nog nooit zo scherp aan de wind gezeild. Zijn onderlip schoot naar voren. Zijn wenkbrauwen werden borstelig van al het zout. Van buiten leek hij op een want die aan een touw in het kielzog bungelde. Van binnen was hij een ijzeren staaf. Want al liep alles fout, zeilen kon hij!

Dina lag achter het gordijn en kon niets zien door de overspoelde ruiten.

Alles wat loszat danste zijn eigen dans. Ze had een oliejas onder zich op het bed gelegd en hield zichzelf tussen de pijnscheuten door met beide handen vast.

Alexander Poesjkin kwam door het raam naar binnen en praatte over de dood. Die een arme ziel in het onderlichaam trof! Hij had zijn gedichtenbundel bij zich. Een geschenk van Leo. Hij lachte zo hard dat het door de scheepsromp galmde. Toen duwde hij het boek uit alle macht in haar buik. Liep de ronde patrijspoort in en uit en had steeds een nieuw boek bij zich. Ze werden alsmaar zwaarder en hadden steeds scherpere hoeken.

Ten slotte was haar schoot nog slechts één bloederige massa die aan dunne reepjes huid over de rand van de kooi hing.

Ze probeerde alles bij elkaar te houden, maar het hielp niet. Hij was zo razendsnel, deze donkere man met zijn scherpe boeken.

Hij schreeuwde met een luide, wanhopige stem zijn intense haat jegens vrouwen uit, of noemde haar tandenknarsend de hoer van de 'Bronzen Ruiter' en 'mijn lieve Natasja'.

Hij had Leo's stem en kwam rechtstreeks uit de windvlagen, met veel lawaai. Alsof hij een hoorn gebruikte. Deed haar hoofd in duizenden stukjes uiteenspatten.

Hij was een zeemonster! Met de handen van de smid en het litteken van Leo op zijn gezicht. Ten slotte haalde hij Tomas' geweer onder zijn mantel tevoorschijn en richtte dat op haar. Pang!

Maar hij trof Hjertrud! Hjertrud stond in de hoek en haar gezicht was één groot gat! Hoe had dat kunnen gebeuren?

Er stroomde iets warms tussen Dina's dijen. De warmte werd na een poosje tot ijspegels.

Het weer was iets rustiger geworden.

Dina kwam zover overeind dat ze het laken bij elkaar kon graaien en het tussen haar benen kon stoppen. Toen wankelde ze naar de deur van de kajuit en riep om Anders. Haar longen zaten in haar keel. Haar kreten waren heksen op weg naar de sabbat. Sneden dwars door rondspattend zeewater en wind.

Er was geen twijfel mogelijk. Er was iets aan de hand.

Anders was ijskoud, moe en had last van zijn ogen. Maar hij vond iemand die hem kon aflossen. En manoeuvreerde naar de kajuit, waar Dina met een razend gebrul zijn naam uitstootte.

Eenmaal binnen bleef hij naar adem staan snakken. Zijn oliepak drupte gestaag.

Zijn zuidwester was al uren geleden, tijdens de ergste windstoten, in zee geblazen. Het water liep in stralen uit het blonde haar dat stijf stond van het zout, over zijn gezicht en hals naar beneden. Zijn haar plakte vast op zijn voorhoofd, waardoor hij op een getergde zeehond leek. Zijn kin stak nog verder naar voren dan gewoonlijk.

Hij staarde naar de vrouw in de kooi. Geloofde eerst zijn ogen niet.

Het daglicht waagde zich naar binnen door het zeewater op de ramen en onthulde Dina's naakte dijen. Het witte laken, doorweekt met bloed. Haar gekreun was als losse gieken in een zwaar noodweer. Ze strekte haar armen naar hem uit. Haar ogen smeekten.

'Mijn God!!' Hij viel op zijn knieën voor haar neer.

'Help me, Anders!'

Ze probeerde zich niet voor zijn blikken te verbergen. Hij greep haar als in een roes vast, terwijl hij vertwijfelde kreten uitstootte.

'Ik ben kapotgescheurd. Alles is hierbinnen kapot...' fluisterde ze en haar ogen vielen weer dicht.

Anders kwam overeind en wilde het dek op stormen om hulp te halen. Want dit kon hij niet alleen aan.

Toen deed ze haar ogen open en keek hem scherp aan, terwijl ze tussen haar tanden door siste: 'Stil! Niks zeggen! Geen woord! Help me!'

Hij draaide zich om en staarde haar wanhopig aan. Toen begreep hij het bevel. Er begon hem iets te dagen. Over de gesteldheid van vrouwen. De kwalen van vrouwen. Het lot van vrouwen. De schande van vrouwen.

Even was hij sprakeloos. Toen knikte hij, bleek. Deed de deur van de kajuit open, schraapte zes uur stormweer uit zijn keel en brulde bevelen naar Anton.

'Dina is ziek. Laat Tollef mijn plaats innemen. Vraag de jongen of hij wat water warm maakt!'

Anton was woedend, daar in de storm. De duivel hale vrouwvolk op zee! Ziek en misselijk waren ze, en dan moesten ze ook nog naar Trondhjem. Noodweer en duivelskunsten! Ellende en straf!

De zeezieke boerenknecht kwam kokendheet water brengen in een houten nap, maar was de helft onderweg verloren. Anders wachtte hem in de deuropening op. Ze waren allebei bleek en trillerig. Om verschillende redenen.

De jongen mocht niet binnenkomen en Anders had het gordijn voor Dina's kooi getrokken. Hij had zich uit zijn oliekleren gewurmd, en nam met ontbloot bovenlijf de kom aan. Gaf kortaf het bevel meer water te halen.

De jongen was uitgeput. Murw van de zeeziekte, bang en lamlendig. Zijn gezicht was een blote vuist die in de strenge kou met ijzer werkte.

'Schiet op, pummel!' beet Anders hem toe. Zo ongebruikelijk voor hem dat de jongen bliksemsnel naar buiten vloog.

Ze lag nu helemaal stil. Liet hem begaan toen hij haar omrolde om de bebloede lakens weg te kunnen trekken. Het bloed leek overal dwars doorheen gegaan te zijn.

Het rook zoet en weeïg. Hij voelde zich even misselijk worden. Toen slikte hij het weg.

Wie had dit verdomme in Dina geplant! Wie had dat gedaan? De Rus?

De gedachten tolden door Anders hoofd, terwijl hij haar waste en verzorgde. Hij was nog nooit zo dicht bij een vrouw geweest. Niet zo... Voelde zich onhandig, beschaamd en woedend.

Hij legde een oude leren jas onder het schone laken dat hij in Dina's kist gevonden had, en rolde haar erop. Ze was zwaar en levenloos. Deed haar ogen niet open, hijgde hevig en klemde zich aan zijn polsen vast. Hij moest zich losmaken om haar te kunnen helpen.

Het bloed gulpte niet meer naar buiten. Maar het bleef gestaag vloeien. Hij schopte de besmeurde lakens met zijn laars in een hoek.

Plotseling zag hij iets blauwigs, iets vliesachtigs in al dat rode. Hij rilde. Aan wie hadden ze dit verdomme te danken?! Hij klemde zijn kaken op elkaar om het niet uit te schreeuwen.

Ze was al over de grens. Moest al heel lang hebben gebloed. Als ze maar niet... Hij maakte die gedachte niet af. Schoof zijn onderlip naar voren en duwde een grofgebreide trui tussen haar benen. De wol zoog alles op. Hij duwde de trui tegen haar onderlichaam. Met alle gebeden die hij kende.

Ze kwam af en toe even bij, en keek hem recht aan met een glazige blik. De beklemming kroop over de vloer tot in het bed. Toen zette hij de gebeden kracht bij met zachte stem.

De wind nam af en het schip deinde plagerig op de zware zee.

Anders merkte dat ze het buiten zonder hem af konden. Dat verlichtte zijn zorgen slechts een beetje. Want Dina bleef maar bloeden.

Ze wilden binnenkomen. Het ene na het andere bemanningslid. Maar hij ving hen op in de deuropening. Gaf het bevel warme soep en warm water te halen.

Ten slotte brulde Anton dat hij de vrouwe van Reinsnes naar het dek moest zien te krijgen, zodat ze als een normaal mens in zee kon kotsen.

Anders rukte de deur open en zwaaide zijn vuist vlak langs Antons kaak. Toen sloeg hij de deur weer dicht, zodat de grote zeemansneus één noodlottig ogenblik klem dreigde te raken.

Het werd stil buiten. Het schip ploegde door de golven. De pan soep werd gebracht. Het water ook. De mannen hielden op met sputteren. Ze hadden blijkbaar begrepen dat dit iets ernstigers was dan zeeziekte. Ze wijdden zich aan hun dagelijkse bezigheden.

Uren werden dagen. De zon verscheen aan de hemel en de wind draaide naar het zuiden.

In de kajuit lag Dina aan een stuk door te slapen. De bloedingen waren opgehouden.

Anders, die het na verloop van tijd had opgegeven haar te verschonen, kon haar eindelijk opzij tillen en de oude leren jas opruimen. Ze hield zich aan zijn nek vast terwijl hij haar optilde. Hij lette er voortdurend op of ze niet weer begon te bloeden.

Ze probeerde zich niet te verbergen. Na een paar uur lang in hetzelfde schuitje, was dat ook niet nodig.

Dina's waardigheid leek niet van dat soort dingen af te hangen. Ze legde haar lot in de handen van de man. Af en toe bezwijmde ze. Om dan weer bij te komen en hem met zachte stem te roepen. Een keer mompelde ze iets dat hij niet kon verstaan. Het klonk alsof ze de misdadiger uit de Bijbel aanriep. Jazeker. Barabbas!

Hij slaagde erin haar wat soep te laten eten. Water dronk ze met grote, gulzige slokken. Het liep langs haar mondhoeken en maakte natte plekken in het linnen. Haar haar was nat van het zweet en zat vol klitten. Maar hij wist niet hoe hij het moest verzorgen, dus liet hij het maar zo.

Af en toe schudde hij haar voorzichtig heen en weer om te kijken of ze nog leefde. En toen hij zag dat ze last had van het licht, trok hij de gordijnen dicht. In het schemerdonker kon hij nog steeds zien dat ze een vaalgele kleur had. Donkere schaduwen onder haar oogkassen, tot ver op haar wangen. Haar neus stak uit. Met koppige, witte vleugels.

Anders kon mensen niet beter toveren. Hij was ook niet erg goed in bidden. Maar deze zondagochtend zat hij daar in de lucht van oud bloed en bad voor Dina's leven.

Ondertussen sjorden de mannen de vracht vast, en passeerde de Moeder Karen het eiland Vega op weg naar huis.

Of het nu door het bidden kwam of door iets anders, haar ademhaling werd regelmatiger. Haar lange, witte vingers lagen op de deken. Hij kon de vertakkingen van de aderen zien, tot aan haar roze nagels.

Hij raakte voorzichtig haar wenkbrauw aan om te zien of haar ooglid bewoog. Toen sloeg ze haar ogen op en keek hem recht aan. Van dicht, dichtbij. Alsof ze uit de mist was opgedoken.

Hij dacht dat ze zou gaan huilen. Maar ze hapte alleen naar adem, in een enorme teug, en sloot haar ogen weer.

Hij vroeg zich af of ze ooit huilde, als ze het nu niet deed.

Het was een beetje onaangenaam, deze inwijding in het leven van een vrouw. Hij was in zekere zin blij dat ze niet huilde.

'Wat voor vreselijke ziekte was dat daar in de kajuit?' wilde Anton weten. Hij was gekalmeerd, in navolging van de wind. Nu wilde hij weten wat er aan de hand was.

Anders deed de deur dicht en ging met hem aan dek.

'Ze is ziek. Ernstig ziek. Ze braakt en bloedt verschrikkelijk. Het is haar maag. Er is iets mis met... haar maag. Ze is helemaal uitgeput. Arm kind...'

Anton schraapte zijn keel en verontschuldigde zich door te zeggen dat hij niet geweten had dat het zo ernstig was. Maar hij had altijd al gezegd: Vrouwen aan boord van een schip...

'Ze had dood kunnen wezen!' zei Anders, en sjorde een tonnetje vast dat heen en weer rolde.

'Laat de jongen alles vastsjorren zodat het niet overboord vliegt! En slik dat gal een beetje in! Het gaat nu niet om jou!'

'Ik wist niet dat het zo ernstig was... dat het zo...'

'Dan weet je het nu!'

Anders ging de kajuit weer binnen. Alsof hij niet van plan was nog een vinger uit te steken aan dek.

Anders had de bloederigste lakens stiekem overboord gegooid. Had gewacht tot het noodweer zover geluwd was dat niet iedereen meer aan dek was om te kijken of alles goed ging. Zag zijn kans schoon toen even niemand kon zien wat hij deed.

Lakens, kanten randen. Hij gooide het allemaal weg. Het blauwige hompje was voor altijd verdwenen.

Ze hadden er niet over gesproken. Met geen woord. Maar ze hadden het allebei gezien.

Ze keek hem aan met twee waterige ogen. Hij kwam bij haar zitten. De rand van het bed was hoog. Hij zat ongemakkelijk. De mast kreunde boven hun hoofden.

Hij had een van de patrijspoorten opengezet om frisse zee-lucht voor haar binnen te laten.

Het zweet parelde bij de donkere wortels van haar haar en langs haar hals. Ze had bruine kringen onder haar ogen, en haar pupillen schoten onrustig heen en weer.

Hoog boven op haar beide gelige wangen had ze een opge-wonden rode vlek. Ze zag er niet goed uit.

Anders had al het een en ander meegemaakt. Scheurbuik, pokken en melaatsheid. Hij wist dat zulke wangen een teken van koorts waren. Maar hij zei niets. Wrong een natte doek uit en waste haar gezicht en hals.

Even trilde er iets dat op dankbaarheid leek in haar ogen. Maar hij was er niet zeker van. Met Dina kon je nooit ergens zeker van zijn. Toch durfde hij haar hand te pakken.

'Je vraagt me niets?' fluisterde ze.

'Nee. Daar is het nu niet bepaald het moment voor', vond hij en wendde zich af.

'Maar je bent niet zo dom dat je het niet begrijpt?'

'Nee, zo dom ben ik niet...'

'Wat ga je met die kennis doen als we aan land komen?'

'Dina aan land brengen, en ervoor zorgen dat vracht en schip goed verzorgd worden.'

Hij liet zijn stem zelfverzekerd klinken.

'En dan?'

'Wat dan?'

'Als ze vragen wat er met Dina aan de hand is?'

'Dan zeg ik dat er iets met haar maag was en dat ze veel bloed gebraakt heeft. Dat het bloed er aan alle kanten uitkwam. Maar dat het nu over is, en dat ik zeker weet dat het niet besmettelijk is!'

Hij schraapte zijn keel na deze lange monoloog en pakte haar andere hand ook.

Er trok een beving door de kooi. Die zich ook naar hem voortplantte. Groot en warm. Het leek alsof ze huilde. Meer met haar lichaam dan met haar ogen. Als een dier. Zwijgend.

Anders had het gevoel alsof hij het Avondmaal ontvangen had. Alsof iemand hem een cadeau had gegeven.

Jarenlang had hij in hetzelfde huis gewoond met iemand die alleen maar woede of koppigheid toonde. Die nooit warme gevoelens had laten blijken. Hij besefte dat ze daar zo aan gewend waren, dat ze het niet eens vreemd vonden dat ze haar zo slecht kenden.

Hij hield haar vast, en herkende zich zelf. Dat maakte hem sterk.

Hij kon iedere zee bevaren, in elk weer dat Onze Lieve Heer hem stuurde. Want hij had iets gezien dat het kennen waard was.

Hij kreeg zin om te huilen om zijn gestorven ouders. Om Niels. Om zijn eigen koppigheid. Die hem tot kapitein op de Reinsnesschepen gemaakt had. Ondanks het feit dat hij die verdomde zee haatte. Die zijn ouders had opgeslokt en hem levenslange nachtmerries had bezorgd over de vloedgolf die hen ten slotte allemaal zou meesleuren. Hij had zin om te huilen om

423

God! Die op elke omgeslagen boot zat, en alleen zichzelf redde.

Maar hij hield haar vast tot het beven ophield. De geluiden van het dek drongen tot hen door als verre echo's zonder betekenis. De meeuwen waren rustig onder de grote, laagstaande augustuszon die nu eindelijk op het dak van de kajuit brandde.

'Je hebt me een gang naar Canossa in de kerk bespaard, en een proces wegens ontucht', zei ze bitter.

'Och, je hebt het meeste zelf gedaan.'

'Stine is nog maar net aan water en brood ontsnapt. Omdat het de tweede keer was.'

'Wie telt de keren? Kun jij mij vertellen wie er in hemelsnaam rein genoeg is om de keren te tellen?' zei Anders.

'Niels ontkende het. Zodat ze hem niets konden maken.'

'Niels is dood, Dina.'

'En Stine leeft in schande!'

'Dat weet niemand meer. Denk er maar niet meer aan. Dat is allemaal voorbij.'

'Sommigen komen in het tuchthuis terecht', ging ze verder.

'Nu niet meer.'

'Wel waar. Kirsten Nilsdatter Gram kreeg drie jaar tuchthuis in Trondhjem omdat ze negentien schapen van haar buurman had geschoren en zich in zijn voorraadschuur had voorzien van gezouten vlees en meel... Niels had een vermogen verstopt... En hij liet Stine in schande leven...'

Anders begreep dat ze niet helemaal helder was.

'Niels was de enige die ik had...' mompelde hij, vooral tegen zichzelf.

Toen was ze er plotseling weer bij.

'Je hebt mij', zei ze, en kneep hem met verrassend veel kracht in zijn hand.

'Je moet geen spijt hebben... nergens van, Anders!'

Ze keken elkaar aan. Bezegelden een pakt.

Toen ze de Tjeldsund binnenvoeren, had nog steeds niemand hen durven storen. Hij had hen te verstaan gegeven dat de dood op bezoek was geweest. Maar in de deuropening was omgedraaid.

De kok, de enige die binnen mocht komen met soep en water, bevestigde grif dat Dina zo ziek en ellendig was dat ze tegen niemand praatte.

De mannen slopen op hun tenen als ze in de buurt van de kajuit kwamen. Er was een aanzienlijke domper gezet op de ruwe taal en de vreugde over het herkennen van de thuishaven. Ze bespraken hoe ze hun meesteres aan land moesten krijgen.

Anders had haar geholpen rechtop in bed te zitten, zodat ze een stukje van de wereld kon zien.

Het landschap was zwanger van de nazomer. Dina had haar vruchten verloren.

Ergens langs de kust stond plotseling een pakhuis op palen in zee te balanceren.

'Daar heb je de winkel en het pakhuis van koopman Christensen. Hij heeft een pak gerst naar de wereldtentoonstelling in Parijs gestuurd! Dat is me d'r eentje, die man! 'Gerst van 68.5° NB.' heeft hij op een etiketje geschreven', vertelde Anders.

Dina lachte tam.

Toen ze richting Sandtorv gleden, wilde Anders aan land om de dokter te halen. Maar Dina stoof op.

'Die gaat alleen maar rondbazuinen wat er met mij aan de hand is', zei ze.

'Maar stel dat je er onderdoorgaat, Dina. Dat je weer bloedingen krijgt?'

'Dat is dan het noodlot', zei ze.

'Wat een onzin! Hij mag toch zeker niks rondvertellen, dat mogen dokters niet, voor zover ik weet?'

'Mensen praten altijd, of het nou mag of niet.'

'Je bent hard, Dina! Maak je je geen zorgen over je gezondheid? Ben je niet bang voor de dood?'

'Dat is op dit ogenblik een belachelijke vraag, Anders...'

Hij stond midden in de kajuit en keek haar een poosje aan. Voor het geval ze van mening zou veranderen. Maar ze deed haar ogen niet eens open. Ten slotte liep hij naar buiten en deed de deur achter zich dicht.

Toen ze door de Vågsfjord voeren, knapte ze op. Wilde nog steeds rechtop zitten. Maar de koortsvlekken verdwenen niet.

En haar ogen leken wel matglas.

De met berken begroeide hellingen werden omlijst door witte, zonverbrande stranden. De eilandjes en bergtoppen zwommen zorgeloos voorbij. De golfjes klotsten tegen de romp van het schip.

Af en toe doezelde ze weg. Maar Hjertruds gezicht met de grote, duistere schreeuw hing boven haar en de stoom lag dicht en misselijkmakend rond haar kooi als ze weer bijkwam. Dus probeerde ze wakker te blijven.

Ik ben Dina, die de nerven in een pasgeboren berkeblad ziet. Maar het is herfst. Oline maakt sap van mijn bloed en giet het in flessen. Ze verzegelt de openingen goed en zegt dat ze voor de winter naar de kelder moeten worden gebracht. De groene flessen zijn zwaar en vol. De meisje kunnen niet meer dan één fles per keer dragen.

De mannen waren in een opperbeste stemming. Het was goed weer om thuis te komen. Iedereen dacht aan zijn eigen huis. De zee droeg kleine krulletjes en de hemel was bespat met dikke room. De room dreef wit en mooi rond de bergen en legde de zonnestralen geen strobreed in de weg. Langs de inhammen en op de landtongen stonden bomen. Glanzend groen na de regen. Strandstedet rekte zich lui uit en de kerk was een vertrouwde, witte reus in al dat groen en blauw.

De vlag wapperde waardig toen ze de landtong ronden en Reinsnes in het oog kregen. Iemand had op de uitkijk gestaan en had hen de Sont zien binnenvaren.

Anders had Dina geholpen haar haren te kammen. Maar hij had het moeten opgeven. Ze verstopten ze onder haar hoed.

De mannen wilden haar op een plank leggen en haar zo aan land dragen. Maar dat weigerde ze.

Toen ze haar uit de kajuit zagen komen wankelen, haar arm zwaar rond de nek van Anders, begrepen ze dat dit ernst was geweest. Want niemand had Dina ooit zo gezien.

Ze leek op een zeevogel die zich had losgerukt uit een net waarin hij lange tijd had vastgezeten. Haar hoed stond scheef.

Te groot en te elegant om de vernedering te verdragen, nu zijn eigenares als het ware door de vloedlijn gedragen moest worden en aan land werd gezet als een dood ding.

Het was duidelijk dat ze met alle waardigheid die ze kon opbrengen probeerde mee te helpen. Maar het zag er alleen maar hulpelozer uit. De mannen wendden zich af om het gemakkelijker voor haar te maken.

Anders hielp haar over de bewierde, glibberige stenen. Ze bleef even midden tussen de starende, zwijgende mensen staan. Koppig als een geit, die drie groene grassprietjes verderop in de wei had gezien. Toen liep ze verder.

Moeder Karen zwaaide vanaf een bank in de tuin. Stine stond met haar gezicht naar de zon gekeerd. Benjamins bruine handen vonden de plooien van Dina's rok. Anders stond er naast.

Maar Tomas bleef in de stal.

De bemanning kwam aan land. De welkomstkreten galmden over de reling. Maar er lag een domper op dit alles. Iedereen keek naar Dina.

'Wat is er gebeurd?'

Anders legde alles uit. Zelfverzekerd. Alsof hij tijdens iedere meter die ze de haven naderden had geoefend. Zijn armspieren trilden rond Dina.

Toen strekten ze hun armen uit en vingen haar op. Stine. De meisjes. Het was alsof dat haar zwakker maakte. Haar benen wilden haar niet meer dragen. Toen ze viel slaakte het blaaswier dat de stenen bedekte korte zuchtjes.

Ze was thuis.

Dina werd onder het toeziend oog van Stine naar bed gebracht. Eindelijk konden de mannen opgelucht ademhalen.

Anders voelde hoe er een last van zijn schouders gleed. Het was een zware last geweest. Hij had wel meer stormen meegemaakt, en hij had anderen van verdrinking en dood gered. Maar zo'n bootreis als deze had hij nog nooit meegemaakt.

Anders vertelde nooit veel over zijn eigen zaken, dus het kostte hem niet veel moeite om hier over te zwijgen. Hij trad uit naam van Dina op als koopman en eigenaar van het vrachtschip. Zij lag immers te bed en kon de honneurs niet waarnemen.

Hij liet de kostbare cadeaus van het strand halen. Gered uit de klauwen van het onweer. Uit Bergen en Trondhjem. Pakjes en kisten.

Stine's naaimachine werd bewonderd. Elegant gietijzer van het merk Willcox & Gibbs, met een tafelblad van het fraaiste notehout. Zoals ze die in een advertentie had gezien, voor veertien daalders.

Stine was in alle staten. Drentelde door de kamers en sloeg haar handen in elkaar. Haar gezicht was rood en ze liep vier keer bij Dina binnen om haar te bedanken en te zeggen dat dit toch teveel was.

De kamers van Reinsnes gonsden van een vrolijke thuiskomst. Glazen schitterden en tinkelden. Zijdepapier ritselde, sloten vielen dicht en tere jurkenstof ruiste.

De bruine suiker en de koffie werden uitvoerig getest. Doeken en sjaals met lange franjes en rode rozen werden omgeslagen, bewonderd en liefkozend betast. Ringen en broches werden aangedaan, afgedaan en weer ergens anders opgespeld.

De boerenknecht die zijn eerste reis had gemaakt, kreeg het zwaar te verduren, omdat hij duidelijk baardhaar op zijn kin had gekregen terwijl hij in Bergen was. Hij bloosde en wilde vluchten, maar de meisjes hielden hem tegen en wilden zijn zakken omkeren om kringels uit Bergen te vinden.

Hanna drukte een pop met een droef, wit gezicht tegen zich aan. De pop droeg een rode fluwelen jurk, een cape en een mutsje. Het hoofd en de ledematen konden bewegen en waren van hout. Ze klepperden vrolijk onder de poppekleren als Hanna zich bewoog.

Benjamin kreeg een stoommachine cadeau, die op een houten plaat was bevestigd. Met Anders' vakkundige hulp spuugde hij stoom en rook de kamer in, maar Benjamin gaf niet om een stoommachine als die niet werd opgestookt door Dina.

De trommel met kringels ging rond tot hij leeg was. Buiten

op het erf werd de nieuwe etensbel uit de kist met houtwol gehaald en over de as van de slijpsteen gehangen, zodat ze het geluid konden uitproberen.

Benjamin sloeg zodat het galmde. Steeds maar weer. De mensen keken glimlachend toe. Moeder Karen zat als een kanten doek voor het venster van de woonkamer. Ze fladderde met alle opwinding mee.

'Een beetje schelle klank', vond Oline terwijl ze sceptisch naar de klok keek.

Anders dacht dat het geluid zou veranderen als de klok op zijn plaats hing, op het dak van de voorraadschuur. Hij klonk beter als hij aan een houten balk hing, zci hij.

Hij keek steels naar de kamer van Dina. Het raam stond open en trok loom aan een wit kanten gordijn. Dat vast zat aan het ruwe hout van de buitenwand en probeerde los te komen.

Er kwam een wonderlijke gedachte bij hem op, dat het sneu zou zijn voor het gordijn als de wind het in stukken scheurde...

Tomas was vandaag onzichtbaar. Hij had zich wekenlang voorbereid. Zodat het niet langer pijn deed. Zo was het eigenlijk altijd voor hem geweest als een vrachtschip terugkwam van een lange tocht.

Een grote hoeve had behoefte aan oogstarbeiders als de bemanning van het vrachtschip vertrok. Naar Bergen en Trondhjem. En er waren teveel mannen als het schip weer terugkwam.

Tomas was druk bezig in de koeie- en paardestal. Vertelde pas hoe de hoeve ervoor stond, toen hem dat gevraagd wcrd. En dat duurde een hele poos.

Hij had haar gezien toen ze haar huis binnenliep. Zo volkomen vreemd. Zonder gezicht en ogen. Een gekromd hoopje mens. IJzeren klauwen en scherpe vishaken sloegen zich in hem vast.

Tijdens de feestelijke ontvangst zorgde Tomas ervoor dat hij steeds in de buurt van Stine was. Om te vragen hoe het ermee was. Wat er aan de hand was. Of het waar was dat ze zeeziek was geweest en had gebraakt, en dat haar maag in stukken was gescheurd in de storm op de Foldzee.

Stine knikte. Het scheen zo. Het ergste was voorbij. Ze zou Dina een aftreksel van de wortels geven die ze net had geplukt. Het zou wel weer goed komen... na verloop van tijd.

Zwart en vochtig staarden haar ogen dwars door hem heen en zagen hem niet. Verborgen alles wat ze dacht achter zeven zeilen en nog meer zeeën.

II

Zie, aan de rechtvaardige wordt vergolden op aarde,
hoeveel te meer aan de goddeloze en de zondaar!

(Spreuken 11:31)

De volgende dagen waren ze druk bezig de goederen aan land
te brengen, aan de juiste eigenaars te overhandigen, op te slaan
of op zijn plaats te zetten.

Anton bleef nog een paar dagen om te helpen. Hij moest
bovendien helpen bij het aan wal brengen van het schip. Het
vrachtschip zou tot de Lofot-visserij niet meer gebruikt worden.
Dus konden ze het schip net zo goed op het droge zetten nu ze
zoveel extra mannen hadden die konden helpen. Het was niet
goed om het schip in zee te laten liggen. Er kwamen snel
wormen in doornatte vrachtschepen. Bovendien was het weer
niet genadig met vrachtschepen die zomaar werden achtergelaten.

Het aan land brengen van het vrachtschip kostte deze herfst
twee dagen. De mannen en de brandewijn waren een uitstekende hulp. Dat de kapitein van het vrachtschip meer brandewijn
kreeg dan de anderen, juist bij zo'n belangrijke klus, was al in
1778 bepaald door een uitspraak van rechter Knagenhielm zaliger. Maar Anders deelde alles broederlijk.

Ze werden niet geholpen door een springvloed, maar het
lukte hen toch. Met sjorren, vloeken en woorden van dank. Ja,
en natuurlijk met praktische hulpmiddelen als katrollen, touw
en lieren. Stapje voor stapje.

Oline nam de inwendige mens voor haar rekening. Ze liet
hen niet verkommeren op scheepsbeschuit of op de onderhand
behoorlijk droog geworden kringels uit Bergen. Ze zette de
pannen met gezouten vlees op het vuur en stookte het vuur in
het bakhuis op om brood te bakken en badwater te verwarmen.

Dat gezouten vlees de mannen dorstig maakte, wist ze. Maar

dat was haar zaak niet. Zij was gul met limonadesiroop en koffie.

Ze kwamen roeiend, rijdend of lopend. Iedereen die goederen naar Bergen had gestuurd, en iedereen die verder voelde dat het nuttig zou kunnen zijn de handen uit de mouwen te steken op Reinsnes.

Het loonde meestal de moeite om te komen. En wie zonder reden wegbleef, werd vroeger of later gestraft. Zo was het. Eeuwenoude, simpele regels.

Maar het was geen beulswerk. Er werd ook feest gevierd. Als de klus geklaard was, werd er bij het Andreaspakhuis gedanst.

En dan had je die overdadige maaltijden nog! Het gelach. De bedrijvigheid.

De dienstmeisjes van Reinsnes waren een geval apart. Er werd veel beter op hen gelet dan op andere dienstmeiden. Maar ze waren zacht en vrolijk als boter in de zon. Werd er gezegd.

Anders liep heen en weer en hield toezicht. Dina lag in haar pas gekochte weduwenbed.

Er maakte zich een vreemde stemming meester van de hoeve toen ze beseften dat zij er niet bij zou zijn. Dat ze niet zou spelen, geen bevelen zou roepen als de katrollen aangetrokken werden, niet haar wenkbrauwen zou fronsen als een oude schoenmaker wanneer er een touw knapte.

Dat was een bijzonderheid die je kon vertellen als je vreemdelingen ontmoette. Dat die forse vrouw daar met de handen in de zij stond en meedeed. Dat was op andere boerderijen niet zo.

Dina's ziekte kwam hard aan bij moeder Karen. Ze strompelde het erf over om bij haar te zitten, las haar elke dag een paar uur voor of praatte met haar.

Dina onderging het met een soort vrolijkheid in haar blik. Ze klaagde tegen moeder Karen en Stine dat ze geen wijn kon verdragen. Ze werd er misselijk van.

Stine vond het een teken dat ze aan de beterende hand was, dat ze daar aan dacht. Maar moeder Karen vond het godslasterlijk dat ze daar over klaagde, terwijl ze zo ziek geweest was.

Oline voedde haar met lever, room en verse bosbessen. Dat moest de koorts op afstand houden en haar meer bloed in haar lijf geven.

Moeder Karen wilde de dokter laten halen, maar Dina lachte daar om. Ze had het ergste nu immers achter de rug. Nu was het gewoon een kwestie van geduld.

Stine hielp haar twee keer per dag haar haren borstelen, zoals ze ook altijd bij moeder Karen deed. Ze begreep meer van Dina's ziekte dan ze liet merken. Het was alsof het een veroordeling zou beteken als ze die woorden zou uitspreken. De kamer en alle voorwerpen hadden oren.

Stine wist aan wie ze het te danken had dat ze op Reinsnes woonde. Ze wierp Dina voortdurend blikken toe vanonder haar zware, donkere wimpers. Blikken als rijpe bergframbozen op de hoogvlakte in september. Goudgeel als barnsteen. Zacht.

Wanneer Dina haar vroeg alle zeepjes die Jacob van zijn reizen had meegebracht op te halen, dan pakte Stine de doos en haalde de deksel eraf.

De zeepgeur glipte de kamer in en veranderde hun hele bestaan in een bloemenweide. Stine schudde de kussens op en haalde bosbessensap in de oude, kristallen karaf.

Ze liet Oline het blad versieren met gesuikerde wilde frambozen. En ze stuurde Hanna naar de wei om wilde aardbeien te plukken. Die werden aan een strohalm geregen en haar op een bordje met gouden rand gebracht, met daarnaast een wit servet en een glaasje madeira.

Dina had ooit een meisje, dat ze op de markt ontmoet had, mee naar huis genomen omdat ze zo'n prachtige zangstem had. Het meisje was gebleven om Dina te helpen in de kårstue.

Nu werd het meisje onder Oline's gezag geplaatst. Stine begreep intuïtief dat Dina de aanblik van een gezonde, struise vrouw in huis niet zou kunnen verdragen. De geuren, bewegingen en de bedwelmende vrouwelijkheid van het meisje deden de kamer de adem inhouden. En dat was nu net wat Dina bespaard moest blijven, nu ze er zo bij lag. Stine luchtte de kamers, om de geur van het meisje, heel haar wezen te laten verdwijnen.

Nu rook de kamer alleen nog naar Jacobs zeepjes en de

vertrouwde geuren van Stine. Stine rook naar heide en lakens die buiten hadden gehangen, naar groene zeep en allerlei gedroogde kruiden. Het soort geuren dat je pas merkt als ze er niet meer zijn.

Na een paar dagen liet Dina Anders halen. Hij kwam op kousevoeten haar kamertje binnen, en was een volkomen vreemde. Het was alsof hij haar nooit anders had gezien dan in het grote bed met gordijnen van Duits kant en dito sierrand op het laken. Alsof hij haar nooit van enige bloederige koek had bevrijd, of haar had geprobeerd te wassen na de zondvloed tijdens de thuisreis over de Foldzee.

Hij stond daar blootshoofds, met zijn handen op zijn rug, en voelde zich niet erg op zijn gemak.

'Het gaat al wat beter met de gezondheid?' vroeg hij.

'Het gaat goed', zei ze en wenkte hem dichterbij. 'Ga zitten, Anders! Ik moet met je praten over zaken en zo.'

Zijn schouders zakten een beetje. Hij greep gretig naar een stoel en ging zitten, op gepaste afstand van het bed. Toen zuchtte hij en grijnsde breed.

'Ik heb sinds de reis naar Bergen nog geen kans gezien de boekhouding van de winkel te controleren.'

Hij knikte ijverig en begreep het.

'Kun jij me helpen de boeken door te nemen? Ik kan nog zo weinig doen, zie je.'

Hij knikte weer. Leek op het mannetje uit moeder Karens weerhuisje, die naar buiten kwam en met heel zijn bovenlichaam boog, als het slecht weer werd.

'Als ik binnenkort weer op de been ben kan ik het zelf weer overnemen. Maar er moeten voor de winter dingen besteld worden en we moeten de mensen die eerst moeten betalen voordat ze nieuwe spullen kunnen kopen, aanmaningen sturen. Dat zijn er niet zoveel. Maar jij weet wel...'

Ze leunde achterover in de kussens en keek hem vorsend aan.

'Je kunt de dagloners overslaan, of hen laten betalen met extra werk in de kerstdrukte...'

Haar mond verslapte en haar ogen flakkerden even. Ze stak haar hand uit.

Hij bleef onbeweeglijk zitten, alsof hij de situatie niet vertrouwde. Toen schoof hij zijn stoel naar het bed en pakte haar hand.

'Anders?' fluisterde ze plotseling.

'Ja', fluisterde hij terug.

'Ik heb je nodig, Anders!'

Hij slikte en keek de andere kant op. Was een jongetje met een koppige kin, een onderbijt en ernstige blauwe ogen. Die voor de eerste keer naar het altaar mocht komen om alle kaarsen te zien branden.

'Ik ben hier', zei hij en klemde haar hand tussen zijn beide knuisten.

'Je moet de drost laten halen. Ik wil een testament laten opmaken.'

'Maar Dina, wat haal je je nu in je hoofd? Je denkt toch zeker niet... Jij word weer gezond, weet je.'

'De dood heeft hier bij het oogsten nog nooit naar leeftijd of rang gekeken', zei ze.

'Zeg niet van die godslasterlijke dingen.'

'Rustig maar. Ik wil alleen opgetekend zien wat er na mijn dood moet gebeuren met de dingen die van mij zijn.'

'Ja, ja...'

'Jij krijgt de Moeder Karen, Anders. Het schip is van jou! Dat zal zowel jou als mij overleven.'

Hij haalde een paar keer diep adem.

'Meen je dat?' wist hij na lange tijd uit te brengen.

'Dat lijkt me wel, als ik het zeg.'

Het licht trof het lampetstel en legde een waas over de geverfde rozen-randjes. Het klom in Anders' steile, blonde haar. En onthulde witte haren bij zijn slapen.

Hij was niet meer het slecht-weer-mannetje uit moeder Karens weerhuisje. Hij was de cherubijn met de fakkel op moeder Karens boekenlegger!

'Heb je nog iets gehoord?' vroeg ze na een lange pauze.

'Gehoord? Wat gehoord?'

'Zijn er mensen die vragen stellen?' zei ze hard, 'Die zich afvragen wat er met mij aan de hand is?'

Zijn onderlip krulde naar beneden.

'Nee. Niemand! Ik heb verteld wat er gebeurd is. Hoe slecht het ging. En hoe lang het duurde.'

'En als er nou toch een rechtszaak van komt', fluisterde ze en keek hem indringend aan.

'Dan zal ik onder ede getuigen', zei hij resoluut.

Ze ging plotseling vol energie rechtop zitten. Toen boog ze naar voren en pakte met beide handen zijn hoofd vast. Trok hem hard naar zich toe. Als een bankschroef, terwijl ze hem in de ogen keek.

Een wild ogenblik zinderde er iets tussen hen. Ze verzegelden voor de tweede keer een pakt. Begrepen elkaar.

Toen was het voorbij.

Hij trok in de gang zijn laarzen aan en stapte de schemering in.

Zijn onderlip stond vandaag vriendelijk. Hij had zijn baard afgeschoren, zoals hij altijd deed na een langere tocht. En dat gedeelte van zijn gezicht dat niet zo gebruind was als de rest, bloosde.

Zijn schouders waren ongewoon recht toen hij het erf overstak.

12

De hand der vlijtigen zal heersen, maar traagheid
voert tot dienstbaarheid.

(Spreuken 12:24)

Toen oktober voorbij was, zat er geen enkel berkeblad meer aan
de bomen. De sneeuw joeg over de zee en ging toen liggen, en
de vorst vleide zich in de grote waterbak voor het bakhuis. De
kachels werden opgestookt van de vroege ochtend tot de late
avond. Het jachtseizoen was bedorven en de bosbessen bevroren aan de struiken.

Maar Dina kwam er weer bovenop.

Moeder Karen kreeg een brief van Johan. Een zielige brief.
Johan had het niet naar zijn zin in Helgeland. De domineeswo-
ning verkeerde in een slechte staat. Het dak lekte, en het
ontbrak hem aan alle comfort. Dienstmeisjes waren niet te
vinden, tenzij je ze met goud betaalde. En zijn parochianen
waren gierig en weinig behulpzaam. Of moeder Karen wat geld
kon missen, naast de lijfrente die hij jaarlijks uit de nalaten-
schap van zijn moeder kreeg, zodat hij een nieuwe kazuifel en
wat beddegoed kon kopen.

Moeder Karen kwam bij Dina en las de brief hardop voor,
met een treurig gezicht. Ze ging handenwringend, met haar
omslagdoek om, dicht bij de witte tegelkachel zitten.

'Moeder Karens knotje raakt los', zei Dina kalm en ging ook
zitten.

Uit het veld geslagen probeerde moeder Karen haar knotje te
redden.

Het vuur likte de binnenkant van de kacheldeuren. Eeuwig
op jacht naar een prooi.

'Hij heeft pech gehad met deze gemeente', zei moeder Karen
somber terwijl ze Dina smekend aankeek.

'Ongetwijfeld', zei Dina. 'En nu wil hij een gedeelte van moeder Karens lijfrente hebben?' voegde ze eraan toe en keek schuin neer op de oude vrouw.

'Ik kan hem niet zoveel geven', zei die bedremmeld. 'Hij heeft het meeste al gekregen toen hij nog studeerde. Het was zo duur in Kopenhagen. Zo buitensporig duur...'

Ze wiegde van voor naar achter en zuchtte.

'Wijsheid is licht te dragen, maar is een duurbetaalde vriend', voegde ze eraan toe.

'Misschien wil Johan meer van zijn erfenis hebben', zei Dina welwillend.

'Ja, dat zou misschien het beste zijn', zei moeder Karen, opgelucht dat Dina zo snel ter zake kwam en het haar bespaarde voor Johan te moeten bedelen.

'Ik zal met de drost praten en hem vragen bedragen af te spreken en een akte op te stellen, met betrouwbare getuigen.'

'Moet dat zo omslachtig?'

'Ja. Als het om erfenissen gaat, kun je niet omslachtig genoeg zijn, moeder Karen. Er zijn meer erfgenamen op Reinsnes.'

Moeder Karen wierp haar een snelle blik toe en zei onzeker: 'Ik had gehoopt dat hij een klein steuntje in de rug zou kunnen krijgen... zonder dat het opgetekend zou worden.'

Dina sloeg toe met haar blik en drong de oude vrouw in de hoek.

'Kan het zijn dat moeder Karen wil dat Benjamin een gedeelte van zijn erfenis afstaat aan zijn volwassen, tot predikant opgeleide halfbroer?' zei ze zacht, maar zeer duidelijk.

Moeder Karen dook ineen. Haar witte knotje stak deemoedig recht omhoog. Rond haar oren trilden zilverwitte lokjes.

'Nee, nee, zo was het niet bedoeld', zei ze zuchtend.

'Dat dacht ik al, we hebben elkaar alleen even niet goed begrepen', zei Dina luchtig. 'Dan zal ik de drost de getuigen en handtekeningen laten regelen zodat Johan een voorschot op zijn erfenis kan krijgen, naast alles wat hij al gekregen heeft.'

'Het zal niet gemakkelijk voor hem zijn om op die manier zijn geboortegrond en erfenis te zien verbrokkelen', zei de oude triest.

'Het is nooit gemakkelijk om boven je stand te leven. Al-

438

thans niet achteraf', zei Dina kortaf.

'Maar lieve Dina, Johan heeft toch zeker niet...'

'O ja, dat heeft hij wel!' onderbrak Dina haar bits. 'Toen hij studeerde kreeg hij een vaste toelage, en daarnaast heb jij hem je hele lijfrente toegestopt!'

Het werd stil. De oude vrouw zat daar alsof iemand haar had geslagen. Ze hief haar handen op naar Dina. Wilde zich verweren. Toen liet ze ze in haar schoot zakken. Ze trilden toen ze ze krampachtig vouwde.

'Lieve, lieve Dina', zei ze hees.

'Lieve, lieve moeder Karen!' antwoordde Dina. 'Johan moet zien dat hij eens iets bereikt voor hij doodgaat. Ik zeg het maar zoals het is, al mag ik hem nog zo graag.'

'Maar hij heeft nu toch immers een gemeente...'

'Ik droeg de verantwoordelijkheid voor Reinsnes toen hij hier rondliep en zich alleen om zijn zielerust en zijn eetlust bekommerde. En geen vinger uitstak!'

'Je bent hard geworden, Dina. Ik herken je bijna niet meer.'

'Herkennen van wanneer?'

'Van toen je pasgetrouwd was en het liefst de hele ochtend wilde slapen, zonder iets te doen.'

'Dat is een paar levens geleden!'

Moeder Karen stond plotseling op en deed een paar onzekere passen in de richting van Dina's stoel. Boog zich over haar heen en streelde de grote vrouw over haar haar.

'Je hebt te veel aan je hoofd, Dina. Te veel verantwoordelijkheden. Dat is echt waar, echt waar. Ik begrijp dat waarschijnlijk als beste, omdat ik je toen al kende... Je zou weer moeten trouwen, Dina. Het is niet goed om alleen te blijven, zoals jij nu doet. Je bent nog jong...'

Dina lachte hard, maar trok zich niet terug.

'Weet jij misschien een geschikte man, dan?' zei ze en keek weg.

'Die rondreizende Rus zou geschikt geweest zijn', zei het oudje.

Dina bloosde hevig.

'Waarom zeg je dat?'

'Omdat ik je naar de vlaggeheuvel heb zien rennen en naar

de zee heb zien kijken, alsof je op iemand wacht. En omdat ik heb gezien dat de Rus Dina's ogen afgelopen kerst zo liet schitteren dat ze konden wedijveren met de kaarsen in de kerstboom. Omdat ik heb gezien hoe snibbig je werd, als ik het eerlijk mag zeggen, zodra diezelfde Rus in de lente vertrok.'

Dina begon te beven.

'Ja, ja... Ja, ja', mompelde moeder Karen, terwijl ze Dina onophoudelijk over haar haar streelde. 'Liefde is je reinste waanzin. Altijd al geweest. Het gaat niet over. Gaat niet eens over als het in het dagelijks leven en door tegenspoed op de proef wordt gesteld. Het doet pijn. Soms...'

Het was of ze tegen zichzelf of de kachel praatte. Ze liet haar ogen schoksgewijs door de hele kamer dwalen, terwijl ze haar gewicht naar een voet verplaatste en probeerde de andere te laten rusten.

Ten slotte liet ze zich op de leuning van de stoel zakken.

Dina sloeg plotseling haar armen om haar heen en trok haar op haar schoot terwijl ze haar wiegde.

De oude vrouw bleef als een klein meisje op de gulle schoot zitten.

Ze wiegden elkaar. Terwijl hun schaduwen over de muren dansten en het vuur langzaam doofde.

Moeder Karen had het gevoel dat ze weer jong was en in de sloep zat om naar de galjas gebracht te worden op haar eerste reis naar Duitsland met haar geliefde echtgenoot. Ze rook de geur van zee en schuim, terwijl ze weer de hele Trondhjems-fjord lang in haar kapothoed en reiskostuum aan dek stond.

'Hij had zo'n gevoelige mond, mijn man', zei ze dromerig en liet zich wiegen.

Ze had haar ogen gesloten, haar benen bungelden zachtjes heen en weer.

'Hij had van die blonde krullen', voegde ze eraan toe en glimlachte tegen de adertjes aan de binnenkant van haar oogleden. Ze gaven haar dromen een roodachtige ritme.

'De eerste keer dat ik meeging naar Hamburg, was ik twee maanden zwanger. Maar ik vertelde niemand iets, bang dat ik niet mee zou mogen. Ze dachten dat de symptomen met

zeeziekte te maken hadden', zei ze, en bij de herinnering borrelde een lach omhoog.

Dina leunde tegen moeder Karens hals. Wipte haar nog iets
beter op haar schoot, en wiegde haar ritmisch in haar sterke
armen.

'Vertel, moeder Karen! Vertel!' zei ze.

De wind joeg hard rond de hoeken van het huis. Het was al
winter. De schaduwen van de twee gestalten in de fauteuil
versmolten langzaam in de duisternis van de muur. Jacob zat er
geduldig naast, maar bemoeide zich er niet mee.

Ondertussen zette de liefde haar eeuwige zoektocht voort op
Russische landwegen en in de Russische wouden en steden.

'Maar ik kan hem toch geen aanzoek doen, moeder Karen!'
zei ze plotseling wanhopig, midden in het verhaal hoe ze in
Hamburg waren gearriveerd en de zwangerschap ontdekt was,
en Jacobs vader haar als een zak hooi in de lucht had gezwaaid
en haar weer had opgevangen alsof ze een breekbaar stuk glas
was. Moeder Karen was in haar eigen wereld verzonken, en
moest een paar keer met haar ogen knipperen.

'Aanzoek?'

'Ja, als Leo weer terug zou komen?'

'Natuurlijk kan de weduwe van Jacob een aanzoek doen aan
de man met wie ze haar leven wil delen! Stel je voor, zeg.
Natuurlijk kun je hem een aanzoek doen!'

Deze uitbarsting van de oude vrouw maakte Jacob onrustig,
en hij trok zich terug in de wand.

'Maar als hij nee zegt?'

'Hij zegt geen nee!'

'Maar als hij dat wel doet?'

'Dan zal hij wel een goede reden hebben, al kan ik niet
begrijpen welke', zei ze.

Dina boog haar hoofd naar de oude vrouw.

'Jij vindt dat ik hem moet zien te krijgen?'

'Ja, je kunt de liefde niet uit je leven laten verdwijnen zonder
een vinger uit te steken.'

'Maar ik heb hem gezocht.'

'Waar dan? Ik dacht dat je hier op een teken van leven
wachtte. Dat je je daarom als een gekooid dier gedraagt.'

'Ik heb hem gezocht in Bergen en in Trondhjem...' zei Dina kleintjes.

'Het zou wel een enorm toeval zijn geweest als je hem daar gevonden had.'

'Ja...'

'Heb je enig idee waar hij zou kunnen zijn?'

'Misschien in Vardøhus, of nog verder naar het oosten...'

'Wat doet hij daar?'

'Dat weet ik niet.'

Het was even stil. Toen zei moeder Karen met vaste stem: 'De Rus met de mooie zangstem en het geschonden gezicht komt echt wel terug. Ik vraag me af hoe hij aan dat litteken komt?'

Johan kreeg een grote som geld met de post. Als voorschot op zijn erfenis. Nauwkeurig opgetekend in de aanwezigheid van getuigen.

Moeder Karen schreef brieven. In het allerdiepste geheim. Om te proberen Leo Zjukovsky op te sporen. Maar hij was nergens te vinden.

Door dit speurwerk voor Dina en Reinsnes voelde ze zich weer gezond en belangrijk. Ze nam het zelfs op zich om Benjamin en Hanna te leren lezen en schrijven, en zorgde ervoor dat Dina getallen en sommen voor haar rekening nam.

Zo verstreek de winter, met sneeuwhopen en aangestoken kaarsen, en de voorbereidingen voor de kerst en de Lofot-visserij.

Op een dag ging Dina naar de paardestal. Ze wachtte Tomas op.

'Je kunt wel vrijnemen en dit jaar met Anders naar de Lofoten varen', zei ze onverwacht.

De rijp lag op de ramen. De deur van de paardestal was aan de binnenkant bekantklost met rijp. Er woedde een storm rond het huis.

Maar Tomas wilde nergens naar toe. Hij boorde een blauw en een bruin oog in Dina en voerde de paarden.

'Tomas!' zei ze bezwerend, alsof ze moeder Karen was. 'Je

kunt hier toch niet altijd maar op Reinsnes blijven wegrotten?'

'Vindt Dina dat ik wegrot?'

'Je komt nergens. Ziet niks...'

'Ik zou deze zomer naar Bergen. Daar kwam iets tussen...'

'En daarom wil je niet naar de Lofoten?'

'Ik ben geen Lofot-visser.'

'Wie zegt dat?'

'Ik!'

'Hoe lang ga je lopen mokken omdat je niet naar Bergen bent geweest?'

'Ik mok niet. Ik wil alleen niet worden weggestuurd wanneer jij het te lastig vindt om mij hier te hebben!' zei hij, nauwelijks hoorbaar.

Ze liep met gefronst voorhoofd de stal uit.

Dina werd rusteloos toen Anders dat jaar uitvoer naar de Lofoten. Ze liep ongedurig door de kårstue, en had niemand meer om een karaf wijn en een sigaar mee te delen.

Ze begon heel vroeg op te staan om te werken. Of ze ging onder de lamp zitten met Hjertruds boek. Ze las het in lange rukken. Zoals je in de herfst de schapen uit de bergen drijft, of steile hellingen oploopt, om het zo snel mogelijk achter de rug te hebben.

Hjertrud kwam zelden. En als ze kwam, was het met haar luide schreeuw. Die joeg dwars door de kamer. De gordijnen waaiden recht de kamer in en de glazen trilden. Dan kleedde Dina zich aan en ging naar het Andreaspakhuis om te troosten en getroost te worden.

Ze nam de schelp die glansde als parelmoer mee. Liet hem zachtjes tussen haar vingers glijden, terwijl de lamp Hjertrud lokte, uit de hoek in het oosten. Daar hingen de visnetten dicht opeen, van het plafond tot aan de vloer. Onbeweeglijk, als droeve gedachten. De branding likte met sterke, ritmische tongen aan de vloerplanken.

Soms zat ze in de serre wijn te drinken. Tot het volle maan werd en ze omviel.

Toen het licht terugkwam, kwam Johan ook. Hij wilde liever op Reinsnes blijven en de kinderen lesgeven, dan doodvriezen tussen ongeletterde vreemden die niet in God geloofden, zei hij. Maar zijn mond trilde en hij durfde Dina nauwelijks aan te kijken.

Moeder Karen was geschokt over het feit dat hij zijn gemeente zomaar verlaten had.

Johan vond dat hij een geldige reden had. Hij was ziek. Had maandenlang gehoest en kon niet in het tochtige domineeshuis wonen. Er was maar één bruikbare kachel, en die stond in de keuken. Moest hij soms bij het dienstmeisje in de keuken gaan zitten om zijn preken te schrijven en zijn correspondentie af te handelen?

Moeder Karen begreep het. Ze schreef een brief aan de bisschop, en Johan ondertekende.

De kloof tussen Benjamin en de volwassenen werd steeds groter. Hij had zich een norse uitdrukking aangemeten. Een nukkige betweterigheid die Johan mateloos irriteerde. Maar als hij wilde, was hij leergierig en slim. Hij bewaarde zijn goede humeur voor slechts drie mensen. Stine, Oline en Hanna. Hij had ze in drie generaties voor verschillende, maar elkaar perfect aanvullende behoeften.

Op een dag betrapte Stine hem terwijl hij met ademloze intensiteit Hanna's onderlichaam onderzocht. Hanna lag stil en met gesloten ogen op hun gemeenschappelijke bed.

Er werd ogenblikkelijk besloten dat Benjamin een eigen slaapkamer zou krijgen. Hij huilde bitter over deze scheiding, meer dan over de schande die ze hem wilden opdringen.

Stine legde verder niets uit. Maar ze hield voet bij stuk. Benjamin moest alleen slapen.

Dina deed alsof ze alle opschudding niet merkte, en liet Stine's woord wet zijn.

Die avond kwam Dina laat terug uit het kantoor. In het maanlicht zag ze de jongen naakt achter het vensterkruis op de bovenverdieping staan.

Het raam stond open en de gordijnen sloegen als vaandels om hem heen. Ze liep naar boven, ging achter hem staan en zei zijn naam. Hij wilde niet naar bed gebracht worden. Wilde niet getroost worden. Wilde niet praten. En voor de verandering huilde hij niet van woede, zoals hij anders altijd deed.

Hij had de zolen van zijn beste schoenen gerukt en de figuurtjes uit de gehaakte sprei met rozebladeren en sterren geknipt.

'Waarom ben je zo boos, Benjamin?'

'Ik wil bij Hanna slapen. Dat heb ik altijd gedaan.'

'Maar je doet dingen met Hanna?'

'Wat voor dingen?'

'Je kleedt haar uit.'

'Ik moet haar uitkleden als ze naar bed gaat, dat doe ik altijd. Ze is nog zo klein!'

'Maar nu is ze daar te groot voor.'

'Nee!'

'Benjamin, je bent te groot om bij Hanna te slapen. Mannen slapen niet bij vrouwen.'

'Johan slaapt bij Dina!'

Dina deinsde terug.

'Wat zeg je daar?' zei ze hees.

'Ik weet het heus wel. Hij wil ook niet alleen zijn.'

'Nu praat je onzin!' zei ze streng. En pakte de buitenste en meest pijnlijke haren in zijn nek beet en trok hem van de vensterbank naar beneden.

'Nietes! Ik heb het zelf gezien!'

'Hou je mond! En nou naar bed voordat ik je een pak rammel geef!'

Toen hij die stem hoorde, bleef hij verlamd van schrik midden in de kamer naar haar staan staren. Hij hief bliksemsnel beide handen boven zijn hoofd, alsof hij een klap verwachtte.

Ze liet hem los en liep snel de kamer uit.

Hij stond de hele avond onbeweeglijk achter het vensterkruis naar de kårstue te staren.

Ten slotte ging ze weer naar hem toe. Tilde het bevende lichaam uit het kozijn en stopte hem in bed. Pakte haar rokken bij elkaar en ging rustig naast hem liggen.

Het bed was groot genoeg voor twee, als het moest. Het moest vreselijk groot lijken voor iemand die gewend was naast het warme lijfje van Hanna te slapen.

Het was voor het eerst in jaren dat Dina Benjamin in slaap zag vallen. Ze aaide hem over zijn vochtige voorhoofd en sloop de trappen af, het erf over, haar huis binnen.

Hjertrud had haar 's nachts nodig, dus bleef ze onrustig door de kamer lopen totdat de ochtend als een grauw zeil voor de ramen stond.

13

Woedt, o volken, en weest verslagen; ja, neemt ter
ore, alle verre streken der aarde; gordt u aan en weest
verslagen.

(Jesaja 8:9)

De Krimoorlog had voor een grote bloei van de scheepvaart, de
handel en de visserij gezorgd. Maar de oorlog betekende wel het
einde van de normale handel met de Russen. De Witte Zee was
het grootste gedeelte van de vorige zomer geblokkeerd geweest.
En het zag er naar uit dat dat dit jaar weer het geval zou zijn.
De Russische schepen konden er niet uit.

De vorige herfst moesten de schepen uit Tromsø helemaal
naar Archangelsk varen om graan te halen.

Anders had eigenlijk mee zullen varen naar het oosten, nadat
hij en Dina uit Bergen waren teruggekomen. Maar uiteindelijk
nam hij de voorbereidingen voor de Lofot-visserij op zich en
deed verder 'waar hij geschikt voor was', zoals hij zelf zei.

Dina volgde de kranten op de voet, om uit te vinden of de
oorlog hen weer zou dwingen zelf graan te halen met Noorse
schepen. Ze probeerde contact te krijgen met schippers uit
Tromsø die haar voorraden zouden willen leveren. Maar dat
was even gemakkelijk als het villen van levende palingen.

'Ik had daar zelf moeten zijn om te onderhandelen!' zei ze op
een dag toen Tomas en zij de zaak bespraken met moeder
Karen.

Hoewel er dit jaar op een aantal plekken in het district 20 tot
25 % meer graan geoogst was, wat een topoogst mocht heten,
zette dat geen zoden aan de dijk.

Op Reinsnes werd geen graan verbouwd. Ze hadden slechts
een klein stukje akker, omdat moeder Karen vond dat graan
erbij hoorde. Tomas vond dat het meer ellende dan rendement

opleverde. Hij schold ieder jaar in stilte op moeder Karens korenveldje.

Maar toen de graanoogst goed was, gaf dat moeder Karen de kracht om de anderen ervan te overtuigen dat het korenveld moest worden uitgebreid. Vooral nu de blokkade een bedreigende realiteit was.

Die dag las ze Dina en Tomas triomfantelijk voor uit de krant dat gouverneur Motzfeldt had geschreven dat de oorlog de mensen de ogen had geopend en hen er aan had herinnerd hoe onzeker het is om je akker op zee te hebben liggen. Hij spoorde hen aan daar iets aan te doen nu ze zonder de Russische zakken meel moesten zien te overleven, herinnerde aan de noodzaak zuinig te zijn met brood en maande hen meer graan van eigen akker te halen en dat te eten in het zweet huns aanschijns.

'Dat heb ik altijd al gezegd. Dat we een groter korenveld hadden moeten hebben', zei moeder Karen.

'Reinsnes is niet zo geschikt om graan te verbouwen', zei Tomas dwars.

'Maar we moeten zo veel mogelijk zelfvoorzienend zijn. Dat zegt de gouverneur.'

Oline was binnengekomen. Ze tuurde naar de krant en zei droog: 'Die Motzfeldt zweet vast niet zo hard voor zijn eten als wij hier op Reinsnes!'

'Niemand van ons heeft ervaring met graan,' zei Dina, 'maar we zouden advies kunnen inwinnen bij de Landbouwbond, als moeder Karen vindt dat we absoluut een grotere akker moeten hebben. We zullen zien wat we kunnen doen. Maar dat betekent wel dat de dagloners meer verplicht werk moeten doen. Vindt moeder Karen dat redelijk?'

'We kunnen toch mensen inhuren?' vroeg moeder Karen, die nog niet echt over de praktische kant had nagedacht.

'We moeten denken aan wat het meest rendabel is. We kunnen niet voor evenveel dieren als nu voer binnen halen als we ook graan gaan verbouwen. We weten dat de graanoogst hier in het noorden niet elk jaar goed is. Maar een iets grotere akker kunnen we wel aanleggen. We zouden meer grond kunnen ontginnen bij de zuidelijke akker, hoewel de zeewind daar vrij spel heeft.'

'Het is veel werk om de aarde in een berkebosje vruchtbaar te maken', zei Tomas vertwijfeld.

'Reinsnes is vooral een handelshuis. Alle cijfers wijzen uit dat dat het meeste geld oplevert', zei Dina. 'Moeder Karen bedoelt het goed, maar ze is geen graanboer, ook al heeft ze de gouverneur ontmoet en mocht ze hem graag.'

'De gouverneur begrijpt niet dat we er niet op kunnen vertrouwen dat de nachtvorst laat komt!' zei Oline.

Moeder Karen bleef hen het antwoord schuldig, maar werd niet boos.

Tegen de tijd dat Anders terugkwam van de Lofoten met bemanning en vangst, zowel in de sloepen als in de vrachtschepen, had Dina besloten dat ze naar Tromsø zou gaan.

Het zag er naar uit dat deze oorlog nog wel even zou duren, dus ze moesten zich erop voorbereiden dat ze zelf meel uit Archangelsk moesten halen, zei ze.

Het moest niet zo gaan als vorig jaar, toen je bloedgeld moest betalen voor het Russische meel dat de kooplui uit Tromsø hadden gehaald. Dit jaar zou ze zelf de beer opzoeken, hem uit zijn hol lokken en zien of zij een deel van de huid kon krijgen.

Ze wilde voorkomen dat ze ook deze winter 4 tot 6 daalders voor de rogge en 3 tot 6 daalders voor gerst moesten betalen. Anders was het met haar eens.

Ze liepen de handel met Bergen door en berekenden de verdiensten van de Lofot-visserij. Ten slotte maakten ze een schatting hoeveel Archangelsk-meel ze konden aanschaffen. Opslagruimte hadden ze genoeg.

Dina was van plan meer meel te kopen dan nodig was voor de schepen en de winkel. Ze wilde een reserve aanleggen voor als ze in de loop van de lente krap kwamen te zitten. Het was niet zeker dat de mensen in Strandstedet of langs de Tjeldsund genoeg meel zouden hebben.

Anders dacht dat als zij kapitaal ter beschikking stelde aan kooplui uit Tromsø die dat nodig hadden om hun schepen uit te rusten, dat de onderhandelingen over de prijs van het meel zou vergemakkelijken.

Er waren meerdere schippers die graan uit Archangelsk haalden en die daarmee goede zaken deden. Ze konden zich het beste eerst tot oude zakenrelaties wenden. Ze moesten alleen in gesprek zien te komen.

Hij was ervan overtuigd dat Dina dat beter kon dan hij. Ze moest alleen haar scherpe tong in bedwang houden. De Tromsø-kooplui wisten haar taal sneller te duiden dan die uit Bergen. Dat moest ze niet vergeten.

Die opdracht kwam als geroepen. Dat ze van plan was naar het noorden, naar Vardøhus te gaan, zei ze niet. Dat wist moeder Karen alleen. Hoe ze van Hammerfest naar Vardøhus moest komen, wist ze nog niet. Maar er voer altijd wel een schip naar het oosten.

Het feit dat Dina Anders een percentage van de handel met Bergen gaf en hem bovendien zijn eigen handeltje liet drijven met het hout dat hij had meegebracht uit Namsos, was het onderwerp van veel speculaties en jaloezie.

Zou er iets zijn tussen die twee, waar niemand iets van wist? Iets dat het daglicht niet kon verdragen?

De geruchten verspreidden zich snel. Vooral nadat Anders was opgelicht door een houthandelaar in Namsos en Dina zijn schulden betaalde. Hij had betaald voor het hout dat hij de vorige lente had meegenomen, zonder te weten dat de houthandelaar failliet was en dus hout verkocht dat hij niet bezat. Anders kreeg van de nieuwe eigenaar ook een rekening voor hetzelfde hout. Aangezien hij geen getuigen had van de betaling, zat er niets anders op dan nog een keer te betalen.

Het verhaal was als een warme koeievlaai in de zomer. De vliegen zoemden er omheen. De mensen leefden heel hun fantasie er op uit.

Er moest iets bijzonders aan de hand zijn als Dina Grønelv, die zo zuinig was in zaken, het verlies deelde met haar schipper. En alsof dat nog niet genoeg was, had ze ook nog een testament laten opmaken waarin ze hem haar beste schip naliet.

Er kwamen moeder Karen minder fraaie geruchten ter ore. De oude vrouw liet Dina halen en vroeg handenwringend wat die geruchten te betekenen hadden.

'En wat dan nog? Stel dat er iets bijzonders is? Wie heeft hier genoeg verstand en macht om daar iets aan te doen?'

Maar moeder Karen was niet tevreden.

'Is het waar dat je erover denkt om met Anders te trouwen?'

Dina steigerde zichtbaar.

'Wil moeder Karen dat ik met twee kerels ga trouwen? Je hebt me toch je zegen gegeven om Leo te gaan zoeken?'

'Je moet begrijpen dat het niet goed is als de mensen praten, daarom vraag ik het je.'

'Laat de mensen maar praten, als ze niets anders te doen hebben.'

Maar de gedachte was onder woorden gebracht. De gedachte aan Anders als huisheer op Reinsnes.

Dina liep onder de balk waar Niels aan had gebungeld, en riep hem bij zich.

Hij was mak en vol excuses. Maar die accepteerde ze niet. Hing hem weer op zijn plaats in het touw en blies naar hem, zodat hij bungelde als een slinger zonder klok.

Herinnerde hem eraan dat hij niet veilig was, ook al was hij dan niet meer op Reinsnes in de kost. Voordat ze naar bed ging, maakte ze hem duidelijk dat als hij niet ophield met deze geruchten, ze hem dan letterlijk zou nemen. Met Anders zou trouwen. In alle openbaarheid en met een groot feest.

Niels werd zwak en afwezig en verdween met zijn hele hebben en houden.

Als Anders de geruchten al had gehoord, dan liet hij dat niet merken. Hij was als een wolkenloze dag.

Hij adviseerde haar wie ze moest opzoeken om meel te kopen, en schreef namen op van mensen waar ze onder geen beding zaken mee moest doen. Boog zich samen met haar over lijsten met goederen en getallen. Beroerde haar hand, zonder het te laten merken.

Ze bespraken wat de uiterste prijs was die ze voor het Russische meel konden betalen, om te voorkomen dat ze in de winkel woekerprijzen moesten vragen om geen verlies te lijden. En hoeveel meel je rendabel in de opslagruimte kon opslaan tot de tekorten in de lente kwamen.

Hij haalde zijn hand door zijn dikke, donkerblonde haar en hij knikte af en toe ijverig, om te onderstrepen wat hij zei. Zijn ogen waren glanzend en wijdopen. Hij zag eruit alsof hij aan het Avondmaal had deelgenomen en vergiffenis voor al zijn zonden had gekregen.

Toen ze klaar waren, pakte Dina voor hen allebei een slokje rum en vroeg hem onomwonden of hij de geruchten die de ronde deden ook gehoord had.

Hij grijnsde breed.

'Het is mij ter ore gekomen dat de mensen in Strandstedet en de boerderijtjes rondom proberen de vrijgezel op Reinsnes uit te huwelijken. Maar dat is niks nieuws.'

'En wat zeg je daar van?'

'Ik zorg ervoor dat ik er niets van hoef te zeggen.'

'Je laat het gewoon in de lucht hangen?' zei ze.

Hij keek haar verbaasd aan. Toen klapte hij zonder iets te zeggen de boeken dicht.

'Vind je dat soort geruchten wel grappig?' vroeg ze na een poosje.

'Nee', zei hij ten slotte. 'Maar ze zijn ook niet bepaald treurig.'

Hij keek haar plagend aan. Toen gaf ze het op. Ze lachten. Klonken met hun glas rum en lachten. Maar het was moeilijk om het gesprek ongedaan te maken.

'Die Prinds Gustav ziet eruit als een vrouw', verklaarde Benjamin verbolgen en balde zijn vuisten rond zijn bretels, zoals hij Anders had zien doen.

'Het is ook alleen maar een boegbeeld en niet de echte prins Gustav', legde Hanna uit terwijl ze haar hals strekte, nieuwsgierig als een hermelijn, om vooral niets van wat er gebeurde te missen.

Ze wilde Benjamin vasthouden, maar hij rukte zich los en rende naar Dina die in reiskostuum op de aanlegsteiger stond.

'Die Prinds Gustav is een vrouw! Ga jij met een vrouw op reis?!' schreeuwde hij woedend naar Dina en schopte een steen weg, die rakelings langs Stine's hoofd vloog.

Dina zei niets.

Hij gaf het niet op, ondanks het feit dat er veel mensen waren die haar uitgeleide deden.

'Kom je deze keer ook weer terug als een kraai?!' beet hij haar toe.

'Nu moet je je mond houden', zei ze zachtjes en onheilspellend vriendelijk.

'De vorige keer dat je terugkwam heb je weken op bed gelegen.'

Hij huilde nu openlijk.

'Dat gebeurt deze keer niet.'

'Hoe weet je dat?'

'Gewoon!'

Hij stortte zich op haar en jammerde hartstochtelijk.

'Benjamin maakt veel drukte!' stelde ze vast en pakte zijn nek beet.

'Waarom ga je daar heen?' raasde hij. 'Moeder Karen zegt dat het daar het hele jaar winter is. En alleen maar meeuwestront en ellende', voegde hij er triomfantelijk aan toe.

'Omdat het moet. En omdat ik het wil.'

'Ik wil het niet.'

'Dat hoor ik.'

Hij rukte en trok aan haar, huilde en worstelde tot ze in de boot stapte en Tomas de sloep met de roeispaan afduwde van de rotsen.

'Die jongen is niet bang om zich te laten gaan', zei ze tegen Tomas.

'Hij wil zijn moeder thuis hebben', zei Tomas en keek een andere kant op.

'Dat zal wel.'

Dina hield haar hoed vast terwijl hij tegen de wind in roeide en met lange, sterke slagen het stoomschip naderde.

'Jij zorgt overal voor?' vroeg ze vriendelijk. Alsof hij een vage kennis was die ze om een gunst moest vragen.

'Het zal wel goed komen. Maar het wordt zwaar als Anders naar Bergen vaart en jij ook weg bent. We moeten veel mensen aannemen... voor de oogst, en...'

'Het is je eerder ook gelukt', stelde ze vast.

'Ja', zei hij alleen maar.

'Ik reken op je. Zorg goed voor het paard', voegde ze er plotseling aan toe. 'Berijd hem af en toe.'

'Dat heerschap laat zich alleen door Dina berijden.'

Ze gaf geen antwoord.

'Is dat niet moeder Karen, daar voor het raam van de zaal?' vroeg ze en zwaaide naar het raam.

Het rommelende, rookspuwende schip was Prinds Gustav genoemd, naar de jongste zoon van kroonprins Oscar. Daarom sierde zijn boegbeeld met de bolle wangen de voorsteven. Niet opdringerig, maar goed zichtbaar. De naam van de prins was op de schoepenraderen geschilderd. In sierlijke letters, met een kroontje erboven.

De raderen werden in beweging gezet. Aan de wal vlogen mutsen en zakdoeken de lucht in, als op een afgesproken teken. Overal het gegons van stemmen. Dina hief een hand met een witte handschoen op.

De grote lijsterbes in de tuin zwaaide heen en weer, hoewel er geen zuchtje wind te bespeuren viel.

Benjamin zat daar te huilen. Huilde en schudde aan de boom. Mishandelde hem, rukte eraan. Trapte er twijgjes af, trok takken los. Zodat zij het zou zien en spijt zou krijgen.

Dina stond te glimlachen. Een zwakke zuidenwind liefkoosde de geschubde zee. De raderboot was op weg naar het noorden. Moeder Karen had haar zegen gegeven. Zou het helpen?

Vlak voordat ze bij Havnviken kwamen, maakte ze kennis met de kapitein. Had verwacht kapitein Lous aan te treffen, een man met grote grijze bakkebaarden. In plaats daarvan ontmoette ze een lange man die haar zowel in zijn bewegingen als uiterlijk deed denken aan een werkpaard. Zijn neus stak heldhaftig uit zijn grote, langgerekte gezicht. Zijn lippen leken op een muil. Groot en altijd in beweging, met een donkere spleet ertussen, als een oude-vrouwenborst. Twee ronde, goedmoedige ogen gingen verborgen achter borstelige wenkbrauwen.

Hij had zeer beschaafde manieren, en verontschuldigde zich toen ze naar de oude kapitein vroeg. Klikte zijn hakken tegen elkaar en gaf haar een hand die op geen enkele wijze in overeenstemming was met de rest van de man. Smal en mooi gevormd.

'David Christian Lysholm', zei hij en nam haar op met een blauwe blik.

Hij liet haar het schip zien met een gezicht alsof het zijn eigendom was. Hij prees de landstreek alsof die haar eigendom was waar hij te gast was.

Hier heerste nog de goede, oude tijd. De notabelen konden in het noorden nog op stand reizen. Dat kon je godbetere niet meer op die vreselijke landwegen in het zuiden, vond hij.

Hij streelde de glanzend gepoetste messing reling en knikte goedkeurend over zijn eigen rede. Vroeg of het toegestaan was dat hij in aanwezigheid van mevrouw een pijp opstak.

Dina zei dat dat natuurlijk toegestaan was. Ze zou er zelf ook wel een lusten. Hij zag eruit als de nieuwe maan en was sprakeloos. Dina haalde de pijp die ze in haar hut had liggen maar niet op. Het was geen goed idee om teveel op te vallen.

Ze bleven steeds achter de messing reling, die de grens was tussen de eerste klas en 'de andere reizigers'.

Je kreeg een plaats naar je stand, niet naar je portemonnee, zei hij. En nam haar met de grootste vanzelfsprekendheid bij de arm.

In Havnviken werden ze begroet door een aantal kleine bootjes vol jonge mensen.

De kapitein rechtte zijn rug en begroette de enige passagier die aan boord kwam. De landvoogd. Hij kwam over de reling met een map van varkensleer en veel bombarie.

De mannen begroetten elkaar als oude bekenden, en Dina werd voorgesteld.

De postmeester stond bij de ladder en onderhandelde met de koopman ter plekke over twee brieven die niet volgens de regels waren gefrankeerd. Hij zeurde over vier skilling porto.

De bel luidde voor de derde maal en de schoepen sloegen

achteruit. Ze gleden door de zoute zee. De mensen waren mieren en pluisjes op het land en de bergen die voorbij gleden.

De reizigers loerden naar elkaar als ze dachten dat niemand het zag. Sommigen met een gesloten gelaatsuitdrukking, anderen nieuwsgierig of zoekend. Iedereen had een reden om zich te verplaatsen.

'Wat voert de landvoogd naar het noorden?' wilde de kapitein weten.

Het bleek dat de Russen op meerdere plaatsen de grens tussen Noorwegen en Russisch Lapland hadden overschreden. Er waren klachten gekomen van de pachters daar in het noorden, dat de vreemdelingen zich vestigden op Noors territorium. Ja, dat ze beweerden dat het land Russisch was. Ze waren nu al tot in Tana gekomen. En plaatselijke bevelen dat ze moesten verdwijnen, hadden tot nu toe geen effect gehad. Daarom reisde de landvoogd naar het noorden.

'Zijn ze gewelddadig of vredelievend?' vroeg Dina.

'Ze blijven in ieder geval plakken als dazen, wat ze ook zijn!' zei de landvoogd.

De postmeester was erbij gekomen. Hij sabbelde nadenkend op zijn snor en schoof zijn pet op zijn voorhoofd. Hij had met eigen oren gehoord dat de Russen zich gedroegen alsof het land daar van de tsaar was, en dat er veel noorderlingen waren die dat ook het liefst zo zouden zien. Want de autoriteiten in Christiania sloegen in deze zaak geen goed figuur. De geslepen Russische diplomaten regelden alles. En de regering stak geen poot uit. Ze wisten ook niks. Waren daar boven nooit wezen kijken.

De postmeester maakte onder het praten drie keer een buiging voor de landvoogd. Alsof hij bedacht dat hij niet goed wist aan welke kant de landvoogd stond, die van de regering of die van de noorderlingen. Dan kon je maar het beste beleefd blijven, ook al meende je wat je zei.

De kapitein was ontstemd. Maar de landvoogd niet. Hij keek de postmeester vriendelijk aan en zei: 'Dit is een lang land. Het is moeilijk om alles goed in de gaten te houden. De noordelijke provincies, en vooral Finnmark, zijn afhankelijk van een goede relatie met Rusland. Graan en touw zijn belangrijke produkten uit dat land. Maar er zijn natuurlijk grenzen. Je kunt geen invasie toestaan.'

De landvoogd wendde zich tot Dina en vroeg hoe het er in haar streek uitzag. En hoe het met de gezondheid van haar vader gesteld was.

Dina antwoordde kort.

'De drost is nog nooit een dag ziek geweest, behalve dan dat zijn hart af en toe de tel kwijt is. De lente was een nachtmerrie, vol noodweer en natte sneeuw. Maar dat is nu voorbij.'

De landvoogd leek er plezier in te hebben. Zijn rimpels trokken weg, wat hem goed stond, en hij vroeg haar de groeten aan de drost te doen, als ze hem eerder zag dan hij.

'Hoe gaat het met de piraten die een poosje geleden de Raftsund onveilig maakten?' vroeg Dina.

'Die zaak komt in de herfst voor. Maar ze zitten al in Trondhjem in de boeien.'

'Is het waar dat er ook twee vrouwen bij waren?' wilde ze weten.

'Ja, er waren twee vrouwen bij. Blijkbaar zigeuners.'

'Hoe krijgen jullie zulke gevaarlijke gevangenen in Trondhjem?'

'Voor zo'n vrachtje heb je sterke kerels en veel ijzer nodig', zei hij en keek haar verbaasd aan.

Ze zei verder niets meer, en de mannen gingen verder met hun gebruikelijke praatje over het weer.

Afgezien van de serveersters en twee jonge zusters die derde klas reisden, was Dina de enige vrouw aan boord.

Ze trok zich terug in de dameshut in de eerste klas, die ze gelukkig voorlopig alleen had. Deed haar reistas open en koos met zorg haar kleren en juwelen uit. Ze stak zelfs haar haar op en snoerde zich in. Maar ze zette geen hoed op. Ze draaide in het rond en knikte.

Het zou wel lukken om een lift van de landvoogd te krijgen naar het oosten! Ze zou de avond aanpakken als een partijtje schaak!

Er waren twee loodsen aan boord. Maar er was er maar een

helemaal nuchter. Dat was ook voldoende, vond de kapitein goedmoedig. De andere lag onder het dek te drogen. Met een loods op de brug en een onder dek, ging de reis voorspoedig.

De taal was verwarrend. Er werd behalve Noors ook Duits, Engels en Deens gesproken.

In de derde klas hadden de passagiers zich verzameld rond de zwarte schoorsteen. Daar zaten ze op kisten en kratten. Sommigen doezelden weg in het lekkere weer. Anderen hadden hun etensmand tussen zich in gezet en aten bedachtzaam van hun meegebrachte eten.

Het roet van de schoorsteen daalde langzaam op hen neer, maar dat leek hen niet te deren. Een van de meisjes zat kuis een bruin kledingstuk te breien. Ze had rood, warrig haar dat onder haar hoofddoek uitstak.

Haar zuster hield een kistje met potplanten in de gaten, dat ze met veel misbaar en bombarie aan boord had gehesen. Bosanjers en geraniums. De planten, die over de rand van het kistje hingen, zagen er verbazend levensvatbaar uit. Gifgroen, met rode bloementrossen. Ze veranderden de derde klas in een verborgen raamkozijn.

Dina stond op de brug en keek er een poosje naar. Toen ging ze naar beneden, naar de eetzaal. Er stond vis op het menu. Kleine gerechten met zalm en haring. Ham, kaas, brood en boter. Koffie, thee, bier.

Er stond een grote fles graanjenever op tafel. Dat dronken ze niet op Reinsnes. Dina had het ooit in Bergen gedronken. Het was te zoet naar haar smaak.

Twee obers en een dienstmeisje slopen heen en weer, vulden schalen bij en wisselden lege flessen om voor volle.

Dina aarzelde in de deuropening, net lang genoeg. De kapitein stond op en nodigde haar uit aan zijn tafel.

Ze liet zich door hem begeleiden. Een halve kop groter dan de meeste mannen. Ze stonden op, sprongen stram in de houding en bleven staan totdat zij was gaan zitten.

Ze haastte zich niet. Jacob was er en fluisterde in haar oor hoe ze zich moest gedragen. Ze gaf hen een voor een haar hand, en keek hen recht in de ogen.

458

Een Deen met teveel huid op zijn gezicht stelde zich voor als graaf en wilde haar hand niet loslaten. Hij had zich duidelijk al te goed gedaan aan de flessen op tafel.

Zijn bontjas lag veilig op de stoel naast hem, en hij had een bediende bij zich.

Dina merkte op dat een zo omvangrijke uitrusting warm moest zijn in deze tijd van het jaar.

Maar de Deen was van mening dat je op een bootreis zo ver noordelijk allerlei weer kon verwachten. In een indrukwekkend kort tijdsbestek wist hij te vertellen dat hij doctor in de filosofie was en lid van het Literaire Genootschap van Kopenhagen. Hij vond de mensen in het noorden vriendelijk en niet zo vulgair als hij had gevreesd. Maar er waren maar weinigen met wie je Engels kon praten.

Hij gesticuleerde graag, zodat ze al zijn ringen konden zien.

Dina's voorhoofd was als een pas geploegd aardappelveld, maar de man die haar hand vastklemde, maakte geen aanstalten haar los te laten.

Ten slotte kon ze ontsnappen omdat een oudere man met een gelaatskleur als van een jongetje dat de hele dag buiten in de vrieskou had gespeeld, haar de hand toestak en boog.

Hij was klein en gedrongen en sprak Duits. Hij stelde zich voor als kamerheer en kunstenaar, en knikte naar het schetsblok dat op de stoel naast hem lag. De rest van de avond keek hij met één oog naar Dina, ook als hij met anderen praatte. Dat maakte van hem een schele koopman uit Hamburg. Het bleek dat hij overal goed van op de hoogte was.

Er zat ook een Engelse zalmvisser aan tafel. Eigenlijk was hij makelaar. Hij vertelde dat hij veel reisde.

Dina zei dat ze begrepen had dat het in Engeland gebruikelijk was om veel te reizen. Want je kwam langs de kust vaak Engelsen tegen.

De kapitein fungeerde als tolk. De makelaar bromde en knikte. Hij had met een scheve grijns toegekeken hoe de andere heren Dina volgens alle regels van de kunst het hof maakten.

Toen kon de maaltijd beginnen.

Ik ben Dina. Ik voel de plooien in mijn kleren. Alle naden. Alle
lege ruimtes in mijn lichaam. Voel de kracht van mijn botten en
de spankracht van mijn huid. Ik voel de lengte van iedere afzon-
derlijke hoofdhaar. Het is zo lang geleden dat ik Reinsnes heb
kunnen verlaten! Ik neem de oceaan in mij op. Ik draag Hjertrud
met me mee, door wind en roet!

Alle mannen wendden zich tijdens de maaltijd voornamelijk tot
haar. Het gesprek ging met horten en stoten. Maar iedereen
deed zijn best om het te volgen.

De Deen met de adellijke titel viel al snel af. Gewoon, omdat
hij indutte. De landvoogd vroeg Dina of hij de man van tafel
moest laten verwijderen.

'Mannen die slapen, zondigen zelden', vond Dina.

De heren waren duidelijk opgelucht over het feit dat de dame
zo'n vrijzinnige kijk had op dit soort zaken. Het gesprek ging
ongedwongen verder.

De kapitein begon over Tromsø te vertellen. Het was een
levendige stad – voor elk wat wils. De beste stad van de hele
kust, vond hij. 'Mijnheer Holst, de Britse vice-consul, is echt
een bezoek waard! Deze Holst is niet onbemiddeld', voegde hij
er op vertrouwelijke toon aan toe. 'Hij bezit het dal aan de
andere kant van de sont...'

Iedereen luisterde aandachtig naar wie een bezoek waard was
als je in Tromsø kwam.

'Sommige kooplieden hebben Engelse kranten', ging hij
verder tegen de Engelse makelaar. 'En het hotel van Ludwigsen
is zeker niet oncomfortabel. Er is een biljartkamer!' voegde hij
eraan toe terwijl hij knikte naar de anderen, die er niet op
konden rekenen door te dringen tot het huis van de Britse
vice-consul.

'Ludwigsen is ook kapitein en hij spreekt Engels', vertelde
hij, en richtte zich weer tot de Engelsman.

De anderen accepteerden dit beleefd, maar begonnen zachtjes met elkaar te praten.

De Deen werd gewekt met een por tegen zijn arm. Hij keek
beschaamd om zich heen, en gaf als excuus dat hij die ochtend
zo vroeg aan dek geweest was. Omdat de middernachtzon hem
had gewekt.

Dina dacht dat het misschien een vroege ochtendzon geweest was. Maar de Deen hield serieus vol dat het een prachtige middernachtzon was geweest. Het was nog maar vier uur in de morgen geweest en de wereld had er ongelooflijk uitgezien met een schitterende, rustige zee en eilanden die zich in het water spiegelden. Skål!

Iedereen hief zijn glas en knikte.

Ik ben Dina. Vannacht heb ik hen in mijn bed. Allemaal tegelijk. Leo het dichtst bij me. Maar Tomas kruipt onder mijn arm en wil de anderen wegduwen. Ik lig met gespreide benen, mijn armen recht opzij. Ik raak hen niet aan. Ze zijn gemaakt van spinneweb en as.

Jacob is zo vochtig dat ik het koud krijg. Anders ligt opgerold en warmt zich aan mijn haar. Hij ligt volkomen stil. Toch voel ik de druk van zijn harde heupen tegen mijn oor.

Johan heeft me zijn rug toegekeerd, maar kruipt steeds dichterbij. Ten slotte hebben we gezamenlijke huid en armen. Hij verbergt zijn hoofd bij Leo en wil niet naar mij kijken.

Terwijl de anderen mij beminnen, is Anders een vogel die nestelt in mijn haar. Zijn adem is een zwak gesuis.

Leo is zo onrustig. Hij wil zeker weer vluchten. Ik pak hem beet. Een stevige greep rond zijn borstharen.

Dan rolt hij de anderen weg en legt zich als een deksel over mij heen. Het ritme van zijn lichaam verplaatst zich door mijn aderen. Door het bed. Zo hevig dat Anders uit mijn haar valt, en alle anderen als rozeblaadjes in de schaal verwelken. Ze vallen geruisloos neer op de vloer.

Er stroomt muziek uit Leo. Als uit een orgel. Nu eens hard, dan weer zacht. Zijn stem treft mijn huid als een zachte bries. Glijdt door mijn poriën mijn skelet binnen. Ik wil mij niet verdedigen.

De deken staat voor het altaar, en alle houten beelden en schilderijen sluiten mij in – met Leo. In het orgel. De ijzeren klokken beieren.

Dan stijgt de zon op uit de zee. De vorstrook zweeft. En wij zijn blaaswier op de stranden. Dat over de rotsen, over de muur van de kerk groeit. Door de hoge ramen en door alle spleten naar binnen golft.

Nog zweven we – en leven. Ten slotte zijn we nog slechts een kleur. Bruinrood. Aarde en ijzer.

Dan zijn we in Hjertruds schoot.

14

Vele wateren kunnen de liefde niet blussen en rivieren spoelen haar niet weg. Al bood iemand alles wat hij bezit voor de liefde, smadelijk zou men hem afwijzen.

(Hooglied 8:7)

Dina zette haar hoed goed vast met twee hoedepennen, want er stond een fikse bries in de Tromsøsund. Ze had zich zo ingesnoerd dat ze nog wel kon ademhalen, maar haar borsten werden zodanig omhooggeduwd, dat ze in noodgevallen de aandacht van een moeilijke discussie konden afleiden.

Ze bleef even voor de kleine spiegel in haar hut staan.

Toen ging ze aan dek en nam afscheid van haar reisgenoten en de officieren.

Een matroos volgde haar met de grote reistassen aan land. Ze draaide zich een paar maal om, alsof ze de tengere matroos met zijn last wilde helpen.

Nu kwam het aan op cijfers, manipulatie en tact. Een hoofd voor cijfers op een vrouwenlichaam betekende schaakmat, voor wie zoiets niet aankon.

De dagen in Bergen en Trondhjem waren niet tevergeefs geweest. De trucjes kwamen weer naar boven als dartele muzieknoten. Ze moest ze alleen sorteren en op een rijtje zetten.

'In zaken zeg je niet meer dan absoluut noodzakelijk is. Heb je niets te zeggen, dan laat je gewoon de tegenpartij aan het woord. Vroeger of later zal hij zich verspreken.'

Dat waren Anders' afscheidswoorden voor Dina geweest.

Tromsø bleek te bestaan uit een aantal kluwens witte huizen. Behendig op groene hellingen neergezet, met talloze gorgelende beekjes als natuurlijke grens ertussen. Boven op de heuvel stond het berkebos, groen en lieflijk. Alsof het uit het paradijs was geknipt.

Maar het paradijs reikte ook hier niet verder dan tot waar de mensen het overnamen.

Dina huurde een koets om in de zon wat rond te kijken. Ten zuiden van de stadsgrens lag Tromsøstranden met twee, drie rijen kleine huisjes.

Ze vroeg honderduit en de jonge koetsier met zijn rode gebreide muts vertelde.

De weg liep langs de zee over Prostnesset, de hoek om bij het huis van de dominee en toen naar de Sjøgate. De langste straat van de stad heette Strandgate. Evenwijdig daaraan liep de Grønnegate. Maar bij de Torgalmenning werd die straat afgestopt door het raadhuis, dat tussen de apotheek en de Holstgarden lag.

Tussen de huizen aan de zuidkant van het plein liep een beekje, dat langs het huis van L.J. Pettersen zo de zee in stroomde. Het had de prangende naam Pettersens Rivier gekregen.

Rond de apotheek was het een bedroevende modderpoel. De koetsier vertelde dat wanneer Pettersen een bal gaf, de heren hoge laarzen moesten aantrekken om hun dames over de poel te dragen. Maar toch, of misschien wel daarom, wilde iedereen graag worden uitgenodigd voor een bal bij Pettersen.

Het mooie weer en de wind hadden de modderpoel deze zomer drooggelegd, zodat de mensen er doorheen konden lopen.

Dina nam een kamer in Ludwigsens hotel Du Nord, ofwel Hotel Bellevue. Het was duidelijk een hotel voor de betere standen.

J.H. Ludwigsen droeg een hoge hoed en gebruikte een paraplu met lange steel als wandelstok. Hij stond altijd tot haar beschikking, zei hij met een buiging. Hij had een breed, vertrouwenwekkend gezicht en volle bakkebaarden. Zijn haar was vanuit een onberispelijke scheiding links in een correcte, hoge kuif geborsteld.

Hij wees er meerdere malen op dat indien Mevrouw Dina

Grønelv iets wenste, ze dat alleen maar hoefde te zeggen!

Dina liet per bode haar groeten overbrengen aan twee kooplieden en vroeg een onderhoud met hen aan. Dat was de strategie die Anders haar had aanbevolen.

De volgende ochtend werd haar een visitekaartje gebracht met de boodschap, dat ze op Pettersens kantoor werd verwacht. En een kort briefje waarin stond dat ze ook bij mijnheer Müller werd verwacht.

Mijnheer Pettersen ontving haar persoonlijk. Hij bleek in een goed humeur te zijn. Hij was net vice-consul in Mecklenburg geworden en stond op het punt af te reizen om zijn functie te aanvaarden. Hij zou zijn echtgenote meenemen, maar was ook van plan zaken te doen. Hij bezat samen met zijn broers een aantal schepen.

Dina feliciteerde hem op alle mogelijke manieren en hoorde hem uit over zijn nieuwe functie.

De man was ondanks zijn joviale toon duidelijk een geslepen zakenman.

Na een poosje kwam ze ter zake. Vroeg over kapitaal en uitrusting. Bemanning. Aandelen. Procenten voor de reder. Hoe hoog dat hij dacht dat de meelprijzen zouden worden? Hoeveel kon hij droog en onbeschadigd onder dek vervoeren?

Pettersen liet madeira komen. Dina liet hem begaan, maar maakte een afwerend gebaar toen het meisje haar in wilde schenken. Ze wilde zo vroeg op de dag niets hebben.

Pettersen nam zelf wel een glas en bestelde thee voor Dina. Hij was duidelijk geïnteresseerd. Maar te snel met zijn woorden. Alsof hij haar probeerde gerust te stellen, voordat ze daar om gevraagd had. Bovendien kon hij geen vaste prijs voor het meel garanderen.

Ze wierp hem een blik toe en merkte op dat het vreemd was dat hij niet meer van prijzen wist, nu hij vice-consul was geworden.

Hij negeerde haar toon en wilde weten hoe lang ze in de stad bleef. Want hij kon haar over een paar dagen ongetwijfeld meer vertellen. Er konden nu elke dag Russische lodjes binnenlopen.

Ze balanceerde zijn gastvrijheid op het scherp van de snede, toen hij haar uitnodigde bij hen te logeren. Zei dat ze al een dak boven haar hoofd had, dat ze niet kon weigeren. Maar bedankt! Hij zou nog van haar horen of ze het aanbod om zonder vaste prijsafspraken meel in Archangelsk te kopen en te laten vervoeren, kon accepteren.

Hans Peter Müller was de tweede naam op haar lijst.

Dina ging de volgende dag naar het statige huis in de Skippergate. Het ademde rijkdom en luxe uit. Mahoniehouten meubelen en porselein.

Een jonge, broze echtgenote met een Tronderse tongval kwam het kantoor binnen om haar te begroeten. Haar ogen waren even triest als die van het kinderspook op Helgeland. Ze zweefde door de kamers. Alsof iemand haar op een plankje met wielen had gemonteerd en haar aan onzichtbare draden rondtrok.

Het vrachtschip Haabet dat op het Müllerstrand lag, zou met produkten uit eigen traankokerij naar Moermansk vertrekken. Müller kon Dina een vaste maximumprijs garanderen. Maar hij verhulde niet dat hij voor zichzelf een betere prijs kon krijgen.

Dina gaf hem een stevige handdruk. Het feit dat hij haar überhaupt over zijn calculaties vertelde, betekende dat ze hier onderhandelde met iemand die haar accepteerde als gesprekspartner. Ze hoefde niet terug te vallen op haar voor deze gelegenheid prangende boezem. Met een man die al een engel in huis had, kon je over zaken praten. Dina dronk een borrel.

Het was een huis waarin je prettig kon ademen. Toen ze haar aanboden om een paar dagen bij hen te logeren, nam ze hun gastvrijheid aan.

Het bleek dat deze Müller een zwart rijpaard bezat. Het paard glansde even diep als de mahoniehouten meubels in het huis. Het accepteerde Dina's heupen en dijen, alsof zij uit een en hetzelfde stuk hout gesneden waren.

Ze kon goed opschieten met de jonge vrouw des huizes, Julie uit Stjørdal. Ze kletste niet te pas en te onpas, en keek de mensen recht aan. Maar ze vertelde niet waarom ze zulke trieste ogen had.

Dina bleef langer dan ze van plan was geweest.

De landvoogd was allang verder gereisd, dus moest ze omkijken naar een andere lift. Müller dacht dat hij haar over een week een plaatsje kon bezorgen op een schip dat naar het oosten voer.

De eerste dag dat Dina bij de Müllers was, zat ze met haar gastheer in de salon een sigaar te roken, terwijl Julie rustte.

Hij vertelde over de moeilijke winter. Over het ijs dat op de sont had gelegen en dat de Prinds Gustav belemmerde binnen te lopen. Op 10 mei hadden ze een wak van 60 el lengte gehakt, zodat de raderboot er door kon. Maar gelukkig had het ijs geen gevolgen gehad voor de zeilvaart.

Twee van Müllers schepen waren net behouden teruggekeerd van de IJszee. Hij had ook nog een schip in zuidelijker vaarwater, zei hij terloops. Alsof hij dat bijna vergeten was.

Vorig jaar was het probleem geweest om aan goede kaarten voor de tocht naar Archangelsk te komen. En goede zeelui die daar bekend waren groeiden ook niet aan de bomen...

Dina vertelde hoe gelukkig ze was dat ze Anders en Anton voor de vrachtvaart had. Maar de problemen die je op weg naar het zuiden, naar Bergen tegenkwam waren natuurlijk niets vergeleken met de tocht naar Archangelsk.

De gastheer ontdooide. Vertelde over de raderboot die op 17 mei was binnengelopen en waarvan alle schoepen, op één na, kapot waren. Het schip moest op de scheepswerf worden gerepareerd. Dat had werk betekend voor een heleboel mensen, een geluk bij een ongeluk.

Zelf had hij het galjas Tordenskiold verloren, met twaalf man aan boord en de volledige vangst, aan de oostkant van Moffen. Toch had hij in een paar jaar 14.500 daalders bruto verdiend aan de visserij op de IJszee!

Dina knikte bedachtzaam en blies een kunstige rookwolk uit die zich als een trechter rond haar hoofd legde.

Later vertelde hij dat alles beter was geworden sinds tsaar Nikolaas zijn laatste adem had uitgeblazen. De handel was meer opgebloeid dan iemand had kunnen dromen.

Dina dacht dat dat meer met de oorlog dan met de tsaar te maken had.

Müller legde geduldig uit dat het een met het ander te maken had.

Dina was van mening dat juist deze abnormale situatie, oorlog en blokkade, tot de vette tijden voor de handel had geleid.

De man knikte bedachtzaam en was het niet met haar oneens. Maar hij bleef bij zijn standpunt wat de tsaar betrof.

Ondertussen gingen de beste sigaren van de gastheer in rook op.

Dina voegde zich naar de routine van het huis, als een kat die plotseling een warme steen in de zon heeft gevonden. Merkwaardig genoeg vertoonde Julie geen tekenen van jaloezie ten opzichte van dit schepsel dat het huis binnenviel en beslag legde op de gunsten van haar man. Integendeel, ze zei onomwonden dat het niet nodig kon zijn dat Dina al zo snel naar het oosten vertrok. Als ze er toch alleen maar rond wilde kijken.

Dina bleef in de gaten houden welke schepen binnenliepen, zowel vanuit het zuiden als het oosten.

Müller vroeg of ze soms nog niet beslist had of ze wel naar Vardøhus wilde, aangezien ze zowel informeerde naar schepen die zuidwaarts als noordwaarts voeren.

Maar Julie wist het antwoord. 'Dina wacht op iemand', zei ze.

Dina staarde haar aan. Hun ogen ontmoetten elkaar in een soort wederzijds begrip.

Ik ben Dina. Julie is veilig. De dood woont in haar ogen. Ze stelt voortdurend vragen die ze niet afmaakt. Dan kijkt ze naar mij, opdat ik zal antwoorden. Ze wil dat ik haar Hjertrud laat zien. Maar daar is geen tijd voor. Nog niet.

Dina reed op het zwarte paard de stad uit. In een leren broek van Müller.

Julie had eerst een elegant rijkostuum tevoorschijn gehaald met een zwarte rok van kasjmier, een witte blouse en een pantalon van witte stof met een lus onder de voet. Maar die paste niet.

Dina stemde erin toe een rok te lenen om over de mannen-broek aan te trekken. Het was een hele wijde rok, met voor en achter splitten. Alleen maar om je te verstoppen, zoals Julie zei.

Toen Dina terugkwam, wachtte Julie haar op met een glas madeira voordat ze zich omkleedden voor het diner. Zelf dronk ze thee.

Julie vertelde op haar eigen subtiele manier over het leven in Tromsø. Omdat ze zelf niet van hier kwam, kon ze alles helder en als buitenstaander bekijken.

Dina hoefde niet bang te zijn dat ze haar beledigde, als ze zich over dingen verbaasde of lachte om mensen en gewoontes.

Dina vroeg wie die Ludwigsen was.

'Hij is een vermogend man en ziet eruit alsof hij uit een tijdschrift is geknipt', zei Julie, niet zonder warmte en belang-stelling.

Toen giechelden ze samen, als twee kleine meisjes. Tussen de vele mooie, dode dingen in de veel te plechtstatige kamer.

In de vochtige jaren veertig, toen de drankmoraal in Tromsø een dieptepunt had bereikt, had het stadsbestuur het aantal schenkgelegenheden beperkt, zodat ze nu nog maar één straat-venter en één drankhandel hadden. Deze twee deden fantasti-sche zaken.

'De gegoede burgerij neemt een kamer bij Ludwigsen. De mensen gaan daar in alle eerlijkheid naar toe, om zich te laten zien', vertelde Julie.

Ze leek op een engel. Altijd gekleed in licht satijn, van katoen of zijde. Maar de engelachtige krullen rond haar oren vormden een contrast met de ironische mondhoeken en de ernstige ogen.

Ze vertelde vooral over bals en diners bij de burgerij en de notabelen. Over grappige voorvallen als mensen met een ver-schillende achtergrond samen aan een diner aanzaten. Ze had veel te vertellen, want de Müllers waren overal graag geziene gasten.

Dina snoof al dit nieuwe op, alsof het onbekende kruiden uit verre streken waren.

'Zorg ervoor dat je niet te snel met mensen bevriend raakt!' zei Julie. 'Dan lopen ze als honden achter je aan. Het heeft geen

zin je terug te trekken of te denken dat je de vriendschap terug
kunt draaien, als je er midden in zit. Mensen die alleen met je
gemeen hebben dat ze houden van goed eten en drinken, raak
je nooit meer kwijt.'

Op de tweede dag van Dina's verblijf kwam de nieuwe zieken-
huisarts op bezoek. Hij was directeur van het ziekenhuis en het
tijdelijke asiel. Het gekkenhuis of de Tronka, zoals de mensen
het noemden.

Dina toonde zich geïnteresseerd, zowel in het werk als het
ziekenhuis. Dat maakte de man enthousiast. Hij vertelde over
de 'verplegers', zoals hij ze noemde. Over voortdurende verbe-
teringen voor de arme krankzinnigen, die volledig buiten de
wereld stonden.

Hij vertelde over een godsdienstfanaat die hij in bewaring
had. Hij had zijn verstand verloren toen Hætta en Somby in
1852 waren geëxecuteerd. De kille adem van de terechtstelling,
de wet en de kerk, en van het godsdienstfanatisme van de
læstadianisten was nog overal voelbaar. De mensen trokken zich
vol angst en ontzetting terug in hun schulp. De samenleving
was te klein voor twee doodvonnisen.

'Sommigen zeiden zelfs hun lidmaatschap van de staatskerk
op', zei Julie.

'Nu hebben we een bisschop die een eind kan maken aan de
afvalligheid. De vrouw van de bisschop is ook een vroom en
goed mens', zei de dokter.

De groeven naast Julies mondhoeken waren diep, en wezen
naar boven. Het was duidelijk dat zij en de dokter hier vaker
met elkaar over gepraat hadden. Ze vulden elkaar aan.

Müller zei niets.

'Is hij gevaarlijk?' vroeg Dina plotseling.

'Wie?'

De dokter was even van zijn apropos.

'De godsdienstfanaat.'

'O, die... Hij is een gevaar voor zichzelf. Hij bonkt met zijn
hoofd tegen de muur tot hij bewusteloos raakt. Je vraagt je af
wat hem bezielt. Gewelddadig, zou ik hem willen noemen.
Roept God en de boze machten aan, zonder onderscheid.'

'Maar waarom is hij opgesloten?'

'Hij vormt een bedreiging voor zijn familie...'

'Kan ik het gesticht zien?' vroeg ze.

Verrast over een dergelijk vraag, zei de man ja. Ze maakten een afspraak.

Vier cellen aan weerszijden van de gang. Dezelfde geluiden als in Trondhjem, maar niet zo oorverdovend.

Hier werden zowel krankzinnigen als gewone gevangenen opgesloten. Geen gesprekspartners voor een dame, vond de dokter.

Sommigen riepen hem, alsof ze in nood waren. Hij verontschuldigde zich tegenover Dina. Toen rammelde hij met zijn sleutelbos, maakte de deur open en verdween.

De verpleger riep iemand die Jentoft heette, door een luikje in de deur.

Een grove en vieze mouw van jute en een gladgeschoren hoofd werden zichtbaar in de opening. De man kneep zijn ogen dicht tegen het licht. Maar de ogen waren levendiger dan je zou verwachten van een gekooid mens.

Hij greep naar de lucht rond Dina, omdat hij zijn armen niet door de tralies kon krijgen.

Toen de verpleger vertelde dat Dina Grønelv met hem wilde praten, al was hij dan een gek, zegende hij haar en maakte een kruisteken.

'God is goed!' schreeuwde hij, zodat de verpleger hem tot stilte maande.

'Ken jij God?' zei Dina gehaast, en keek naar de verpleger, die de tijd gebruikte om de planken langs de muur van de gang op te ruimen.

'Ja! En alle heiligen!'

'Ken je Hjertrud?' vroeg Dina dringend.

'Hjertrud kennen? God is goed! Lijkt ze op jou? Komt ze hier?'

'Ze woont overal. Soms lijkt ze op mij. Andere keren zijn we heel verschillend. Zoals dat gaat bij mensen...'

'Iedereen is gelijk voor God!'

'Geloof je dat?'

'De Bijbel! Het staat in de Bijbel!' brulde de man.

'Ja. Dat is het boek van Hjertrud.'

'Dat is het boek van iedereen! Hallelujah! Wij zullen komen bij de hemelpoort, allemaal! Wij zullen hen uit deze ellende en zonde verdrijven! Iedereen die zich verzet! Zij zullen allemaal sterven door het zwaard, als ze zich niet bekeren!'

De verpleger loerde naar Dina en vroeg of ze het bezoek niet wilde beëindigen.

'Deze mevrouw is gekomen om met je te praten, Jentoft', zei hij terwijl hij naar hen toe liep.

'De cherubs zullen naar voren stormen en hen in tweeën klieven. Van top tot teen! Iedereen! De bijl ligt al bij de wortels van de boom... God is goed!' verkondigde de man.

De verpleger keek Dina verontschuldigend aan. Alsof de man zijn persoonlijk eigendom was, dat haar plotseling in de weg stond.

'Jentoft moet het even rustig aan doen!' zei hij kordaat en deed het luikje dicht, recht in het gezicht van de opgewonden man.

'Wie wordt opgesloten, hoeft niet altijd alleen met zichzelf te worden opgesloten', zei Dina ernstig.

De verpleger keek haar verbaasd aan.

'Wilt u niet op de dokter wachten?'

'Nee, doe hem de groeten en bedank hem maar!'

De Müllers hielden een avond voor Dina.

Ze werd voorgesteld aan boekhandelaar Urdal. Je kon hem nauwelijks een salontijger noemen. Maar hij was bediende geweest van de grote dichter Henrik Wergeland en had een boekhandel in Lillehammer gehad, dus hij hoorde absoluut bij de gegoede burgerij.

Hij liet oude, droevige liederen afdrukken. Nam vissers mee naar zijn achterkamer en leerde hen de melodie. Zo werden de liederen van Urdal overal bekend. Dina kende ze ook.

Terwijl ze op het eten wachtten, speelde Dina op de piano en de boekhandelaar zong.

De bisschop en zijn vrouw waren ook uitgenodigd.

Wanneer je in de grote, grijze ogen van de vrouw van de bisschop keek, was het alsof de stukjes op zijn plaats vielen. Mevrouw Henriette had een ongewoon brede neusbrug en een grote, krachtige neus. Haar mond was een boog die niemand had gespannen. Het geultje tussen haar neus en mond was vol weemoed. Het donkere haar had een onberispelijke middenscheiding onder het witte mutsje. Haar kanten kraag was de enige versiering die ze droeg, afgezien van haar trouwring.

Bij haar vonden alle vrouwen een toevluchtsoord, ongeacht hun familie of status, vertelde Julie.

De vrouw van de bisschop liet haar blik over alle aanwezigen gaan. Het was alsof er een koele hand over je koortsige voorhoofd werd gestreken. Niets in het wezen van deze vrouw pronkte met de titel vrouw van de bisschop. Toch werd haar aanwezigheid aan tafel gekenmerkt door waardigheid.

'Dina Grønelv is al jarenlang weduwe, ook al is ze nog jong?' vroeg de vrouw van de bisschop vriendelijk. Ze schonk zelf koffie in Dina's kopje, alsof ze een bediende was.

'Ja.'

'En je hebt de verantwoordelijkheid voor een herberg en vrachtschepen en een heleboel mensen?'

'Ja', fluisterde Dina. Het was die stem. Die ogen!

'Is dat niet zwaar?'

'Ja...'

'Heb je iemand op wie je kunt terugvallen?'

'Jawel.'

'Een broer? Een vader?'

'Nee. De mensen op Reinsnes.'

'Maar niemand die je na staat?'

'Nee. Dat wil zeggen... Moeder Karen...'

'Is dat je moeder?'

'Nee, schoonmoeder.'

'Dat is zeker niet helemaal hetzelfde?'

'Nee.'

'Maar je hebt God, dat kan ik duidelijk zien!'

473

Julie richtte zich tot de vrouw van de bisschop met het verhaal over een jonge vrouw uit de buurt die zo graag eens op bezoek zou komen in het huis van de bisschop, maar dat niet ongevraagd durfde.

De oude vrouw keerde zich langzaam om naar Julie, terwijl ze – schijnbaar toevallig – haar hand over die van Dina legde. Lichte, koele vingers.

De dag was een geschenk.

Het brede, volle gezicht van de bisschop werd zacht en zijn ogen vloeiden bijna over, als hij naar zijn echtgenote keek. Er werden lichte draden tussen die twee gesponnen, die zich ook zachtjes over de rest van het gezelschap vleiden.

Dina sloeg haar sigaar na het diner over om niemand te provoceren.

Ook de volgende dag was er geen spoor van koppigheid in haar te bekennen. Maar ze had naar Vardøhus kunnen gaan! In plaats daarvan tuchtigde ze het paard van haar gastheer. De heuvels op. Het eiland over. Een meer rond. Ze denderde door kreupelhout en bosschages. De geur van zomer verschroeide al haar zintuigen.

15

De wachters, die in de stad hun ronde deden, troffen
mij aan; 'Hebt gij ook mijn zielsbeminde gezien?'
Nauwelijks was ik hen voorbijgegaan, of daar vond
ik mijn zielsbeminde. Ik greep hem vast en wilde
hem niet loslaten, totdat ik hem gebracht had in het
huis van mijn moeder, in de kamer van haar die mij
gebaard heeft.

(Hooglied 3:3-4)

Op de dag dat Müller een passage voor Dina naar Vardøhus
had geregeld, stak er een zware zuidwesterstorm op. Het haven-
bassin was één ziedende watermassa.

Schepen die eigenlijk niet van plan waren geweest in Tromsø
binnen te lopen, zochten er een noodhaven. De een na de
ander.

De masten stonden zo dicht opeen in de haven, dat je een
heel eind had kunnen lopen zonder natte voeten te krijgen. Als
het niet geregend had!

Aan boord van een lodje die zuidwaarts voer, helemaal naar
Trondhjem, was iemand die liever niet in Tromsø aan land was
gegaan. Hij had elders zaken te doen.

Hij nam zijn intrek in het hotel van Ludwigsen, om te
ontkomen aan de overvolle zeemansverblijven. Hij droeg een
hoed met brede rand en een leren broek. Nadat hij zich had
geïnstalleerd en had laten weten dat hij zijn kamer met niemand wilde delen, ging hij naar de apotheek om iets te kopen
voor de zwerende vinger die hij tijdens de reis vanuit Vardø had
opgelopen.

Hij stond voor de toonbank te wachten tot hij geholpen
werd toen het belletje op de deur een nieuwe klant aankondig-
de. Zonder zich om te draaien registreerde hij dat het iemand
met een rok was.

Het regende nu even niet meer, maar de wind joeg door de open deur naar binnen en blies de hoed van zijn hoofd.

Het was 13 juli 1855, drie dagen nadat Dina aan Müllers tafel had gezeten en de liefde had gezien.

Misschien had de zegen van de vrouw van de bisschop drie dagen nodig om in vervulling te gaan? Ze raapte in ieder geval Leo's hoed op en woog hem op haar hand, terwijl ze er met intense belangstelling naar keek.

De apotheker kwam toegesneld en deed met een klap de deur achter haar dicht. Het belletje was buiten zichzelf van woede en zond een onregelmatig geschel de winkel in.

Leo's ogen klauterden zigzag omhoog over Dina's mantel en lichaam. Alsof hij niet meteen naar haar gezicht durfde kijken.

Ze hielden tegelijkertijd hun adem in en aten elkaar een ogenblik op met hun ogen. Toen bleven ze op twee passen afstand van elkaar staan.

Zij met zijn hoed, als een waarschuwing. Hij met een gezicht alsof hij een paard zag vliegen. Pas toen de apotheker zei: 'Wie kan ik helpen?' kwam er een geluid van Dina. Ze lachte. Parelend en bevrijd.

'Hier is je hoed. Asjeblieft!'

Zijn litteken was een bleke nieuwe maan in een bruine hemel. Hij stak haar zijn hand toe. Toen stonden ze buiten de wereld. Zijn vingers waren koud. Zij streek met haar wijsvinger over zijn pols.

Ze stapten naar buiten, de storm in, zonder druppels voor moeder Karen of gaasverband en jodium voor Leo's vinger te hebben gekocht. De vriendelijke apotheker stond met open mond achter de toonbank te staren en hoorde hoe het belletje hen uitluidde.

Ze wandelden langs pas gegraven greppels vol modder. Wegwerkers waren bezig in dit deel van de straat trottoirs aan te leggen.

In het begin zeiden ze geen woord. Hij nam haar arm en stopte die goed onder de zijne. Toen begon hij eindelijk te praten. Met die diepe, wonderlijke stem die zo'n kracht had. Die zo'n duidelijke taal sprak. Maar die altijd iets achterhield.

Op een gegeven moment gleed ze de modder in. Hij moest al zijn kracht gebruiken om te voorkomen dat ze vielen. Trok haar stevig tegen zich aan. Haar rokken slierden door de modder, omdat ze haar hoed vastgreep, in plaats van haar rokken op te houden.

Hij merkte het niet. Keek alleen afwezig naar de modder die zich vastzette op de zoom van haar rok, gulziger en gulziger bij elke stap die ze zetten.

Ze liepen de heuvels op. Tot de greep van de stad en de modder verslapte, en de weiden en het berkebos het overnamen. Ze liepen daar en hielden elk hun hoed vast. Totdat Dina de hare op de wind liet wegvliegen. Hij rende er achteraan. Maar moest het opgeven. Ze zagen de hoed met fladderende linten in noordelijke richting over het eiland vliegen. Een fraai gezicht.

Hij plantte zijn grote, zwarte hoed op haar hoofd en trok hem over haar ogen.

De stad lag aan hun voeten, maar ze zag het niet. Want Leo's mond was rood, met een bruine, schrijnende streep er omheen. De zon had zijn mond mishandeld.

Ze bleef staan en legde haar hand op zijn mond. Liet haar vingers langzaam over de pijnlijke plek dwalen.

Hij sloot zijn ogen terwijl hij nog steeds zijn hoed met beide handen op haar hoofd gedrukt hield.

'Ik moet je nog bedanken voor de zending die vorig jaar met de lodje is gekomen!' zei ze.

'De muziek? Het viel dus in de smaak?' zei hij, nog steeds met gesloten ogen.

'Ja. Heel erg bedankt! Maar er zat geen briefje bij.'

Hij opende zijn ogen.

'Nee, dat was wat moeilijk...'

'Waarvandaan had je het gestuurd?'

'Tromsø.'

'Je was in Tromsø, en bent niet naar Reinsnes gekomen?'

'Dat was onmogelijk. Ik ben over land naar Finland gereisd.'

'Wat moest je daar?'

'Zin in avontuur.'

'Je zin in avontuur brengt je niet meer naar Reinsnes?'

Hij lachte zachtjes, maar gaf geen antwoord. Hij had nog steeds zijn beide armen om haar schouders. Ogenschijnlijk om de zwarte hoed vast te houden.

Zo dichtbij en zwaar. Hij boog zich naar haar toe.

'Was je van plan binnenkort naar Reinsnes te gaan?'

'Ja.'

'Wil je er nog steeds naar toe?'

Hij keek haar lange tijd aan. Toen legde hij zijn armen steviger om haar en de hoed heen.

'Zou ik nog steeds welkom zijn?'

'Dat neem ik aan.'

'Je weet het niet zeker?'

'Jawel!'

'Waarom ben je zo hard, Dina?' fluisterde hij en boog zich naar haar toe. Alsof hij bang was dat het antwoord op de wind zou vervliegen.

'Ik ben niet harder dan nodig is. Jij bent degene die hard is. Je belooft en liegt. Komt niet als je gezegd hebt te zullen komen. Laat mensen in ongewisheid wachten.'

'Ik heb je geschenken gestuurd.'

'Dat klopt. Zonder ook maar één vodje papier met wie de afzender was!'

'Dat was op dat moment niet mogelijk.'

'Nee, nee. Maar wel hard!'

'Vergeef me!'

Hij legde de hand met de zwerende vinger onder haar kin. Schaamde zich toen omdat zijn hand weinig delikaat was, en liet hem weer vallen.

'Ik ben in het tuchthuis van Trondhjem geweest en heb naar je gevraagd. Ze hebben daar een brief voor je.'

'Wanneer was je daar?' zei hij tegen de wind.

'Een jaar geleden. Ik ben ook in Bergen geweest... Daar was je niet?'

'Nee, ik lag vast bij de Finse kust en heb de Engelsen met dynamiet zien spelen.'

'Je had daar dingen te doen?'

'Ja', antwoordde hij eerlijk.

'Denk je wel eens?'

478

'Ik doe niet anders.'
'Waar denk je dan aan?'
'Aan Dina, bijvoorbeeld.'
'Maar je kwam niet?'
'Nee.'
'Je had iets belangrijkers te doen?'
'Ja.'
Ze kneep hem woedend in zijn wang, liet hem los en schopte tegen een steen, zodat die tegen zijn scheenbeen spatte. Hij vertrok geen spier. Verzette zijn been een beetje. En pakte de hoed van haar hoofd en zette hem op het zijne.

'Volgens mij hou je je bezig met dingen die het daglicht niet verdragen!'

Ze snerpte als een rechter die een obstinate beklaagde tegenover zich heeft. Hij keek een poosje naar haar. Onderzoekend. Maar met een brede grijns.

'En wat wil je daaraan doen?'
'Erachter komen wat het is!'

Toen begon hij opeens een gedicht te declameren, een gedicht dat hij de laatste nacht dat hij op Reinsnes was voor haar had vertaald:

> Ze raast en ze tiert als een ongetemd dier
> dat aas ontwaart achter ijzeren stangen.
> Stort zich op de oever, op vleugels van hoop
> likt gulzig en hong'rig aan iedere knoop.
> Maar stilt nooit het verterend verlangen.
> Tussen zwijgende rotsen gevangen.

Dina staarde hem woedend aan.

'Dat is de beschrijving van een rivier, weet je nog?' zei hij. 'Poesjkin volgde een Russisch bataljon tijdens de veldslag tegen Turkije. Weet je nog dat ik je daarover vertelde?'

Ze keek hem boos aan. Maar knikte.

'Jij lijkt op een wilde rivier, Dina!'
'Je lacht me uit', zei ze nukkig.
'Nee... Ik probeer contact te krijgen.'

Ik ben Dina. Poesjkins gedichten zijn zeepbellen die uit Leo's mond stromen. Zijn stem houdt ze in de lucht. Lang. Ik tel langzaam tot eenentwintig. Dan spatten ze uiteen en vallen op de grond. Ondertussen moet ik alle gedachten opnieuw denken.

Pas toen ze weer op weg naar beneden waren, vroeg ze waar hij nu naartoe voer.

'Naar het zuiden, naar Trondhjem', antwoordde hij.

'Zonder onderweg te stoppen?'

'Zonder onderweg te stoppen.'

'Dan kun je het boek met de onderstrepingen ophalen in de Slavernij', zei ze triomfantelijk. 'Want dat boek heeft te maken met de geheime dingen waarover je niets kunt zeggen. Dat je geen groeten of afzender opschrijft als je geschenken stuurt. Dat niemand weet wie je bent als ik naar je vraag.'

'Wie heb je gevraagd... of gesproken... over mij?'

'Russische zeelui. Kooplui in Bergen. De directeur van de Slavernij en het tuchthuis in Trondhjem.'

Hij staarde haar aan.

'Waarom?' fluisterde hij.

'Omdat ik een boek had dat ik je graag wilde teruggeven.'

'En daarom deed je zoveel moeite, van Bergen tot Trondhjem?'

'Ja. En daarom kun je het boek nu zelf gaan halen!'

'Dat kan ik ongetwijfeld', zei hij, trillend kalm. 'Aan wie heb je het gegeven?'

'De directeur.'

Hij trok even een wenkbrauw op.

'Waarom?'

'Omdat ik het niet langer wilde hebben.'

'Maar waarom gaf je het aan de directeur?'

'Aan wie anders? Maar het pakje is met lak verzegeld', grijnsde ze.

'Ik zei toch dat je het mocht houden.'

'Ik wil het niet hebben. Bovendien was je zo bezorgd over juist dat boek...'

'Hoe kom je daar nou bij?'

'Omdat je zo onverschillig doet.'

Het was even stil. Hij bleef staan en staarde haar aan.

'Dat had je niet moeten doen', zei hij ernstig.

'Waarom niet?'

'Dat kan ik je niet vertellen, Dina.'

'Jij en de directeur zijn geen vrienden?'

'Ik geloof niet dat hij Poesjkin op zijn waarde kan schatten...'

'Ken je hem?'

'Nee. Kun je ophouden met deze ondervraging, Dina?'

Toen draaide ze zich bliksemsnel om, ging vlakbij hem staan en gaf hem een klinkende klap op zijn wang.

Hij bleef staan. Zij had hem aan het grind genageld.

'Je moet niet slaan. Mensen en dieren moeten niet geslagen worden.'

Hij begon langzaam de heuvel af te lopen. Met zijn rechterhand aan zijn hoed. Zijn linker als een dode slinger langs zijn lichaam.

Zij bleef achter. Hij hoorde de stilte. Draaide zich om en noemde haar naam.

'Jij moet ook altijd zo geheimzinnig doen!' gilde ze hem achterna, de heuvel af.

Haar hals was uitgestrekt als bij een gans die zich tegen de slachter verweert. Haar grote neus stak recht vooruit, als een snavel. De zon had de wolken in stukken gereten. De wind nam toe.

'Jij reist maar wat rond en bindt mensen aan je. Dan verdwijn je en laat niets meer van je horen! Wat ben jij voor iemand? Nou? Wat voor spelletje speel jij? Kun je me dat vertellen?'

'Kom hier, Dina! Sta daar niet zo te schreeuwen!'

'Ik doe wat ik zelf wil! Kom jij maar hier!'

En hij kwam. Alsof hij een kind dat op het punt stond in snikken uit te barsten, haar zin gaf.

Ze liepen de heuvel af. Dicht naast elkaar.

'Jij huilt zeker niet vaak, Dina?'

'Dat gaat je niet aan!'

'Wanneer heb je voor het laatste gehuild?'

'Tijdens een noodweer op de Foldzee, vorige zomer!' snauwde ze.

Hij glimlachte wat.

'Zullen we nu een eind maken aan deze oorlog?'

'Niet voordat ik weet wie je bent, en waar je naartoe gaat.'

'Je ziet me hier toch, Dina?'

'Dat is niet genoeg!'

Hij nam haar stevig bij de arm en zei eenvoudig, alsof hij het over het weer had: 'Ik hou van je, Dina Grønelv.'

Iemand had vele decennia geleden een grote steen neergezet om de plek waar ze nu waren te markeren. Anders was ze zo in de modder gaan zitten.

Dina zat op de steen. Trok en rukte aan haar vingers, alsof ze ze niet meer wilde hebben.

'Wat betekent dat? Wat betekent dat? Wat betekent dat?' riep ze.

Hij accepteerde haar hysterie. Ogenschijnlijk gelaten.

'Is dat niet genoeg, Dina?'

'Waarom zeg je zulke dingen? Waarom kom je niet liever wat vaker naar Reinsnes?'

'De afstanden zijn groot', zei hij alleen maar. Hij stond vertwijfeld voor haar.

'Vertel me daar dan over!'

'Een man heeft af en toe zijn redenen om te zwijgen.'

'Meer dan vrouwen?'

'Dat weet ik niet. Ik smeek jou niet om alles te vertellen.'

Ze waren nu beiden te ver gegaan.

'Denk je dat je zomaar naar Reinsnes kunt komen en weer weg kunt gaan...'

'Ik kom en ga wanneer ik dat wil. Je moet absoluut ophouden met naar mij te vragen als je op reis bent. Ik ben NIEMAND. Onthoud dat!'

Hij was kwaad.

Ze stond op van de steen en pakte zijn arm. Ze liepen de weg weer af. Nog steeds tussen akkerland en bos. Geen huizen. Geen mensen.

'Waar ben je eigenlijk mee bezig?' vroeg ze en leunde vertrouwelijk tegen hem aan.

Die techniek werd ogenblikkelijk doorzien. Toch gaf hij na een poosje antwoord: 'Met politiek', zei hij vermoeid.

Ze scheurde zijn gezicht in stukjes met haar blik. Stukje bij beetje. Bleef ten slotte bij zijn ogen wachten.

'Sommige mensen zitten achter je aan. En anderen proberen je te dekken.'

'Jij zit achter mij aan', grijnsde hij.

'Wat heb je misdaan?'

'Niks', zei hij. Ernstig nu.

'Niet in jouw ogen, maar...'

'Ook niet in de jouwe.'

'Dat maak ik zelf wel uit. Vertel het me.'

Hij gaf zich gewonnen, spreidde met een vertwijfeld gebaar zijn armen en nam eindelijk de hoed van zijn hoofd. De wind stortte zich op hem.

Toen haalde hij diep adem en zei bruusk: 'De wereld is verschrikkelijker dan jij je kunt voorstellen. Bloed. Galgen. Armoede, verraad en vernederingen.'

'Is het gevaarlijk?' vroeg ze.

'Niet gevaarlijker dan je kunt verwachten. Maar afschuwelijker dan je je kunt voorstellen. En dat maakt mij tot iemand die niet bestaat!'

'Die niet bestaat?'

'Ja. Maar er zullen ooit betere tijden komen.'

'Hoe lang duurt dat nog?'

'Dat weet ik niet.'

'Kom je dan naar Reinsnes?'

'Ja!' zei hij resoluut. 'Wil je me hebben, ook al kom ik alleen langs en ben ik iemand die niet bestaat?'

'Ik kan niet trouwen met iemand die niet bestaat.'

'Was je van plan met mij te trouwen?'

'Ja.'

'Heb je me dat gevraagd?'

'We hebben samen de zegen afgedwongen. Dat moet genoeg zijn.'

'Wat zou ik op Reinsnes moeten doen?'

'Je zou daar samen met mij leven, en helpen waar dat nodig is.'

'Denk je dat dat genoeg is voor een man?'

'Het was genoeg voor Jacob. Het is genoeg voor mij!'

'Maar ik ben noch Jacob, noch jou.'

Ze staarde elkaar aan als mannetjesdieren die hun territorium afbakenden. Er was geen spoortje hofmakerij in hun ogen.

Zij sloeg als eerste haar ogen neer. Keek naar de grond en zei mak: 'Je zou kapitein kunnen worden op een van de vrachtschepen, en kunnen rondreizen als je dat zou willen.'

'Ik ben niet geschikt voor kapitein', zei hij beleefd. Hij drukte zijn hoed nog steeds bedroevend plat onder zijn arm.

'Ik kan toch niet trouwen met een man die door Rusland reist en voortdurend onderweg is!' riep ze.

'Jij moet ook niet trouwen, Dina. Ik geloof niet dat jij geschikt bent voor het huwelijk.'

'Maar ik moet toch iemand hebben?'

'Je zult mij hebben.'

'Maar jij bent er nooit!'

'Ik ben er altijd. Begrijp je dat niet? Ik ben bij jou. Maar je kunt mijn bewegingsvrijheid niet indammen. Jij moet die dam, dat hek niet zijn. Dat leidt alleen maar tot haat.'

'Haat?'

'Ja! Je kunt mensen niet opsluiten. Dan worden ze gevaarlijk. Dat is wat ze nu met het Russische volk hebben gedaan. Daarom knalt de hele boel straks uit elkaar!'

Miljoenen grashalmen bogen voor de wind op de weide. Een paar dodelijk verschrikte grasklokjes zwiepten heen en weer.

'Je kunt mensen niet achter een hek opsluiten... Dan worden ze gevaarlijk...' fluisterde ze. 'Dan worden ze gevaarlijk!'

Ze staarde voor zich uit alsof dit een waarheid was die ze tot dan toe over het hoofd gezien had.

Ze hoefden elkaar niet aan te raken. Ze werden verbonden door draden als scheepskabels.

De volgende dag kwam er een loopjongen met een pakje bij het huis van Müller. Voor Dina.

Het was haar hoed. Hij zag eruit alsof hij de hele winter buiten had gelegen. Maar in de hoed zat een kaartje in een dichtgeplakte envelop.

'Hoe somber het er ook uitziet, ik kom altijd terug.'
Dat was alles.

Ze nam de eerste de beste stoomboot naar het zuiden. Hij had een voorsprong van twee dagen. Ze vond geen vreugde in zijn kielzog. Maar ze had de rust als een soort reisgezel.

De vrouw van de bisschop had haar laten zien wat liefde was. En Dina had zich de tocht naar Vardøhus bespaard. Dat was toch niet meer dan een godverlaten en winderig oord met een gevangenis en een vesting binnen een stervormige verdedigingswal, had ze gehoord.

'Je kunt mensen niet achter een hek opsluiten. Dan worden ze gevaarlijk!' mompelde Dina tegen zichzelf. Ze had niet veel anders te doen dan bergtoppen en fjord-armen tellen.

Van de mensen aan boord viel niets te verwachten.

16

Wees mij genadig, o Here, want ik ben benauwd; van verdriet verkwijnt mijn oog, mijn ziel en mijn lichaam.

(Psalm 31:10)

Tijdens Dina's thuisreis viel moeder Karen om bij de oorfauteuil en kon niet meer praten.

Tomas werd te paard over de berg gestuurd om de dokter te halen. En Anders zond een bode over zee naar Johan, die op bezoek was bij de predikant in Vågan.

De dokter was niet thuis, en als hij al gekomen was, had hij toch weinig kunnen doen.

Johan pakte zijn reistas en begaf zich naar het sterfbed van zijn grootmoeder. Net als de anderen had hij voetstoots aangenomen dat moeder Karen onsterfelijk was.

Oline was zichzelf niet meer. Haar onrust had zijn weerslag op het eten. Maakte alles wat ze aanraakte smakeloos en nauwelijks eetbaar. Haar gezicht was roze en naakt, als het achterwerk van een baviaan.

Stine waakte bij de oude vrouw. Maakte kruidenthee en gaf haar dat met een lepeltje. Ze maakte alles wat uit de poriën en openingen van de oude vrouw kwam schoon. Waste haar en bepoederde haar met aardappelmeel. Ze vulde leren zakjes met gedroogde kruiden en rozeblaadjes om het ziekenkamerluchtje te verdrijven.

Soms dacht moeder Karen dat ze in de hof van Eden beland was, en dat ze de lange weg die ze te gaan had om daar te komen, over kon slaan.

Stine maakte wollen doeken warm en legde die op haar slappe ledematen, schudde kussens en dekbedden op en zette het raam op een kiertje. Een heel klein kiertje maar, zodat er voortdurend frisse lucht in de kamer kon sijpelen.

Ondertussen werd de augustuszon heet, de bosbessen rijpten en het laatste hooi werd onder dak gereden.

Benjamin en Hanna waren op bevel van Oline onzichtbaar en onhoorbaar. Ze struinden meestal langs het strand en keken naar alle boten die mogelijkerwijs Dina en alle cadeautjes die ze hen beloofd had, meebrachten.

Benjamin begreep best dat zijn oma ziek was. Maar dat ze dood zou gaan, beschouwde hij als typische overdrijving van Oline. Hanna daarentegen had Stine's gevoel voor het onvermijdelijke geërfd. Ze stond op een dag met blote voeten in de vloedlijn, spietste een omgcrolde krab aan een stok en zei: 'Moeder Karen gaat vast dood voor het zondag is!'

'Hè? Waarom zeg je dat?'

'Omdat ik dat aan mama kan zien. Ja, en je kan het ook aan moeder Karen zien. Oude mensen gaan nou eenmaal dood!'

Benjamin werd razend.

'Moeder Karen is niet oud! Dat denken de mensen alleen maar...' voegde hij eraan toe.

'Ze is stokoud!'

'Nee! Stomme trut!'

'Waarom zeg je dat het niet zo is? Ze mag toch zeker wel doodgaan zonder dat jij daar kwaad over wordt!'

'Ja, maar ze gaat niet dood! Hoor je me!'

Hij greep haar vlechten beet en draaide ze helemaal bij de haarwortels om. Buiten zichzelf van woede en pijn ging ze in het water zitten en huilde tranen met tuiten. Haar jurk en broek waren nat tot ver op haar rug. Ze bleef daar wijdbeens zitten, haar billen onder water. Het gehuil kwam met stoten uit haar wijdopen gesperde mond.

Benjamin vergat dat hij boos op haar was. Bovendien begreep hij dat hij niet het risico kon lopen dat Stine aan kwam rennen om te horen wat er aan de hand was, dus hij moest iets doen. Hij bleef even vertwijfeld naar het meisje staan staren, toen stak hij haar zijn handen toe en hielp haar overeind, terwijl hij troostende woordjes tegen haar zei.

Ze trokken haar haar natte kleren uit, wrongen ze uit en

legden ze op de rotsen te drogen. En nu ze daar toch zo zaten en niet goed wisten of ze nu vrienden waren of niet, begon hij haar te onderzoeken, zoals hij altijd deed als niemand hen kon zien.

Ze ging beledigd languit op de rots liggen, sloeg een verdwaalde mier van haar dij en liet hem edelmoedig begaan, terwijl ze snot en tranen ophaalde en zich in zekere zin liet troosten.

Ze waren allebei vergeten dat moeder Karen voor de zondag dood zou gaan.

De volgende dag kwam Dina aan met de raderboot. Ze nam de kinderen mee naar de kamer van moeder Karen. Ze stonden met stijve armen en neergeslagen ogen naast het bed.

Benjamin beefde in de snikhete kamer. Hij schudde zijn hoofd toen Stine hem vroeg zijn grootmoeders hand te pakken.

Dina boog zich over moeder Karen heen en pakte haar handen beurtelings tussen de hare. Toen knikte ze naar Benjamin.

De jongen stak zijn hand in die van Dina, die de hand verder leidde naar de oude vrouw. Daarna hield ze de handen van beiden vast.

Er lichtte iets op in moeder Karens ogen. Haar gezicht was gedeeltelijk verlamd. Ze trok haar linkermondhoek op in een onbeholpen glimlach. Haar ogen stroomden langzaam vol.

Stine's kruidenzakjes bungelden zachtjes boven het bed. Het witte gordijn streelde het raamkozijn.

Toen vloog Benjamin moeder Karen stevig om de hals, zonder dat iemand hem dat had gevraagd.

Oline, Anders en het personeel stonden bij de deur. Ze hadden allemaal op hun beurt naast het bed gestaan.

Moeder Karen zou nooit meer iets tegen hen zeggen. Maar ze liet hen haar magere handen strelen. Grote, blauwe aderen die zich als naakte herfstbomen aftekenden tegen de rug van haar hand. Haar ogen volgden hen, als ze open waren. Ze konden zien dat ze alles hoorde en begreep.

Er daalde een weldadige rust neer in de kamer. De mensen werden een. Zwijgend. Als heidepollen nadat de sneeuw is verdwenen, richtten ze zich op en gleden in elkaar over.

Johan kwam niet op tijd om moeder Karen nog in leven te zien.

De lijkboot werd versierd met loof en varens. Daartussen werden bloemenkransen en boeketten gestoken. De kist werd er volledig door bedolven.

Het was Oline's taak ervoor te zorgen dat de begrafenisgasten een smakelijke maaltijd voorgezet kregen, zodat ze niet naar huis gingen met verhalen over de slechte keuken van Reinsnes. Dat in memoriam mocht moeder Karen niet krijgen!

Ze was dag en nacht in de keuken aan het toveren. Op de begrafenis mocht het niemand aan iets ontbreken. En ondertussen zuchtte en huilde ze voortdurend.

Benjamin dacht dat er nooit een einde aan zou komen. Hij moest haar helpen haar tranen af te drogen om te voorkomen dat ze in de lefser, de pasteien en de broodjes zouden belanden.

Johan had zich opgesloten in zijn verdriet. Wat er tussen Dina en hem gebeurd was, vrat aan hem als een rotte plek. En het feit dat hij nooit vergeving voor die zonde had gekregen. Dat moeder Karen nu dood was, beschouwde hij als een onheilspellend voorteken. Maar Dina leefde nog! Zij kon hem al kwetsen en vernederen door alleen maar door de kamer te lopen waarin hij zich bevond. Hij had niet met moeder Karen over zijn grote zonde kunnen praten, en nu was ze dood! En hij kon niet aan zijn vader denken, zonder dat zijn keel werd dichtgeknepen van angst.

Met God had hij al lange tijd geen contact meer gehad. Hij had geprobeerd boete te doen tussen zijn parochianen op dat winderige eilandje. Het had weinig geholpen, ook al had hij in plaats van geld te accepteren alles naar de armen in zijn gemeente laten gaan.

Hij haatte zichzelf zo intens dat hij het niet kon verdragen zijn eigen naaktheid te zien. Ja, zelfs als hij sliep, kon hij zich niet legen zonder dat hij het gevoel had in Dina's haar te verdrinken. Haar witte dijen waren de poorten van de hel. Als hij wakker werd zag hij vurige tongen die zich naar hem uitstrekten, en hij dwong zichzelf te denken aan alle gebeden die hij had geleerd.

Maar het was duidelijk dat Onze Lieve Heer dat niet genoeg vond. Wilde dat hij zijn zonde opbiechtte aan de bisschop van Trondhjem of Tromsø.

Na de begrafenis vertrok Johan weer naar Helgeland. Hij had Dina gemeden, zoals je ijs met open wakken mijdt.

Dina besloot dat de koeiestal moest worden uitgemest. De vloeren van de winkel en de boothuizen moesten worden geschuurd.

Niemand begreep waar deze grote schoonmaak goed voor was. Maar ze begrepen dat het een bevel was. Zij zat lange herfstavonden op het kantoor en gebruikte kostbare lampolie om kostbare getallen te controleren.

Ze verhuisde niet naar het hoofdgebouw, en ze speelde geen cello. Dat laatste maakte iedereen onrustig.

Benjamin wist het best hoe gevaarlijk deze Dina was. Hij probeerde haar te paaien met dezelfde trucjes die zijzelf altijd gebruikte als ze iets wilde.

Maar Dina antwoordde door een huisleraar aan te stellen. Hij drilde de kinderen met tucht en wijsheid, alsof ze twee dorsmachines waren die je gewoon tot het uiterste kon drijven.

Anders kwam en ging. Ook als hij aanwezig was, werd hij onzichtbaar, omdat ze wisten dat hij spoedig weer zou vertrekken.

Moeder Karen lag in haar graf en kon niet verantwoordelijk worden gesteld voor de situatie. Ze was onaantastbaarder dan ooit.

Haar roem bloeide even smetteloos op als de ijsbloemen op Dina's raam. Moeder Karen hield Dina op afstand. Ze kwam niet uit de hoeken of vanuit de dichte mistbanken over de Sont naar haar toe. Ze bemoeide zich niet met Dina's doen en laten. Stelde geen eisen.

Eigenlijk leek het alsof de dood haar wel beviel en ze geen enkele behoefte had aan contact.

Toen het gerucht ging dat er weer een beer was gesignaleerd op Eidet, wilde Dina dat Tomas met haar op jacht ging. Maar hij weigerde, had altijd andere dingen te doen.

Zo verstreek de herfst.

De winter kwam onverhoeds al in oktober, met sneeuwstormen en vorst.

Dina begon weer te spelen. Ze verdeelde haar tijd tussen de boekhouding en de cello.

De noten. Zwarte tekens op strenge lijnen. Geluidloos, totdat zij hen geluid gaf. Soms kwamen de noten van het papier, uit de Lorch-cello, zonder dat ze speelde. Haar handen rustten op het instrument, en toch kwam er muziek uit.

De getallen. Donkerblauw en sierlijk, in kolommen. Stil, maar veelzeggend. Voor ingewijden. Ze betekenden altijd hetzelfde. Hadden hun eigen seizoenen en hun verborgen schatten. Of hun zichtbare verliezen.

17

Amnon vat een onkuise liefde op voor zijn zuster
Tamar, vergrijpt zich aan haar.
Daarna kreeg Amnon een zeer grote afkeer van haar;
ja, de afkeer die hij tegen haar kreeg, was groter dan
de liefde waarmee hij haar had liefgehad; en Amnon
zeide tot haar: 'Sta op, ga weg!'

(2 Samuel 13:15)

Tomas begon Dina op te wachten zodra ze in een van de
bijgebouwen of stallen was.

Zij werd onrustig als hij in de buurt was. Alsof ze een insekt
wilde ontwijken. Soms keek ze hem onderzoekend aan. Het
liefst als hij op een veilige afstand was.

Op een middag kwam hij vlak bij haar staan toen ze net haar
huis wilde binnengaan.

'Waarom loop je me altijd voor de voeten?' zei ze kwaad.

Het bruine en het blauwe oog knipperden een paar keer.
Werden toen fel.

'Wil ik hier op de boerderij mijn werk doen, dan moet ik wel
overal zijn.'

'En wat voor werk doe je dan hier op mijn trap?'

'Ik moet hier sneeuwruimen. Als je het niet erg vindt?'

'Waarom heb je dan geen sneeuwschuiver?'

Hij draaide zich om en haalde een schep uit de schuur.
Urenlang schraapte zijn schep rond de kårstue.

De volgende dag riep Dina Stine bij zich.

'Wat zou je ervan zeggen als jij en Tomas gingen trouwen?'
zei ze zonder omwegen.

Stine plofte in de dichtstbijzijnde stoel, maar sprong meteen
weer op.

'Hoe kun je zoiets zeggen?' barstte ze uit.

'Het zou een goede oplossing zijn.'

'Waarvoor?'

'Voor alles.'

'Dat geloof je toch zelf niet', zei ze timide, en keek Dina vertwijfeld aan.

'Jullie kunnen hier in de kårstue wonen, als fatsoenlijke mensen. Ik verhuis weer naar het hoofdgebouw', zei Dina vriendelijk.

Stine stopte haar handen onder haar schort en keek naar de vloer, zonder iets te zeggen.

'Wat vind je ervan?'

'Hij wil niet', zei ze bedaard.

'Waarom zou hij niet willen?'

'Dat weet je best.'

'Wat dan?'

'Hij wil een ander.'

'En wie mag dat dan wel zijn?'

Stine voelde zich niet op haar gemak. Haar hoofd zonk nog verder op haar borst.

'Dina moet dan de enige zijn die het niet weet. Het is een heel karwei om mensen van iemand anders te laten houden. Daar rust zelden zegen op...'

'Op alles wat jij doet rust zegen!' onderbrak Dina haar.

Stine verliet Dina's kamer met langzame tred. Haar ogen waren bijna zwart en keken star vooruit. Ze had haar omslagdoek op de stoel laten liggen. Maar ze ging hem niet halen, al had ze het koud.

Ze stond lange tijd onder de trap naar de keuken te kijken naar de ijspegels die aan de dakgoot hingen. Oline was daarbinnen aan het werk, met haar rug naar het raam.

Dina liet Tomas halen en dicteerde hem zijn toekomst.

Hij verstijfde, alsof iemand hem aan de vloer vastgespijkerd had. Zijn gezicht was volkomen naakt.

'Dat kun je toch niet menen!' fluisterde hij.

'Waarom niet? Het is een goede regeling. Jullie kunnen hier in de kårstue wonen, als vorsten!'

'Dina!' zei hij. Zijn blik probeerde haar te vangen. Volkomen blind.

'Op alles wat Stine doet rust zegen', zei ze.

'Nee!'

'Hoezo, nee?'

'Dat weet je best. Ik kan niet trouwen!'

'Wou je hier je hele leven als een arme stumper op de boerderij rondlopen?'

Er ging een stuiptrekking door hem heen, alsof ze hem had geslagen. Maar hij zei niets.

'Je droomt teveel, Tomas! Ik bied je een regeling aan. Voor ieders bestwil.'

'Je vindt het vervelend als ik naar je kijk', zei hij hard.

'Het heeft geen zin om naar mij te kijken.'

'Maar ik was toch goed genoeg... vroeger!'

'Niemand heeft het over VROEGER!' snauwde ze.

'Je bent slecht!'

'Noem je zo'n aanbod slecht?'

'Ja', zei hij schor, zette zijn pet op en wilde gaan.

'Je kunt moeilijk op Reinsnes blijven als je niet getrouwd bent, begrijp je dat?'

'Sinds wanneer is dat zo?'

'Sinds het ogenblik dat ik begreep dat je me overal achterna loopt', siste ze zacht.

Hij ging weg, zonder dat ze hem dat gezegd had.

Dina ijsbeerde de hele middag door haar kamer, ondanks het feit dat er werk op haar lag te wachten.

Het meisje kwam binnen om de kachel in de slaapkamer aan te maken. Maar Dina joeg haar schreeuwend het huis uit.

Het werd stil en donker in de kårstue.

Tomas zat bij Oline in de keuken en at zijn avondpap toen Stine binnenkwam om iets te pakken.

Ze keek hem heel even aan en bloosde. Toen glipte ze naar buiten.

De vloer branddde onder Tomas. Hij staarde, alsof hij nog nooit eerder een deur achter iemand had zien dichtslaan.

Tomas liet zijn schouders hangen en kauwde langzaam zijn eten.

'Wat nou?' zei Oline. 'Was de pap koud?'

'Nee, gelukkig niet', zei Tomas in de war.

'Waarom laat je je hoofd hangen?'

'Doe ik dat?'

'En Stine laat het hoofd ook al hangen. Wat is er aan de hand?'

'Dina wil ons laten trouwen!' Het ontglipte hem voor hij het goed en wel besefte.

Oline klapte haar mond stijf dicht. Alsof ze de kleppen van de kachel dichtschoof voor de nacht.

'Met elkaar, of elk apart?' stamelde ze. Alsof het allemaal nieuw voor haar was.

'Met elkaar.'

'Heb je haar...?'

'Nee!' zei hij razend.

'Maar dan...'

'Je kunt mensen niet zomaar laten trouwen', fluisterde hij.

Oline zweeg en rammelde wat met kopjes op het aanrecht. Toen zei ze: 'Ze begint steeds meer op de drost te lijken.'

'Ja!' zei Tomas alleen maar. Toen verviel hij weer in stilzwijgen.

'Wil ze je niet hebben? Stine?'

'Dat kan ik me niet voorstellen', zei hij, in de war.

'Zou het dan zo verkeerd zijn?'

'Verkeerd?'

'Ja, het zou best een goede oplossing kunnen zijn, weet je.'

Hij duwde zijn koffiekop weg, greep zijn pet, en stoof de deur uit.

'Ik heb schijt aan die goeie oplossingen hier op Reinsnes', schreeuwde hij nog vanuit de bijkeuken.

De volgende ochtend was Tomas verdwenen. Niemand wist waar hij was.

Drie dagen later kwam hij lopend uit de bergen, met gescheurde kleren en omgeven door een walm van drank.

Hij deed zich te goed aan eten en drinken in de keuken, ging toen naar bed en sliep een etmaal lang.

Hij werd wakker omdat Dina aan hem stond te sjorren. Eerst dacht hij dat hij droomde. Toen gingen zijn ogen op steeltjes staan en hees hij zich overeind.

In de houding voor Dina Grønelv, dacht hij bitter, toen hij begreep wie het was. Jarenlang had hij nederig elke blik, elk gebaar, elk woord van haar gekoesterd.

'Zo, Tomas knijpt ertussenuit en zet het op een zuipen! En dat vlak voor Kerstmis, nu er van alles gedaan moet worden!' zei ze kalm.

Haar stem dreunde rechtstreeks zijn katerige brein binnen.

'Ben je niet bang dat je op straat gezet wordt?'

'Nee', zei hij kordaat.

Ze knipperde even met haar ogen na dit directe antwoord, maar vermande zich snel weer.

'Vooruit, aan het werk!'

'En wat beveelt de vrouwe van Reinsnes? Moet ik haar van voren of van achteren pakken?'

Buiten speelde de wind met een blikken emmer.

Ze sloeg. Hard. Het duurde een paar tellen voordat het bloed uit zijn neus sijpelde. Hij zat in zijn bed en keek haar aan. Het bloed begon sneller te stromen. Vormde een rode, warme beek over zijn lip en kin. Druppelde voorzichtig op zijn openstaande overhemd, nadat het de blonde haren op zijn borst rood had gekleurd.

Hij veegde het niet weg. Bleef roerloos zitten, met een lelijke grijns, en liet het bloed stromen.

Ze schraapte haar keel. Toch klonken haar woorden als een steenlawine.

'Veeg je schoon, en ga aan het werk!'

'Veeg jij me maar schoon', zei hij hees en kwam overeind.

Hij had iets dreigends over zich. Iets volkomen nieuws. Ze was geen meester meer over zijn gedachten.

'En waarom zou ik jou schoonvegen?'

'Omdat jij me ook hebt laten bloeden!'

'Dat is waar', zei ze onverwacht vriendelijk, en keek de kamer rond. Vond met haar ogen een handdoek, die ze pakte en aan hem gaf, met een onzekere glimlach.

Hij nam de handdoek niet aan. Toen ging ze vlak bij hem staan en veegde hem voorzichtig schoon. Het hielp niet veel. Er kwam voortdurend nieuw, vers bloed.

Plotseling zinderde er iets tussen hen! Flakkerde als de lichtende zee in de halfdonkere, Spartaanse kamer. Een rauwe, ongepolijste begeerte! De zuster van haat en wraak.

Hij rook naar drank en stal. Zij rook naar inkt, rozenwater en vers zweet.

Dina trok haar hand terug, alsof ze zich had gebrand. Toen deinsde ze achteruit naar buiten, met wijdopen neusgaten.

'Jij hebt me laten bloeden!' schreeuwde hij haar achterna.

De eerste zondag van het nieuwe jaar werd het huwelijk van Tomas en Stine afgekondigd.

'Dromen, wat moet je er mee?' vroeg Oline meer dan eens. 'Of ze duren kort en eindigen triest, of je zeult ze je hele leven met je mee.'

Dina droeg haar cello weer naar de zaal. Het intermezzo in de kårstue was voorbij.

Ik ben Dina. De mensen bestaan. Ik kom ze tegen. Vroeger of later scheiden onze wegen zich. Dat weet ik.

Ooit zag ik iets wat ik nog nooit had gezien. Tussen twee oudere mensen, een bisschop en zijn vrouw. De liefde is blijkbaar een golf die alleen bestaat voor het strand waarop hij stuit. Ik ben geen strand. Ik ben Dina. Ik kijk naar zulke golven. Ik kan mij niet laten overstromen.

Benjamin was eraan gewend geraakt dat hij altijd daar woonde waar Dina niet was. Hij besloot zelf dat hij mee wilde verhuizen naar de kårstue. Wilde Dina gewoon voor zijn.

Hij was het afgelopen jaar gegroeid. Maar een reus zou hij nooit worden. Hij liep stil en oplettend rond. Vroeg en antwoordde als een orakel. Met korte, bondige zinnen. Hij liep Dina niet meer achterna. Er was iets veranderd sinds Dina's reis naar Tromsø. Of was het sinds de dood van moeder Karen?

Ze konden niet echt zien dat hij om haar treurde, of haar miste. Maar hij sloop vaak, zonder Hanna, moeder Karens kamertje binnen.

Daar stond alles nog net als vroeger. Het bed was opgemaakt. Haar sierkussens waren opgeschud en tegen het hoofdeinde van het bed gezet. Als roerloze vleugels van een weggevlogen engel.

De sleutel stak nog in haar boekenkast. Daar ging Benjamin naar toe en vergat alles, totdat iemand hem riep. Hij kwam alleen nog in het hoofdgebouw om met gekruiste benen voor moeder Karens boekenkast te zitten lezen.

Hij kon goed leren, maar probeerde er onderuit te komen als hij kon. De zeldzame keren dat hij in het hoofdgebouw kwam, was het om boeken te halen. Johan had de filosofische en godsdienstige werken meegenomen, maar de romans stonden er nog.

Benjamin las Hanna voor. Ze zaten urenlang met moeder Karens boeken bij de witte tegelkachel in de kårstue.

Als ze verder rustig waren, joeg Stine hen niet op. Af en toe zei ze: 'Er is niet zoveel brandhout meer.' Of: 'De wateremmer is leeg.'

Benjamin wist dat het zijn taak was om voor loopjongen te spelen als er niemand anders in de buurt was. Soms was hij verrast als hij uit de winkel of van het strand kwam en het grote, witte huis daar zag liggen. Dan keek hij snel naar de duiventil in het midden van het erf, en dacht ergens anders aan.

Af en toe voelde hij duidelijk ergens een pijn, die hij niet kon thuisbrengen.

Benjamin had veel dingen in zich opgenomen zonder dat hij daar echt over nagedacht had. Zoals het feit dat Tomas altijd van Dina geweest was. Net als Zwarterik en de cello. Totdat Stine en Tomas trouwden en naar de kårstue verhuisden.

Nadat ze een paar avonden rond de tegelkachel hadden gezeten, ieder met zijn eigen bezigheden, begreep Benjamin dat Tomas niet meer van Dina was. Dat Tomas ook niet van Stine was, al sliep hij bij haar. Tomas was van zichzelf.

De gedachte dat je van jezelf moest zijn als je in de kårstue woonde, maakte Benjamin bang. Dina en de cello waren verre geluiden op de zaal.

Benjamin woonde in de kårstue om te leren van zichzelf te zijn.

18

Wie een vrouw vond, heeft iets goeds gevonden en
gunst van de here verworven.

(Spreuken 18:22)

Anders voer in januari naar de Lofoten om vis op te kopen. Hij
was nog maar nauwelijks thuis, of hij begon zich al voor te
bereiden op de tocht naar Bergen. Zijn leven was één lange
zeereis. Maar als hij zich na een paar weken aan de wal rusteloos
begon te voelen, viel hij daar niemand mee lastig.

Soms kwamen er met de raderboot reizigers aan die onderdak wilden hebben. Maar niet zoveel als de vorige jaren.

De winkel daarentegen had voortdurend volk over de vloer.
Dina's meelbestelling uit Archangelsk bleek een gouden greep
te zijn geweest. Ze verdiende veel geld door het meel vast te
houden tot het in de lente schaars werd. Het gerucht ging dat
je op Reinsnes meel, de uitrusting voor de visvangst en de
noodzakelijkste levensbehoeften kon krijgen in ruil voor gedroogde vis. Zo kon Anders harde afspraken maken over de
levering van vis aan Bergen.

Stine at niet meer in het hoofdgebouw. Ze maakte haar eigen
eten, voor man en kinderen. Maar verder deed ze hetzelfde werk
als vroeger. Door haar vloeiende, trage bewegingen merkte je
niet dat ze van 's ochtends vroeg tot 's avonds laat in de weer was.

Ze onderging langzaam en bijna onmerkbaar een verandering. Het begon op de dag dat ze haar spaarzame, bescheiden
bezittingen naar de kårstue verhuisde. Ze glimlachte toen ze de
potten droeg waarin ze haar zalfjes mengde. Ze neuriede iets in
die merkwaardige taal die ze zelden gebruikte, toen ze de
kruiden uit de kelder van het hoofdgebouw naar de kårstue
overbracht.

Eerst had ze alles geschuurd en schoongemaakt. Geveegd en

geboend. Had de hulp van Benjamin en Hanna ingeroepen voor het knippen van kunstige kastranden van gekleurd papier. Had het beddegoed gelucht. Had het linnengoed dat Dina haar gegeven had in de kasten en commodes gelegd.

Stine's deur stond altijd open. Ze ontving iedereen die maar wilde komen. Of ze nu uit nieuwsgierigheid kwamen of om raad te vragen over wonden en kwalen.

Ze nam in veel opzichten Oline's rol over. Na verloop van tijd kwamen er meer mensen bij Stine, als ze in de winkel waren geweest, dan in de blauwe keuken in het woonhuis. Ze kwamen vooral voor kruidenthee en zalfjes. Maar ook voor zaken waar ze niet hardop over praatten.

Stine's handen waren warm en gewillig. Haar ogen konden glanzen met een donkere vreugde. Dit voorjaar had ze meer eidereenden dan ooit. Ze voerde ze en plukte hun dons, maakte bouwsels van planken en kistjes, zodat de eenden niet geplaagd werden door regen en wind als ze gedoemd waren daar te zitten broeden. Als de tijd gekomen was, verzamelde ze de kuikens in haar ruwe schort, en droeg ze naar de zee.

De eerste weken na de trouwerij was Tomas een half bewusteloze hengst. Toen had hij geen zin meer om ertegen te vechten. Zijn gezicht werd gaandeweg glad en rimpelloos. Alsof Stine hem elke ochtend en avond waste in een aftreksel van kruiden en rozenwater. Of middelen gebruikte die niemand kon zien.

Toen haar buik zichtbaar begon te bollen onder haar schort, glimlachte Tomas. Eerst voorzichtig. Toen straalde hij om het hardst met de zon en zijn gebronsde armen als hij buiten aan het ploegen was.

Eerst dacht Tomas dat hij behekst was. Want naarmate de dagen en nachten verstreken, was het steeds moeilijker zich niet te laten beïnvloeden. Er ging zo'n warmte van haar uit.

In het begin duidde niets erop dat ze hem graag mocht. Ze verstelde zijn kleren, zette hem eten voor. Zorgde dat hij zijn rust kreeg. Kwam naar het veld met een emmer melk. Zette die neer met een vriendelijke begroeting en ging weer weg.

Ze had waarschijnlijk nooit iets gekregen zonder daar voor te moeten betalen. In de huwelijksnacht had hij haar gehaast en kwaad genomen, terwijl hij eraan dacht dat ze al twee bastaarden had gebaard.

Vlak voordat hij zich in haar uitstortte, lag hij tussen Dina's gulle dijen. Naderhand had Stine de deken over hem heen gelegd en hem welterusten gewenst. Maar Tomas had niet kunnen slapen. Hij bleef in het spaarzame licht naar haar gezicht liggen kijken.

Het vroor en het was bijtend koud. Plotseling zag hij dat ze kippevel had. Toen stond hij op en maakte de kachel aan. Om haar een plezier te doen. Omdat hij plotseling besefte dat zij ook een mens was. En dat ze er niet om gevraagd had hem in haar bed te krijgen.

Het duurde niet lang voordat hij ontdekte dat als ze inderdaad een Lapse bezwering over hem had uitgesproken, dat een bezwering was die hij niet meer wilde missen.

Met een beschaamde vreugde kroop hij steeds vaker tegen haar aan. Beleefde een wonder: nooit afgewezen te worden.

Hij leerde al snel dat ze warmer en williger was als hij haar behoedzaam benaderde. En ook al leefden die merkwaardige ogen van haar een eigen leven, ze was toch bij hem. Dag en nacht.

Ondertussen groeide het kind in haar. Een wettig kind met een vader die zowel in den vleze als op papier bestond. Als ze oorspronkelijk niet naar juist deze man had verlangd, dan liet ze dat nooit merken. Als ze al besefte dat ze deze man van zijn minnares had geërfd, zoals ze ook ondergoed en jurken en een paar lekkere stukken zeep had geërfd, dan hield ze dat voor zich.

De dag dat Stine vertelde dat ze in verwachting was, boog Tomas zich naar haar toe en fluisterde weinig mannelijke woorden in haar oor. Zonder dat hij het gevoel had zich te moeten schamen. Hij wist niet veel over liefde. Alleen dat het betekende wachten op Dina's woorden, Dina's knikjes, Dina's rijtoeren, Dina's humeur, Dina's allesverslindende begeerte. Die liefde had hem onderdrukt en ervoor gezorgd dat hij zich zijn hele jeugd verborgen had gehouden. Plotseling was hij daarvan bevrijd.

Er konden dagen voorbijgaan dat hij er niet aan dacht wie Reinsnes bezat. Dagen buiten op de akkers. In de stal. In het bos. Want hij werkte voor Stine en het kind.

19

Gij zult geen samenzwering noemen alles wat dit
volk een samenzwering noemt, en voor hetgeen zij
vrezen, zult gij niet vrezen noch schrikken.

(Jesaja 8:12)

Op een dag legde de kajuitboot van de drost onaangekondigd
aan de steiger aan. Zijn gezicht stond ernstig en grauw, en hij
wilde Dina onder vier ogen spreken.

'Wat is er?' zei ze.

'Ze hebben in Trondhjem een Rus aangehouden', zei hij.

Dina schrok.

'Wat voor een Rus?'

'Die Leo Zjukovsky die hier een paar keer te gast is geweest!'

'Waarom?'

'Spionage! En majesteitsschennis!'

'Spionage?'

'De landvoogd dacht dat ze hem al langer in de gaten hielden. Hij had het hen zelfs zo gemakkelijk gemaakt dat ze hem
konden arresteren op het terrein van het tuchthuis. Hij was in
de Slavernij geweest om een pakje op te halen. De gevangenis-
directeur wist dat hij vroeger of later zou komen. De districtsrechter denkt dat de vorige directeur koerier was voor de politieke oproerkraaiers. Die Leo Zjukovsky liep rechtstreeks in de
val. Het pakje lag daar al een tijdje... En bevatte blijkbaar
codes.'

De drost had met zachte, dreigende stem gesproken. Nu
schoot zijn stem uit tot een schreeuw: 'En de directeur van het
tuchthuis zei dat het pakje was afgegeven door Dina Grønelv
van Reinsnes!'

'Maar wat wil je nu eigenlijk zeggen?'

'Dat mijn dochter kan worden aangeklaagd voor medeplich-
tigheid aan spionage! Dat ze op vertrouwelijke voet staat met

een spion! En die man heeft zelfs samen met de drost gegeten en gedronken!'

Dina's gezicht was als de punt van een oud zeil. Haar ogen tuurden, met nerveuze trillingen. Van het raam naar de drost en weer terug.

'Maar dat boek, beste drost. In het boek dat ik heb afgegeven stonden alleen maar gedichten van Poesjkin! Leo en ik lazen graag samen. Hij moest ze natuurlijk vertalen, omdat ik geen Russisch ken.'

'Allemaal smoesjes en flauwekul!'

'Het is waar!'

'Je moet zeggen dat jij dat boek niet afgegeven hebt.'

'Maar dat heb ik immers wel gedaan!'

De drost zuchtte en greep naar zijn hart.

'En waarom doe je zulke stomme dingen, als ik vragen mag?' schreeuwde hij.

'De strepen die we in dat boek hebben gezet, hebben niets met codes of spionage te maken. Dat zijn gewoon woorden die hij mij geprobeerd heeft te leren.'

'Dit zijn andere strepen, snap je. Die code moet er al gestaan hebben.'

Noch het hart van de drost, noch hijzelf konden verdragen dat zijn dochter bij een dergelijk zaak betrokken was. Hij wilde niet dat het rapport vermeldde dat zij het boek in Trondhjem had afgeleverd. Hij staarde Dina aan vanuit een gletsjerspleet met borstelige, witte wenkbrauwen erboven. IJskoud. Alsof ze hem persoonlijk beledigd had door te bevestigen dat ze dat ongelukzalige pakje in de Slavernij had achtergelaten. Hij wilde zijn naam niet bij een schandaal betrokken zien!

'Mag ik de drost eraan herinneren dat ik Jacobs naam draag! En het is mijn plicht geen inlichtingen achter te houden. Dat moet jij toch zeker weten?!'

Hij zakte plotseling ineen, alsof iemand hem met een vlees-klopper in zijn nek had geslagen. Het was alsof je de doffe klap kon horen, voordat zijn hoofd tegen zijn borst knakte. Hij greep de punten van zijn snor beet en trok ze met een verslagen gelaatsuitdrukking over zijn mond.

Het einde van het liedje was dat hij de aftocht blies en besloot het hele verhaal maar als een geschenk te beschouwen. Het zou hem, als vader en drost, bijzonder belangrijk maken in de ogen van de landvoogd. Ja, in de ogen van heel het Noorse rechtssysteem!

Het zou hem een waar genoegen zijn dit alles te ontrafelen, en te bewijzen dat het allemaal een belachelijke vergissing was. Dat de man een ongevaarlijk, werkschuwe zwerver was. Spion! Puh! De oorlog en de slechte oogsten hadden de mensen wantrouwig gemaakt jegens alles wat uit het oosten kwam. Terwijl de Engelsen en Fransen vrijuit gingen, hoewel al het gedonder eigenlijk door hen kwam. Hij schold voor de zekerheid de Duitsers ook maar uit. De Russen daarentegen hadden in het noorden nooit iets verkeerds gedaan, behalve dronken worden, meerstemmig zingen en graan vervoeren!

De drost schreef een allesomvattend rapport. Dina ondertekende haar getuigenis.

Maar de Krimoorlog woedde duidelijk verder in Dina's hoofd. Die avond gaven de celloklanken aan dat ze probeerde helemaal naar Trondhjem te rijden.

De drost was van mening dat haar getuigenis zou helpen de man vrij te laten spreken. Stel je ook voor. Hij had zelfs meegeholpen een gevaarlijke brand op Reinsnes te blussen. Met verstand en moed.

Dina werd naar Ibestad ontboden om de districtsrechter uitleg te verschaffen. Over die onzalige dichtbundel van Poesjkin en over alle onderstrepingen, die een code zouden zijn.

De districtsrechter ontving Dina en de drost beleefd. De griffier en twee getuigen zaten al klaar toen ze kwamen. Nadat Dina haar naam en formele status had genoemd, las hij bij wijze van inleiding de stukken voor.

Een vertaling van de onderstreepte woorden had aangetoond, dat Leo Zjukovsky koning Oscar I en een eerzaam burger, theaterdirecteur Knut Bonde, ervan beschuldigde om samen te spannen met Napoleon III! En dat hij probeerde de steun te krijgen van niet met name genoemde personen voor een complot tegen de Zweedse koning!

Dina lachte hartelijk. De districtsrechter moest het haar maar vergeven. Maar haar respect voor de Zweedse koning was gebaseerd op moeder Karens oordeel over hem. En zij had het Reinsnes-vrachtschip altijd onder de Deense vlag laten varen!

De drost schaamde zich. Maar als vader was hij partij in deze zaak, en kon gelukkig geen uitspraak doen. En nog minder kon hij Dina met lachen laten ophouden.

'Haar verklaring wordt letterlijk opgeschreven en naar Trondhjem gestuurd', waarschuwde de rechter.

'Dat weet de dochter van de drost.'

Hij begon haar rustig te ondervragen. Zij antwoordde kort en duidelijk. Maar sloot bijna elk antwoord af met een vraag.

De rechter trok aan zijn snor en trommelde met zijn vingers op tafel.

'U vindt dus dat het hier gaat om een soort privé-majesteitsschennis, om een grap?'

'Absoluut!'

'Maar de Rus zegt iets anders. Hij noemt de naam Dina Grønelv niet in verband met de codes. Geeft alleen toe dat zij het boek blijkbaar uit eigen vrije wil heeft afgegeven, zonder dat hij dat wist.'

'Ja, hij wil mij er waarschijnlijk buiten houden, kan ik me zo voorstellen.'

'Hoe goed kent u deze man?'

'Zo goed als je mensen kent die een of twee nachten op Reinsnes overnachten. Er komen bij ons veel passagiers aan land.'

'Maar u kunt verklaren dat deze man die strepen in zijn boek zette tijdens een zogenaamd gezelschapsspelletje?'

'Ja.'

'Waren er getuigen bij?'

'Nee, helaas niet.'

'Waar vond deze gebeurtenis plaats?'

'Op Reinsnes.'

'Maar waarom bracht u het naar de Slavernij?'

'Omdat ik met mijn schip in Trondhjem was. Hij had zijn boek vergeten, en ik wist dat hij daar naar toe zou gaan.'

'Hoe wist u dat?'

'Ik geloof dat hij daar iets over gezegd had.'

'Wat moest hij daar?'

'Daar hebben we het niet over gehad.'

'Maar dat is voor een vrouw toch een onaangename plek om een boek af te geven?'

'Het is daar voor mannen anders ook niet zo aangenaam!'

'Hebt u enig idee waarom dat boek van zo'n groot belang is voor deze man?'

'Het was zijn lievelingsboek. De rechter weet ongetwijfeld even goed als ik, dat mensen die van boeken houden ze vaak met zich meeslepen. Moeder Karen heeft destijds twee grote boekenkasten meegenomen naar Reinsnes. Leo Zjukovsky ken-de Poesjkin. Hij had zijn boeken altijd bij zich als hij op reis was. Dat heeft hij zelf ongetwijfeld ook verteld.'

De rechter kuchte en keek in zijn papieren. Toen knikte hij.

'Wie is die Poesjkin?'

'De man die de gedichten heeft geschreven, mijnheer de rechter. Het boek!'

'Ja, natuurlijk! Leo Zjukovsky kon niet op overtuigende wijze uitleggen, waar hij vandaan kwam en waar hij naartoe wilde. Weet u daar iets meer van?'

Ze dacht na. Toen schudde ze haar hoofd.

'Was de verdachte vlak voordat hij naar Trondhjem kwam op Reinsnes?'

'Nee. Hij was het laatst te gast op Reinsnes in de lente van 1854.'

'Die eh... dat poeziealbum, heeft dat de hele tijd op de Slavernij gelegen?'

'Dat moet de rechter de directeur maar vragen... Eén ding staat in ieder geval vast, en dat is dat iemand Dina Grønelvs lakzegel op een persoonlijk pakje heeft verbroken.'

'Hmm...'

'Is dat niet strafbaar, mijnheer de rechter?'

'Dat hangt ervan af...'

'Maar mijnheer de rechter! Voordat ze mijn lakzegel verbra-ken, wisten ze niet wat er in het pakje zat. En dan is het toch tegen de wet om andermans privé-eigendom open te breken?'

'Daar kan ik in dit geval geen antwoord op geven.'
'En de brief? Waar is die?'
'De brief?' vroeg de rechter geïnteresseerd.
'Er zat een brief in het pakje. Voor Leo Zjukovsky. Van mij.'
'De rechter stelt hier de vragen, u moet alleen antwoorden.'
'Jawel, mijnheer de rechter.'
'Ik heb niets gehoord over een brief. Ik zal het laten onderzoeken. Wat stond erin?'
'Dat was privé.'
'Maar dit is... een verhoor.'
'Er stond: "Als Mohammed niet naar de berg komt, komt de berg naar Mohammed" en "Barabbas moet naar Reinsnes komen als hij weer aan het kruis ontsnapt".'
'Wat moet dat betekenen? Is dat een code?'
'In dat geval heeft het weinig met de Zweedse koning te maken.'
'U moet er wel aan denken dat u praat over de koning van Zweden en Noorwegen!'
'Natuurlijk.'
'Wat hebben die woorden te betekenen?'
'Het moest hem eraan herinneren dat we op Reinsnes nog steeds even gastvrij zijn.'
'Was dat het enige dat erin stond?'
'Ja. En de handtekening.'
'Bestond er tussen deze Leo Zjukovsky en u een... vriendschap, die de gewone gastvrijheid te boven ging?'
Dina keek de rechter aan.
'Kun u uitleggen wat u bedoelt?'
'Ik bedoel, was het gebruikelijk dat u brieven en codes uitwisselde?'
'Nee.'
'Ik heb me laten vertellen dat Dina Grønelv de laatste twee zomers veel heeft gereisd... Zowel naar het noorden als naar het zuiden. Hebt u op uw reizen Leo Zjukovsky ontmoet?'
Dina gaf niet onmiddellijk antwoord. De drost rekte zijn hals, daarachter in zijn hoek. Hij voelde zich misselijk worden.
'Nee!' zei ze zelfverzekerd.
'Bent u van mening dat de Rus niet schuldig is aan de

verdenkingen op grond waarvan hij is gearresteerd?'

'Ik weet niet waarvoor hij gearresteerd is.'

'Voor het in bezit hebben van een Russisch boek, dat op grond van een verdenking grondig door deskundigen is onderzocht en ontcijferd. De codes laten een vijandige houding zien jegens de koning en achtenswaardige burgers, en insinueren dat deze twee een complot hebben gesmeed om de Noordse landen bij de Krimoorlog te betrekken.'

'Aan welke kant?'

'Dat doet niet terzake', zei de rechter, van zijn stuk gebracht. 'Maar Napoleon III is immers onze bondgenoot. Wilt u trouwens antwoorden, en geen vragen stellen?'

'Hier in het noorden zijn we al lang bij de oorlog betrokken. Als Leo Zjukovsky vanwege die codes is gearresteerd, kunt u Dina Grønelv ook arresteren.'

'Wat bedoelt u met betrokken bij?'

'Wij zijn zelf ook naar Archangelsk gevaren om graan te halen, om niet te verhongeren. Ik heb nog niet gehoord dat de koning de moeite heeft genomen ons te vragen hoe het met ons gaat. En nu wil hij ons betrekken bij een oorlog die naar de naam te oordelen heel ergens anders zou moeten plaatsvinden dan aan de Finse kust, waar de Russen worden bestookt.'

'Wilt u zich bij de zaak houden?'

'Natuurlijk, mijnheer de rechter, zodra ik weet wat de zaak eigenlijk is.'

'Moet ik het zo begrijpen dat Dina Grønelv beweert dat ze heeft meegeholpen die codes te maken?'

'Het is een leuke manier om Russisch te leren.'

'Wat staat er in deze... codes?'

'U hebt het in het begin voorgelezen, maar ik kan het me niet letterlijk herinneren. We hebben het over zoveel dingen gehad nadat u het heeft voorgelezen. En er is veel water naar de zee gestroomd sinds de dag dat Leo Zjukovsky op Reinsnes was en mij Russisch leerde.'

'U bent niet bepaald coöperatief.'

'Ik vind het onzin om een man te arresteren omdat hij de draak heeft gestoken met de Zweedse koning, terwijl niemand een vinger uitsteekt om degene die mijn zegel heeft verbroken op de vingers te tikken. En die Krimoorlog wint niemand! Behalve de mensen die er geld aan verdienen!'

De rechter besloot na een poosje dat hij klaar was met het verhoor. De verslaglegging werd voorgelezen. Zij keurde het goed. En dat was dat.

'Word ik aangeklaagd?' vroeg ze.

'Nee', antwoordde de rechter. Hij was duidelijk vermoeid.

'Wat voor gevolgen zal dit verhoor hebben voor de aanklacht jegens Leo Zjukovsky?'

'Dat is moeilijk te zeggen. Maar deze verklaring zet het code-bewijs op losse schroeven, dat zie ik wel.'

'Goed zo!'

'U sympathiseert met deze Rus?'

'Het bevalt me niet als mijn gasten worden gearresteerd omdat ze mij in alle vriendelijkheid Russische woordjes proberen te leren. Ik zie niet in waarom ik daar doekjes om zou winden.'

De rechter, de drost en Dina namen in de beste verstandhouding afscheid.

De drost was tevreden. Hij had het gevoel alsof hij dit in zijn eentje had geklaard! Zowel de ene als de andere partij bewerkt had. Met informatie uit de eerste hand naar de landvoogd en Dina gekomen was. Zodat de verklaring snel en naar behoren kon worden afgelegd.

Vandaag was Dina zijn enige kind.

Toen Dina terugkwam uit Ibestad, stond de regenboog boven Reinsnes gespannen. Naar gelang het strand dichterbij kwam, verdween het ene gebouw na het andere en bleef in de nevel verborgen.

Ten slotte stond de regenboog met een been op het dak van de kårstue, terwijl het andere verborgen was in de Sont.

Ze tuurde naar de kust. Vandaag zeilde ze alleen.

Dina stond voor het raam van de zaal en zag Stine en Tomas over het erf lopen. Vlak naast elkaar. Het was een van de laatste dagen van april.

Niemand liep zo in het openbaar. Niemand!

Ze bleven staan bij de duiventil. Keerden hun gezichten naar elkaar toe en glimlachten. Stine zei iets dat Dina niet kon horen. Tomas legde zijn hoofd in zijn nek en lachte.

Wie had Tomas ooit horen lachen?

Tomas legde zijn arm om Stine's middel. Toen liepen ze langzaam verder over het erf, de kårstue binnen.

De vrouw achter het gordijn haalde adem door haar tanden. Sissend.

Toen wendde ze zich af. Stampte door de kamer. Naar de kachel, naar de cello, weer terug naar het raam.

Het werd steeds donkerder in de kamer.

De kranten schreven over een vredesverdrag in Parijs. Rusland likt zijn wonden, weinig eervol. Engeland likte zijn wonden, met weinig gewin. En Zweden-Noorwegen hoefde de Finnen niet te bevrijden. Waarschijnlijk was Napoleon III de enige overwinnaar.

Op een dag las Dina in de krant dat Julie Müller overleden was. Ze schreef een condoléancebrief naar Müller. Een kreeg een lange, trieste brief terug waarin hij vertelde dat hij al zijn bezittingen wilde verkopen en naar Amerika wilde vertrekken.

Dina liep naar de vlaggeheuvel. Ondertussen trok de zomer vol zegeningen door de noordelijke provincies.

20

Dan zult gij diep uit de grond spreken en uw woord
zal uit het stof gedempt opklinken; als van de geest
van een dode zal uw stem uit de grond komen en uw
woord zal uit het stof piepen.

(Jesaja 29:4)

Zwarterik had een wond onder zijn buik opgelopen, die niet
wilde genezen. Niemand wist precies hoe het gebeurd was. Het
leek alsof hij in de stal zichzelf aan stukken stond te bijten.

Wat Tomas ook probeerde om hem te beletten de wond weer
open te rijten met zijn koppige, gele tanden, niets hielp.

Alleen Dina kon in de buurt van het gewonde dier komen.
Het was duidelijk dat hij pijn leed, omdat de wond was gaan
ontsteken. Ze maakte een korf voor zijn muil vast. En iedere
keer als hij moest eten of drinken, stond zij ernaast om ervoor
te zorgen dat hij de wond niet openbeet.

Ze hoorden het wilde, woedende hinniken dag en nacht. En
het getrappel van paardehoeven uit de stal bracht zowel dieren
als mensen van hun stuk.

Stine maakte zalf om erop te smeren. En Oline kwam met
haar papomslagen.

Maar na een week ging het paard op de vloer van de stal
liggen, en wilde niet meer opstaan. Hij brieste slijm over Dina
heen als ze in de buurt kwam, en ontblootte tegen alles en
iedereen zijn tanden.

Het been dat het dichtst bij de wond was, lag onder hem.
Zijn ogen waren bloeddoorlopen.

Hanna en Benjamin mochten niet in de stal komen.

*Ik ben Dina. De mensen zijn zo bedroevend hulpeloos. De natuur
is onverschillig. Verspilt al het leven. Neemt nooit de verantwoording op zich. Laat alles als slijk aan de oppervlakte drijven. Hoe*

kan nieuw leven het verdragen te ontstaan uit dit slijk? Slijk baart
slijk tot in eeuwigheid, zonder dat er iets belangrijks ontstaat of
gebeurt. Was er maar één iemand die opstond uit het slijk en iets
met zijn leven deed! Een enkel iemand maar...

De getallen en de tonen zijn niet ondergeschikt aan het slijk.
Zijn er niet van afhankelijk of de mensen iets weten. De wet van
de getallen bestaat, ook al wordt die niet opgetekend. De tonen
zullen er altijd zijn. Ongeacht of we ze horen.

Maar de natuur is slijk. De lijsterbes. Het paard. De mensen.
Ontstaan uit slijk. Zullen tot slijk wederkeren. Hebben een afge-
meten tijd. Dan verdrinken ze in het slijk.

Ik ben Dina die alleen is met een ijzeren voorhamer en een mes.
En het paard. Weet ik waar ik moet treffen? Ja! Omdat het moet.
Ik ben Dina die tegen Zwarterik praat. Ik ben Dina die zijn hals
vasthoudt. Die in zijn wilde ogen kijkt. Lang. Ik ben Dina die
toeslaat. En houwt! Diep.

Ik ben het die hier midden in al dat rode, warme zit en het
paard bijsta. Ik! Die ziet hoe de ogen langzaam veranderen in glas
en nevel.

Tomas kwam de stal in om naar het paard te kijken, omdat het
zo stil geworden was.

In het halfdonker en op afstand leek het alsof Dina verse,
beregende rozeblaadjes over haar gezicht en kleren had uitge-
strooid. Ze zat op de grond en hield het paardehoofd vast. Het
grote, zwarte dierelijf lag rustig, de sierlijke benen twee aan twee
op de vloer.

Het bloed was met harde stoten naar buiten gepompt. Tot
hoog op de muur en over het gouden hooi op de vloer.

'Mijn God!' kreunde Tomas. Toen rukte hij zijn pet van zijn
hoofd en ging naast haar zitten.

Het leek alsof ze niet merkte dat hij er was.

Toch bleef hij zitten. Tot de laatste sijpelende druppels
stolden in de messteek.

Toen maakte ze zich langzaam los, legde het paardehoofd op
de vloer en streek de ogen van het paard dicht. Daarna stond ze

op en haalde een hand over haar voorhoofd. Als een slaapwandelaar die ontwaakt terwijl hij nog ronddoolt.

Tomas kwam ook overeind.

Dina maakte een afwerende beweging met haar hand. Toen liep ze door de stal, liep naar buiten zonder de deur achter zich dicht te doen. Het geluid van haar hakijzers op de met stro bestrooide vloer echode zacht door de hele stal.

Toen kwam de stilte.

De voorhamer en het mes werden weer op hun plaats gelegd. De stal werd schoongemaakt. De bebloede werkkleren werden in de rivier gelegd, onder stevige stenen. De rivier voerde alles wat loszat naar de zee.

Dina liep naar het washuis en stookte het vuur onder de grote pan op. Ging op een krukje naast de kachel zitten tot het water warm genoeg was en de stoom begon op te stijgen naar het plafond.

Toen stond ze op, liep door het vertrek en deed de grendel voor de deur. Haalde de grote blikken tobbe van de muur en vulde die. Kleedde zich langzaam uit. Met bewegingen alsof ze een ritueel uitvoerde.

Vouwde de bloederige vlekken naar de binnenkant van elk kledingstuk. Alsof ze ze wilde verwijderen door er niet meer naar te hoeven kijken. Ten slotte stapte ze naakt het dampende water in.

Het huilen begon ergens buiten haar. Vestigde zich in haar keel. Brak los en sloeg alles om haar heen in duizend stukken. Tot Hjertrud tevoorschijn kwam en de brokstukken bijeensprokkelde.

21

Ik ben gekomen tot mijn hof, mijn zuster, bruid, ik
plukte mijn mirre en mijn balsem, ik at mijn raat en
mijn honig, ik dronk mijn wijn en mijn melk. Eet,
vrienden, drinkt, en wordt dronken, genoten.

(Hooglied 5:1)

Op de dag dat Dina in Kvæfjord was om te kijken naar een
paard dat haar was aanbevolen, kwam Leo Zjukovsky. Hij had
in Strandstedet een lift gekregen. Hij had niet veel bij zich,
alleen een plunjezak en een reistas. Peter van de winkel begroette de man op de steiger, want hij had de winkel voor die avond
al afgesloten.

Toen hij begreep dat dit niet een late klant was, maar iemand
die wilde overnachten, maakte hij een uitnodigend gebaar en
vroeg hem naar het hoofdgebouw te gaan.

Leo bleef staan kijken naar de oprijlaan met de lijsterbessen.
Die zwanger waren, met hun hele schoot vol bloedrode bessen.
Het blad was al door de wind meegenomen.

Hij liep de oprijlaan door. De naakte kronen zongen zachtjes. Bij de hoofdtrap bleef hij staan. Toen leek hij van gedachten
te veranderen. Draaide zich om en liep om het huis heen, naar
de deur van de bijkeuken. Gooide zijn plunjezak en reistas op
de trap, en klopte aan. Even later zat hij in de blauwe keuken.

Oline herkende de man met het litteken. Eerst was ze wat
verlegen en formeel, alsof ze nog nooit eerder gasten op Reinsnes had ontvangen. Ze vroeg hem plaats te nemen in de woonkamer, maar dat wilde hij niet. Als hij haar niet tot last was,
wilde hij graag bij haar komen zitten.

Even stond ze daar en verstopte haar handen in haar schort,
toen liep ze op hem af en sloeg hem op zijn borst.

'Hartelijk bedankt voor de cadeaus die je gestuurd hebt! Zo'n mooi cadeau had ik sinds ik jong was niet meer gehad! God zegene je...'

Ze was zo ontroerd dat ze nog harder moest slaan.

Het gebaar kwam onverwacht, maar hij lachte en gaf haar een zoen op beide wangen.

Verlegen draaide ze om haar as en begon het fornuis aan te steken.

'Dat je op het idee gekomen bent om mij zo'n mooie kraag te geven!' zei ze terwijl het aanmaakhout rond haar gezicht knetterde toen ze zich vooroverboog naar de opening in het fornuis.

'Kun je hem gebruiken?' vroeg hij en keek haar recht aan.

'O, ja... Dat zeker. Maar ik kom niet zoveel buiten de deur. En hier in de keuken past het niet zo, om opgetut rond te lopen.'

'Maar je kunt je toch af en toe opdoffen?'

'Ja', zei ze ademloos. Om er een einde aan te maken.

'Wanneer heb je de kraag voor het laatst gebruikt?'

'Met Kerstmis.'

'Dat is lang geleden.'

'Ja, maar het is een veilig gevoel dat ik ergens iets heb liggen dat niet verwassen en versleten is, weet je.'

Hij zond haar rug een warme blik. Toen begon hij te vragen hoe alles reilde en zeilde op Reinsnes.

De meisjes staken een voor een hun hoofd om de deur van de aanrechtkeuken. Leo stak zijn hand op als groet. Oline gaf hen de opdracht de grootste gastenkamer klaar te maken. Korte bevelen. Wachtwoorden. Die aantoonden dat ze wel wisten wat er gedaan moest worden. Maar dat het er eigenlijk om ging hen de keuken uit te bonjouren.

Ze serveerde koffie aan de keukentafel. Hij liep naar de trap om zijn reistas te halen. En bood haar rum aan. Oline zat daar en bloeide op. Tot hij vroeg hoe het nu was op Reinsnes.

'Moeder Karen is niet meer...' zei Oline, en veegde met haar hand in haar oog.

'Wanneer is dat gebeurd?'

'Vorige herfst. Toen Dina terugkwam uit Tromsø. Ja, ze was in Tromsø om over meel uit Archangelsk te onderhandelen...

Maar dat weet mijnheer Leo natuurlijk niet.'

Oline vertelde over de dood van moeder Karen. Over Stine en Tomas die getrouwd waren en in de kårstue woonden en een kind verwachtten.

'Ik schijn hier altijd na een sterfgeval te komen', mompelde hij. 'Maar Stine en Tomas... dat is leuk om te horen. Gek dat ik dat niet gezien heb toen ik hier de laatste keer was. Dat er iets aan de gang was.'

Oline leek slecht op haar gemak. Maar toen zei ze: 'Ze wisten het zelf ook nauwelijks. Dina had bedacht dat dit een goede oplossing was. Dus gebeurde het zo. En het ziet er naar uit dat het een zegen voor de hele hoeve is. Maar niet alle vrouwen op Reinsnes zijn even gezegend...'

'Wat bedoel je daarmee?'

'Mevrouw zelf. Ja, ik zou eigenlijk niks moeten zeggen. Ze is te hard. Ook voor zichzelf. Ze draagt een ijzeren knoop mee in haar binnenste... Ze heeft niet veel geluk gekend! En dat merk je... Maar ik had dit niet moeten zeggen...'

'Dat geeft niet. Ik geloof dat ik het begrijp.'

'Ze heeft zelf haar paard geslacht!'

'Waarom?'

'Hij was ziek. Een wond onder zijn buik, die ging ontsteken. Hij was ook oud, natuurlijk. Maar dat ze dat kon...'

'Ze hield toch van dat paard?'

'Natuurlijk. Maar dat ze het zelf geslacht heeft...'

'Heeft ze hem doodgeschoten?'

'Nee, gestoken! Ach jee, ach jee.'

'Maar een paard laat zich niet doodsteken!'

'Dina's paard wel.'

Oline's gezicht was plotseling een houten wand zonder ramen of deuren. Ze liep naar het fornuis om de koffiekan te pakken en schonk hen allebei nog eens in.

Toen begon ze erover te praten dat hij dunner en bleker was geworden.

Hij glimlachte breed en vroeg naar de kinderen.

'Benjamin is voor deze ene keer met zijn moeder op stap. Ze heeft hem blijkbaar harder nodig nu het paard dood is.'

'Voor deze ene keer?'

'Ja, de jongen is niet vaak weg van Reinsnes. Ja, er komen hier natuurlijk wel veel mensen. Maar een jongen die zoveel verantwoordelijkheid krijgt als hij later, zou meer van de wereld moeten zien!'

'Hij is nog jong', glimlachte Leo.

'Ja, ja... En Stine krijgt in november een kind. Dan zijn er drie kinderen in de kårstue. Maar geen een in het hoofdgebouw. Het is niet goed dat Benjamin niet volgens zijn eigen stand wordt opgevoed. Moeder Karen zou dat niet goed gevonden hebben. Zij zou hem weer naar het hoofdgebouw hebben gehaald.'

'Woont Benjamin niet bij zijn moeder?' vroeg Leo.

'Nee, hij wil dat niet... schijnt het.'

Leo bestudeerde de vrouw in het schort.

'Waarmee zijn ze onderweg, Benjamin en Dina?'

'O, ze zeilt met een van de kleine boten. Ze is zo eigengereid. Als moeder Karen nog geleefd had, had ze de jongen niet alleen mee naar zee mogen nemen, zonder de hulp van een man.'

'En dat zou Dina gerespecteerd hebben?'

'Gerespecteerd, gerespecteerd. Dat weet ik niet precies. Maar ze had het vast niet gedaan.'

Oline besefte plotseling dat ze met deze vreemdeling over dingen sprak die je niet onder woorden bracht. Ze knipperde een paar keer met haar ogen en zocht een uitweg.

Misschien kwam het door de kanten kraag die hij haar had gegeven? Of omdat hij zoveel vroeg? Of door zijn ogen? Ze verontschuldigde zich en kreeg het druk met het vullen van de koekjesschaal en het wegborstelen van de kruimels op het geborduurde tafelkleed.

'En Johan? Hoe gaat het met Johan?' vroeg hij.

'Hij heeft een kleine gemeente op Helgeland. Ik weet eigenlijk niet hoe het met hem gaat. Hij schrijft niet meer, nu moeder Karen er niet meer is. Hij is een volkomen vreemde geworden. Ook voor mij. Maar met zijn gezondheid gaat het beter, geloof ik... Hij is een tijdje erg ziek geweest.'

'Maakt Oline zich zorgen?' vroeg hij.

'Ach ja, ik heb nou eenmaal niets anders te doen.'

'Je werkt toch hard?'

'Nee, ik heb zoveel hulp...'

Het werd stil.

'En Dina? Wanneer verwachten jullie haar terug?'

'Dat wordt niet voor morgen', zei ze, en bekeek de man vanuit haar ooghoeken. 'Maar Anders komt vanavond uit Strandstedet. Hij zal wel blij zijn dat mijnheer Leo er is! Anders is bezig het vrachtschip en de sloep uit te rusten voor de Lofot-visserij. Hij is van plan beide vrachtschepen in het voorjaar naar Bergen te sturen. Hij is er maar druk mee, als ik zo vrij mag zijn. Sinds hij een kajuit op de sloep heeft laten bouwen, ligt hij daar als een vorst en vist zelf ook. Af en toe. Vorig jaar had hij scheepsbenodigdheden en levensmiddelen meegenomen die hij verkocht aan de vissers op de Lofoten. Hij kwam terug met vis, lever en kuit. Niet alleen wat hij gekocht had, maar ook zijn eigen vangst! Tot de nok toe vol!'

Het gebeurde maar zelden dat Dina alleen zeilde. Maar deze keer had het niet anders gekund. Ze had zo kwaad uit haar ogen gekeken, dat niemand zin had om met haar mee te gaan, als ze daar niet zelf om vroeg. Ze had alleen Benjamin als gezelschap.

Hij had op de vlaggeheuvel gezeten toen zij daarheen liep om naar de raderboot te kijken. Had haar begroet, zoals hij gasten die bleven overnachten begroette, of mensen die uit de winkel kwamen om koffie te drinken bij Stine.

Zijn blauwe ogen rustten op haar. Dichtgeknepen, alsof zij een dunne stoflaag in de lucht was. Zijn gezicht begon nu echt vaste vorm te krijgen. Zijn wangen en kin waren hoekig geworden. Zijn haar was het afgelopen jaar donkerder geworden. En zijn ledematen waren slungelig en zaten in de weg. Hij had de nare gewoonte zijn mond tot een streep te vertrekken.

'Kijk jij ook naar de schepen?' had ze gevraagd.

'Ja.'

'Denk je dat er vandaag mensen komen?'

'Nee.'

'Waarom kijk je dan?'

'Hij is zo lelijk.'

'Kijk je naar de raderboot omdat hij zo lelijk is?'

'Ja.'

Dina ging op de platte steen naast de vlaggemast zitten. De jongen schoof beleefd een flink stuk opzij.

'Er is plaats genoeg voor twee, Benjamin.'

Ze legde plotseling haar arm om zijn rug. Maar hij wrong zich los. Onmerkbaar, alsof hij haar niet wilde ergeren.

'Wil je mee naar Kvæfjord om een nieuw paard te bekijken?' vroeg ze toen de raderboot floot.

Hij gaf pas antwoord toen het weer stil was.

'Dat zou wel leuk zijn', zei hij met een gemaakt alledaagse stem. Alsof hij bang was dat Dina van gedachten zou veranderen als hij zijn blijdschap toonde.

'Dat is dan afgesproken. Morgen varen we.'

Ze zaten daar een poosje te kijken hoe de mannen naar het schip roeiden.

'Waarom heb je Zwarterik doodgestoken?' vroeg hij plotseling.

'Hij was ziek.'

'Kon hij niet meer beter worden?'

'Jawel. Maar hij zou nooit meer dezelfde zijn.'

'Maakte dat wat uit?'

'Ja.'

'Waarom? Je had op een ander paard kunnen rijden.'

'Nee, ik heb niks aan een paard dat alleen maar op stal staat, terwijl ik een ander berijd.'

'Maar waarom heb je het zelf gedaan?'

'Omdat het gevaarlijk was.'

'Hij had je dood kunnen trappen?'

'Ja.'

'Waarom doe je zulke dingen?'

'Ik doe wat ik moet doen', zei ze en stond op.

Dina had hem om raad gevraagd over de aanschaf van het paard. Ze werden het eens, op haar aanwijzingen. Het paard zag er niet helemaal goed uit. Het had gemene ogen en een smalle borstkas. Het mocht niet baten dat hij heel gewillig was toen

Dina er op ging zitten. De koop ging niet door.

'Dan had ik iemand moeten zoeken die met jou terug kon zeilen', zei Dina luchtig. 'Het was vast de bedoeling dat we ook samen terug zouden zeilen, jij en ik.'

Ze hadden overnacht op de hoeve van de drost. In vrede en verdraagzaamheid.

De drost had via de rechter het bericht gekregen dat Leo Zjukovsky kort geleden was vrijgelaten.

Dina hoorde het nieuws met half geloken ogen aan. Toen zei ze tegen Dagny dat ze graag de schilderijen van Hjertrud mee naar Reinsnes wilde nemen. De schilderijen waar zij en Dagny al die jaren ruzie over hadden gemaakt.

Dagny schoof onrustig op haar stoel heen en weer. Maar stemde toe. Het was een goede oplossing.

'En de broche. Die jij gebruikt als je er deftig uit wilt zien. Die wil ik ook bewaren', ging ze verder.

De jongens en de drost zaten op eieren. Maar het leek Benjamin niet te deren dat ze op een bom zaten. Hij bestudeerde hen een voor een. Alsof hij iets interessants had ontdekt in een plaatjesboek.

Het woei over. Als een plotselinge windvlaag, die van richting veranderde.

Dina vertrok naar huis met zowel de broche als de schilderijen in haar bagage.

Het was stralend herfstweer. Met een passend briesje.

De jongen was zo trots als een pauw. Hij had grote gedeelten van de tocht aan het roer gezeten. Hij had niet veel gezegd. Toch was hij tevreden. Bijna blij. Ze hadden het op de terugreis over van alles gehad.

Dina zag hem! Had geluisterd naar wat hij te zeggen had. Had steeds serieus op zijn vragen geantwoord. Over moeder Karen. Over het paard. Over gaan studeren, als hij oud genoeg was. Over waarom Anders het vrachtschip zou krijgen als Dina doodging. Over wie er de baas was op Reinsnes. Al die dingen die Benjamin had opgepikt, als de volwassenen dachten dat hij in tegenstelling tot anderen geen oren had gekregen. En waar ze ontwijkend op antwoordden als hij er naar vroeg.

Dina gaf antwoord. Soms werd hij niet veel wijzer van wat ze zei. Maar dat gaf niet. Want ze gaf antwoord.

Soms zei ze dat ze het niet wist. Bijvoorbeeld toen hij vroeg of hij de volgende keer als ze ergens naartoe voer weer mee mocht. Of toen hij vroeg of Johan weer naar Reinsnes zou komen.

'Het kan mij niet schelen of Johan thuiskomt', zei hij.

'Hoezo?'

'Ik weet het niet.'

Zij liet het daarbij, en vroeg niet verder.

Ze zeilden bijna helemaal tot aan de aanlegplaats.

'Je bent net zo'n goede stuurman als Anders', zei Dina, toen de boot de eerste stenen raakte.

Benjamin straalde. Toen sprong hij stoer aan land en manoeuvreerde de boot tegen een grote steen aan, zodat Dina met droge voeten op het strand kon springen.

'Dina kan verdomd goed zeilen', zei hij en keerde zich naar haar toe om de reistassen die ze hem toestak aan te kunnen pakken.

Zijn glimlach was een zeldzaam geschenk. Maar ze nam Benjamins geschenken niet meer aan. Haar ogen waren ergens bovenaan de heuvel.

Over de oprijlaan kwam een man aangelopen met een zwarte vilthoed met brede randen. Hij stak zijn hand op, als groet.

Ze liet de reistassen in het wier vallen. Toen begon ze aan een langzame en doelbewuste wandeling tussen de stenen door. Over de vloedlijn. Langs de steigers. Over het grind. Onder de kronen van de bomen die de weg naar het huis bewaakten.

Het laatste stukje rende ze. Bleef op een pas afstand staan. Hij spreidde zijn armen uit. Toen was ze thuis.

De jongen op het strand boog zijn hoofd en trok de boot aan land.

Hij was zwaar.

Ze waren bij het dessert gekomen. De herfstduisternis verstopte zich in de hoeken. Want ook deze avond werd er niet op licht beknibbeld.

De leraar en winkel-Peter hielden zich afzijdig van het gesprek. Het waren vooral Anders en Leo die praatten. Dina's ogen waren vuren.

Stine zat niet aan tafel. Dat deed ze niet meer sinds ze met Tomas getrouwd was. Ze had vrijwillig afstand gedaan van die status. Want Tomas werd nooit in de eetzaal uitgenodigd.

Nu liep ze af en aan. Zorgde ervoor dat er niets ontbrak. Als een waardige buffetjuffrouw. Ondanks haar dikke buik bewoog ze zich snel en soepel als een dier.

Leo had haar hartelijk begroet, als een lid van het gezin. Maar zij was afstandelijk. Alsof ze zich wilde verdedigen tegen vragen.

Niemand noemde het onderwerp tuchthuis of spionage. Maar de oorlog dook wel op in het gesprek. Noodzakelijkerwijs.

'Zijn ze in Rusland blij met de nieuwe tsaar?' vroeg Anders.

'Daar zijn de meningen over verdeeld. Maar het is lang geleden dat ik iets uit Sint Petersburg heb gehoord. Overigens heeft hij waarschijnlijk het beste gemaakt van een verloren zaak. En hij heeft niet een eenzijdige, militaire opleiding gehad, zoals zijn vader. Integendeel, een van zijn leraren tijdens zijn jeugd was de dichter Wassili Zjukovsky.'

'Familie van je?' vroeg Dina snel.

'Dat zou best kunnen', glimlachte hij.

'Jij vind het belangrijk welke leraren je hebt?' zei Dina en wierp de huisleraar, kandidaat Angell, een blik toe.

'Dat ligt voor de hand.'

'Ik heb Lorch', zei Dina bedachtzaam.

'De man die je cello en piano leerde spelen?' vroeg de kandidaat.

'Ja.'

'Waar is hij nu?'

'Soms hier, dan daar.'

Stine was in de kamer om de koffie klaar te zetten voor na het diner. Ze richtte zich even op, toen Dina antwoordde. Toen liep ze rustig de kamer uit. Anders was zichtbaar verbaasd. Maar zei niets.

'Ik begrijp dat er gewicht aan mij wordt toegekend', zei de kandidaat.

'Zonder twijfel', zei Leo.

'Denk je dat de Krimoorlog bij voorbaat al een verloren zaak was, omdat niemand de soldaten geleerd had te vechten?' vroeg de kandidaat geïnteresseerd.

'Een oorlog die geen betekenis heeft voor diegenen die moeten vechten, is altijd bij voorbaat een verloren zaak. Oorlog is er de uiterste consequentie van dat mensen zo bang zijn dat ze niet meer praten.'

'Dat is de ethische kant van de zaak', zei de kandidaat.

'Je kunt niet om de ethische kant heen', vond Leo.

'Het vredesverdrag is meer een soort afhankelijkheidsverklaring voor de Russen', dacht Anders.

'Een denkende Rus is het meest onafhankelijke wezen in de wereld', zei Leo vriendelijk. 'Maar Rusland is geen eensluidende stem. Het is een koor!' voegde hij eraan toe.

Anders was gek op toetjes, maar hij legde zijn lepel even weg.

Dina was ergens anders. Ze staarde recht voor zich uit, en reageerde niet op de blikken die ze haar toewierpen. Uiteindelijk pakte ze haar servet en veegde haar mond af.

'Er moet toch ergens een sleutel in de deur zitten', zei ze tegen zichzelf. 'Ik kan hem alleen niet zien...'

'Wat vindt Leo van het voorstel van de Scandinavisten om de Noordse landen onder één vlag te verenigen?' vroeg de kandidaat.

'Dat hangt ervan af wat je bedoelt met Noordse landen', zei Leo ontwijkend.

'Er staat al genoeg onzin op de kaart. Je kunt goud en as niet samensmelten. Dat stoot elkaar af zodra het koud wordt', zei Anders droog.

'Ik weet niet of je wel helemaal gelijk hebt. Staten moeten over hun grenzen kunnen kijken. Mensen die alleen zichzelf zien, zijn verloren', zei Leo langzaam en keek naar zijn bord.

Dina keek hem verbaasd aan, toen lachte ze. De anderen keken slecht op hun gemak naar hun bord.

'Kan Dina een oude, verslagen Rus een laatste dienst bewijzen', vroeg hij vriendelijk.

'Dat hangt ervan af?'

'Iets van de muziek spelen die ik haar heb gestuurd!'

'Ja, als jij met mij mee gaat zoeken naar de beer die vorige week twee schapen heeft gepakt bij het ravijn', zei ze ad rem.

'Afgesproken! Heb je een wapen?'

'Ja, Tomas heeft er een!'

Dina stond op, pakte de zoom van haar donkerblauwe bombazijnen rok op en ging achter het instrument zitten.

Leo liep met haar mee, terwijl de anderen bij de openstaande deuren van de rooksalon gingen zitten. Haar handen waren vuur en doornen als ze elkaar beroerden.

'De muziek was niet altijd even gemakkelijk', zei ze.

'Maar je hebt ruim de tijd gehad om te oefenen...'

'Ja, daar hoor je mij niet over klagen', zei ze hard.

'Mag ik een verzoek doen?'

'Ja.'

'Dan wil ik iets horen voor een maanzieke. De Mondscheinsonate van Beethoven.'

'Die heb je me niet gestuurd.'

'Jawel, die heb je wel gekregen. Het is Sonate nr. 14', zei hij.

'Je vergist je. Zo heet Sonate nr. 14 niet. Die heet Sonata quasi una fantasia', zei ze hautain.

Hij ging tussen de mannen in de rooksalon en haar in staan, zodat hij haar ogen voor hem alleen had. Zijn litteken was deze avond heel bleek. Misschien kwam het ook omdat de man zelf erg bleek geworden was.

'We hebben allebei gelijk. Oorspronkelijk droeg de sonate de naam die op de bladmuziek staat. Maar een schrijver herdoopte het stuk tot Mondscheinsonate. Die naam bevalt me... Het is muziek voor maanzieke mensen.'

'Misschien. Maar ik houd meer van Sonate nr. 23, Appassionata.

'Maar speel eerst voor míj', zei hij zacht.

Ze gaf geen antwoord. Vond de bladmuziek en ging klaar zitten. De eerste aanslagen waren een schor protest. Toen zweefden de tonen door de kamer als een liefkozing.

Zoals altijd werden de deuren naar de keuken en aanrechtkeuken opengedaan en werd alle bedrijvigheid daar gestaakt. Oline en de meisjes schoven als schaduwen langs de deuropeningen.

Dina had haar gezicht gesloten. Maar haar vingers waren sluipende hermelijnen in wintervacht. Ze vlogen met veel energie uit mouwopeningen met batisten ruches.

Anders zat zo dat hij Dina's profiel kon zien. De Rus stond achter haar stoel. Hij had schaamteloos zijn groene ogen op haar haren gelegd en zijn handen op haar rugleuning. Toch tilde Anders zijn hand zonder trillen op en stak geruisloos een sigaar aan. Zijn gezicht lichtte fel op tegen het donker van de wanden. De rimpel tussen zijn wenkbrauwen maakte hem ongenaakbaar. Toch zag hij er vriendelijk uit.

Even ontmoette hij Leo's blik. Open. Toen knikte hij naar de man. Alsof ze een partij schaak hadden gespeeld, die Anders in alle verdraagzaamheid had verloren.

Anders was altijd al een toeschouwer geweest. Zowel van zijn eigen leven als dat van anderen. Hij telde in zijn hoofd de maanden, van de dag dat Leo het laatst op Reinsnes was geweest tot de zeiltocht over de Foldzee. Hij boog zijn hoofd en liet zijn gedachten met de sigarerook opstijgen naar de balken van het plafond.

Epiloog

Epiloog

Let er niet op, dat mijn huid donker is, dat de zon
mij verbrand heeft. De zonen van mijn moeder waren hard jegens mij en stelden mij aan tot bewaakster
der wijngaarden – mijn eigen wijngaard heb ik niet
bewaakt. Vertel mij toch, mijn zielsbeminde, waar
gij weidt, waar gij op de middag (de kudde) laat
rusten. Want waarom zou ik zijn als een gesluierde
bij de kudden van uw makkers?

(Hooglied 1:6-7)

De lichten in de gebouwen op de hoeve werden gedoofd. Een
voor een. In de gang flakkerden twee kaarsen in solide gietijzeren kandelaars.

Nadat iedereen zich had teruggetrokken, maakten Dina en
Leo een avondwandeling. De twee espen bij het tuinhek stonden naakt afgetekend tegen de violette hemel. Het schelpzand
rond moeder Karens bloemperken was een zee van kleine botjes
in het maanlicht. Het rook sterk naar herfst.

Ze richtten hun schreden naar het tuinhuis, alsof dat afgesproken was. Toen ze de smalle deur opendeden, sloeg de
klamme lucht hen tegemoet. De ruitjes bliksemden in het licht
van Dina's lantaarn. Ze droeg een mantel en een omslagdoek.
Hij was niet zo goed gekleed. Maar voorlopig had hij het warm
genoeg.

Zodra ze de lantaarn op de tafel had gezet, sloeg hij twee
hongerige armen om haar heen.

'Bedankt!' zei hij.

'Waarvoor?'

'Dat je een valse getuigenis hebt afgelegd!'

Hun lichamen waren bomen in een storm. Gedoemd om
vlak bij elkaar te staan. Om op elkaar te leunen, bij elke
windvlaag meer, zonder de pijn te kunnen toegeven.

'Hebben ze je daardoor vrijgelaten?'

'Het hielp wel. En het feit dat het maar een ongevaarlijke
code was.'

'Die iets heel anders betekende?'

'Die gelezen moest worden door mensen die de dubbelzin-
nigheid van de Russische taal begrijpen.'

Hij kuste haar terwijl hij haar hoofd tussen zijn handen
hield.

Het dak van het prieel scheurde, en de hemel verscheen
boven hen als een zwartgespikkelde duif. Rode bliksems sloegen
neer in de gekleurde ruitjes. De lantaarn ging vanzelf uit. Een
meeuw was een soepel, rood spook door de ruiten, en de maan
zweefde groen voorbij. Kogelrond en vol.

'Je bent gekomen!' zei ze, toen ze weer adem kon halen.

'Heb je de hoed gekregen?'

'Ja.'

'En toch twijfelde je?'

'Ja.'

'Ik heb naar je verlangd...' fluisterde hij, en verborg zijn
mond in haar hals. 'In een kooi gezeten en naar je verlangd.'

'Hoe was het daar?'

'Daar praten we nu niet over.'

'Was het de eerste keer?'

'Nee.'

'Wanneer was de vorige keer?'

'In Rusland.'

'Waarom?'

'Dina! Moet ik je blijven kussen om je je mond te laten
houden?'

'Ja! Waarom ben je gekomen, Leo?'

'Omdat ik hou van een weduwe die Dina Grønelv heet.'

Ze zuchtte luid. Als een oude landarbeider die na een lange
dag op de akker eindelijk vrij kan nemen. Toen beet ze hem in
zijn wang.

'Wat betekent dat, als Leo Zjukovsky van iemand houdt?'

'Dat ik je ziel wil leren kennen. En dat ik de zegening van de
orgelvloer in de kerk wil herhalen, tot in eeuwigheid.'

Alsof dat een wachtwoord was, stond ze op en nam hem mee.

Op de tafel bleef een dode lantaarn achter.

Zij liepen recht op de zegeningen af.

Om drie uur 's nachts speelde Lorchs cello op de zaal. Anders draaide zich om in zijn bed. De maan wierp een eenzaam vensterkruis op hem. Hij besloot om voor de winter naar Namsos te varen om hout te halen. Maar hij viel pas tegen de ochtend in slaap.

Benjamin hoorde Lorchs cello ook. De klanken zweefden het erf over, de zolder van de kårstue binnen.

Hij had het diner beloerd door de ramen van de kamer. De donkere, grote man met het lelijke litteken had naar Dina gekeken alsof hij haar bezat.

Stine had hem ruim op tijd geroepen zodat hij zich kon verkleden en aan tafel kon gaan.

Maar Benjamin was die dag uit Fagernes komen zeilen. En was achtergelaten op het strand.

Dina moest hem zelf aan tafel roepen!

Hij wist dat ze dat niet zou doen.

Leo was haar naar de zaal gevolgd. Als een legeraanvoerder die eindelijk in de triomfwagen plaatsneemt nu hij de grootste stad van het land heeft ingenomen. Hij had haar mantel en schoenen al beneden in de gang uitgetrokken.

De zwarte etagekachel snorde zacht. Annette had hem vroeger op de avond aangemaakt.

Dina stak de kandelaar op de kaptafel aan en deed de lamp uit.

Hij bleef naar haar staan kijken terwijl ze zich uitkleedde. Toen ze het lijfje van haar jurk uittrok, zuchtte hij, terwijl hij zijn handen cirkels liet draaien over haar blote schouders.

Ze trok haar hemdje uit zodat haar borsten eruit vielen. Vrijgelaten gevangenen in zijn handen. Glanzend, met ieder een donkere verhoging die onder zijn handen groeide. Hij boog zich voorover en dronk ze.

Ze frunnikte aan de tailleband van haar rok. Toen klonk het geluid van ruisende stof. Een eeuwigheid van stof. Ten slotte stond ze daar in haar onderbroek.

Hij verplaatste zijn handen naar haar heupen, en zuchtte weer. Hij vond alle vormen waar hij naar zocht. Warme huid onder het fijnste Oostindische katoen. Het maakte hem wild. Maar ze stonden allebei nog steeds op hun benen.

Ze maakte zich los en trok hem zijn vest uit terwijl ze in zijn ogen keek. Maakte zijn halsdoek los en trok die weg. Zijn overhemd.

Hij stond daar met halfgesloten ogen, zijn gezicht een en al genot. De brede riem met koperen gesp. Zijn leren broek. Ze boog zich over hem heen, om hem heen. Haar vingers waren kalm en warm. Ten slotte stond hij naakt voor haar.

Toen liet ze zich op haar knieën zakken en verborg haar gezicht tegen zijn lid. Hij was haar eigendom en ze nam hem in bezit. Met mond en handen.

Hij tilde de struise vrouw op zijn heupen. Zijn armen trilden van de krachtsinspanning. Eerst bewoog hij alleen zijn heupen, zachtjes.

Een koerende, genietende beweging. Een auerhoen die zich voorbereidt op de paring. Toen drong hij langzaam bij haar binnen. Trok haar over zich heen als een machtig schild tegen alle bedreigingen.

Ze sloeg haar armen en dijen om hem heen. Hield hem vast. Tot hij rustig werd. Toen hief ze haar borst op tot bij zijn mond en klampte zich vast met sterke armen.

Hij was een cilinder in een machtige machine. Glijdend. Zwaar. Diep.

De rit kwam op gang. Honger en dorst.

Wellust!

Hij legde haar op de grond. Wachtte, en bekeek haar.

Hij had zulke harde heupen! Zo'n opwindende ademhaling! Zo'n grondige speer! Hij bereed haar tot het uiterste, lokte haar en stuwde alle klanken op tot een crescendo. Toen ze haar hoofd achterover gooide en in het oneindige viel, greep hij haar heupen beet en reed met haar mee.

Zij nam hem in ontvangst.

Ze waren een met elkaar, met bevende flanken. Droegen elkaars zwaarte in een gordiaanse knoop, voor de zwarte kachel met de rode, likkende vlammen.

Vangt ons de vossen, de kleine vossen, die de wijngaarden verderven, nu onze wijngaarden in bloei
staan.
Mijn geliefde is van mij en ik ben van hem, die te
midden der leliën weidt.

(Hooglied 2:15-16)

Toen Annette kwam om de kachel aan te maken, vond ze de
deur gesloten. Ze glipte de gastenkamer binnen, en trof daar
een onbeslapen bed aan. Ze liep naar Oline in de keuken en
bleef verlegen staan, haar handen onder haar schort.
    'Waarom sta je daar zo?' zei Oline. 'Moet je de kachels niet
aanmaken?'
    'De zaal is op slot!'
    'Maak dan de kachel in de gastenkamer aan! Anders is al
wakker en op pad, dus daar hoef je niet...'
    'Er is niemand in de gastenkamer!'
    Oline draaide zich om en keek het meisje aan. Achter haar
kogelronde pupillen maalde en bliksemde het.
    'Je kunt toch zeker de kachel wel aanmaken, ook al is er
niemand! Ben je soms bang voor spoken, op klaarlichte dag?!'
    'Maar...'
    'Niks te maren! siste Oline en gaf de ketel op het fornuis een
zet, zodat het koffiedik uit de tuit vloog.
    'Wat moet ik doen met de kachel op de zaal?'
    'Wat moet ik doen, wat moet ik doen?' aapte Oline haar na.
'Heb je ooit gehoord dat iemand door gesloten deuren heen een
kachel aanmaakte?'
    'Nee.'
    'Nee, dus. Kun je eindelijk eens ophouden met daar staan
staren! En geen woord hierover!' Oline kwam vlak voor het
gezicht van het meisje staan en siste: 'Geen woord tegen iemand
over het lege bed! Heb je dat begrepen?'
    'Ja...'

Benjamin wachtte Dina op toen ze het erf opliep.

'Zullen we gaan zeilen?'

'Nee, vandaag niet, Benjamin.'

'Ga je met die Rus zeilen?'

'Nee.'

'Wat ga je dan doen?'

'Ik ga met de Rus mee. Op jacht.'

'Vrouwen gaan niet op jacht.'

'Ik wel.'

'Mag ik mee?'

'Nee.'

'Waarom niet?'

'Als je een beer wilt afschieten, moeten er geen kinderen door de bosjes rennen.'

'Ik ben geen kind!'

'Wat ben je dan?'

'Ik ben Benjamin van Reinsnes.'

Dina glimlachte en pakte hem bij zijn nek.

'Dat is waar. Ik zal je binnenkort leren schieten met een geweer.'

'Vandaag?'

'Nee, niet vandaag.'

Hij draaide zich abrupt om en rende van haar weg, naar de boothuizen.

Dina liep de stal binnen en vroeg Tomas of ze zijn geweer kon lenen.

Hij keek haar lang aan, glimlachte bitter en knikte zonder een woord te zeggen. Hij pakte de kruithoorn en de tas en haalde het geweer van de muur.

'Die Rus kan hier toch niks mee raken, die is alleen een pistool gewend.'

'Weet Tomas zo goed met welke wapens mijnheer Leo kan omgaan?'

'Nee, maar hij zal nauwelijks ervaring hebben met een Laps geweer!'

'Maar Tomas wel?'

'Ik ken het geweer hier op de hoeve van binnen en van buiten. Je kunt er goed mee richten. En een beter schot kun je je niet wensen...'

Dina kronkelde als een slang.

'Het is toch niet gezegd dat schieten nodig is', zei ze luchtig.

'Nee, de jacht op zich is ook leuk', zei hij.

'Wat bedoel je daarmee?'

Ze kwam vlak bij hem staan. Ze waren alleen in de stal.

'Ik bedoel niks. Alleen dat Dina het ook niet zo belangrijk vindt om dat te raken wat ze af wil schieten, als ze op jacht is. Hazenjacht', voegde hij eraan toe en keek haar recht in de ogen.

Ze pakte het wapen en de spullen en liep naar buiten.

Ze liepen over het pad naar het elzenbos. Zij voorop. Draaide zich voortdurend om en glimlachte als een jong meisje. In een rok die tot haar enkels reikte en een kort jasje. Haar haren waren met een lint in haar nek samengebonden. Ze droeg het geweer alsof het een veertje was.

Hij bekeek haar van achteren. Ze straalde in het zonlicht.

De eerste nachtvorst had zijn sporen nagelaten. De bosbessenstruiken hadden de kleur van ijzer gekregen. De rode bessen lagen zwaar van het sap tussen olieachtige bladeren.

Ze keken geen van beiden uit naar de beer. Ze zagen ook geen van beiden de jongen die in hun voetsporen liep. Goed verborgen achter jeneverstruiken en kreupelhout. Ze dachten dat ze hier alleen waren.

Ze legde het geweer weg en wachtte hem op achter een grote steen. Besprong hem als een lynx.

Hij kwam haar tegemoet. Hun omhelzing was als pek boven een open vuur. Hier buiten was hij de baas. Temde haar onder zich in de heide tot ze kreunde en hem in zijn nek beet. Toen begroef hij zich in haar en maakte zich zwaar als een reus. Duwde de wijde rokken opzij en vond haar.

'Ik hou van je, Dina!' mompelde hij vanuit een diep ven. Waar waterlelies tussen het kroos dreven. Een sterke, frisse aardelucht steeg op uit het modderige water. Ergens langs de oever kreunde een groot dier.

'Je drukt me nog plat', snikte ze vol genot.

'Ik maak alleen af wat jij begonnen bent', zei hij hees.

'Heb je vannacht nog niet genoeg gehad?'

'Nee.'

'Krijg je ooit genoeg?'

'Nee.'

'Wat moeten we daar aan doen?'

'Ik moet maar weer terugkomen. En weer... en weer...'

Ze verstijfde onder hem.

'Ga je weg?'

'Niet vandaag.'

Ze gooide hem in blinde razernij van zich af. Ging zitten. Een grote kat die op haar voorpoten steunde en haar prooi in de ogen keek.

'Wanneer?'

'Met de volgende raderboot.'

'En dat vertel je me nu pas?

'Ja.'

'Waarom heb je dat gisteren niet gezegd!' schreeuwde ze.

'Gisteren? Waarom?'

'En dat durf je te vragen?'

'Dina...' riep hij zachtjes en wilde haar omarmen. Ze duwde hem weg en ging op haar knieën in de heide zitten.

'Je wist dat ik weer weg moest', zei hij smekend.

'Nee!'

'Dat heb ik al in Tromsø gezegd.'

'Je schreef dat... dat je zou komen, hoe somber het er ook uitzag. Je bent naar Reinsnes gekomen om te blijven!'

'Nee, Dina, dat kan ik niet.'

'Waarom ben je dan hier?'

'Om jou te zien.'

'Dacht je soms dat het voor Dina van Reinsnes genoeg was dat er iemand komt om haar te zien!'

Haar stem was een hongerige wolf in de diepe sneeuw.

'Denk je dat je hier kunt komen om je honger te stillen, om dan weer te vertrekken? Ben je zo dom?' ging ze verder.

Hij staarde haar aan.

'Heb ik je iets beloofd, Dina? We hebben over trouwen gepraat, weet je nog? Heb ik je iets beloofd?'

'Woorden zijn niet altijd dat waar je je aan houdt!' beet ze hem toe.

'Ik dacht dat we elkaar begrepen?'

Ze gaf geen antwoord. Stond op en borstelde met graaiende klauwen haar rok schoon. Haar gezicht was wit. Haar lippen waren bedekt met rijp. Haar ogen tot op de bodem bevroren.

Hij ging ook staan. Zei een paar keer haar naam, alsof hij smeekte.

'Denk jij dat mensen van Reinsnes kunnen vertrekken, als ik dat niet wil? Denk jij dat ze gewoon naar Reinsnes kunnen komen, hun zaad kunnen uitstrooien en dan weer vertrekken? Denk je dat het zo gemakkelijk is?'

Hij gaf geen antwoord. Draaide zich half om en ging weer in de hei zitten. Alsof hij haar wilde kalmeren door haar boven hem uit te laten torenen.

'Ik moet weer naar Rusland... Je weet dat er dingen zijn die ik moet afmaken.'

'Jacob wilde hier blijven', zei ze als terloops. 'Maar hij moest vertrekken... Ik heb hem hier bij me. Altijd!'

'Je man ging dood, maar ik ben niet van plan te sterven. Als er kinderen van komen, zal ik...'

Ze lachte hard, greep het geweer en liep doelbewust het bos in.

Hij stond op en liep achter haar aan. Na een poosje begreep hij dat ze aan het jagen was. Ze was gespannen en op haar hoede. Alsof ze haar razernij omzette in de diepe concentratie die voor de jacht nodig was. Ze sloop geruisloos tussen de bomen door.

Hij glimlachte.

Benjamin had hen vanuit zijn uitkijkpost in de gaten gehouden. Vanuit de grote esp boven de afgrond. Hij zat een poosje heel stil te kijken naar de omhelzingen van de mensen achter de steen. Hij had diepe rimpels in zijn voorhoofd en zijn mond hing open. Af en toe vertrok zijn ene mondhoek.

Hij kon niet horen wat er daar beneden gezegd werd. En toen ze klaar waren en begonnen te lopen, verloor hij hen een poosje uit het oog.

Maar hij sloop achter hen aan. Benjamin wilde alles zien, zonder gezien te worden.

Leo liep rustig achter Dina aan en bestudeerde haar lichaam.

Dat zoog de lage herfstzon op en zocht naar zijn schaduw op boomstammen en heidepollen.

Toen ze aan de rand van een open plek in het bos kwamen, draaide ze zich om en bleef staan.

'Jacob is in de afgrond verdwenen, omdat hij niet wist wie ik was.'

'Wat bedoel je?' vroeg hij. Opgelucht dat ze tegen hem praatte.

'Hij moest de afgrond in. Omdat ik dat wilde.'

'Hoe?' fluisterde hij.

Ze deed een paar passen naar achteren. Langzaam. Met afhangende armen.

'Ik liet de slee naar beneden glijden.'

Hij slikte, en wilde achter haar aan lopen.

'Blijf staan!' zei ze dwingend.

Hij liet zich vastnagelen in de heide.

'Niels begreep het ook niet. Maar hij deed het zelf.'

'Dina!'

'Het ongeboren kind dat ik op de Foldzee verloor, was ook veiliger bij Hjertrud... Want jij kwam niet!'

'Dina, kom hier! Leg eens uit waar je het over hebt. Asjeblieft!'

Ze draaide hem weer haar rug toe, en liep langzaam het grasveld op.

'Dus jij gaat weer naar Rusland?' riep ze onder het lopen.

'Ik kom weer terug. Wat is dat met een ongeboren kind dat...'

'En als je niet terugkomt?'

'Dan ben jij als laatste in mijn gedachten geweest. Vertel me wat er op de Foldzee gebeurd is, Dina!'

'Jacob en de anderen blijven bij me. Ze hebben me nodig.'

'Maar die zijn dood. Je kunt niet de schuld op je nemen...'

'Wat weet jij van schuld?'

'Heel wat. Ik heb een aantal mensen gedood...'

Ze draaide zich bliksemsnel om. Staarde hem aan.

'Dat zeg je alleen maar', zei ze woedend.

'Nee, Dina. Het waren verraders die de dood van anderen

konden veroorzaken. Toch... voel ik me schuldig.'

'Verraders! Weet jij hoe die eruitzien?'

'Die hebben vele gezichten. Ze zouden Dina Grønelv kunnen zijn! Die een man wil dwingen aan haar rokken te hangen.'

Ik ben Dina, die Leo uit de schaduwen ziet komen. Hij heeft een baard en luizen en is gekleed in vodden. Hij houdt Poesjkins duelleerpistool voor zich uit zodat ik zal denken dat het een dichtbundel is. Hij wil iets van me. Maar ik houd hem op afstand. Ik heb mijn geweer geladen voor de jacht. Leo weet niet wat goed voor hem is. Hij wil iets vertellen over de nieuwe tsaar, Alexander II. Maar ik ben moe. Ik heb ver gelopen. Ik mis een paard.

Ik ben Dina die tegen de rover zegt: 'Vandaag zul je Hjertrud ontmoeten. Zij bevrijdt je van alle bange gedachten, zodat je niet hoeft te vluchten, als een verrader.'

Ik richt op Kaïn en maak een teken op zijn hoofd. Zodat ik hem zal herkennen. Want hij zal uitverkoren en beschermd zijn. Tot in eeuwigheid.

Ik leg hem neer in de heide, zodat hij altijd veilig in Hjertruds schoot zal zijn. Ik kijk hem aan. Zijn groene ogen sidderen nog. Hij praat tegen me. Er loopt een mooie streep uit zijn mond, naar mijn arm. Ik pak zijn hoofd beet zodat hij niet alleen in het donker zal liggen. Hij heeft Hjertrud gezien.

Hoor je mij, Barabbas? Lorch zal cello voor je spelen. Nee, piano! Zal de Sonata quasi una fantasia spelen. Zie je wie ik ben? Ken je mij?

Ben ik hier altijd toe gedoemd?

Plotseling stond de jongen op de heuvelrug. Zijn schreeuw sloeg een gat in de hemel. Seconden vochten in de stralen van de zon.

Ik ben Dina, die Benjamin uit de berg ziet komen. Geboren uit spinrag en staal. Zijn gezicht is verscheurd door pijn.

Ik ben Hjertruds oog, dat het kind ziet, dat mij ziet. Ik ben Dina – die ziet!

Woordverklaringen

flatbrød flinterdun knekkebrød. Zeer lang houdbaar, werd in Noorwegen bij vrijwel alle maaltijden gegeten.

kårstue een van de vele gebouwen op een Noors boerderijen-complex, en wel het huis waar de boer en boerin gingen wonen nadat de boerderij was overgedragen aan de oudste zoon.

læstadianisten zo genoemd naar hun leider, Lars Levi Læstadi-us. Het læstadianisme was een zeer strenge godsdienstige bewe-ging binnen de Lutherse staatskerk, die zich rond 1850 vanuit Zweeds Lapland over heel Noord-Noorwegen verspreidde. Hun rechtlijnigheid en godsdienstijver leidde soms tot conflic-ten met de kerk: in 1852 kwam het in Kautokeino tot heftige ongeregeldheden, waarbij ook doden vielen. Daarop werden een aantal leiders van de læstadianisten gevangen gezet. Twee van hen, Somby en Hætta, werden wegens 'moord' geëxecu-teerd.

lefse soort flensje, maar dan lang houdbaar. Wordt meestal met boter, suiker en kaneel besmeerd, opgerold en in plakjes gesne-den.

lodje vrij log Russisch vrachtschip, dat werd gebruikt voor de kustvaart langs de Russische en Noorse kust.

våg oude maat, circa 18 kilo. De waarde van een hoeve werd vroeger uitgedrukt in het aantal kilo's vis of meel dat er werd geproduceerd.

Nawoord

Het boek Dina speelt zich af in het uiterste noorden van Noorwegen, rond het midden van de vorige eeuw. Noorwegen was destijds geen onafhankelijk land. Van 1397 tot 1814 was Noorwegen in een personele unie met Denemarken verbonden, en valt de geschiedenis van deze beide landen samen. Noorwegen nam binnen de unie duidelijk een ondergeschikte positie in. Oslo, dat toentertijd Christiania heette naar de Deense koning Christian IV, was in feite niet meer dan een provinciestad: de koning, de regering, de universiteit, de belangrijke theaters etc. bevonden zich in Kopenhagen. In de Napoleontische oorlogen koos Denemarken de kant van Napoleon. Na diens definitieve nederlaag in 1814 werd het land gedwongen Noorwegen af te staan aan Zweden, dat onder aanvoering van koning Karl XIV Johan (de voormalige maarschalk van Napoleon, Jean Baptiste Bernadotte) had meegeholpen Napoleon te verslaan. Pogingen van de Noren om onafhankelijk te worden mislukten, en ze moesten zich schikken in een unie met hun voormalige aartsvijand Zweden: een unie die tot 1905 zou duren.

Dina's handelspost en pleisterplaats Reinsnes moeten we situeren in de streek rond de Vågsfjord, iets ten noorden van Narvik. Een gebied dat ver boven de poolcirkel ligt en waar 's winters de zon zich twee maanden lang niet boven de horizon vertoont, om dat in de zomer goed te maken door twee maanden lang niet onder te gaan: de middernachtzon. Een gebied van afgelegen nederzettingen en eenzame boerderijen, ingeklemd tussen de steile bergen en de zee, veelal alleen over het water bereikbaar. Een gebied waar landbouw slechts op beperkte schaal mogelijk was vanwege het onherbergzame terrein en de klimatologische omstandigheden, en waar te late of te vroege vorst en sneeuw vaak tot misoogsten en hongersnood leidden.

De enige echte rijkdom van het gebied was de vis, die voor de kust van de Vesterålen en de Lofoten rijkelijk voorhanden was. Vis was niet alleen de belangrijkste voedingsbron voor de plaatselijke bevolking, maar ook het belangrijkste 'exportprodukt'. De vis werd in bewerkte vorm, vooral als stokvis of klipvis, uitgevoerd naar het zuiden, naar Bergen. De machtige Hanze in deze stad had alle handel met het noorden naar zich toegetrokken. In 1560 werd zelfs bij koninklijk besluit bepaald dat alle goederen uit het noorden uitsluitend via Bergen naar het zuiden van Noorwegen en de rest van Europa mochten worden uitgevoerd. Rond 1800 werd de handel geleidelijk vrijgegeven, maar Bergen bleef een sleutelrol vervullen.

Ieder jaar trokken de Noordnoorse handelslieden met hun vrachtschepen, de zgn. Nordlandsjachten, naar Bergen. Dat was een reis van ongeveer drie weken, ijs en weder dienende. Daar verkochten ze hun vis en andere handelswaar zoals traan, huiden (van rendieren, veelvraten en poolvossen), rendiervlees en veren en dons, en namen graan en meel, scheepsbenodigdheden en kruidenierswaren mee terug.

De positie van Bergen was een doorn in het oog van de kooplieden in het noordelijker gelegen Trondhjem. Zij trachtten het monopolie van de stad te omzeilen door met hun schepen langs de kust te varen en hun waren – vooral luxe artikelen, tabak en sterke drank – rechtstreeks te verkopen.

Hoewel brandewijn in die tijd min of meer werd beschouwd als een levensbehoefte – de dagen op zee of op het land waren lang, zwaar en koud – leidde de aanvoer van sterke drank in 'schier onmetelijke hoeveelheden', zoals districtsrechter Peter Holm het in 1770 uitdrukte, al snel tot problemen. Naast het alcoholmisbruik leidt ook het zgn. brandewijnkrediet, waarbij vissers en boeren op krediet brandewijn kregen maar zich wel verplichtten hun produkten (tegen te lage prijzen) aan de desbetreffende koopman te verkopen, tot grote armoede. Rond 1770 werd bijna een kwart (!) van de inkomsten van het district besteed aan alcohol, en voornoemde Peter Holm verzuchtte dat de verkoop van brandewijn zulke vormen had aangenomen, dat 'iedereen hier in het district als het ware kroegbaas is'. Op zijn aanbeveling werd besloten dat de verkoop en het schenken van alcohol voortaan uitsluitend was toegestaan op een beperkt aantal geselecteerde pleisterplaatsen. Op deze pleisterplaatsen mocht ook handel worden gedreven in zaken die direct verband hielden met de visserij en de uitrusting van de bemanning van de schepen. Als tegenprestatie was men verplicht reizigers op te nemen en moest men een forse som belasting te betalen. Voorwaarde voor het verkrijgen van een schenkvergunning was ook, dat de handelspost zich niet in de onmiddellijke nabijheid van een kerk bevond.

De pleisterplaatsen of handelsposten die een schenkvergunning wisten te verwerven, ontwikkelden zich al snel tot het centrum van alle economische en culturele activiteit in het gebied rondom. Vooral vlak na 1770 en in de periode tussen 1830 tot 1900 maakten de handelsposten een bloeitijd door. De eigenaars ervan werden – bij gebrek aan een adelstand of burgerij – de geprivilegeerde klasse in het noorden. Ze lieten fraaie huizen en vrachtschepen bouwen, ze maakten reizen, lieten hun kinderen studeren en controleerden met hun schepen en winkels de hele economie van het district. De handelsposten waren een gemeenschap op zich. Langs het water bevonden zich de pakhuizen en boothuizen, de winkel, het kantoor, het gastenverblijf voor rondtrekkende vissers en werklui en soms een apart 'café'. Iets verder landinwaarts lag het woonhuis, met daaromheen alle gebouwen die nodig waren voor de verzorging van de eigenaars van de handelspost: de voorraadschuur, het bakhuis, het washuis, het woonhuis voor het personeel, een gastenhuis, etc. Nog verder landinwaarts lagen de stallen, de hooischuren en de andere gebouwen die met het landbouwbedrijf te maken hadden. Het aantal gebouwen op een handelspost kon oplopen tot boven de vijftien: op de grootste posten woonden soms wel dertig mensen.

Eind vorige eeuw was het gedaan met de bloeitijd van de handelsposten. Er waren gaandeweg zoveel handelsplaatsen gekomen, dat de vroegere monopoliepositie werd aangetast. Ook had men in de loop van de negentiende eeuw steeds meer handelsprivileges moeten afstaan aan rondtrekkende kooplieden. En de moderne tijd, die in feite al was begonnen met de komst van het raderstoomschip Prinds Gustav in 1838, leidde tot een grotere bereikbaarheid van Noord-Noorwegen – zowel over land als over zee – en tot de vorming van kleine steden met bijbehorende financiële en economische activiteit. Een tijdperk was ten einde. Maar nog steeds kan men langs de kust van

Noord-Noorwegen de oude handelsposten bezoeken, zoals Grøtøy en Tjøtta, en een indruk krijgen van hun rijkdom en macht in de vorige eeuw.

Paula Stevens